CBAC
WJEC

TGCh Hanfodol

ar gyfer CBAC

Safon UG | Stephen Doyle

DREF WEN

Mae Stephen Doyle drwy hyn yn mynnu ei hawl foesol i gael ei adnabod yn awdur y llyfr hwn yn unol â Deddf Hawlfraint, Dyluniadau a Phatentau 1988.

Golygydd:	Geoff Tuttle
Datblygiad y project:	Rick Jackman (Jackman Publishing Solutions Ltd) a Samantha Jackman
Dylunio cysyniadol:	Patricia Briggs
Gosodiad tudalen:	GreenGate Publishing Services
Darluniau:	GreenGate Publishing Services
Dyluniad y clawr:	Jump To! www.jumpto.co.uk
Delwedd y clawr:	Drwy garedigrwydd Chris Harvey/Fotolia.com

Cyhoeddwyd gyntaf yn y Saesneg yn 2008 gan Folens Limited.

Cyhoeddwyd gyntaf yn y Gymraeg yn 2011 gan Wasg y Dref Wen.

Noddwyd gan Lywodraeth Cynulliad Cymru.

Cyhoeddwyd dan nawdd Cynllun Adnoddau Addysgu a Dysgu CBAC.

Gwnaed pob ymdrech i gysylltu â deiliaid hawlfraint y deunyddiau a ddefnyddiwyd yn y cyhoeddiad hwn. Os oes unrhyw ddeiliad hawlfraint nad ydym wedi'i gydnabod, byddem yn falch o wneud unrhyw drefniadau angenrheidiol.

Data Catalogio mewn Cyhoeddiad y Llyfrgell Brydeinig.

Mae cofnod catalogio'r cyhoeddiad hwn ar gael gan y Llyfrgell Brydeinig.

ISBN 978-185596-906-3

Cynnwys

Uned 1 Systemau Gwybodaeth

Mae Technoleg Gwybodaeth a Chyfathrebu Uwch Gyfrannol yn cynnwys dwy uned:

- Uned IT1 Systemau Gwybodaeth
- Uned IT2 Cyflwyno Gwybodaeth

Ar gyfer lefel UG, mae cydbwysedd y marciau ar gyfer y ddwy uned fel a ganlyn:

Uned IT1 Systemau Gwybodaeth: 60%
Uned IT2 Cyflwyno Gwybodaeth: 40%

Uned IT1 Systemau Gwybodaeth

Asesiad ar gyfer Uned IT1 Systemau Gwybodaeth

Mae'r asesiad yn cynnwys papur cwestiynau ac ysgrifennir yr atebion mewn llyfr ateb sy'n cael ei farcio'n allanol gan CBAC. Nid oes cwestiynau dewisol yn y papur ar gyfer Uned 1.
Mae dwy adran yn y papur:

Adran A

- Bydd yr adran hon yn cyfrif am 75% o'r marciau ar gyfer IT1.
- Mae'n cynnwys cwestiynau strwythuredig sy'n asesu hyd a lled eich gwybodaeth o Adran A o'r fanyleb IT1.
- Mae ar ffurf papur ysgrifenedig sy'n 2 awr 15 munud o hyd.
- Asesir ansawdd eich cyfathrebu ysgrifenedig (eglurder yr ateb, gramadeg, sillafu ac atalnodi) mewn dau gwestiwn.

Adran B

- Bydd yr adran hon yn cyfrif am 25% o'r marciau ar gyfer IT1.
- Bydd gofyn i chi baratoi taenlen ar bwnc penodol y bydd bwrdd arholi CBAC yn ei roi i chi cyn yr arholiad.
- Byddwch yn defnyddio meddalwedd taenlen i gwblhau'r gwaith hwn ac wedyn yn dangos copi caled (h.y. allbrint ar bapur).
- Byddwch yn mynd â'r allbrint i'r

arholiad ac yn ei ddefnyddio i ateb y cwestiynau yn Adran B.
- Byddwch yn rhoi'r daenlen i mewn yr un pryd â'r papur arholiad yr ydych wedi'i gwblhau.

Trefniadaeth Uned IT1 Systemau Gwybodaeth

Mae Uned IT1 wedi'i rhannu'n dopigau fel a ganlyn:

1. Data, gwybodaeth a gwybod
2. Gwerth a phwysigrwydd gwybodaeth
3. Ansawdd gwybodaeth
4. Dilysu a gwireddu
5. Manteision a chyfyngiadau TGCh
6. (a) Defnyddio TGCh mewn busnes
   (b) Defnyddio TGCh mewn addysg
   (c) Defnyddio TGCh mewn gofal iechyd
   (ch) Defnyddio TGCh yn y cartref
7. Cyflwyno gwybodaeth
8. Rhwydweithiau
9. Rhyngwyneb cyfrifiadur-dyn
10. Materion cymdeithasol
11. Systemau cronfa ddata
12. Modelu

1 Data, gwybodaeth a gwybod

Mae gwahaniaeth ystyr rhwng y termau data a gwybodaeth a bydd angen i chi allu diffinio a defnyddio'r ddau derm hyn yn gywir. Byddwch hefyd yn dysgu bod angen gwybod (*knowledge*) arnoch er mwyn dehongli gwybodaeth. Byddwch yn dysgu'r diffiniadau o'r termau hyn ac yn gallu eu defnyddio i ddisgrifio systemau TGCh. Byddwch yn dysgu am y rhesymau dros amgodio data a'r problemau y mae hyn yn eu hachosi weithiau

2 Gwerth a phwysigrwydd gwybodaeth

Gwybodaeth yw anadl einioes pob busnes a chorff ac ni fyddai'n gallu gweithredu hebddi. Mae systemau TGCh yn darparu gwybodaeth y gall staff a rheolwyr seilio eu penderfyniadau arni. Yn y topig

hwn byddwch yn dysgu bod gwerth i wybodaeth ac yn gweld beth yw costau cael gwybodaeth o ran arian, amser ac adnoddau dynol.

3 Ansawdd gwybodaeth

Gwybodaeth yw'r hyn a gewch o ganlyniad i brosesu data ac yn y topig hwn byddwch yn dysgu am y ffactorau sy'n effeithio ar ansawdd gwybodaeth. Byddwch yn dysgu bod yn rhaid cynnal ansawdd gwybodaeth er mwyn sicrhau nad yw defnyddwyr yn colli ffydd ynddi.

4 Dilysu a gwireddu

Yma byddwch yn dysgu am y mathau o wallau a sut y maent yn digwydd a beth y gellir ei wneud i leihau gwallau i'r eithaf. Byddwch yn dysgu am ddulliau gwireddu a dilysu a sut y gall gwiriadau o'r fath sicrhau bod data a fewnbynnir i system gyfrifiadurol yn rhesymol ac yn synhwyrol. Byddwch yn dysgu ei bod yn amhosibl dileu pob gwall wrth fewnbynnu data.

5 Manteision a chyfyngiadau TGCh

Mae galluoedd mawr gan systemau TGCh mewn meysydd fel prosesu ailadroddus, cyflymder prosesu, gallu storio data, cyflymder chwilio, a chyrchu gwybodaeth a gwasanaethau. Byddwch yn dysgu am yr hyn y mae TGCh yn gallu ei wneud a'r mathau o bethau a all gyfyngu ar ei heffeithiolrwydd.

6(a) Defnyddio TGCh mewn busnes

Yma byddwch yn dysgu am gynllunio drwy gymorth cyfrifiadur (*CAD*) a gweithgynhyrchu drwy gymorth cyfrifiadur (*CAM*) ac am y defnydd sy'n cael ei wneud ohonynt gan wahanol fathau o fusnesau. Byddwch hefyd yn dysgu am y systemau cyfrifiadurol a ddefnyddir mewn siopau, fel e-fasnach, codau bar, rheolaeth stoc awtomatig, ac ati.

6(b) Defnyddio TGCh mewn addysg

Fel y gwyddoch yn barod, mae ysgolion a cholegau'n defnyddio TGCh yn helaeth at bwrpas addysgu a dysgu yn ogystal â gweinyddu. Byddwch yn dysgu am ddysgu'n seiliedig ar gyfrifiadur, hyfforddi'n seiliedig ar gyfrifiadur, dysgu o bell, fideo-gynadledda, ystafelloedd sgwrsio ar gyfer dysgu, ac ati. Byddwch hefyd yn dysgu am y gwahanol systemau y mae ysgolion a cholegau'n eu defnyddio i gofrestru myfyrwyr a hefyd am y systemau a ddefnyddir i storio cofnodion myfyrwyr.

6(c) Defnyddio TGCh mewn gofal iechyd

Yma byddwch yn dysgu am y nifer mawr o systemau TGCh a ddefnyddir ym maes gofal iechyd. Byddwch yn dysgu am ddyfeisiau sganio a reolir gan gyfrifiadur fel sganiau *MRI* a *CAT* a sut y gall synwyryddion gofnodi mesuriadau pwysig.

Yn ogystal, byddwch yn dysgu am systemau gweinyddu wedi'u seilio ar gyfrifiadur sy'n hyrwyddo lles cleifion, gan gynnwys cofnodion electronig, systemau bar-godio ac olrhain gwaed, y defnydd o'r Rhyngrwyd, cronfeydd data meddygol gwasgaredig, a datblygiadau eraill.

Byddwch yn dysgu am y systemau arbenigo a ddefnyddir wrth wneud diagnosis ac sy'n galluogi meddygon dibrofiad i wneud diagnosis arbenigol.

6(ch) Defnyddio TGCh yn y cartref

Erbyn hyn mae'r rhan fwyaf o bobl yn defnyddio TGCh yn y cartref ar gyfer adloniant a bancio ar-lein. Yma byddwn yn edrych ar sawl math o adloniant sy'n defnyddio TGCh, o ffotograffiaeth ddigidol i systemau ar gyfer archebu tocynnau theatr a sinema ar y Rhyngrwyd.

Mae llawer o bobl bellach yn defnyddio'r Rhyngrwyd ar gyfer bancio ar-lein o'r cartref a byddwn yn edrych ar y systemau ar gyfer gwneud taliadau ar-lein a diogelwch systemau o'r fath.

7 Cyflwyno gwybodaeth

Yn y topig hwn byddwn yn edrych ar yr angen i gyflwyno gwybodaeth mewn gwahanol fformatau a thrwy wahanol gyfryngau. Byddwch yn dysgu i fod yn ymwybodol o'r gynulleidfa arfaethedig ac i ddewis y fformat a'r cyfrwng mwyaf priodol ar ei chyfer.

Yn ogystal, byddwch yn dysgu am agweddau pwysig ar brosesu geiriau/cyhoeddi bwrdd gwaith, meddalwedd cyflwyno, meddalwedd cronfa ddata a meddalwedd gwe-awduro.

8 Rhwydweithiau

Yn y topig hwn byddwn yn edrych ar rwydweithiau sy'n ein galluogi i drosglwyddo data o le i le. Byddwn yn ystyried nodweddion cyfrifiaduron wedi'u rhwydweithio a chyfrifiaduron arunig a manteision ac anfanteision cymharol rhwydweithiau. Mae gwahaniaeth ystyr rhwng y termau Gwe Fyd-eang a'r Rhyngrwyd a byddwch yn dysgu beth yw'r gwahaniaeth hwn. Byddwn hefyd yn edrych ar sut y defnyddir technolegau cyfathrebu ac ar wahanol agweddau ar y Rhyngrwyd.

9 Rhyngwyneb cyfrifiadur-dyn

Mae'r rhyngweithiad rhwng pobl a chyfrifiaduron yn agwedd bwysig ar TGCh. Yn y topig hwn byddwn yn ystyried yr angen am ryngwynebau effeithiol rhwng y defnyddiwr a'r cyfrifiadur a byddwch yn dysgu am y mathau o ryngwynebau cyfrifiadur-dyn sydd ar gael.

10 Materion cymdeithasol

Mae'r defnydd eang o TGCh wedi arwain at newidiadau mawr mewn cymdeithas ac mae'n anodd bellach i ni ddychmygu sut y gallem fyw o ddydd i ddydd heb ddefnyddio systemau o'r fath.

Yn y topig hwn byddwn yn ystyried ystod eang o faterion cymdeithasol, o faterion iechyd a diogelwch i'r holl ddeddfau yr oedd angen eu cyflwyno i fynd i'r afael â chamddefnyddio systemau TGCh. Byddwch yn dysgu am y deddfau sy'n ymwneud â defnyddio TGCh fel Deddf Gwarchod Data 1998, Deddf Camddefnyddio Cyfrifiaduron 1990 a Deddf Hawlfraint, Dyluniadau a Phatentau 1988.

11 Systemau cronfa ddata

Mae'r topig hwn yn gyflwyniad i gronfeydd data ac mae'n edrych ar y gwahaniaeth rhwng system ffeil fflat a chronfa ddata berthynol. Byddwch yn dysgu am brif nodweddion cronfeydd data perthynol a sut y mae diogelwch cronfeydd data o'r fath yn cael ei sicrhau drwy ddefnyddio hierarchaeth o gyfrineiriau.

12 Modelu

Yma byddwch yn dysgu am hanfodion modelu. Byddwch yn dysgu beth yw model cyfrifiadurol, beth yw ei gydrannau, a sut y gellir creu model drwy ddefnyddio meddalwedd taenlen.

Byddwch hefyd yn dysgu am rai o'r cysyniadau uwch ym maes modelu taenlen.

Fel rhan o'r asesiad ar gyfer IT1, bydd gofyn i chi ddefnyddio taenlen i gynhyrchu model, felly byddwch yn dysgu beth y mae angen i chi ei gynhyrchu ar gyfer hyn.

Yn ogystal, byddwch yn dysgu sut y gellir defnyddio model i gynhyrchu efelychiad ac am y defnydd sy'n cael ei wneud o efelychiadau. Byddwch yn dysgu am fanteision ac anfanteision defnyddio modelau efelychu ac am y gofynion caledwedd arbennig ar gyfer efelychiadau cymhleth.

Uned IT2
Cyflwyno Gwybodaeth

Asesiad ar gyfer Uned IT2 Cyflwyno Gwybodaeth

Ar gyfer yr uned hon byddwch yn cwblhau tasgau cyhoeddi bwrdd gwaith ac amlgyfrwng ac yn cyflwyno'ch gwaith i'w asesu'n fewnol (h.y. ei asesu gan eich athro/athrawes/darlithydd) a'i safoni gan y bwrdd arholi CBAC.

Yn yr uned hon bydd gofyn i chi ddefnyddio caledwedd a meddalwedd TGCh i ddatrys problem sy'n cynnwys tair tasg wahanol. Ar gyfer y tasgau hyn mae gofyn i chi gynhyrchu:

- dogfen fel taflen neu gylchgrawn
- dogfen sy'n cynnwys rheolweithiau awtomataidd (e.e. postgyfuno)

IT2 Cyflwyno Gwybodaeth (Tasg a Asesir yn Fewnol)			
Cefndir			
Dadansoddi gweithgareddau prosesu data presennol			
Tasgau	**Enghreifftiau**	**Nodweddion sylfaenol**	**Nodweddion uwch**
	Rhaid i'r ymgeiswyr roi cynnig ar bob tasg	Dylai'r ymgeiswyr ddefnyddio'r **holl** nodweddion hyn	Rhaid defnyddio **o leiaf 5** o'r rhain i gyrchu'r ystodau marciau uwch
Tasg 1 *DTP* Dylunio a chynhyrchu dogfen maint A4 â dwy ochr sy'n cynnwys o leiaf 150 o eiriau	• Taflen neu gylchgrawn	• Defnyddio gwahanol arddulliau ffont • Defnyddio gwahanol feintiau ffont • Defnyddio teip trwm, canoli a thanlinellu • Unioni i'r dde neu'n llawn • Awtosiapiau • Pwyntiau bwled • WordArt • Effeithiau graddliwio (tywyllu) • Penynnau a throedynnau • Defnyddio o leiaf ddau fath o ddelwedd graffigol electronig, e.e. wedi'u sganio, graffigau o'r Rhyngrwyd, clipluniau o ddisg, delweddau o gamera digidol, graffiau o daenlen, graffigau o becyn peintio neu *CAD* • Tablau	• Tablau wedi'u haddasu (*custom*) • Gwahanol fformatau paragraff • Gwahanol fylchiadau llinell • Uwchysgrif ac isysgrif • Borderi tudalen neu forderi ffrâm • Gosod a defnyddio tabiau • Gosod a defnyddio mewnoliadau • Dyfrnodau • Tudalennu • Defnyddio haenu (ymlaen ac y tu ôl) • Creu dalennau arddull
Tasg 2 Dogfennau awtomataidd Dylunio a chynhyrchu dogfennau sy'n cynnwys rheolweithiau awtomataidd	• Postgyfuno llythyrau, gan gynnwys macros	• Mewnforio data o ffynhonnell allanol • Dylunio a defnyddio fformat a chynllun addas ar gyfer y data • Sicrhau bod y rheolweithiau awtomataidd yn gweithio	• Creu macros neu fodiwlau unigol gan ddefnyddio galluoedd rhaglennu mewnol y pecyn meddalwedd • Templedi wedi'u dylunio'n unigol (ar wahân i'r templed normal neu'r templedi safonol a ddarperir gan ddewiniaid yn y pecyn meddalwedd)
Tasg 3 Cyflwyniad Dylunio a chynhyrchu cyflwyniad o chwe sleid/tudalen o leiaf ar gyfer cynulleidfa	Naill ai • Cyflwyniad wedi'i seilio ar sleidiau Neu • Dudalennau gwe	• Arddulliau cefndir • Effeithiau animeiddio • Effeithiau trawsnewid • Hyperdestun • Mannau poeth • Nodau tudalen	• Defnyddio sain • Defnyddio fideo gwreiddiol • Defnyddio animeiddiadau/graffigau Fflach gwreiddiol

• cyflwyniad i gynulleidfa fel tudalen we neu sioe sleidiau.

Rhaid i chi edrych yn fanwl ar y tabl ym manyleb CBAC sy'n rhestru'r holl nodweddion (sylfaenol ac uwch) y dylech eu cynnwys ym mhob tasg a gyflwynwch.

Mae'r dudalen berthnasol o'r fanyleb wedi'i hatgynhyrchu uchod fel y gallwch gyfeirio ati.

Trefniadaeth Uned IT2 Cyflwyno Gwybodaeth

Bydd Uned IT2 yn meithrin y sgiliau, gwybodaeth a dealltwriaeth sydd eu hangen i gyflwyno gwybodaeth. Mae Uned IT2 wedi'i rhannu'n dasgau fel a ganlyn:

• Tasg 1   *DTP*
• Tasg 2   Dogfennau awtomataidd
• Tasg 3   Cyflwyniad

Cyflwyniad i nodweddion llyfr y myfyriwr

Yr athroniaeth sy'n sail i lyfr y myfyriwr

Mae'r llyfr hwn wedi'i seilio ar ymchwil helaeth o ysgolion a cholegau i'r gwahanol ffyrdd y caiff TGCh ei ddysgu a manteisiwyd ar yr holl wybodaeth hon wrth ddatblygu'r gyfrol. Gan mai manyleb newydd yw hon, bydd llawer o athrawon/darlithwyr wrthi'n ymgyfarwyddo â hi a nod y llyfr yw ymdrin yn fanwl â'r holl ddeunydd ar gyfer Unedau IT1 ac IT2. Mae'r llyfr hwn yn cwmpasu'r holl ddeunydd ar gyfer TGCh CBAC ar y lefel UG.

Dylai athrawon/darlithwyr ddefnyddio'r llyfr hwn ar y cyd â'r deunyddiau atodol i athrawon. Wrth gwrs, gellir defnyddio'r llyfr hwn ar ei ben ei hun, ond os ydych yn athro mae llawer o adnoddau ar gael yn y deunyddiau atodol i athrawon i helpu'ch myfyrwyr i lwyddo ac ennill y marciau mwyaf posibl. Mae'r *CD-ROM* i athrawon yn cynnwys nifer o adnoddau nad ydynt yn rhai digidol: Atebion i'r Cwestiynau, Gweithgareddau ac Astudiaethau achos,

ac mae hefyd yn darparu Cwestiynau ac Astudiaethau achos ychwanegol.

Mae'r *CD-ROM* hefyd yn cynnwys cyfoeth o ddeunyddiau digidol megis cyflwyniadau PowerPoint, cwestiynau dewis lluosog, tasgau gair coll a thasgau testun rhydd. Bydd pob un o'r rhain yn helpu'ch myfyrwyr i gyfnerthu eu dealltwriaeth o'r topigau.

Strwythur llyfr y myfyriwr

Mae TGCh CBAC ar y lefel UG yn cynnwys dwy uned ac mae pob uned wedi'i rhannu'n dopigau. Yn y llyfr hwn mae pob topig wedi'i rannu ymhellach yn daeniadau (*spreads*). Mae hyn yn ei gwneud hi'n bosibl i rannu pob topig yn ddarnau o ddeunydd sy'n hawdd eu cymryd i mewn. Er mwyn cysondeb, ac i wneud llyfr y myfyriwr yn hawdd ei ddefnyddio, mae'r holl dopigau wedi'u strwythuro yn yr un ffordd.

Taeniadau topig

Tudalennau cyflwyno topig

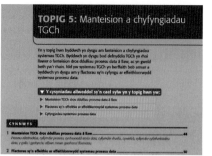

Mae tudalen gyntaf pob topig yn cyflwyno'r deunydd yn y topig ac yn cynnwys y nodweddion canlynol:

Cyflwyniad i'r topig: ychydig o baragraffau sy'n cyflwyno'r myfyrwyr i gynnwys y topig.

Cysyniadau allweddol: mae hyn yn rhestru'r cysyniadau allweddol sy'n cael sylw yn y topig. Mae'r cysyniadau allweddol yr un fath â'r rheiny ym manyleb UG CBAC.

Cynnwys: mae'r cynnwys yn rhestru'r taeniadau a ddefnyddir i ymdrin â'r topig ac mae pob taeniad yn ymdrin â chysyniadau allweddol.

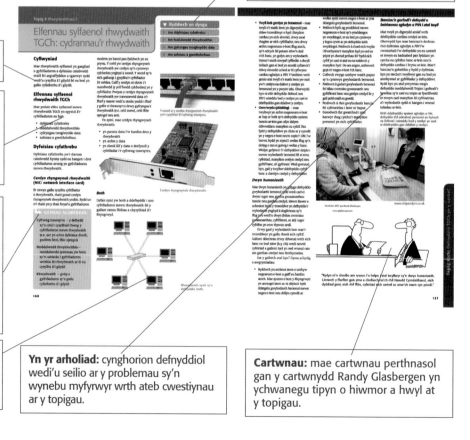

Taeniadau Cwestiynau, Gweithgareddau ac Astudiaethau achos

Cynhwysir y rhain fel rheol ar ddiwedd y taeniadau cynnwys a chânt eu defnyddio i gyfnerthu'r dysgu. Weithiau caiff Gweithgareddau neu Gwestiynau eu cynnwys o fewn y taeniadau cynnwys. Mae pob bloc o gwestiynau'n ymdrin â nifer penodol o dudalennau a byddant ar ffurf taeniad dwbl fel rheol. Mae hyn yn caniatáu i chi edrych ar y taeniadau ac yna ymarfer y cwestiynau. Mae'r atebion i'r holl gwestiynau ar gael yn y deunyddiau atodol i athrawon. Mae'r rhain i'w cael ar wahân ar *CD-ROM* ac ategant destun y myfyriwr.

▶ Cwestiynau 1 tt. 20–21

1 Mae rheolwyr mewn cyrff yn gorfod seilio eu penderfyniadau ar y wybodaeth y maent yn ei chael. Mae'n bwysig, felly, fod y wybodaeth a roddir iddynt o ansawdd da.
   (a) Rhowch dair nodwedd y mae'n rhaid i wybodaeth eu cael er mwyn bod yn wybodaeth o ansawdd da. (3 marc)
   (b) Rhowch un rheswm i ddangos pam y bydd cwmni sy'n defnyddio gwybodaeth o ansawdd da yn debygol o wneud yn well na chwmni sydd heb wybodaeth o ansawdd da. (1 marc)
2 Un o nodweddion gwybodaeth dda yw y dylai allu targedu adnoddau'r corff fel bod y corff yn cael mantais gystadleuol. Eglurwch, drwy roi enghraifft, beth mae hyn yn ei olygu. (2 farc)
3 Mae rheolwr gwerthu sy'n gweithio i gwmni mawr sy'n gwerthu ceir yn dweud ei fod bob amser yn cael gwybodaeth 'o ansawdd da' o system gwybodaeth rheoli'r cwmni.
   Gan ddefnyddio enghreifftiau, lle mae'n briodol, disgrifiwch bump o nodweddion gwybodaeth o ansawdd da. (5 marc)
4 Gan roi enghreifftiau ym mhob achos, eglurwch ddwy broblem sy'n codi o ganlyniad i ddefnyddio hen wybodaeth. (2 farc)

Cwestiynau: cynhwysir y rhain ar ddiwedd pob topig a chyfeiriant at y cynnwys yn y taeniadau. Maen nhw wedi'u labelu'n glir fel y gallwch eu gwneud ar ôl pob taeniad dwbl neu i gyd ar unwaith ar ddiwedd y topig. Mae'r cwestiynau'n debyg i gwestiynau arholiad UG ac mae ganddynt farciau i ddangos i'r myfyrwyr sut y caiff yr atebion eu marcio.

Cynhwysir yr atebion i'r cwestiynau yn y *CD-ROM* i athrawon.

▶ Gweithgaredd 1: Gwefannau defnyddiol

Ar y wefan ganlynol gwelwch arddangosiad rhyngweithiol o rai o nodweddion y meddalwedd a ddefnyddir gyda byrddau gwyn electronig. Treuliwch ychydig o amser yn edrych ar hwn ac ysgrifennwch restr o'r nodweddion.
http://www.prometheanworld.com/uk/server/show/nav.1693

Gweithgareddau: mae'r rhain yn cynnig pethau diddorol i chi eu gwneud a fydd yn ategu ac yn atgyfnerthu cynnwys y taeniadau.

▶ Astudiaeth achos tt. 86–89

Defnyddio systemau adnabod olion bysedd mewn ysgolion

Erbyn hyn mae llawer o ysgolion yn defnyddio dulliau adnabod olion bysedd i'w helpu i gofrestru disgyblion. Bu un ysgol yn ne Cymru yn defnyddio system adnabod olion bysedd ers tua pedair blynedd bellach. Bydd y disgyblion yn rhoi eu bys ar sganiwr sydd wedi'i osod y tu allan i'r ystafelloedd dosbarth. Bydd y sganiwr yn darllen rhai o nodweddion yr ôl bys er mwyn adnabod y disgybl ac yn cofnodi manylion ei bresenoldeb wedyn ar y cyfrifiadur.

Cafodd y system ei chanmol gan bennaeth yr ysgol a ddywedodd iddi fod o gymorth i leihau triwantiaeth gan fod disgyblion yn gwybod nawr fod y system yn gallu canfod hyn ar unwaith. Mae athrawon yn yr ysgol wedi croesawu'r system gan ei bod yn eu rhyddhau oddi wrth y dasg hon sydd, er ei bod yn bwysig, yn cymryd llawer o amser.

Os bydd disgybl yn methu cofrestru ar ddechrau'r diwrnod, mae modd anfon neges destun i ffôn symudol y rhiant i'w rybuddio nad yw ei blentyn yn bresennol. Drwy wneud hyn mae bron yn amhosibl i ddisgybl beidio â dod i'r ysgol heb yn wybod i'w rieni.

Mae llawer o ddisgyblion yn hoffi'r system sy'n rhoi mwy o amser iddynt sgwrsio â'u ffrindiau a chael gwybod beth sy'n mynd ymlaen yn yr ysgol gan eu hathro dosbarth.

Ar y dechrau, nid oedd rhai rhieni a disgyblion yn hoffi'r ffaith bod yr ysgol yn cymryd olion bysedd a'u storio fel mater o drefn gan fod y rhain yn ddata personol y byddai modd eu camddefnyddio. Fodd bynnag, mae'r cwmni a gyflenwodd y system wedi egluro i rieni nad yw'r system yn storio olion bysedd cyfan. Yn hytrach, caiff yr ôl bys ei storio ar ffurf cod a'r cod hwn sy'n cael ei adnabod. Cawsant sicrwydd nad oes modd ail-greu ôl bys o'r cod hwn ac y bydd yr ysgol yn ei ddefnyddio er mwyn adnabod disgyblion yn unig ac nid at unrhyw ddiben amheus.

1 Mae llawer o ysgolion yn cymryd olion bysedd fel dull o gofnodi presenoldeb disgyblion yn yr ysgol.
   (a) Mae'r system adnabod olion bysedd yn enghraifft o ddyfais fewnbynnu fiometrig. Eglurwch ystyr y frawddeg hon yn fyr. (2 farc)
   (b) Nodwch dair mantais defnyddio olion bysedd i gofrestru presenoldeb. (3 marc)
   (c) Gallai llawer o rieni bryderu gan fod y system yn storio olion bysedd eu plentyn. Ysgrifennwch frawddeg i egluro sut y gallech ymateb i'r pryder hwn. (2 farc)
2 Disgrifiwch un ffordd y mae'r system adnabod olion bysedd yn helpu i atal triwantiaeth mewn ysgolion. (2 farc)
3 Rhowch un enghraifft o sut y gallai'r system cofnodi presenoldeb hon gael ei chamddefnyddio. (2 farc)

Astudiaethau achos: cynhwysir astudiaethau achos o fywyd go iawn sy'n ymwneud yn uniongyrchol â'r deunydd yn y topig. Mae astudiaethau achos yn rhoi cyd-destun ar gyfer ateb y cwestiynau arholiad. Mae llawer o gwestiynau arholiad ar TGCh yn gofyn nid yn unig am ddiffiniad neu esboniad ond hefyd am enghraifft. Mae astudiaethau achos yn cynyddu'ch gwybodaeth o sut mae'r theori a ddysgwch yn cael ei defnyddio'n ymarferol.

Cwestiynau ar yr astudiaethau achos: bydd y rhain yn rhoi cyfle i chi ateb cwestiynau'n ymwneud â sefyllfaoedd go iawn. Mae'r cwestiynau wedi'u llunio'n ofalus i fod yn debyg i'r cwestiynau arholiad a gewch ac maen nhw'n ymwneud yn uniongyrchol â'r astudiaeth achos a'r deunydd arall yn y taeniadau cynnwys.

Mae'r atebion i'r cwestiynau hyn yn y *CD-ROM* i athrawon.

Cymorth gyda'r arholiad

Enghreifftiau: mae'r rhain yn nodwedd bwysig gan eu bod yn rhoi amcan i chi o sut y caiff cwestiynau arholiad eu marcio. Ar lefel UG, mae'n bosibl cael marciau gwael hyd yn oed os yw'r wybodaeth gennych gan nad ydych chi'n cyfleu'r hyn a wyddoch yn effeithiol. Mae'n hollbwysig i chi ddeall yr hyn a ddisgwylir gennych wrth ateb cwestiynau ar y lefel hon.

Atebion myfyrwyr: gwelwch gwestiwn arholiad sydd wedi cael ei ateb gan ddau fyfyriwr gwahanol. Rhoddir sylwadau Arholwr ar bob ateb.

Sylwadau'r arholwr: mae'r rhain yn dangos i chi sut mae arholwyr yn marcio atebion myfyrwyr. Y prif bwrpas yw dangos y camgymeriadau y mae rhai myfyrwyr yn eu gwneud i sicrhau na fyddwch chi'n eu gwneud hefyd. Drwy ddadansoddi'r ffordd y caiff atebion eu hateb byddwch chi'n gallu ennill mwy o farciau am y cwestiynau a atebwch drwy beidio â gwneud camgymeriadau cyffredin.

Atebion yr arholwr: cynigiant rai o'r llu o atebion posibl a rhoddant amcan o sut y caiff y marciau eu dosbarthu. Dylid cofio bod llawer o atebion cywir i rai cwestiynau a bod unrhyw gynllun marcio'n dibynnu ar allu'r marcwyr i'w ddehongli a rhoi marciau am atebion nad ydynt i'w cael ynddo.

Mapiau meddwl cryno

Mae mapiau meddwl yn hwyl i'w cynhyrchu ac yn ffordd wych o adolygu. Yn y gyfrol hon maen nhw'n crynhoi'r deunydd yn y topig. Weithiau bydd un map meddwl yn unig ac ar adegau eraill bydd sawl un – gan ddibynnu ar sut mae'r deunydd yn y topig yn cael ei rannu.

Yn ogystal â defnyddio'r mapiau meddwl hyn i'ch helpu i adolygu, dylech lunio eich rhai eich hun.

Beth am eu llunio ar y cyfrifiadur? Mae'n ddigon hawdd cael gafael ar feddalwedd sy'n creu mapiau meddwl.

Enghraifft 1

1 Mae systemau TGCh yn cynnig llawer o fanteision dros systemau papur cyfatebol.
Disgrifiwch **dair** mantais o'r fath. (6 marc)

Ateb myfyriwr 1

1 Prosesu cyflymach gan eich bod yn gwneud pethau'n gyflymach. Gallwch gynhyrchu'r allbwn mewn fformatau gwahanol yn ôl anghenion y gynulleidfa, fel graffiau, cyflwyniad, fel ffeil i'w defnyddio'n fewnbwn i system gyfrifiadurol arall. Wrth ddefnyddio system bapur draddodiadol, rydych chi'n gallu cael allbwn ar bapur yn unig.
Rydych chi'n gallu chwilio'n well am bethau ar y cyfrifiadur nag wrth chwilio drwy bentwr o ffeiliau papur. Dim ond mewn un drefn y gallwch storio ffeiliau papur ond gallwch drefnu cofnodion mewn ffeiliau cyfrifiadurol mewn llawer o ffyrdd.

Sylwadau'r arholwr

1 Un marc am y fantais gyntaf – roedd angen i'r myfyriwr egluro pa 'bethau' y gellir eu gwneud yn gyflymach. Dau farc am yr ail fantais gan ei fod wedi rhoi esboniad digonol o'r fantais ac wedi rhoi cymhariaeth hefyd. Mae'r gair 'pethau' yn amharu ychydig ar yr ateb am y drydedd fantais – pa bethau? Er hynny, mae wedi rhoi mantais ddilys ac wedi'i hegluro ymhellach drwy roi enghraifft. **(5 marc allan o 6)**

Ateb myfyriwr 2

1 Cyflymder y prosesu, gan fod prosesu cyflymach yn golygu bod modd echdynnu data'n gyflymach o gronfa ddata fawr.
Cynhwysedd storio data, gan fod modd storio swm anferth o ddata mewn lle bach iawn, un ai ar weinydd neu ar CD/DVD. Byddai'r un swm o ddata'n cymryd llawer o le.
Cyflymder wrth drosglwyddo data, gan fod modd anfon ffeiliau dros rwydweithiau fel y Rhyngrwyd yn gyflym drwy ddefnyddio band llydan. Os oeddech am anfon dogfennau papur yn gyflym, byddai'n dal i gymryd oriau a byddai'n ddrud iawn.
Cywirdeb. Mae'r data sydd wedi'u storio yn y cyfrifiadur yn debygol o fod yn gywirach oherwydd bydd profion dilysu wedi'u defnyddio i sicrhau mai dim ond data synhwyrol a dderbynnir sydd wedi'u mewnbynnu.

Sylwadau'r arholwr

1 Yn yr ateb cyntaf mae'r myfyriwr yn dweud 'bod modd echdynnu data'n gyflymach...', ond nid data sy'n cael eu hechdynnu o gronfa ddata, ond gwybodaeth. Nid yw'r myfyriwr wedi'i gosbi am roi'r ateb hwn.
Nid yw'r myfyriwr wedi egluro yn y frawddeg olaf 'Byddai'r un swm o ddata'n cymryd llawer o le' ei fod yn cyfeirio at system bapur. Dim ond un marc am y rhan hon.
Mae'r ddau ddisgrifiad arall yn gywir fel manteision ac maen nhw'n cael eu cymharu â'r dull o gyflawni'r dasg â llaw, felly marciau llawn am y ddau ateb hyn.
(5 marc allan o 6)

Atebion yr arholwr

1 Ni roddir marciau am roi enw'r fantais yn unig heb frawddeg i'w hegluro. Un marc am y fantais, a'r ail farc am esboniad pellach neu am enghraifft hyd at uchafswm o 6 o farciau.
Gallwch gyflawni prosesu ailadroddus drwy ddefnyddio templedi neu ddalennau arddull, er enghraifft, fel nad oes rhaid dechrau pob tudalen mewn dogfen o'r dechrau.
Drwy gael cynhwysedd storio data mawr gellir storio data mewn lle bach ac mae'r data'n gludadwy hefyd. Mae niferoedd mawr o ffeiliau papur yn cymryd llawer iawn o le.
Mae cyflymder y prosesu'n uwch o lawer mewn systemau TGCh. Mae cyfrifiaduron yn cyflawni prosesau fel chwilio am wybodaeth, didoli gwybodaeth, cyfrifo, ac ati, yn gyflymach o lawer.
Mae cywirdeb yn well wrth ddefnyddio cyfrifiaduron. Mae profion dilysu'n sicrhau mai dim ond data synhwyrol a derbyniol a gaiff eu mewnbynnu.
Mae cyflymder cyfathrebu'n well gan fod modd defnyddio e-bost, ffeiliau wedi'u hatodi, trawsyrru ffeiliau, ac ati, i drosglwyddo gwybodaeth yn gyflym iawn. Mae'n cymryd llawer o amser i anfon llythyrau â llaw.
Mae cyflymder chwilio'n well gan mai proses gyflymach o lawer yw teipio amodau chwilio i mewn ac echdynnu gwybodaeth benodol o gronfa ddata yn hytrach na gorfod mynd drwy ffeiliau â llaw.
Gallwch allbynnu'r un wybodaeth mewn llawer o fformatau gwahanol. Er enghraifft, gallwch allbynnu gwybodaeth ar ffurf ffeil i'w defnyddio gyda system arall, neu gyda chyflwyniad, adroddiad, gwefan, ac ati.

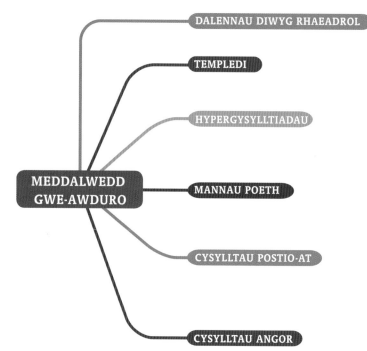

- DALENNAU DIWYG RHAEADROL
- TEMPLEDI
- HYPERGYSYLLTIADAU
- MEDDALWEDD GWE-AWDURO
- MANNAU POETH
- CYSYLLTAU POSTIO-AT
- CYSYLLTAU ANGOR

Yn y topig hwn byddwn yn dysgu beth yw data, gwybodaeth a gwybod.

Byddwn yn dysgu bod gwahanol fathau o ddata a bod angen amgodio data weithiau wrth eu casglu neu wrth eu mewnbynnu er mwyn gallu eu prosesu'n effeithiol.

Byddwn yn dysgu am y problemau sy'n gysylltiedig ag amgodio data.

▼ Y cysyniadau allweddol sy'n cael sylw yn y topig hwn yw:

▶ Y berthynas rhwng data, gwybodaeth a gwybod

▶ Y rhesymau dros amgodio data a'r problemau sy'n gysylltiedig ag amgodio

CYNNWYS

Uned IT1 Systemau Gwybodaeth

Y berthynas rhwng data, gwybodaeth a gwybod

▼ Byddwch yn dysgu

▶ Beth yw **data**

▶ Sut mae **data**'n gallu codi

▶ Y gwahaniaethau rhwng y termau **data**, **gwybodaeth** a **gwybod**

Cyflwyniad

Yn yr adran hon byddwch yn dysgu am dri o dermau pwysig: **data**, **gwybodaeth** a **gwybod**. Byddwch yn gweld drwy ddefnyddio enghreifftiau beth yw'r gwahaniaeth rhwng y termau hyn a sut y gellir eu defnyddio wrth ddisgrifio systemau TGCh.

Beth yn union yw data?

Gall data fod ar nifer o ffurfiau. Gall data fod ar ffurf:

- rhifau
- geiriau
- delweddau
- sain.

Mae data'n fanylion sydd heb ystyr am eu bod heb berthynas â dim byd. Os edrychwch ar ddata, maen nhw naill ai'n ddiwerth i chi neu ar ffurf na allwch ei defnyddio.

Ym mha ffyrdd y mae data'n gallu codi

Gall data godi mewn llawer o ffyrdd ac mae crynodeb o'r rhain yn y diagram isod:

Y gwahaniaethau rhwng data a gwybodaeth

Data yw'r gwerthoedd crai sy'n cael eu rhoi i mewn i system prosesu data i'w storio a'u prosesu a chaiff y wybodaeth honno ei chynhyrchu gyda chyd-destun sy'n ychwanegu ystyr.

Mae 'data crai' yn derm cymharol gan fod data'n cael eu prosesu fesul cam yn aml fel bod y 'data wedi'u prosesu' o un cam yn gallu bod yn ddata crai ar gyfer cam nesaf y prosesu.

| £23,712 | £28,932 | £35,067 |

Data yw'r set o rifau uchod. Nid yw'n golygu dim i ni am nad oes cyd-destun iddynt. Gallent fod yn gyflog wythnosol un o chwaraewyr yr uwch gynghrair, yn bris car neu'n werth y tuniau ffa pob – brand uwchfarchnad – sydd wedi'u gwerthu mewn wythnos. Nid ydym yn dod i wybod unrhyw beth newydd drwy edrych ar y ffigurau hyn ac mae'n amhosibl eu deall ar eu pen eu hunain.

Os dywedir wrthym fod y data'n cyfeirio at werthiant ffa pob mewn siop yn y tri mis cyntaf, yna 'mae'r gwerthiant wedi codi'n raddol yn y tri mis cyntaf' yn wybodaeth. Gwybodaeth yw bod 'y gwerthiant wedi codi 22% yn

⇨ GEIRIAU ALLWEDDOL

Data – ffeithiau neu ffigurau crai neu set o werthoedd, mesuriadau neu gofnodion trafodion

Gwybod – beth mae rhywun yn ei gael o wybodaeth drwy gymhwyso rheolau ati

Gwybodaeth – data wedi'u prosesu neu ddata sydd mewn cyd-destun

yr ail fis a 17.5% yn y trydydd mis'.

Mae gwybodaeth yn eich hysbysu am rywbeth nad oeddech yn ei wybod yn barod neu caiff ei chyflwyno mewn ffordd sy'n ystyrlon a defnyddiol. Mae systemau TGCh yn trawsnewid data (a elwir weithiau'n ddata crai).

Gwybodaeth

Rydym yn cael gwybodaeth drwy brosesu data. Mae pobl neu gyfrifiaduron yn gallu dod o hyd i batrymau mewn data sy'n rhoi gwybodaeth iddynt ac mae'r wybodaeth yn eu galluogi i wybod mwy am y pwnc.

Mae gwybodaeth yn ddata sydd wedi cael:

- eu prosesu
- eu trawsnewid i roi ystyr iddynt
- eu trefnu mewn rhyw ffordd.

Gwybod

Gwybod yw sut i ddehongli a defnyddio gwybodaeth drwy gymhwyso rheolau ati. Ar ôl gwneud hyn, gallwn wneud penderfyniadau ar sail y wybodaeth yr ydym wedi'i chael.

Y berthynas rhwng data, gwybodaeth a gwybod

Dyma rai enghreifftiau i'ch helpu i ddeall y berthynas rhwng data, gwybodaeth a gwybod.

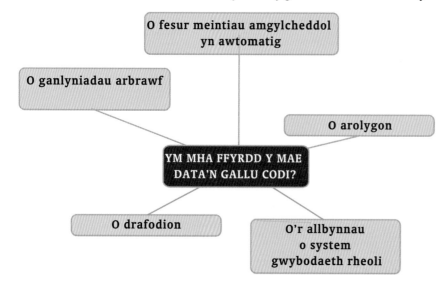

O fesur meintiau amgylcheddol yn awtomatig

O ganlyniadau arbrawf

O arolygon

YM MHA FFYRDD Y MAE DATA'N GALLU CODI?

O drafodion

O'r allbynnau o system gwybodaeth rheoli

Dyma restr o rifau: 4.31, 4.18, 4.29, 4.32, 4.19 a 4.21. Mae'n amhosibl gwybod beth yw eu hystyr gan nad oes cyd-destun, felly data yw'r rhifau hyn.

Fodd bynnag, pe byddem yn gwybod mai amseroedd rhedwyr mewn ras ydyn nhw – 4.31, 4.18, 4.29, 4.32, 4.19 a 4.21 o funudau – byddem yn ychwanegu cyd-destun, felly mae'r set hon o rifau'n troi'n wybodaeth. Byddwn hefyd yn cael gwybodaeth drwy brosesu'r data mewn rhyw ffordd, er enghraifft, drwy ddod o hyd i'r amser cyflymaf.

Gwybod yw cymhwyso rheolau at y wybodaeth. Er enghraifft, yn yr enghraifft hon y rheol yw mai'r rhedwr â'r amser cyflymaf sy'n ennill y ras.

Dyma restr arall o rifau heb gyd-destun.

07:30 | 160/94 | 08:30 | 155/92 | 09:30 | 150/90 | 10:30 | 148/91 | 11:30 |146/90

Rhifau crai yw'r rhain heb gyd-destun ac nid ydynt wedi cael eu prosesu mewn unrhyw ffordd, felly data sydd yma.

Os ydych chi'n cael gwybod eu bod yn rhestr o ddarlleniadau pwysedd gwaed sydd wedi'u cymryd bob awr, yna mae cyd-destun wedi'i ychwanegu, felly gwybodaeth sydd yma.

Mae prosesu'r data drwy eu rhoi mewn tabl hefyd yn golygu bod gennym wybodaeth yn awr.

Amser y darlleniad	Pwysedd gwaed y claf
07:30	160/94
08:30	155/92
09:30	150/90
10:30	148/91
11:30	146/90

Cymryd darlleniadau pwysedd gwaed

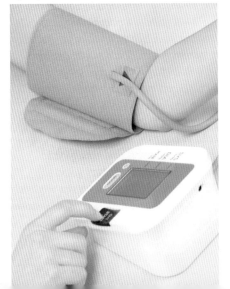

Wedyn gall y meddyg gymhwyso beth mae'n ei wybod am bwysedd gwaed, sydd wedi'i grynhoi yma:

Pwysedd systolig/Pwysedd diastolig

120–140/70–90 yw pwysedd gwaed normal

140–159/90–94 yw pwysedd gwaed uchel ysgafn

160–179/94–119 yw pwysedd gwaed uchel

Gall y meddyg gymhwyso beth mae'n ei wybod at y wybodaeth yn y tabl i ddod i gasgliadau am iechyd y claf a chymryd camau priodol.

Gair o rybudd am y termau gwybodaeth a data

Wrth eu defnyddio'n gyffredinol, mae'r geiriau gwybodaeth a data'n cael eu defnyddio'n aml fel petaent yn golygu'r un peth. Fodd bynnag, mewn TGCh mae gwahaniaeth clir a phendant iawn rhwng y termau a rhaid i chi eu defnyddio a'u hegluro'n fanwl gywir.

Mae'n bwysig iawn i chi allu gwahaniaethu rhwng data a gwybodaeth.

Mae enghreifftiau o brosesu yn y diagram isod:

Cynhyrchu gwybodaeth ddefnyddiol

Er mwyn i wybodaeth fod yn ddefnyddiol, rhaid iddi fod yn ystyrlon i'r sawl sy'n ei defnyddio. Mae llawer o systemau cyfathrebu gwybodaeth yn methu rhoi i ddefnyddwyr y wybodaeth sydd ei hangen arnynt ac mae hyn yn peri rhwystredigaeth i ddefnyddwyr.

Y rhesymau dros amgodio data a'r problemau sy'n gysylltiedig ag amgodio

▼ Byddwch yn dysgu

▶ Beth yw amgodio

▶ Y rhesymau dros amgodio data

▶ Am y problemau sy'n gysylltiedig ag amgodio

▶ Am ddibynnu ar farnau ar werth

Cyflwyniad

Yn yr adran hon byddwn yn dysgu sut mae data'n cael eu hamgodio weithiau wrth eu casglu neu eu mewnbynnu i system TGCh. Mae nifer o broblemau'n codi o ganlyniad i amgodio data a byddwn yn dysgu amdanynt yn y topig hwn.

Y rhesymau dros amgodio data

Amgodio data

Yn aml bydd data'n cael eu codio wrth eu casglu neu eu mewnbynnu i system TGCh. Y rhesymau dros wneud hyn yw:

- bod teipio data wedi'u codio'n golygu llai o waith
- bod mwy o ddata'n gallu cael eu dangos ar y sgrin
- bod angen llai o le i'w storio (llai pwysig gan fod cyfryngau storio'n rhad)

- ei bod yn haws gwirio bod cod yn gywir drwy ddefnyddio gwiriadau dilysu.

Enghreifftiau o amgodio

Mae llawer o enghreifftiau o amgodio data. Dyma rai ohonynt:

Bathodynnau gwledydd ar geir:

GB = Prydain Fawr
D   = Yr Almaen
IRL = Iwerddon
CH = Y Swistir

Meintiau dillad:

S   = Bach
M = Canolig
L   = Mawr
XL = Mawr iawn

Codau meysydd awyr:

LHR = Llundain Heathrow
MAN = Manceinion
RHO = Ródhos

Mae amgodio yn didoli data'n fformatau penodol fel y gellir eu storio.

Problemau sy'n gysylltiedig ag amgodio

Y brif broblem mewn perthynas ag amgodio data yw bod hyn yn eu gwneud yn llai trachywir. Hynny yw, mae'r data wedi'u hamgodio'n llai cywir na'r data y maent wedi dod ohonynt. Gallwn ddangos hyn orau drwy roi enghraifft. Gallai disgrifiadau o droseddwyr ar system gyfrifiadurol yr heddlu gynnwys lliw llygaid y troseddwr. Gellid penderfynu defnyddio hyn:

Lliw llygad	Cod
Glas	GL
Brown	BR
Gwyrdd	GW
Llwyd	LW

Cymerwch ein bod yn cofnodi manylion troseddwr mewn cronfa ddata ac yn darllen y disgrifiad o'r person ar y ffurflen yr ydym yn ei defnyddio ac mai'r disgrifiad o liw ei lygaid yw glas/gwyrdd. Rydym yn wynebu problem o ran pa god i'w ddefnyddio. Bydd y gronfa ddata ond yn caniatáu i ni roi glas, brown, gwyrdd neu lwyd fel lliw llygaid, felly pa un a ddewiswn ni? Gan y byddem nawr yn sylweddoli y gallai'r data am liw llygaid yn yr holl gofnodion eraill fod yn anghywir, gallem fodloni ar roi un lliw a pheidio â phoeni rhagor. Fodd bynnag, mae hyn yn amharu ar gywirdeb y system gronfa ddata a bydd gennym lai o ffydd nag o'r blaen yn y canlyniadau sy'n dod ohoni. Pan chwiliwn y gronfa ddata am liwiau llygaid, sylweddolwn yn awr nad llygaid glas a llygaid gwyrdd fydd yr holl rai dan y lliwiau hynny ac y gallent gynnwys rhai glas/gwyrdd hefyd. Oherwydd y system godio a ddefnyddiwyd, nid ydym yn sicr ynghylch y data ac nid yw'r data sydd wedi'u storio mor fanwl gywir â'r data gwreiddiol.

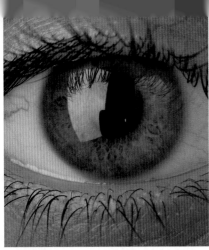

Llygaid brown/gwyrdd: nid yw amgodio data'n sicrhau canlyniadau manwl gywir bob tro.

Dibynnu ar farnau ar werth

Yn aml, wrth amgodio data, bydd y person sy'n casglu neu'n mewnbynnu'r data'n gorfod barnu wrth ddewis cod.

Dyma daldra 10 o bobl:

Mohammed	5 tr 5 modfedd
Chloe	4 tr 11 modfedd
James	6 tr 6 modfedd
Asia	5 tr 9 modfedd
Courtney	5 tr 0 modfedd
Jack	6 tr 5 modfedd
Leroy	5 tr 10 modfedd
Charles	4 tr 10 modfedd
Mary	6 tr 10 modfedd
Jane	6 tr 2 modfedd

Meddyliwch am y problemau a allai godi pe byddech yn gadael i wahanol bobl benderfynu pa un o'r codau taldra canlynol i'w roi i bob un o'r bobl hyn:

T = Tal
C = Canolig
B = Byr

Gall barnau ar werth amrywio o berson i berson.

Pan fyddwch yn gwneud cais am fynd i brifysgol neu sefydliad addysg uwch, rhaid i chi lenwi ffurflen o'r enw ffurflen UCAS ac ar ran o'r ffurflen bydd eich athro/athrawes/darlithydd yn ysgrifennu geirda amdanoch. Mae'n anodd storio testun o'r fath a chael data ohono, oherwydd y byddai hynny'n golygu torri barnau ar werth i lawr yn atebion penodol. Felly, yn lle testun rhydd, efallai y bydd gofyn i'ch athro/athrawes ateb cwestiynau penodol drwy ddewis o amrywiaeth o atebion posibl.

Dyma gwestiwn, a'r cod ar gyfer yr ateb:

Ar raddfa rhwng 1 a 5, sut y byddech yn disgrifio prydlondeb y disgybl/myfyriwr?

1 Byth yn hwyr
2 Yn hwyr weithiau ond yr esgus yn dda
3 Yn hwyr weithiau heb roi esgus
4 Yn hwyr yn aml
5 Yn hwyr bob tro

Gallech gynnwys maes yn y gronfa ddata i gofnodi un o'r rhifau uchod. Mae hyn yn dal i ddibynnu i ryw raddau ar y person sy'n mewnbynnu'r data ond, gan fod llawer o ddewisiadau, mae'n gywirach na rhai o'r dulliau codio eraill a allai gael eu defnyddio. Mae angen cadw'r ddysgl yn wastad bob amser rhwng cael y nifer lleiaf posibl o bosibiliadau codio, a chadw digon ohonynt i roi darlun cywir. Mae angen i chi gofio hyn wrth ddyfeisio systemau codio ar gyfer meysydd mewn cronfeydd data.

Tal, canolig neu fyr? Gall barnau ar werth arwain at wallau wrth gasglu data.

Cwestiynau a Gweithgareddau

▶ Cwestiynau 1 — tt. 2–3

1 Edrychwch ar y canlynol:

12, 23, 3, 42, 76 16, 29.

   (a) A ydych yn gallu deall beth yw ystyr y rhifau hyn?
(1 marc)

   (b) Gan roi rheswm, eglurwch a yw'r rhifau'n ddata ynteu'n wybodaeth. (2 farc)

2 Gall data fod ar wahanol ffurfiau.
Rhowch enwau **tair** ffurf wahanol bosibl ar ddata.
(3 marc)

3 Gan roi enghraifft addas, eglurwch y gwahaniaeth rhwng data a gwybodaeth. (3 marc)

4 Mae rheolwr TG yn egluro bod 'data'n cael eu prosesu i gynhyrchu gwybodaeth'.
Rhowch **dair** enghraifft hollol wahanol o brosesu.
(3 marc)

▶ Cwestiynau 2 — tt. 4–5

1 Yn aml bydd data'n cael eu codio fel bod faint o ddata y mae angen eu mewnbynnu i'r cyfrifiadur yn llai, ac mae hyn yn arbed amser wrth deipio ac yn ei gwneud yn llai tebygol hefyd i'r defnyddiwr gael anaf straen ailadroddus (*RSI: Repetitive Strain Injury*).

Rhowch **un** rheswm gwahanol pam mae data'n cael eu codio weithiau. (2 farc)

▶ Gweithgaredd 1 Data ynteu gwybodaeth?

Ar gyfer yr ymarfer hwn, mae angen i chi benderfynu ai data ynteu gwybodaeth yw pob un o'r enghreifftiau hyn.
1   Cod bar ar dun o ffa pob.
2   Graff sy'n dangos sut mae gwerthiant wedi amrywio dros gyfnod o 12 mis.
3   Mae'r arian yn eich cyfrif banc wedi cynyddu 102%.
4   12.78.
5   Graff sy'n dangos sut mae'r tymheredd cymedrig blynyddol yn amrywio yn ôl lledred.

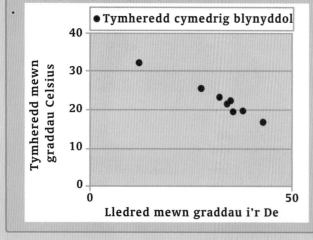

▶ Gweithgaredd 2 Pa godau yw'r rhain?

Mae codau i'w gweld ym mhob man. Dyma rai codau cyffredin. I beth y mae'r codau hyn yn cael eu defnyddio? Ble'r ydych chi wedi gweld pob un yn cael ei ddefnyddio?
1   10/12/76
2   G neu B
3   L23 5TA
4   01519307766
5   90-12-45
6   LPL, MAN, LGW, LHR
7   GB, F, CH, D

Cymorth gyda'r arholiad

Enghraifft 1

1. (a) Diffiniwch y termau data, gwybodaeth a gwybod. (3 marc)
   (b) Rhowch ddau reswm dros amgodio data. (2 farc)
   (c) Mae amgodio data'n achosi nifer o broblemau. Gan gyfeirio at enghraifft addas, disgrifiwch un broblem sy'n codi wrth amgodio data. (2 farc)

Ateb myfyriwr 1

1. (a) Mae data'n wybodaeth cyn iddi gael ei phrosesu.
   Mae gwybodaeth yn ddata sydd wedi'u prosesu.
   Gwybod yw beth yr ydych yn ei wybod am y wybodaeth.
   (b) Ei gwneud yn fwy anodd i bobl eu deall gan fod angen i chi ddatrys y cod er mwyn eu darllen.
   Drwy droi data'n god rydych yn cael crynodeb ohonynt fel bod llai i'w deipio i mewn.
   (c) Mae'n gwneud y data'n llai trachywir.

Sylwadau'r arholwr

1. (a) Mae'r diffiniad o ddata'n wir ond nid yw'n briodol ei egluro fel hyn.
   Mae'r diffiniad o wybodaeth yn iawn.
   Mae'r diffiniad o wybod yn niwlog. Dim marc am hwn.
   (b) Yn yr ateb cyntaf, mae'r myfyriwr yn cymysgu rhwng codio ac amgryptio.
   Mae'r ail ateb yn iawn.
   (c) Mae'r rheswm a roddwyd yn gywir ond nid yw'r myfyriwr wedi rhoi enghraifft.
   (3 marc allan o 7)

Ateb myfyriwr 2

1. (a) Data yw ffeithiau a ffigurau crai ar adeg eu casglu, cyn eu prosesu.
   Mae gwybodaeth un ai'n ddata sydd â chyd-destun neu'n ddata sydd wedi'u prosesu mewn rhyw ffordd (e.e. eu didoli, eu cyflwyno'n glir, eu defnyddio i gyfrifo, ac ati).
   Gwybod yw'r rheolau sy'n cael eu defnyddio i ddehongli a chymhwyso gwybodaeth.
   (b) Gellir lleihau faint o ddata y mae angen eu mewnbynnu drwy amgodio. Er enghraifft, gellir amgodio Benywaidd a Gwrywaidd drwy roi B ac G fel bod modd mewnbynnu data'n gyflymach. Gan fod data sydd wedi'u codio'n fyrrach, maent yn cymryd llai o le ar ddisgiau, a gellir prosesu'r data'n gyflymach.
   (c) Os caiff data eu hamgodio, gallant fod yn llai cywir na'r data gwreiddiol. Er enghraifft, pe byddai taldra rhywun yn cael ei amgodio drwy roi T am 'tal', C am 'canolig' a B am 'byr', gallai olygu bod y person sy'n mewnbynnu'r data'n cael penderfynu i ba gategori y byddai rhywun â thaldra o 5 tr 7 mod yn mynd.

Sylwadau'r arholwr

1. (a) Mae pob un o'r diffiniadau hyn yn gywir ac wedi'u mynegi'n glir. Marciau llawn am yr adran hon.
   (b) Mae'r ddau'n rhesymau dilys dros amgodio. Marciau llawn am yr adran hon.
   (c) Disgrifiad da iawn yw hwn o'r ffordd y mae amgodio'n gallu golygu rhoi barn ar werth a sut mae hyn yn lleihau trachywiredd. Marciau llawn am hwn.
   (7 marc allan o 7)

Atebion yr arholwr

1. (a) Un marc yr un am ddiffiniadau addas sy'n debyg i'r canlynol:
   Data – ffeithiau neu ffigurau craidd neu set o werthoedd, mesuriadau neu gofnodion trafodion
   Gwybodaeth – data sydd wedi'u prosesu neu ddata sydd â chyd-destun
   Gwybod – mae'n codi o wybodaeth drwy gymhwyso rheolau ati
   (b) Un marc yr un am ddau reswm fel:
   Mae llai o amser yn cael ei dreulio ar deipio'r data i mewn, felly mae costau mewnbynnu data yn is
   Po leiaf o drawiadau bysell sy'n cael eu gwneud, lleiaf tebygol ydyw y bydd gwallau trawsysgrifol/bysellfwrdd yn cael eu gwneud
   Mae angen llai o gof i storio'r data byrrach
   (c) Un marc am un enghraifft a'r ail farc am ddisgrifiad perthnasol.
   Mae'r data'n mynd yn llai trachywir. Un enghraifft yw defnyddio cyfrifiadur gan yr heddlu i gofnodi lliw llygaid drwy ei roi yn un o'r categorïau canlynol: glas, brown, llwyd neu wyrdd. Cymerwch fod gan rywun lygaid glas/gwyrdd – ym mha gategori y byddai'n cael ei roi? Y person sy'n teipio fyddai'n gorfod penderfynu hyn.

Mapiau meddwl cryno

Ym mha ffyrdd y mae data'n gallu codi

GALL DATA GODI O
- Mesuriadau amgylcheddol awtomatig
- Canlyniadau arolwg
- Canlyniadau arbrawf
- Trafodion busnes
- Allbwn o system gwybodaeth rheoli

AMGODIO DATA

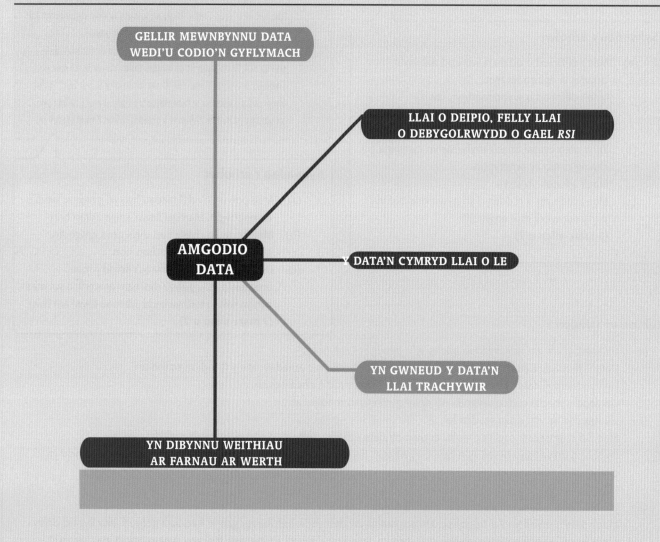

GELLIR MEWNBYNNU DATA WEDI'U CODIO'N GYFLYMACH

LLAI O DEIPIO, FELLY LLAI O DEBYGOLRWYDD O GAEL *RSI*

AMGODIO DATA

Y DATA'N CYMRYD LLAI O LE

YN GWNEUD Y DATA'N LLAI TRACHYWIR

YN DIBYNNU WEITHIAU AR FARNAU AR WERTH

TOPIG 2: Gwerth a phwysigrwydd gwybodaeth

Gwybodaeth yw anadl einioes pob busnes a chorff, a heb gael gwybodaeth gywir a chyfoes ni fyddai cyrff yn gallu gweithredu'n iawn a byddai busnesau'n methu.

Yn y topig hwn byddwn yn edrych ar werth a phwysigrwydd gwybodaeth ac yn ystyried beth yw nodweddion hanfodol gwybodaeth. Byddwn yn ystyried pam mae angen gwybodaeth ar reolwyr a sut maent yn defnyddio'r wybodaeth hon i wneud penderfyniadau. Byddwn hefyd yn edrych ar gostau cael gwybodaeth o ansawdd da o ran arian, amser ac adnoddau dynol.

▼ Y cysyniadau allweddol sy'n cael sylw yn y topig hwn yw:

▶ Pwysigrwydd gwybodaeth gyfoes, gywir a chyflawn

▶ Costau cael gwybodaeth o ansawdd da o ran arian, amser ac adnoddau dynol

CYNNWYS

Uned IT1 Systemau Gwybodaeth

Pwysigrwydd gwybodaeth gyfoes, gywir a chyflawn

Cyflwyniad

Yn y topig hwn byddwch yn dysgu pa mor bwysig yw gwybodaeth i gorff a pham mae'n bwysig cadw'r wybodaeth hon yn gyfoes, yn gywir ac yn gyflawn.

Byddwch yn dysgu bod gwerth i wybodaeth a bod modd mesur y gwerth hwn yn nhermau arian, amser a'r adnoddau dynol sydd eu hangen i gynhyrchu'r wybodaeth.

Pam mae angen gwybodaeth ar reolwyr

Cyn ystyried pam mae angen gwybodaeth ar reolwyr, mae'n bwysig meddwl am rôl y rheolwr a'r tasgau sy'n rhan o reoli. Mae rheolwyr yn gweithio ar lawer lefel mewn corff, o'r is-reolwyr a'r rheolwyr canol hyd at yr uwch reolwyr a'r cyfarwyddwyr. Mae natur eu gwaith yn dibynnu ar eu lefel o fewn y corff. Bydd is-reolwyr yn delio â rheoli ar lefel weithredol, gan mwyaf, felly byddant yn delio â rheoli materion sy'n codi o ddydd i ddydd yn y corff. Bydd uwch reolwyr yn delio â materion strategol ac yn gwneud penderfyniadau pwysig.

Rhaid i bob rheolwr wneud penderfyniadau, gan ddefnyddio gwybodaeth sy'n dod o weithrediadau pob dydd y corff a gwybodaeth o'r tu allan, a gellir dosbarthu'r mathau o benderfyniadau o dan y penawdau canlynol:

- cynllunio
- cyfarwyddo
- rheoli
- rhagweld.

Mae rheolwyr ar y lefelau isaf yn gyfrifol am y canlynol:

- rheoli staff gweithredol o ddydd i ddydd
- rhannu gwaith ymhlith staff is
- trefnu rotâu staff, delio â salwch/absenoldeb staff
- symbylu staff
- trin cyllideb adrannol.

Mae rheolwyr ar y lefelau uchaf yn gyfrifol am y canlynol:

- cynllunio strategol – mae hyn yn golygu gosod amcanion a pholisïau cyffredinol
- cyfran o'r farchnad
- llif arian
- elw
- twf mewn elw.

Mae angen gwybodaeth i gyflawni pob un o'r rolau uchod ac mae'n bwysig nodi bod angen gwahanol fathau o wybodaeth ar y rheolwyr ar y gwahanol lefelau. Er enghraifft, ni fyddai angen i gyfarwyddwyr gael gwybodaeth am gwsmeriaid a oedd heb dalu eu biliau, ond fe fyddai angen iddynt gael gwybodaeth am y rhagolygon ar gyfer trosiant ac elw'r busnes.

Gellir ystyried bod pob math o wybodaeth yn nwydd ac, fel pob nwydd, fod iddi werth ac y gellir ei phrynu a'i gwerthu. Mae'r gwerth ariannol a all fod gan wybodaeth yn dibynnu ar y canlynol:

- cywirdeb y wybodaeth
- sut y gall y wybodaeth gael ei defnyddio a sut mae pobl yn bwriadu defnyddio'r wybodaeth.

Mae'n bwysig sylweddoli nad oes gwerth i wybodaeth nad yw byth yn cael ei defnyddio ar ôl cael ei chasglu a'i storio, gan na fydd unrhyw benderfyniadau'n cael eu seilio arni. Oherwydd hynny, mae'n ddiangen ac ni ddylai fod wedi cael ei chasglu yn y lle cyntaf.

Mae marchnadoedd ariannol (y farchnad stoc a'r farchnad arian) yn gallu newid yn gyflym ac mae angen systemau gwybodaeth sy'n ymateb i'r newidiadau hyn, ac sy'n gallu dweud wrth y brocer, ar sail y data sydd wedi'u cyflenwi, a ddylai brynu neu werthu. Wrth gwrs, gan fod symiau mawr o arian yn y fantol, mae'n bwysig bod y wybodaeth y mae'r cyfrifiadur yn ei chynhyrchu yn gywir. Mae'n bwysig i'r wybodaeth hon fod yn amserol hefyd oherwydd, pe bai gwerth y bunt yn disgyn yn gyflym, byddai angen i'r brocer werthu punnoedd yn ddi-oed a phrynu arian tramor gwahanol a oedd yn codi yn ei werth. Bydd yr elw'n dibynnu ar ba mor gyflym mae'r wybodaeth yn cael ei darparu a pha mor gyflym mae unrhyw drafodion angenrheidiol yn cael eu cyflawni.

Sut mae gwybodaeth o gymorth wrth wneud penderfyniadau

Mae gwybodaeth o gymorth wrth wneud penderfyniadau yn y ffyrdd canlynol:

- Po fwyaf o wybodaeth sydd ar gael sy'n berthnasol i'r penderfyniad, lleiaf fydd y risg wrth wneud y penderfyniad.
- Mae gwybodaeth yn galluogi rheolwr i weithredu os bydd problem yn codi – er enghraifft, os yw swm mawr o arian yn ddyledus gan gwsmer, ni ddylid anfon unrhyw nwyddau y mae wedi'u harchebu nes ei fod wedi setlo ei gyfrif.

- Gellir gwneud efelychiadau, gan ddefnyddio meddalwedd taenlen i arbrofi gyda senarios 'beth os' a dod i benderfyniad ar sail hyn.

Defnyddio gwybodaeth i fonitro cynnydd

Gellir defnyddio gwybodaeth i fonitro cynnydd. Er enghraifft, gall cwmnïau ddefnyddio TGCh i fesur eu perfformiad yn erbyn targedau sydd wedi'u gosod. Mae personél fel staff gwerthu'n gallu barnu eu perfformiad gan ddefnyddio gwybodaeth am eu gwerthiant yn y flwyddyn flaenorol neu drwy gymharu eu perfformiad nhw â pherfformiad staff gwerthu eraill. Gellir cymharu ffigurau gwerthu misol â ffigurau gwerthu misol blaenorol o flynyddoedd eraill.

Defnyddio gwybodaeth i dargedu adnoddau

Mae maint yr adnoddau sydd gan gyrff yn gyfyngedig. Wrth sôn am adnoddau, rydym yn golygu:

- arian
- adnoddau dynol (e.e. pobl sydd ag arbenigedd addas)
- amser
- caledwedd
- meddalwedd
- defnyddiau.

Mae angen dyrannu'r holl adnoddau hyn yn gywir a gellir gwneud hyn drwy ddefnyddio TGCh.

Er enghraifft, gellir defnyddio TGCh ar gyfer:

- llunio amserlenni cynhyrchu
- cynllunio projectau
- systemau rheoli stoc sy'n sicrhau bod stoc ar gael bob amser yn ôl yr angen.

Y fantais gystadleuol y mae gwybodaeth yn ei rhoi

Mae cystadleuwyr gan y rhan fwyaf o fusnesau, sef cyrff sy'n gwerthu cynhyrchion neu wasanaethau tebyg i'r un math o gwsmer. Felly mae'n bwysig i gyrff aros yn gystadleuol. Er mwyn aros yn gystadleuol mae angen:

- Defnyddio gwybodaeth ymchwil marchnata sydd wedi cael ei chasglu

oddi wrth gwsmeriaid i ddeall pam maent yn dewis y corff neu'r cynhyrchion neu wasanaethau.
- Sicrhau nad yw cwsmeriaid sy'n rhoi archeb byth yn cael eu siomi drwy gael gwybodaeth gywir am stoc.
- Gallu rhagweld y galw gan gwsmeriaid ar sail gwybodaeth am werthiant blaenorol. Er enghraifft, gallech ragweld faint o fwyd barbeciw a fydd yn cael ei werthu yn ystod cyfnod o dywydd poeth ar sail gwybodaeth am werthiant blaenorol yn ystod cyfnodau poeth.

Pwysigrwydd gwybodaeth gyfoes, gywir a chyflawn

Er mwyn bod yn ddefnyddiol, rhaid i wybodaeth fod:

- yn gyfoes
- yn gywir
- yn gyflawn.

Cyfoes

Dylai gwybodaeth fod â dyddiad arni bob amser fel nad oes perygl o ddefnyddio gwybodaeth sydd wedi dyddio. Os yw'r wybodaeth yn wybodaeth bersonol, mae gofyniad cyfreithiol o dan Ddeddf Gwarchod Data 1998 i gadw'r wybodaeth yn gyfoes.

Mae nifer o ganlyniadau i ddefnyddio gwybodaeth nad yw'n gyfoes:

- Os yw'r wybodaeth sy'n cael ei chadw yn bersonol, ac os yw'r person sy'n destun y wybodaeth yn dioddef colled gan fod y wybodaeth yn anghywir oherwydd na chafodd ei diweddaru, gellir erlyn y corff.
- Mae gofyniad cyfreithiol i gadw gwybodaeth yn gyfoes o dan Ddeddf Gwarchod Data 1998 a gallai peidio â'i chadw'n gyfoes arwain at erlyn y corff.
- Gallech anfon llythyr at gwsmer yn bygwth camau cyfreithiol am fil y mae'ch cofnodion yn dangos ei fod heb ei dalu, er bod y cwsmer wedi talu ond bod hynny heb ei ddiweddaru ar y cyfrifiadur.
- Gellid anfon llythyr at rywun a oedd wedi marw, a fyddai'n peri gofid i deulu'r ymadawedig.

Cywir

Rhaid i'r wybodaeth sy'n dod o system gyfrifiadurol fod mor gywir ag sy'n bosibl gan fod gwallau'n gallu arwain at y problemau canlynol:

- Anfon yr eitemau anghywir at gwsmeriaid – mae angen gwario arian i ddatrys hyn a bydd yn codi gwrychyn y cwsmer.
- Rhoi'r swm anghywir ar yr anfoneb i'r cwsmer – caiff amser ei wastraffu wrth ddatrys hyn a bydd hefyd yn codi gwrychyn y cwsmer ac yn ergyd i unrhyw ymddiriedaeth a oedd ganddo yn y corff.
- Prynwyr yn seilio'u penderfyniadau wrth archebu stoc ar wybodaeth anghywir am werthiant, gyda'r canlyniad bod yn rhaid gwerthu stoc yn rhad.
- Camddarllen mesuryddion nwy neu drydan a hynny'n arwain at gamgymeriadau annymunol fel anfon biliau am filoedd o bunnoedd at gwsmeriaid domestig cyffredin.
- Camglywed y manylion y mae cwsmer yn eu rhoi dros y ffôn a theipio i mewn y cyfeiriad anghywir fel bod nwyddau'n cael eu hanfon i'r lle anghywir.

Cyflawn

Mae'n bwysig bod yr holl wybodaeth yn gyflawn, oherwydd gall gwybodaeth anghyflawn achosi nifer o broblemau, er enghraifft:

- Gellid cyflenwi rhan o archeb yn unig am nad oedd rhyw eitem mewn stoc ar y pryd. Yna nid yw gweddill yr archeb yn cael ei anfon yn ddiweddarach, gan ddigio'r cwsmer.
- Mae rheolwr wedi gofyn am adroddiad am werthiant ac mae rhywfaint o'r wybodaeth y gofynnodd amdani yn yr adroddiad ar goll, fel ei fod yn gorfod seilio penderfyniad ar ran o'r wybodaeth yn unig, sy'n golygu bod mwy o risg.
- Peidio â chynnwys y cod post ar lythyr, fel bod y llythyr yn cyrraedd yn hwyr.

Costau cael gwybodaeth o ansawdd da

Cyflwyniad

Mae nifer o gostau'n gysylltiedig â gwybodaeth. Rhaid neilltuo pobl ac adnoddau er mwyn casglu gwybodaeth o ansawdd da. Y cwestiwn yw: a yw'r manteision y mae'r wybodaeth yn eu rhoi yn werth y costau o'i darparu.

Mae llawer o systemau, fel y rhai mewn ysgolion a cholegau, yn cynnwys modiwlau gwybodaeth rheoli, sy'n ei gwneud hi'n bosibl i gael gwybodaeth rheoli o ansawdd uchel o wybodaeth sydd yn y system yn barod. Mewn systemau eraill, nid yw'r wybodaeth ar gael gan nad yw'r data a ddefnyddiwyd i gyflenwi'r wybodaeth ar gael, gan nad yw'r data wedi cael eu casglu.

Yn y topig hwn, byddwch yn dysgu am gostau cael gwybodaeth o ansawdd da yn nhermau arian, amser ac adnoddau dynol.

Ydy'r manteision y mae gwybodaeth yn eu rhoi'n fwy na'r costau o'i chasglu?

Y costau sy'n gysylltiedig â chasglu data (uniongyrchol ac anuniongyrchol)

Nid yw gwybodaeth byth ar gael am ddim gan fod cost yn gysylltiedig â'i chasglu yn y lle cyntaf, ac mae'n bwysig na fydd costau cael y wybodaeth yn fwy na'r buddion ariannol sydd i'w cael o'r wybodaeth honno. Er mwyn bod yn sicr o hynny bob amser, bydd rheolwyr fel arfer yn gwneud dadansoddiad cost a budd, sy'n sicrhau na fydd costau casglu'r wybodaeth yn fwy na'r buddion. Er enghraifft, os bydd gwybodaeth benodol yn rhoi £200 yn fwy o elw i'r corff, ond yn costio £250 i'w chasglu, yna nid yw'n werth cael y wybodaeth yn y lle cyntaf. Fel arfer bydd y wybodaeth y mae system yn ei rhoi'n gwneud rhai o'r pethau canlynol:

- lleihau costau
- dileu colledion
- lleihau gwastraff
- defnyddio adnoddau'n fwy effeithiol
- rhoi gwell gwybodaeth rheoli er mwyn hwyluso penderfyniadau gwell.

Rhai o'r costau sy'n gysylltiedig â chasglu data yw:

- costau cyflogi arbenigwr i ddylunio ffurflenni casglu data
- paratoi holiaduron i gasglu data
- llunio ffurflenni ar-lein i gasglu data oddi wrth gwsmeriaid
- costau teithio a threuliau eraill sy'n codi wrth gynnal cyfweliadau
- costau staff sydd wedi'u cyflogi i fynd drwy ddogfennau i gasglu'r wybodaeth
- costau ar gyfer casglu data gan staff arbenigol o systemau eraill
- costau prynu gwybodaeth gan drydydd parti.

Gellir casglu data'n uniongyrchol neu'n anuniongyrchol. Ystyr casglu data uniongyrchol yw casglu data gan y corff ei hun. Un enghraifft o gasglu uniongyrchol yw pan fydd siop yn casglu gwybodaeth amdani ei hun ynghylch y cynnydd mewn gwerthiant o ganlyniad i ymgyrch hysbysebu ar gyfer cynnyrch penodol.

Ystyr casglu data anuniongyrchol yw cael data gan drydydd parti yn hytrach na'r corff ei hun.

Y costau sy'n gysylltiedig â chofnodi data

Gellir rhannu'r costau sy'n gysylltiedig â chofnodi data fel hyn:

- Costau adnoddau dynol – costau unrhyw staff sy'n cofnodi data, costau hyfforddi'r staff hyn, a chostau unrhyw staff arbenigol sydd eu hangen ar gyfer rhaglennu, ac ati.
- Costau amser – mae cofnodi data, a defnyddio bysellfyrddau'n enwedig, yn cymryd amser. Gall hyn arafu'r broses gyfan, o gasglu'r data hyd at gynhyrchu'r wybodaeth derfynol.
- Costau caledwedd – weithiau gellir lleihau costau adnoddau dynol drwy wario arian ar ddulliau awtomatig o gofnodi data sy'n defnyddio codau bar, darllen marciau gweledol, adnabod nodau inc magnetig, adnabod lleferydd, ac ati.

Y costau sy'n gysylltiedig â phrosesu a chynnal

Ar ôl casglu data a'u mewnbynnu wedyn i system TGCh, y cam nesaf yw eu prosesu. Bydd angen cyflawni nifer o weithgareddau cynnal hefyd megis:

- diweddaru data sydd yn y gronfa ddata neu mewn system arall

Mae rhai dulliau trawsyrru data'n gallu bod yn ddrud.

Costau amser

- Mae angen llawer o amser i brosesu symiau mawr o ddata ac mewn llawer o systemau TGCh rhaid prosesu miliynau lawer o gofnodion i echdynnu gwybodaeth benodol. Allbrintiau sy'n cael eu cynhyrchu drwy gymhwyso meini prawf chwilio at gronfa ddata neu system gwybodaeth arall yw adroddiadau. Mae rhai adroddiadau'n gymhleth ac yn galw am lawer o amser prosesu i'w cynhyrchu. Ar ôl cynhyrchu adroddiad, rhaid ei wirio ac yna ei ddosbarthu i bob unigolyn perthnasol.
- Rhaid gwneud copïau wrth gefn o symiau mawr o ddata ac mae hyn yn cymryd llawer o amser.

- gwneud copïau wrth gefn o ddata at ddibenion diogelwch
- gwneud newidiadau bach yn strwythur y rhaglen neu'r gronfa ddata er mwyn gallu gwneud y prosesu perthnasol.

Mae costau'n gysylltiedig â phrosesu a chynnal data ac mae'r costau hyn yn codi mewn nifer o ffyrdd:

Costau arianol

- Efallai y bydd angen trawsyrru data o un lle i le arall drwy ddefnyddio llinellau cyfathrebu drud.
- Efallai y bydd cwmnïau allanol yn cael eu defnyddio i sicrhau bod copïau wrth gefn o ddata'n cael eu cadw oddi ar y safle.
- Costau defnyddiau traul fel papur argraffydd a chetris arlliwydd (*toner*) ac inc.

Costau adnoddau dynol

- Wrth brosesu holiaduron, er enghraifft, bydd angen staff i oruchwylio'r swp-brosesu sy'n cael ei wneud gan ddefnyddio AMG (*OMR*) neu ANG (*OCR*) ac ymdrin ag unrhyw ffurflenni sy'n cael eu gwrthod.
- Bydd angen staff arbenigol i roi cyfarwyddiadau i'r gronfa ddata i brosesu'r data drwy echdynnu manylion penodol.
- Mae'n bosibl y bydd y galw gan ddefnyddwyr am fwy o wybodaeth yn gwthio'r meddalwedd i'r eithaf. Efallai mai'r unig ffordd i ateb y galw hwn fydd i raglennydd wneud ychydig o driciau rhaglennu cymhleth i alluogi'r meddalwedd i wneud pethau nad oedd wedi cael ei ddylunio i'w gwneud mewn gwirionedd.
- Efallai y bydd angen cyflogi staff i ddadansoddi'r wybodaeth o'r system a llunio adroddiadau mwy ystyrlon i wahanol grwpiau o bobl.

Mae prosesu data i roi gwybodaeth o ansawdd uchel yn cymryd amser.

Cwestiynau

▶ Cwestiwn 1 | tt. 10–13

1 Mae system rheoli gwybodaeth mewn ysgol yn cynnwys gwybodaeth am ddisgyblion. Yn ogystal â'r manylion personol arferol am ddisgyblion, fel manylion cysylltu, e.e. enwau a chyfeiriadau, mae rhywfaint o wybodaeth o natur bersonol iawn, fel ethnigrwydd, crefydd a rhywfaint o wybodaeth feddygol y gallai fod ar staff yr ysgol ei hangen.

(a) Rhowch **ddau** reswm i egluro pam mae'n rhaid cadw'r data sydd yn y system hon yn gyfoes. (2 farc)

(b) Mae nifer o gostau'n gysylltiedig â chadw data'n gyfoes. Enwch a disgrifiwch **ddwy** gost o'r fath mewn perthynas â'r system rheoli gwybodaeth hon mewn ysgol. (4 marc)

2 Mae'r pennaeth a'r uwch reolwyr mewn ysgol yn defnyddio system rheoli gwybodaeth yr ysgol i wneud penderfyniadau o ddydd i ddydd.
Drwy roi **un** enghraifft, disgrifiwch benderfyniad y gellid ei wneud a'r canlyniadau os caiff y penderfyniad hwn ei seilio ar wybodaeth nad yw'n gyfoes. (3 marc)

3 Nid yw costau casglu, mewnbynnu, prosesu a chynnal data i gynhyrchu gwybodaeth yn cael eu mesur yn nhermau ariannol yn unig. Nodwch **ddwy** gost arall sy'n gysylltiedig â chynhyrchu gwybodaeth o ansawdd da. (2 farc)

4 Mewn ymgyrch farchnata, rhaid i gwsmeriaid lenwi holiaduron er mwyn cael taleb am ddim i'w gwario ar nwyddau. Wedyn caiff yr holiaduron eu casglu, eu rhannu'n sypiau a'u darllen gan ddarllenydd marciau gweledol.

(a) Disgrifiwch **ddwy** gost sy'n gysylltiedig â chasglu data ar gyfer y system hon. (2 farc)

(b) Disgrifiwch **ddwy** gost sy'n gysylltiedig â phrosesu a chynnal y data. (2 farc)

Cymorth gyda'r arholiad

Enghraifft 1

1 (a) Mae pob corff angen gwybodaeth sy'n gyfoes, yn gywir ac yn gyflawn ond mae costau ariannol yn codi wrth gael gwybodaeth o'r fath. Yn ogystal â chostau ariannol, mae costau eraill. Nodwch **ddwy** o'r costau hyn a rhowch enghraifft o bob cost gan egluro sut mae'r costau'n codi. (4 marc)

 (b) Mae nifer o oblygiadau i gorff os nad yw'r wybodaeth o ansawdd da. Rhowch **ddwy** enghraifft hollol wahanol o broblem a all godi os nad yw'r wybodaeth:

 (i) yn gyfoes

 (ii) yn gyflawn

 (iii) yn gywir. (3 marc)

Ateb myfyriwr 1

1 (a) Costau ariannol – mae'n costio llawer o arian i gasglu data ac wedyn talu i bobl eu mewnbynnu i'r system gyfrifiadurol.
Cost gweithwyr – mae angen gweithwyr i gasglu'r wybodaeth ac wedyn ei theipio i mewn i'r system gyfrifiadurol a bydd angen hyfforddi'r bobl hyn felly mae costau hyfforddi hefyd.

 (b) Yn gyfoes – gellid anfon llythyrau at rywun a oedd wedi marw, gan achosi gofid i'r teulu.
Yn gywir – mae gwallau mewn anfonebau'n gallu achosi annifyrrwch a drwgdybiaeth ym meddwl cwsmeriaid a gallai'r corff golli busnes o ganlyniad i hyn.
Yn gyflawn – gallai dylunydd y system anghofio eitem bwysig o wybodaeth.

Ateb myfyriwr 2

1 (a) Costau adnoddau dynol – mae angen pobl gymwysedig addas i echdynnu'r wybodaeth sydd ei hangen o gronfa ddata fawr.
Costau amser – yr amser y mae'n ei gymryd i greu ymholiadau neu ysgrifennu cod rhaglennu i echdynnu'r wybodaeth sydd ei hangen o'r system TGCh.

 (b) Yn gyfoes – gellid codi gwŷs yn erbyn rhywun sydd wedi talu ei fil gan nad oedd ei gyfrif wedi'i ddiweddaru. Byddai hyn yn achosi gofid i'r cwsmer ac yn ei wneud yn ddrwgdybus.
Yn gywir – Mae angen cynnal profion dilysu i sicrhau mai dim ond data synhwyrol a rhesymol a all gael eu mewnbynnu.
Yn gyflawn – gellid cyflenwi rhan o archeb yn unig gan nad oedd rhyw eitem mewn stoc ar y pryd. Wedyn nid yw gweddill yr archeb yn cael ei anfon yn ddiweddarach, gan ddigio'r cwsmer.

Sylwadau'r arholwr

1 (a) Nid yw'r myfyriwr hwn wedi darllen y cwestiwn, gan fod angen nodi 'costau eraill', felly dim marciau am y rhan hon.
Wrth nodi costau gweithwyr, mae'r myfyriwr yn golygu costau adnoddau dynol ac, am ei fod wedi rhoi esboniad da, ni chaiff ei gosbi am hyn. Dau farc am y rhan hon.

 (b) Mae'r ddau ateb cyntaf yn dda. Marciau llawn. Nid yw'r trydydd ateb yn rhoi esboniad digonol o broblem a all godi os yw'r wybodaeth yn anghyflawn, felly dim marc. **(4 marc allan o 7)**

Sylwadau'r arholwr

1 (a) Dau ateb da, felly marciau llawn am y rhain.

 (b) Nid yw enghraifft addas wedi cael ei rhoi ar gyfer 'yn gywir', felly dim marc am y rhan hon. **(6 marc allan o 7)**

Atebion yr arholwr

1 (a) Un marc am y math o gost ac un marc am enghraifft sy'n gysylltiedig â'r gost × 2.
Y gost o ran amser wrth gasglu'r data i'w prosesu gan fod hyn yn gallu cymryd llawer iawn o amser.
Cost yr adnoddau dynol gan fod angen pobl gymwysedig addas i gasglu'r data a'u mewnbynnu i'r system gyfrifiadurol.
Cost o ran adnoddau dynol oherwydd y bydd angen ailhyfforddi staff i gasglu'r data a'u mewnbynnu i'r system ar gyfer eu prosesu.

 (b) Tair enghraifft addas. Un marc am bob un.
Yn gyfoes – gwastraffu arian drwy anfon llythyrau neu ddeunydd hyrwyddo at gwsmeriaid o'r gorffennol sydd wedi symud yn y cyfamser.
Yn gyflawn – peidio â chynnwys cod post ar label cyfeiriad fel bod nwyddau'n hwyr yn cyrraedd.
Yn gywir – gwallau mewn darlleniad mesurydd gan gwmni gwasanaethau sy'n arwain at anfon bil am swm afresymol.

Cymorth gyda'r arholiad

Enghraifft 2

2 Mae pob cwmni'n casglu data er mwyn cynhyrchu gwybodaeth ac mae cost yn gysylltiedig â chasglu data fel hyn a'u prosesu wedyn.
   (a) Disgrifiwch **ddwy** gost sy'n gysylltiedig â chasglu data. (2 farc)
   (b) Disgrifiwch **ddwy** gost sy'n gysylltiedig â mewnbynnu data. (2 farc)
   (c) Disgrifiwch **ddwy** gost sy'n gysylltiedig â phrosesu a chynnal data.
       (2 farc)

Ateb myfyriwr 1

2 (a) Costau adnoddau dynol, gan fod angen cael pobl i ddylunio holiaduron i'w rhoi i'r cyhoedd i roi adborth am y bwyd a'r gwasanaeth mewn bwyty.

   Costau ariannol, gan fod angen arian i dalu am gyflogau'r staff, y papur a ddefnyddir, a'r amser ar gyfer cynnal cyfweliadau, ac ati.

   (b) Costau adnoddau dynol – hyfforddi staff i fewnbynnu data'n gywir i'r system gyfrifiadurol.

   Costau amser – mae mewnbynnu'r data i gyfrifiadur drwy ddefnyddio bysellfwrdd yn cymryd amser ac mae angen neillltuo'r amser hwn.

   (c) Costau amser, gan fod prosesu llawer iawn o ddata a chynhyrchu canlyniadau ystyrlon ar ffurf adroddiadau'n cymryd llawer iawn o amser.

   Mae cynnal cronfa ddata ar ôl rhoi data ynddi'n costio llawer o arian gan fod angen cael pobl i ddileu data ac yn y blaen.

Ateb myfyriwr 2

2 (a) Mae angen cyflogi staff arbenigol o'r tu allan i gynllunio'r holiaduron yn wyddonol fel bod y canlyniadau'n ddilys o safbwynt ystadegol. Nid yw'n werth prosesu data sydd heb eu casglu'n iawn.

   Costau adnoddau dynol. Mae angen hyfforddi staff ynghylch sut i gyfweld pobl er mwyn casglu'r wybodaeth drwy gynnal cyfweliadau personol a llenwi holiaduron.

   (b) Costau amser. Mae mewnbynnu data drwy ddefnyddio bysellfwrdd yn cymryd llawer o amser ac mae angen troi adnoddau oddi wrth weithrediadau pob dydd i wneud hyn.

   Costau ariannol. Mae angen cyflogi pobl neu dalu'r staff presennol am weithio goramser er mwyn teipio i mewn yr holl ddata sydd wedi'u casglu.

   (c) Costau amser. Mae angen i gwmni dreulio amser yn rheolaidd ar ddiweddaru ei ddata mewn cronfeydd data. Os yw'r data sy'n cael eu dal yn ddata personol, rhaid eu cadw'n gyfoes yn ôl y gyfraith gan fod hynny'n un o ofynion Deddf Gwarchod Data 1998.

Sylwadau'r arholwr

2 (a) Mae hwn yn ateb da gan fod y costau wedi'u nodi'n glir ac mae disgrifiad da o bob un.

   (b) Mae'r ddau ateb yn gywir ac wedi'u disgrifio'n dda.

   (c) Mae'r ddau ateb yn gywir ac wedi'u disgrifio'n dda.
       (6 marc allan o 6)

Sylwadau'r arholwr

2 (a) Yma nid yw'r myfyriwr wedi dweud a yw ei ateb yn ymwneud â chostau ariannol neu gostau adnoddau dynol. Mae'r disgrifiad yn dda ond dim ond un o'r ddau farc y gellir ei roi.

   (b) Ateb da sy'n werth dau farc.

   (c) Dim ond un gost sydd wedi'i nodi yma. Weithiau mae'n hawdd anghofio mai dim ond rhan o'r cwestiwn yr ydych wedi'i hateb – felly byddwch yn ofalus.

   Mae'r ateb yn dda ond nid yw'n cael ond un marc gan fod y rhan arall ar goll.
   (4 marc allan o 6)

Atebion yr arholwr

2 (a) Un marc am y gost, sy'n gorfod bod yn gost am gasglu data ac nid
mewnbynnu data, ac un marc am ddisgrifiad addas.

Costau ariannol
- talu cyrff allanol i wneud ymchwil marchnata
- costau argraffu a dosbarthu holiaduron
- costau talu arbenigwyr i gynnal arolwg

Costau amser
- yr amser y mae'n ei gymryd i wneud ymchwil marchnata
- amser oddi wrth weithgareddau busnes eraill
- yr amser sydd ei angen i brosesu'r canlyniadau ac i ysgrifennu adroddiadau

Costau adnoddau dynol
- y staff y mae eu hangen i ddylunio holiaduron
- y staff y mae angen eu neilltuo i'r project a'u tynnu oddi wrth dasgau eraill
- mae angen hyfforddi staff
- treuliau teithio a chostau eraill ar gyfer staff

(b) Costau ariannol
- mae angen cyflogi pobl neu mae angen talu'r staff presennol
- goramser er mwyn teipio data i mewn
- efallai y bydd angen prynu dyfeisiau caledwedd fel sganwyr i fewnbynnu holiaduron/ffurflenni casglu data'n awtomatig
- efallai y bydd angen prynu meddalwedd i ddarllen nodau ar ffurflenni'n awtomatig drwy ddefnyddio cyfarpar ANG
- efallai y bydd angen talu staff allanol i deipio data i mewn

Costau amser
- amser i fewnbynnu'r data i'r system gan ddefnyddio bysellfwrdd
- yr amser y mae'n ei gymryd i ymdrin â phroblemau'n ymwneud â ffurflenni sy'n cael eu gwrthod neu holiaduron anghyflawn

Costau adnoddau dynol
- costau hyfforddi staff i ymdrin â'r data sy'n cael eu mewnbynnu
- cost staff allanol sy'n mewnbynnu data

(c) Costau ariannol
- mae costau'n gysylltiedig â chynnal cronfa ddata sy'n cynnwys data gan fod angen pobl i ddileu data ac yn y blaen

Costau amser
- mae angen llawer iawn o amser i brosesu swm mawr o ddata a chynhyrchu canlyniadau ystyrlon ar ffurf adroddiadau

Costau adnoddau dynol
- cost staff sy'n dadansoddi'r data ac yn llunio graffiau, cyflwyniadau ac adroddiadau

Map meddwl cryno

Costau gwybodaeth o ansawdd da

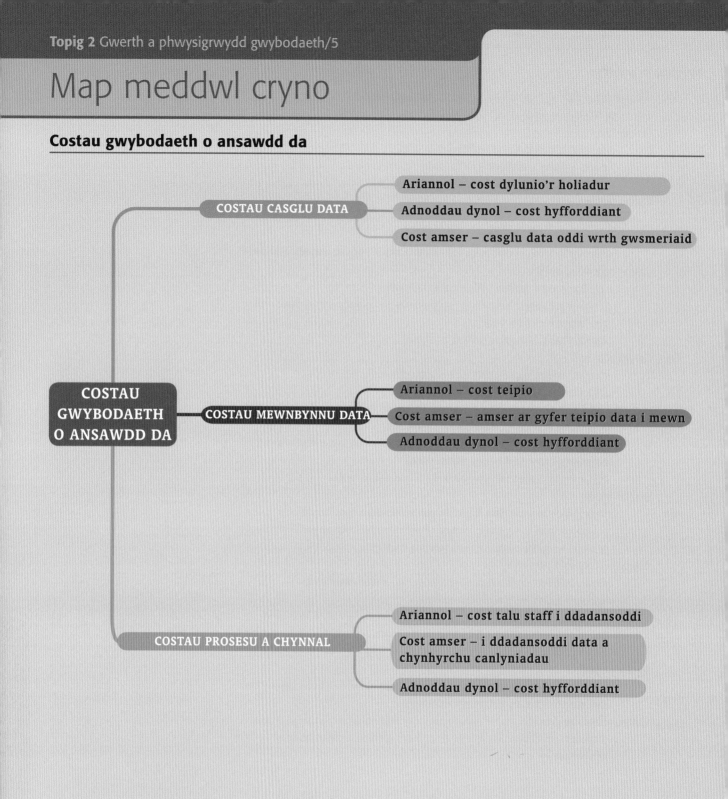

COSTAU GWYBODAETH O ANSAWDD DA

COSTAU CASGLU DATA
- Ariannol – cost dylunio'r holiadur
- Adnoddau dynol – cost hyfforddiant
- Cost amser – casglu data oddi wrth gwsmeriaid

COSTAU MEWNBYNNU DATA
- Ariannol – cost teipio
- Cost amser – amser ar gyfer teipio data i mewn
- Adnoddau dynol – cost hyfforddiant

COSTAU PROSESU A CHYNNAL
- Ariannol – cost talu staff i ddadansoddi
- Cost amser – i ddadansoddi data a chynhyrchu canlyniadau
- Adnoddau dynol – cost hyfforddiant

TOPIG 3: Ansawdd gwybodaeth

Er mwyn i wybodaeth fod yn ddefnyddiol i'r bobl sydd mewn corff, mae angen iddi fod o ansawdd da. Yn y topig hwn byddwch yn dysgu pa nodweddion mewn gwybodaeth sy'n ei gwneud yn wybodaeth o ansawdd da. Byddwch yn dysgu am bwysigrwydd cadw gwybodaeth yn gyfoes a hefyd fod problemau'n codi'n aml iawn wrth brosesu'r wybodaeth gan fod cymaint ohoni.

▼ Y cysyniadau allweddol sy'n cael sylw yn y topig hwn yw:

▶ Sut mae gwybodaeth yn gallu gwella ansawdd penderfyniadau

▶ Ansawdd gwybodaeth

▶ Pwysigrwydd cadw data'n gyfoes

▶ Prosesu symiau enfawr o ddata

▶ Sut i ddod o hyd i wybodaeth

CYNNWYS

Uned IT1 Systemau gwybodaeth

Sut mae gwybodaeth yn gallu gwella ansawdd penderfyniadau

▼ Byddwch yn dysgu

▶ Sut y gall gwybodaeth wella ansawdd penderfyniadau

▶ Am ansawdd gwybodaeth

▶ Am bwysigrwydd cadw gwybodaeth yn gyfoes

▶ Sut mae symiau enfawr o ddata'n cael eu prosesu

Cyflwyniad

Mae penderfyniadau gan reolwyr wedi'u seilio ar wybodaeth ac os yw'r wybodaeth o ansawdd uchel bydd y penderfyniadau sy'n cael eu gwneud yn fwy tebygol o fod yn rhai da. Fodd bynnag, os yw'r penderfyniadau wedi'u seilio ar wybodaeth sydd o ansawdd gwael, mae'n ddigon posibl y bydd y penderfyniadau'n rhai gwael ac yn rhai costus i'r corff. Yn yr adran hon byddwch yn dysgu beth yw gwybodaeth o ansawdd da a pham mae angen gwybodaeth o'r fath.

Ansawdd gwybodaeth

Mae gwybodaeth yn amrywio o ran ei hansawdd. Er enghraifft, mae angen i chi benderfynu pa mor ddibynadwy yw'r wybodaeth. Mae hyn yn arbennig o bwysig, gan fod penderfyniadau'n cael eu gwneud ar sail y wybodaeth fel arfer. Mae ansawdd gwybodaeth yn cael ei fesur yn ôl y canlynol:

- ei chywirdeb
- pa mor berthnasol yw hi at ddiben penodol
- pa mor gyfoes yw hi
- pa mor gyflawn yw hi
- pa mor hawdd yw ei deall
- pa mor dda y caiff ei thargedu
- faint o hyder sydd gan y defnyddiwr yn y wybodaeth.

Dyma rai enghreifftiau o'r uchod:

Cywirdeb

Ar gyfriflen cerdyn credyd rhaid dangos bod y gyfradd llog gywir wedi cael ei chymhwyso at y gweddill oherwydd fel arall bydd cwsmeriaid yn cwyno a gellid erlyn y cwmni a roddodd y cerdyn.

Ei pherthnasedd at ddiben penodol

Mae grŵp wedi gofyn i'w gwmni recordiau am ddadansoddiad o'i freindaliadau ar gyfer pob mis yn y tair blynedd diwethaf ond y cwbl y mae wedi'i gael gan y cwmni yw cyfanswm y breindaliadau ar gyfer pob blwyddyn. Roedd y grŵp am edrych ar yr amrywiadau yn ei freindaliadau o dymor i dymor ond ni fyddai'r wybodaeth a gafodd yn dangos hyn.

Pa mor gyfoes yw'r wybodaeth

Fel arfer bydd stamp dyddiad ar fwyd i ddangos mai gwell fyddai peidio â'i fwyta ar ôl dyddiad penodol.

Dylid rhoi dyddiad ar wybodaeth yn yr un modd, oherwydd byddai defnyddio hen wybodaeth yn gallu arwain at broblemau fel anfon biliau i'r cyfeiriad anghywir, seilio penderfyniadau ar wybodaeth anghywir, ac ati.

Dylid rhoi dyddiad ar yr holl adroddiadau ac allbrintiau o gyfrifiadur fel bod y defnyddiwr yn gwybod pa mor ddiweddar yw'r wybodaeth.

Os yw adroddiad sy'n dangos eitemau sydd allan o stoc mewn siop yn cael ei allbrintio ddydd Llun, ni ddylid ei ddefnyddio i archebu mwy o stoc ddydd Gwener, gan y byddai llawer mwy o eitemau wedi mynd allan o stoc erbyn hynny, a'i bod hi'n bosibl bod mwy o stoc wedi cyrraedd i gymryd lle eitemau a oedd allan o stoc o'r blaen.

Pa mor gyflawn yw gwybodaeth

Mae'n anodd i unrhyw gorff seilio penderfyniadau ar wybodaeth sy'n anghyflawn. Er enghraifft, gallai cwsmer ffonio ac archebu nwyddau a gallai'r gwerthwr ddweud y cânt eu danfon drannoeth. Efallai na fydd rhestr stoc gan y gwerthwr, felly mae'r wybodaeth sydd ganddo am yr eitemau sydd mewn stoc yn anghyflawn.

Felly mae'n bwysig i'r gwerthwr gael y ffeithiau i gyd, megis yr holl eitemau sydd mewn stoc ar y pryd, wrth gymryd archebion.

Pa mor hawdd yw deall y wybodaeth

Dylai ystyr pob gwybodaeth fod yn glir i'r defnyddiwr a dylid egluro unrhyw fyrfoddau neu godau. Ni ellir defnyddio gwybodaeth

Mae gwybodaeth sydd wedi'i thargedu a'i hamseru'n dda yn gallu hwyluso penderfyniadau.

yn briodol heb ei deall. Mae hefyd yn bwysig bod gwybodaeth yn ddiamwys oherwydd, fel arall, gallai'r rheiny sy'n mynychu cyfarfod gamddeall ei gilydd.

Mae gofyniad o dan Ddeddf Gwarchod Data 1998 i gyflwyno gwybodaeth yn glir i'r sawl sy'n destun data os bydd yn gofyn am weld gwybodaeth amdano'i hun, gan egluro unrhyw godau iddo.

Mae data cymhleth, yn enwedig rhai ar ffurf rhifau mewn tablau, yn eithaf anodd eu deall a'u dehongli. Gwell o lawer yw cyflwyno gwybodaeth o'r fath yn ddarluniadol fel y gellir cymharu ffigurau'n gyflym a sylwi'n hawdd ar unrhyw dueddiadau. Nid y darllenydd a ddylai orfod gwneud y gwaith dadansoddi ychwanegol hwn, felly dylech bob amser roi gwybodaeth ar ffurf sy'n hawdd ei deall.

Pa mor dda y mae'r wybodaeth wedi'i thargedu

Mae angen targedu gwybodaeth at y sawl fydd yn ei defnyddio. Yn aml bydd rheolwyr yn cael adroddiadau sy'n cynnwys ffigurau a diagramau manwl er mai'r unig beth y mae arnynt ei angen mewn gwirionedd yw golwg cyffredinol ar y sefyllfa. Po isaf fydd lefel y rheolwr, mwyaf manwl fydd angen i'r wybodaeth fod. Mae ar reolwyr ar y lefel isaf angen manylion ar weithrediadau o ddydd i ddydd er mwyn gwneud penderfyniadau am amserlennu, rheoli stoc, y rhestr gyflogau, rotâu staff, ac ati. Ni ddylai cyfarwyddwyr a'r rheolwyr uchaf orfod llafurio drwy bentyrrau o fanylion dim ond i gael y wybodaeth y mae ei hangen arnynt i ddod i benderfyniad. Eu hunig angen yw gallu adnabod problemau a thueddiadau yn sydyn, felly dim ond crynodeb sydd ei angen.

Faint o hyder sydd gan y defnyddiwr yn y wybodaeth

Weithiau, pan fydd defnyddiwr yn gofyn am wybodaeth o'r system, bydd yn sylwi ar ryw agwedd ar y wybodaeth y mae'n gwybod yn sicr ei bod yn anghywir. Mae hyn yn peri iddo amau agweddau eraill ar y wybodaeth.

Er enghraifft, gallai'r system ddweud wrtho fod pum eitem o nwydd penodol mewn stoc ac yntau'n gwybod mai dim ond dwy sydd yno mewn gwirionedd.

Os bydd hyn yn digwydd, ni fydd gan y defnyddiwr hyder yn y system sy'n rhoi'r wybodaeth, ac yn hytrach na defnyddio'r system i gael gwybod sawl eitem o nwydd penodol sydd mewn stoc, byddai'n well ganddo fynd i edrych ei hun.

Pwysigrwydd cadw data'n gyfoes

Mae gofyniad o dan Ddeddf Gwarchod Data 1998 i unrhyw un sy'n prosesu data personol gadw'r wybodaeth honno'n gywir ac yn gyfoes.

Mae'n anodd iawn i fusnes wneud hyn ar ei ben ei hun. Er enghraifft, os byddwch yn symud tŷ, byddwch yn debygol o ddweud wrth y banc, cwmnïau cardiau credyd, cwmnïau gwasanaethau (nwy, trydan, ffôn, ac ati) ond yn annhebygol o ddweud wrth y cwmni y gwnaethoch drefnu gwyliau drwyddo llynedd fel y gall beidio ag anfon llyfrau gwyliau atoch.

Mae yna gwmnïau sy'n cadw manylion pobl sydd:

- wedi newid tŷ (gan gynnwys eu cyfeiriad newydd)
- wedi marw
- wedi gofyn am beidio â derbyn post nad ydynt wedi gofyn amdano
- erioed wedi ymateb i bost-dafliad.

Mae'r cwmnïau hyn yn darparu gwasanaeth sy'n eich galluogi i ddiweddaru'ch data.

Mae'n debyg eich bod yn dyfalu o ble mae'r cyrff hyn yn cael y data uchod. Dyma rai ffynonellau:

- Daw'r manylion am newid tŷ oddi wrth y cwmnïau gwasanaethau wedi iddynt gael manylion y cyfeiriad newydd pan fydd pobl yn cysylltu â nhw wrth symud.
- Daw'r data am bobl sydd wedi marw o Gofrestri Genedigaethau, Priodasau a Marwolaethau.
- Daw'r manylion am bobl nad ydynt am gael post-dafliadau o gronfa ddata sydd wedi'i sefydlu gan y Gwasanaeth Dewis Post (*MPS: Mailing Preference Service*).

Weithiau gallwch gael gormod o ddata.

- Daw'r data am bobl nad ydynt erioed wedi ymateb i bost-dafliad oddi wrth yr holl gwmnïau sy'n anfon post-dafliadau ac sy'n rhannu'r wybodaeth hon.

Prosesu symiau enfawr o ddata

Y brif broblem ynghylch data weithiau yw bod gormod ohonynt yn hytrach na phrinder. O fewn oriau ar ôl ymosodiad y terfysgwyr ar reilffyrdd tanddaearol Llundain ar 7 Gorffennaf, roedd yr heddlu'n casglu symiau enfawr o ddata a oedd yn cynnwys:

- lluniau o deledu cylch-caeedig
- cofnodion ffonau symudol
- datganiadau gan dystion.

Llwyddasant i brosesu'r holl ddata a oedd ar gael ac arestio'r bobl a oedd yn gyfrifol.

Mae angen cyfrifiadur pwerus ynghyd â meddalwedd soffistigedig i brosesu symiau enfawr o ddata.

Sut i ddod o hyd i wybodaeth

▼ Byddwch yn dysgu

▶ Am ffynonellau gwybodaeth ar-lein (mewnrwydi a'r Rhyngrwyd)

▶ Am wybodaeth ar *CD-ROM*au

▶ Am ffynonellau gwybodaeth heblaw TGCh

Cyflwyniad

Mae llawer o'r wybodaeth y mae ar gorff ei hangen yn dod o'r tu mewn i'r corff, a gellir defnyddio systemau TGCh y corff i echdynnu'r wybodaeth hon.

Bydd llawer o gwmnïau'n defnyddio gwybodaeth sydd wedi'i chyflenwi o'r tu allan i'r corff. Er enghraifft, bydd cyrff yn tanysgrifio i gyrff eraill sy'n cyflenwi gwybodaeth ynghylch credyd am eu cwsmeriaid. Yn ogystal â'r rhain, mae cyrff sy'n casglu gwybodaeth farchnata am bob un ohonom, fel manylion ein hoff bethau a'n cas bethau, beth yr ydym yn ei brynu, i ble yr awn ar ein gwyliau, ac ati. Yn aml bydd cwmnïau'n talu am restri o gwsmeriaid sydd ag anghenion penodol y gallai'r cwmni eu diwallu.

Ffynonellau gwybodaeth ar-lein

Gellir defnyddio systemau ar-lein i gael llawer o'r wybodaeth sydd ei hangen ar reolwyr. Gall y wybodaeth hon gynnwys gwybodaeth o systemau'r corff ei hun yn ogystal â systemau cyrff eraill. Er enghraifft, os yw rheolwr am wybod faint o nwyddau sydd wedi'u dychwelyd gan ei gwsmeriaid fel rhai diffygiol, bydd y systemau mewnol yn dweud hynny wrtho. Os oes angen i gwmni gwasanaethau mawr ddiweddaru ei gofnodion i gynnwys pobl sydd wedi newid cyfeiriad heb ddweud wrtho, yna gellir prynu'r wybodaeth hon gan gorff allanol sy'n arbenigo mewn casglu gwybodaeth o'r fath.

Mewnrwydi

Bydd llawer o gyrff yn defnyddio mewnrwyd fel rhwydwaith mewnol ar gyfer rhannu gwybodaeth. Mae mewnrwydi'n defnyddio technoleg y Rhyngrwyd i gynnal rhwydweithiau mewnol sy'n cael eu defnyddio gan staff y corff yn unig.

Mae defnyddwyr y mewnrwydi yn gallu defnyddio meddalwedd porwr gwe i gyrchu data mewn unrhyw gronfa ddata y mae'r corff am ei ddarparu. Er enghraifft, gallai staff gwerthu gael gweld gwybodaeth am stoc drwy ddefnyddio'r fewnrwyd.

Mae mewnrwydi'n ffordd dda o ddarparu gwybodaeth i lawer o bobl, gan y byddant yn gyfarwydd â defnyddio'r Rhyngrwyd a gallant ddeall yn rhwydd sut i chwilio am wybodaeth benodol gan fod y technegau'n union yr un fath.

Y Rhyngrwyd

Mae swm enfawr o wybodaeth ar gael ar y Rhyngrwyd a bydd llawer o gwmnïau'n tanysgrifio i wasanaethau ar-lein sy'n darparu'r wybodaeth sydd ei hangen arnynt. Er enghraifft, mae trefnwyr teithiau'r stryd fawr yn gallu cyrchu teithiau awyren a gwyliau nad ydynt ar gael i'w harchebu'n uniongyrchol. Gallant gyrchu'r systemau hyn drwy ddefnyddio'r Rhyngrwyd.

Dyma rai enghreifftiau o wybodaeth o'r Rhyngrwyd y gallai rheolwyr corff ei defnyddio:

- Gwybodaeth am drethi – i weld beth yw'r ffordd orau i ddefnyddio deddfau treth i leihau maint y dreth y mae busnes yn ei dalu.
- Gwybodaeth am y Ddeddf Gwarchod Data a deddfau eraill – i sicrhau bod y cwmni'n cydymffurfio â'r gyfraith.
- Manylion cyflenwyr gwasanaethau a'u costau – er mwyn lleihau costau'r corff.
- Ymchwil i gynhyrchion neu wasanaethau ei gystadleuwyr – er mwyn sicrhau bod y cwmni'n aros yn gystadleuol.
- Gellir defnyddio gwybodaeth Swyddfa Ystadegau Gwladol y llywodraeth i ddarganfod gwybodaeth sy'n ddefnyddiol ar gyfer cynllunio.

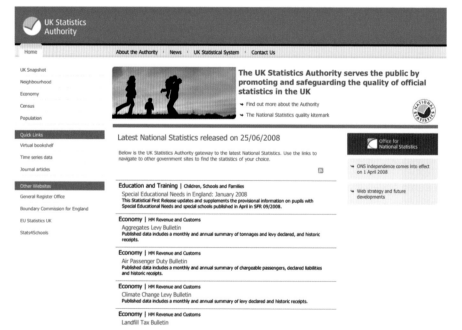

Mae llawer iawn o wybodaeth ystadegol ar gael ar wefan y Swyddfa Ystadegau Gwladol. Ewch i weld y wefan yn http://www.statistics.gov.uk/.

Mae *CD-ROM*au yn ddelfrydol ar gyfer storio data statig (h.y. data nad ydynt yn amrywio lawer o ddydd i ddydd).

Mae cyfleuster ar-lein gan y Post Brenhinol ar gyfer darganfod codau post. Os byddwch am ddefnyddio'r cyfleuster chwilio mwy na 15 o weithiau, rhaid i chi danysgrifio.

Dyma rai o wasanaethau eraill y Post Brenhinol. Ystyriwch pa mor ddefnyddiol fyddai pob set o wybodaeth i fusnes neu gorff.

CD-ROMau

Y fantais wrth ddefnyddio *CD-ROM*au i ddal gwybodaeth yw na ellir newid y wybodaeth sydd ar y *CD-ROM*au a bod y cryno ddisgiau'n gallu dal llawer iawn o wybodaeth.

Nid yw *CD-ROM*au'n cael eu defnyddio cymaint i ddosbarthu symiau mawr o wybodaeth, yn bennaf gan fod y rhan fwyaf o wybodaeth yn newid a'i bod yn haws cyrchu'r wybodaeth ar-lein.

Rhai enghreifftiau o wybodaeth o *CD-ROM*au yw:

- Cryno ddisg oddi wrth y Post Brenhinol sy'n dal rhestr lawn o'r holl gyfeiriadau hysbys yn y DU, a gaiff ei ddiweddaru bob chwarter blwyddyn.
- Cryno ddisg o gronfa ddata cwsmeriaid sy'n rhoi manylion cysylltu a manylion archebion blaenorol i werthwyr teithiol.

Ffynonellau gwybodaeth heblaw am rai TGCh

Byddai'n hawdd tybio bod cyrff yn gallu cael yr holl wybodaeth y maent yn ei defnyddio drwy TGCh, ond nid yw hyn yn wir. Er enghraifft, os ewch i feddygfa fe welwch lawer o ffeiliau papur o hyd. Y rheswm am hyn yw nad oedd manylion cleifion yn cael eu dal ar gyfrifiadur mewn cyfnod blaenorol a'i bod yn cymryd amser i'w trosglwyddo i gyfrifiadur.

Er bod y rhan fwyaf o gyrff yn defnyddio cyfrifiaduron, mae cyrff llai sydd heb newid eto. Gallai'r perchnogion fod yn bobl hŷn nad ydynt am fynd i'r drafferth o ddysgu am systemau newydd neu efallai fod y system bapur yn dda ar gyfer ymdrin â'r gwaith papur cyfyngedig.

Rhai o'r ffynonellau gwybodaeth hyn yw:

- cyfeiriaduron (llyfrau ffôn, y Tudalennau Melyn, ac ati)
- mapiau
- anfonebau papur, cyfriflenni, archebion, ffurflenni P60, cyfriflenni cerdyn credyd, biliau trydan, nwy, ffôn, ac ati
- hen gofnodion ar bapur
- adroddiadau
- llythyrau
- papurau newydd
- cylchgronau
- llawlyfrau.

Y Tudalennau Melyn: un o blith llawer o ffynonellau gwybodaeth ar bapur.

Cwestiynau

▶ Cwestiynau 1   tt. 20–21

1 Mae rheolwyr mewn cyrff yn gorfod seilio eu penderfyniadau ar y wybodaeth y maent yn ei chael. Mae'n bwysig, felly, fod y wybodaeth a roddir iddynt o ansawdd da.

  (a) Rhowch **dair** nodwedd y mae'n rhaid i wybodaeth eu cael er mwyn bod yn wybodaeth o ansawdd da. (3 marc)

  (b) Rhowch **un** rheswm i ddangos pam y bydd cwmni sy'n defnyddio gwybodaeth o ansawdd da yn debygol o wneud yn well na chwmni sydd heb wybodaeth o ansawdd da. (1 marc)

2 Un o nodweddion gwybodaeth dda yw y dylai allu targedu adnoddau'r corff fel bod y corff yn cael mantais gystadleuol.

Eglurwch, drwy roi enghraifft, beth mae hyn yn ei olygu. (2 farc)

3 Mae rheolwr gwerthu sy'n gweithio i gwmni mawr sy'n gwerthu ceir yn dweud ei fod bob amser yn cael gwybodaeth 'o ansawdd da' o system gwybodaeth rheoli'r cwmni.

Gan ddefnyddio enghreifftiau, lle mae'n briodol, disgrifiwch **bump** o nodweddion gwybodaeth o ansawdd da. (5 marc)

4 Gan roi enghreifftiau ym mhob achos, eglurwch **ddwy** broblem sy'n codi o ganlyniad i ddefnyddio hen wybodaeth. (2 farc)

▶ Cwestiynau 2   tt. 22–23

1 Mae rheolwyr yn cael llawer o'u gwybodaeth o'u systemau ar-lein. Rhowch **dair** ffynhonnell gwybodaeth y gallai rheolwr eu defnyddio, lle nad yw'r wybodaeth yn dod o ffynhonnell TGCh. (3 marc)

2 Yn aml, bydd angen gwybodaeth ar reolwyr nad yw ar gael ar-lein.

Rhowch **ddwy** enghraifft o wybodaeth o'r fath ac eglurwch yn fyr pam mae angen cael y ddwy eitem o wybodaeth. (2 farc)

Cymorth gyda'r arholiad

Enghraifft 1

1 Er mwyn i reolwyr wneud penderfyniadau da, mae angen iddynt gael gwybodaeth o ansawdd da. Un o nodweddion gwybodaeth o ansawdd da yw ei bod yn gywir.
Rhowch **bedair** o nodweddion eraill gwybodaeth o ansawdd da. (4 marc)

Ateb myfyriwr 1

1 Rhaid i'r wybodaeth fod yn berthnasol gan nad yw defnyddwyr y wybodaeth am wastraffu amser yn darllen gwybodaeth nad yw'n berthnasol i'w pwrpas.
Rhaid i'r wybodaeth fod yn gywir oherwydd, yn y rhan fwyaf o achosion, bydd penderfyniadau yn cael eu seilio arni.
Rhaid casglu'r wybodaeth at ddiben oherwydd, fel arall, nid yw'n werth ei chynhyrchu.

Sylwadau'r arholwr

1 Gan mai geiriad y cwestiwn yw 'Rhowch bedair o nodweddion eraill', nid oes angen esboniadau, felly mae myfyrwyr sy'n eu rhoi'n gwastraffu amser y byddai'n well ei dreulio ar esboniadau manylach ar gyfer cwestiynau eraill.
Mae'r ateb cyntaf yn gywir.
Dim marc am yr ail ateb gan fod yn rhaid iddo ddisgrifio pedair nodwedd 'arall'. Mae'r cwestiwn ei hun yn cyfeirio at gywirdeb.
Nid yw'r trydydd ateb yn ateb i'r cwestiwn hwn, felly dim marc am hwn.
(1 marc allan o 4)

Ateb myfyriwr 2

1 Perthnasol
Dealladwy
Cyflawn
Cyfoes

Sylwadau'r arholwr

1 Mae pob un o'r atebion yn gywir.
(4 marc allan o 4)

Atebion yr arholwr

1 Sylwch ar y gair 'rhowch' yn y cwestiwn. Mae hyn yn golygu nad oes angen rhoi esboniad llawn.
Un marc yr un hyd at uchafswm o bedwar am bedwar o'r canlynol:
Cywir
Wedi'i thargedu'n gywir
Dealladwy
Cyflawn
Perthnasol
Cyfoes
Bod y defnyddiwr yn ymddiried ynddi

Cymorth gyda'r arholiad (parhad)

Enghraifft 2

2   Mae perchennog cwmni llogi offer yn bwriadu dechrau defnyddio system TGCh i gofnodi benthyca a dychwelyd offer. Yn ogystal â chofnodi gwybodaeth am y benthyciadau, y cwsmeriaid a'r offer, byddai'r perchennog yn hoffi cael gwybodaeth rheoli a fyddai'n ei alluogi i gael mwy o elw o'r busnes.

(a)   Eglurwch, gan roi enghraifft sy'n berthnasol i'w fusnes, sut y byddai gwybodaeth rheoli'n gallu gwneud ei fusnes yn fwy proffidiol. (3 marc)

(b)   Mae gwybodaeth rheoli'n gallu helpu'r perchennog i wneud penderfyniadau. Rhowch **un** enghraifft o benderfyniad y gallai ei wneud a disgrifiwch y wybodaeth y byddai angen iddo ei chael o'r system TGCh i wneud y penderfyniad. (2 farc)

(c)   Nodwch **ddwy** fantais y bydd gwybodaeth gyfoes, gywir a chyflawn yn eu rhoi i'r perchennog. (2 farc)

Ateb myfyriwr 1

2 (a)   Gallai ddefnyddio'r wybodaeth rheoli i wneud penderfyniadau a fydd yn gwneud y busnes yn fwy proffidiol.

(b)   Gallai ddefnyddio'r system i ddarganfod pa offer sydd wedi'u benthyca amlaf a defnyddio'r wybodaeth hon wedyn i sicrhau bod digon o'r offer hyn ar gael i ateb y galw gan gwsmeriaid.

(c)   Gall y rheolwr dargedu adnoddau fel bod arian yn cael ei ddefnyddio i brynu'r offer hynny sy'n rhoi'r elw mwyaf wrth eu llogi. Gall y rheolwr sicrhau bod y wybodaeth yn gyflawn a gall adnabod tueddiadau ar sail y wybodaeth.

Sylwadau'r arholwr

2   (a)   Dim marciau am yr ateb hwn. Dylai'r myfyriwr fod wedi egluro beth yw'r wybodaeth a sut mae'r wybodaeth yn gwneud y busnes yn fwy proffidiol.

(b)   Mae'r ateb hwn yn egluro pa wybodaeth sydd ei hangen ac yn egluro hefyd pam mae angen cael y wybodaeth. Ateb da sy'n haeddu'r ddau farc.

(c)   Mae'r ateb cyntaf yn gywir. Mae'r ail ateb yn dderbyniol gan fod angen cael gwybodaeth gyflawn i sylwi ar dueddiadau. **(4 marc allan o 7)**

Ateb yr arholwr

2   (a)   Un marc am yr enghraifft, un marc am ddisgrifiad clir o'r wybodaeth y byddai angen ei chael ac un marc am esboniad (neu am awgrymu rheswm) dros y cynnydd mewn proffidioldeb. Rhai o'r atebion cyffredin yw: Darganfod cost yr erfyn, sawl gwaith y caiff ei logi a'r ffi am logi, er mwyn cyfrifo'r elw o'r erfyn mewn blwyddyn. Byddai hyn yn galluogi'r perchennog i ddarganfod pa offer nad ydynt yn broffidiol. Adnabod y cwsmeriaid gorau drwy restru'r symiau y maent yn eu gwario mewn blwyddyn yn y siop llogi offer er mwyn cynnig rhyw fath o ostyngiad am ffyddlondeb iddynt i sicrhau na fyddant yn dechrau defnyddio cwmni llogi gwahanol.

Ateb myfyriwr 2

2 (a)   Gallai ddefnyddio'r wybodaeth am gwsmeriaid a llogi offer i ddarganfod pwy oedd y cwsmeriaid gorau dros gyfnod o flwyddyn ac wedyn cynnig cyfradd llogi sy arbennig. Byddai hyn yn cymell y cwsmer i aros yn ffyddlon i'r cwmni llogi a bydd hyn, yn ei dro, yn rhoi mwy o elw iddo.

(b)   Pa offer i'w prynu. Gallai chwilio a darganfod pa offer sy'n cael eu llogi amlaf a sicrhau ei fod yn prynu mwy ohonynt.

(c)   Gallai dargedu cwsmeriaid oedd yn arfer llogi offer ond nid yn ddiweddar. Byddai cynigion arbennig yn gallu eu denu'n ôl. Mae angen cadw cofnodion cwsmeriaid yn gyfoes rhag gwastraffu amser ac arian yn anfon post-dafliadau at gwsmeriaid sydd wedi symud. Gall brynu'r wybodaeth hon oddi wrth y Post Brenhinol.

Sylwadau'r arholwr

2   (a)   Mae'r ateb hwn yn rhoi esboniad digonol o beth yw'r wybodaeth a sut mae'n gallu gwella proffidioldeb. Marciau llawn am hyn.

(b)   Mae'r penderfyniad yn glir (h.y. pa offer i'w prynu) ac mae'r ateb yn egluro beth mae angen ei wneud i ddod o hyd i'r wybodaeth hon. Dau farc am yr ateb hwn.

(c)   Mae'r ddau ateb hyn yn rhai da, felly marciau llawn amdanynt. **(7 marc allan o 7)**

(b)   Un marc am nodi'r penderfyniad yn glir ac un marc am y wybodaeth y byddai angen i'r system ei rhoi er mwyn gwneud y penderfyniad. Enghraifft: Penderfynu pa offer ychwanegol i'w prynu. Defnyddio'r data am offer a llogi i gynhyrchu adroddiad yn dangos sawl gwaith y mae pob erfyn yn cael ei logi er mwyn gallu adnabod yr offer mwyaf poblogaidd fel y gellir prynu rhagor ohonynt.

(c)   Unrhyw ddau ateb (un marc yr un) o blith: Mae'n ei alluogi i ddewis pa gwsmeriaid i'w targedu. Mae'n ei alluogi i wneud penderfyniadau cywir. Mae'n caniatáu iddo sylwi ar dueddiadau (e.e. bod un erfyn penodol yn dod yn fwy poblogaidd). Mae'n caniatáu iddo fonitro cynnydd y cwmni drwy gymharu gwerthiant gwirioneddol â'r gwerthiant a ragwelwyd.

Mapiau meddwl cryno

Ansawdd gwybodaeth

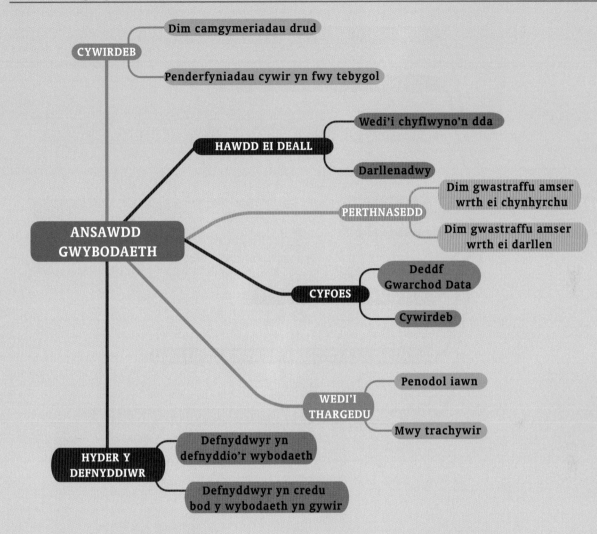

Sut i ddod o hyd i wybodaeth

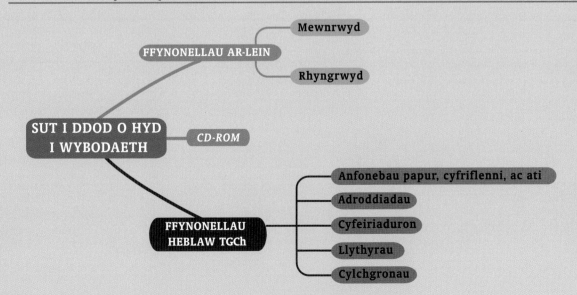

Mapiau meddwl cryno (parhad)

Enghreifftiau o wybodaeth y gall fod ei hangen ar reolwr o'r Rhyngrwyd

GWYBODAETH AM DRETHI I LEIHAU BILIAU TRETH

GWYBODAETH AM GYSTADLEUWYR

MANYLION DEDDFAU A RHEOLIADAU Y MAE'N RHAID CADW ATYNT

ENGHREIFFTIAU O WYBODAETH Y GALL FOD EI HANGEN AR REOLWR O'R RHYNGRWYD

GWYBODAETH AM GYFLENWYR

GWYBODAETH YSTADEGOL AR GYFER CYNLLUNIO

MANYLION LLEOLIADAU AR GYFER CYRSIAU/CYFARFODYDD

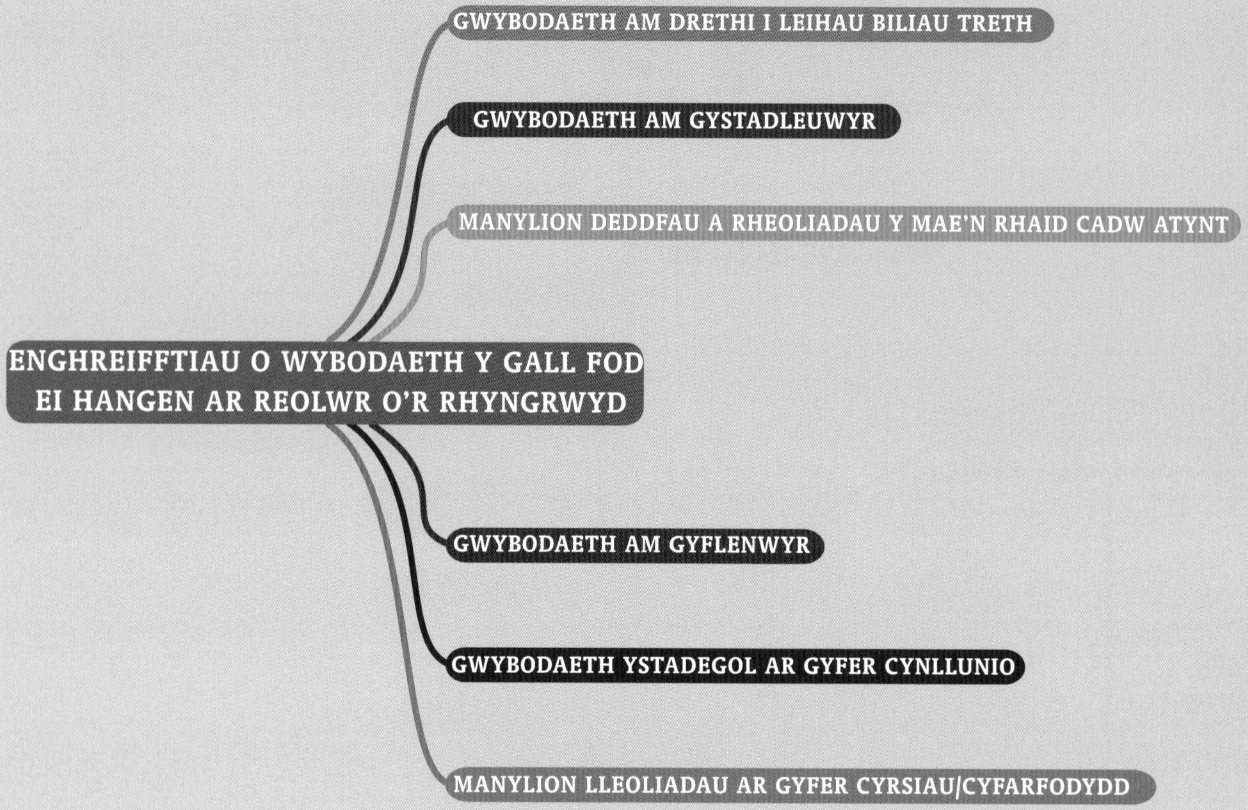

Yn y topig hwn byddwch yn dysgu beth yw gwallau data ac am y problemau sy'n gallu codi os bydd data sy'n cynnwys gwallau'n cael eu prosesu. Gall gwallau data ddigwydd wrth fewnbynnu, trawsgrifio, prosesu a thrawsyrru a byddwch yn dysgu ei bod yn amhosibl atal y gwallau hyn rhag digwydd. Byddwch yn dysgu bod modd lleihau'r gwallau hyn i raddau helaeth drwy ddefnyddio nifer o wiriadau o'r enw gwiriadau dilysu a gwireddu. Byddwch yn dysgu am y gwiriadau hyn a'u gallu i leihau gwallau ond nid eu dileu'n gyfan gwbl.

▼ Y cysyniadau allweddol sy'n cael sylw yn y topig hwn yw:

▶ Sut mae gwallau data'n digwydd

▶ Pwrpas dilysu

▶ Pwrpas gwireddu

▶ Creu gwiriadau dilysu

CYNNWYS

Uned IT1 Systemau Gwybodaeth

Sut mae gwallau data'n digwydd

▼ Byddwch yn dysgu

▶ Am y problemau y gall data anghywir eu hachosi

▶ Am y gwallau sy'n gallu digwydd wrth fewnbynnu, trawsgrifio, prosesu a thrawsyrru data

Cyflwyniad

Os caiff data anghywir eu prosesu, gall arwain at allbynnau gwirion ac afresymol. Gall gymryd amser ac ymdrech i ddatrys gwallau ac mae data personol anghywir yn gallu achosi gofid. Wrth ddatblygu system TGCh, mae'n hollbwysig cynnwys gwirio gwallau yn y cynllun. Yn yr adran hon byddwn yn edrych ar y mathau o wallau sy'n gallu digwydd a sut mae technegau gwirio gwallau'n gallu sicrhau mwy o gywirdeb wrth fewnbynnu data.

Problemau â data anghywir

Mae prosesu data cywir yn hollbwysig i bob system TGCh. Mae gwallau mewn data'n gallu achosi pob math o broblemau fel:

- gwneud penderfyniadau anghywir sy'n arwain at golli arian
- anfon nwyddau i'r cyfeiriad anghywir
- gorfod treulio amser yn datrys camgymeriadau
- colli ewyllys da
- colli ymddiriedaeth
- erlyn o dan Ddeddf Gwarchod Data 1998 am beidio â chadw data personol yn gywir.

Mae'n hollbwysig ymgorffori technegau ym mhob dull mewnbynnu data er mwyn gallu lleihau gwallau, neu eu dileu mewn rhai achosion.

Sut mae gwallau data'n gallu digwydd wrth fewnbynnu, trawsgrifio, prosesu a thrawsyrru

Mae gwallau data'n gallu digwydd mewn nifer o ffyrdd. Gallant ddigwydd wrth wneud y canlynol:

- trawsgrifio
- mewnbynnu
- prosesu
- trawsyrru.

Sut mae gwallau data'n digwydd wrth drawsgrifio

Gwallau trawsysgrifol yw camgymeriadau y mae pobl yn eu gwneud wrth deipio data i mewn neu wrth lenwi ffurflenni fel ffurflenni marciau gweledol. Digwyddant yn aml oherwydd diofalwch, ac nid yw dulliau gwireddu fel darllen proflenni yn dod o hyd iddynt. Trawsgrifio yw'r broses o gopïo data o ddogfen ffynhonnell fel ffurflen archebu neu ffurflen gais. Gwallau trawsysgrifol yw'r gwallau hynny sy'n codi yn ystod y broses teipio i mewn.

Os caiff staff eu hyfforddi'n drwyadl gan nodi pa mor bwysig yw cofnodi data'n gywir, gall hynny fod o gymorth i leihau gwallau trawsysgrifol. Mae dilysu gan y rhaglen gyfrifiadurol sy'n derbyn y data'n gallu bod o gymorth ond, yn aml, bydd y data anghywir sy'n cael eu mewnbynnu yn ddata dilys ac felly'n amhosibl eu canfod.

Sut mae gwallau data'n digwydd wrth fewnbynnu

Hyd yn oed os yw data wedi'u gwireddu (h.y. eu gwirio yn erbyn y dogfennau ffynhonnell) a'u dilysu wrth eu mewnbynnu, gallant fod yn anghywir o hyd. Gall data anghywir ddigwydd mewn llawer ffordd ac, fel rheol, y ddolen wan yn y system yw'r bobl sy'n casglu neu'n mewnbynnu'r data. Yr unig ffordd i osgoi gwallau yw lleihau'r defnydd o bobl yn y broses a defnyddio dulliau uniongyrchol o gipio data megis adnabod nodau inc magnetig (ANIM/*MICR: magnetic ink character recognition*), adnabod nodau gweledol (ANG/*OCR: optical character recognition*), codau bar, ac ati, pryd bynnag y bo modd.

Mae nifer mawr o wallau'n gallu

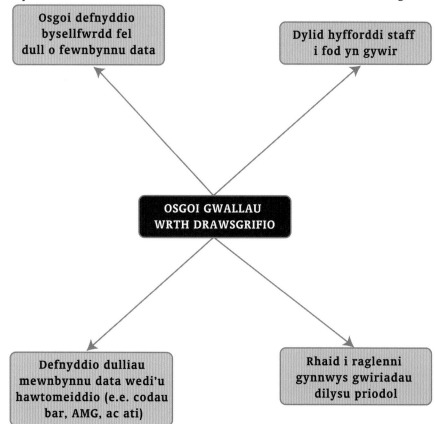

Crynodeb o'r ffyrdd posibl o leihau nifer y gwallau sy'n codi wrth fewnbynnu data

codi wrth fewnbynnu ar fysellfwrdd. Gall problemau godi hyd yn oed wrth ddefnyddio dulliau mewnbynnu data sydd wedi'u hawtomeiddio, fel adnabod marciau gweledol ac adnabod nodau inc magnetig. Er enghraifft, efallai na fydd y darllenydd yn darllen ffurflen gan nad yw wedi'i marcio'n gywir. Mae'n bwysig nad yw'r system yn ceisio dyfalu beth yw'r marciau, gan y byddai hyn yn rhoi data anghywir. Yn lle hynny, dylai'r system wrthod y ffurflen a gadael i berson benderfynu beth i'w wneud.

Mae darllenwyr codau bar mewn uwchfarchnadoedd yn bipian i ddweud wrth y defnyddiwr fod eitem wedi'i sganio'n gywir. Fel hyn gall y person ailsganio'r nwyddau os nad yw wedi clywed y bîp neu, os bydd hynny'n methu, gall fewnbynnu'r rhif ar waelod y cod bar â llaw.

Sut mae gwallau data'n digwydd wrth brosesu

Rhai o'r camgymeriadau a allai ddigwydd wrth brosesu yw:

- Gwall rhaglennu sydd heb ei ddarganfod yn ystod profi ac sy'n dod i'r golwg pan fydd cyfres o amodau'n cyd-ddigwydd. Gall hyn beri i raglenni chwalu (h.y. peidio â rhedeg).
- Defnyddio'r fersiwn anghywir o ffeil ddata i brosesu data yn lle'r fersiwn diweddaraf. Er enghraifft, gallech ddefnyddio fersiwn hŷn o daenlen drwy gamgymeriad neu gallech ddefnyddio'r set ddata anghywir i bostgyfuno.
- Fformiwlâu anghywir mewn taenlen a oedd heb eu canfod a'u cywiro yn ystod y profion, fel bod prosesau anghywir yn cael eu defnyddio, sy'n arwain at allbynnu gwybodaeth anghywir.
- Difrod gan firysau – gall firysau ddileu data neu eu gwneud yn annarllenadwy.
- Diffyg mewn cyfarpar – mae gyriannau disg caled yn torri i lawr weithiau fel pob math arall o ddyfais fecanyddol. Gellir colli data oherwydd hyn, felly mae

bob amser yn bwysig gwneud copïau wrth gefn o ffeiliau sy'n cynnwys rhaglenni a data.

Sut mae gwallau data'n digwydd wrth drawsyrru

Pan fydd data'n mynd drwy gyfrwng cyfathrebu (diwifr, gwifren fetel, ffibr optegol), mae'n bwysig na ddylai'r data gael eu llygru mewn unrhyw ffordd, ac os bydd hyn yn digwydd, mae yr un mor bwysig i hyn gael ei ganfod ac i'r data gael eu trawsyrru eto.

Caiff gwiriad paredd ei ddefnyddio i wirio data ar ôl iddynt fynd drwy linell gyfathrebu. Mae gwiriad paredd yn gweithio fel hyn: mae'r cyfrifiadur yn adio nifer y didau mewn un beit, ac os yw'r paredd yn wahanol i'r gosodiad paredd mae'r cyfrifiadur yn adrodd bod gwall. Gellir defnyddio gwiriad eilbaredd neu odbaredd. Yn achos odbaredd, er

enghraifft, tybiwch ein bod yn anfon y llythyren C ar hyd llinell gyfathrebu. Mewn cod *ASCII*, y gyfres o ddidau a ddefnyddir i gynrychioli C yw 1000011. Gan fod tri 1 yn y cod hwn a bod odbaredd yn cael ei ddefnyddio, caiff 0 ei adio at ochr chwith y grŵp o ddidau fel bod y cyfanswm ar gyfer y beit yn odrif. Pe bai eilbaredd yn cael ei ddefnyddio, byddai angen adio 1 fel bod y cyfanswm ar gyfer y beit yn eilrif.

Mae yna sglodyn y tu mewn i ddyfeisiau cyfathrebu i ymdrin â gwiriadau paredd: mae'r ddyfais sy'n anfon yn adio'r didau paredd a'r uned sy'n derbyn yn cyfrifo'r hyn y dylai'r did paredd fod. Os yw gwall wedi digwydd, nid oes paredd wrth drawsyrru, ac mae'r llygru'n cael ei ganfod. Y broblem gyda gwiriadau paredd yw hyn: os oes mwy nag un gwall, ac os yw'r gwallau'n gwrthbwyso ei gilydd, gall ymddangos bod y paredd yn gywir o hyd.

Caiff codau deuaidd eu hanfon ar hyd sianeli cyfathrebu (h.y. gwifrau, ceblau ffibr optegol, diwifr) a rhaid rhoi gwiriadau ar waith fel na chaiff data eu llygru o gwbl wrth eu trawsyrru.

Pwrpas dilysu a mathau o ddilysu

Cyflwyniad

Mae nifer o wiriadau dilysu y gellir eu defnyddio i ddilysu data sy'n cael eu mewnbynnu i system TGCh. Po fwyaf o ddilysu sy'n digwydd, lleiaf tebygol yw hi y bydd data afresymol yn cael eu prosesu.

Dilysrwydd a chywirdeb data

Os yw eitem o ddata i fod yn ddilys, rhaid iddi ddilyn rheolau penodol. Er enghraifft, os yw maes wedi'i osod ar gyfer mewnbynnu rhif, a bod llythyren yn cael ei mewnbynnu yn ei le, ni fydd y llythyren yn ddarn dilys o ddata ar gyfer y maes hwnnw. Gan fod modd i chi osod meysydd mewn cronfeydd data i dderbyn mathau penodol o ddata'n unig, byddai'r gronfa ddata'n sylwi ar hyn ac ni fyddai'r darn o ddata'n cael ei dderbyn.

Pe bai'r cyfenw 'James' yn cael ei fewnbynnu'n anghywir drwy roi 'Jones', yna byddai'r gronfa ddata'n ei dderbyn, gan fod 'Jones' yr un mor ddilys fel darn o ddata ag y mae 'James'. Mae'r ddau ddarn o ddata'n ddilys ac eto mae un yn anghywir. Gallwch weld bod gwahaniaeth rhwng cywirdeb a dilysrwydd data.

Mathau o wallau sy'n gallu digwydd wrth fewnbynnu data

Gellir rhoi'r gwallau sy'n fwyaf cyffredin wrth fewnbynnu data ar fysellfwrdd mewn dau grŵp:

- gwallau trawsysgrifol
- gwallau trawsosod.

Gwallau trawsysgrifol

Trawsgrifio yw trosglwyddo data (wedi'u hysgrifennu neu eu hargraffu ar ffurflen) i'r cyfrifiadur, drwy eu teipio ar fysellfwrdd fel arfer. Gall trawsgrifio hefyd olygu teipio beth mae rhywun yn ei ddweud i mewn i'r cyfrifiadur. Yn anffodus, mae pobl sy'n gorfod teipio'r data i mewn yn wynebu nifer o broblemau, sef:

- Problemau wrth ddeall lleferydd – nid yw'r person yn siarad yn ddigon clir ar y ffôn.
- Galwr nad yw'n sillafu geiriau neu enwau anghyffredin – mae'r sawl sy'n eu teipio i mewn yn dyfalu sut i'w sillafu.
- Llawysgrifen wael – mae ysgrifen ar y ddogfen ffynhonnell (ffurflen gais, ffurflen archebu, ffurflen dalu, ac ati) na ellir ei darllen.
- Camddehongli – mae'r person sy'n teipio i mewn yn camddehongli gwybodaeth ar y ffurflen neu'r hyn sy'n cael ei ddweud dros y ffôn.
- Camgymeriadau teipio – mae'r teipydd yn darllen neu'n clywed y wybodaeth gywir ond yn gwneud camgymeriad wrth ei theipio i mewn.

Gwallau trawsosod

Mae'n hawdd gwneud gwallau trawsosod wrth deipio'n gyflym ac maent yn digwydd drwy gyfnewid nodau'n ddamweiniol. Enghreifftiau o wallau trawsosod yw teipio i mewn:

- 'drso' yn lle 'dros'
- y rhif cyfrif 100065 yn lle'r rhif cyfrif cywir 100056
- y rhif hediad awyren AB376 yn lle BA376.

Yn ôl un amcangyfrif, mae tua 70% o wallau wrth ddefnyddio bysellfwrdd yn wallau trawsosod. Gellir sylwi ar wallau trawsosod yn ystod y broses darllen proflenni ac mae hefyd yn bosibl sylwi ar rai ohonynt drwy ddefnyddio gwirwyr sillafu.

Mewn rhifau pwysig fel rhifau cyfrifon, rhifau gweithwyr, rhifau TAW, rhifau Yswiriant Gwladol, ac

GEIRIAU ALLWEDDOL

Gwall trawsosod – gwall sy'n digwydd drwy gyfnewid nodau fel eu bod yn y drefn anghywir

Gwall trawsysgrifol – gwall sy'n digwydd wrth deipio data i mewn gan ddefnyddio dogfen yn ffynhonnell data

Gwiriad amrediad – techneg dilysu data sy'n gwirio bod y data sy'n cael eu mewnbynnu i gyfrifiadur o fewn amrediad penodol

Gwiriadau dilysu – gwiriadau sy'n cael eu creu gan rywun sy'n datblygu datrysiad TGCh, gan ddefnyddio'r meddalwedd, er mwyn cyfyngu'r data y gall defnyddiwr eu mewnbynnu, i gael llai o wallau

ati, defnyddir digidau gwirio fel bod modd rhoi prawf ar gywirdeb wrth fewnbynnu'r rhifau hyn.

Dilysu

Mae dilysu'n wiriad sy'n cael ei gyflawni gan raglen gyfrifiadurol wrth fewnbynnu data. Dilysu yw'r broses sy'n sicrhau bod data sydd wedi'u derbyn i'w prosesu yn synhwyrol ac yn rhesymol. Caiff dilysu ei gyflawni gan y rhaglen gyfrifiadurol sy'n cael ei defnyddio ac mae'n cynnwys cyfres o wiriadau o'r enw **gwiriadau dilysu**.

Pan fydd datblygwr yn datblygu datrysiad i broblem TGCh, rhaid iddo greu gwiriadau i leihau'r tebygolrwydd y bydd y defnyddiwr yn mewnbynnu gwybodaeth anghywir. Bydd yn gwneud hyn drwy gyfyngu ar beth y gall y defnyddiwr ei fewnbynnu, neu wirio bod y data'n dilyn rheolau penodol.

Gwiriadau dilysu

Defnyddir gwiriadau dilysu i gyfyngu ar y data y gall y defnyddiwr eu mewnbynnu. Mae llawer o fathau gwahanol o wiriadau dilysu, a phob un yn cael ei ddefnyddio at ddiben penodol, gan gynnwys:

- Gwiriadau math data – i wirio bod y data sy'n cael eu mewnbynnu o'r un math â'r math data sydd wedi'i bennu ar gyfer y maes. Er enghraifft, byddai'n sicrhau mai dim ond rhifau a gaiff eu mewnbynnu i feysydd sydd wedi'u pennu'n rhai rhifol.
- Gwiriadau presenoldeb – rhaid llenwi rhai meysydd mewn cronfeydd data, tra gellir gadael rhai eraill yn wag. Byddai gwiriad presenoldeb yn sicrhau bod data wedi'u mewnbynnu i faes. Os na fydd y defnyddiwr wedi rhoi data yn y meysydd angenrheidiol, ni chaiff y data eu prosesu.
- Gwiriadau hyd – gwiriad i sicrhau bod y nifer cywir o nodau yn y data sy'n cael eu mewnbynnu. Er enghraifft, os oes chwe digid mewn rhif cyfrif, caiff ei wirio i sicrhau bod chwe digid yn union.
- Am-edrychiadau ffeil/tabl (*File/ table lookups*) – i sicrhau bod codau a ddefnyddir yr un fath â'r rheiny a ddefnyddir mewn tabl neu ffeil o godau. Er enghraifft, mae gan gwmni cydrannau moduron lawer o gydrannau, pob un â'i chod ei hun. Os bydd rhywun yn teipio cod i mewn ar gyfer cydran, caiff ei wirio yn erbyn y tabl i sicrhau ei fod yn god dilys.
- Gwiriadau ar draws meysydd – yn aml bydd angen gwirio'r data mewn mwy nag un maes gyda'i gilydd i sicrhau eu bod yn gwneud synnwyr. Er enghraifft, pan gaiff data eu mewnbynnu ar gyfer adran mewn sefydliad, caiff y rhif estyniad ei gymharu i sicrhau ei fod yn estyniad dilys ar gyfer yr adran honno.
- Gwiriadau amrediad – ar rifau. Mae'n gwirio bod rhif sy'n cael ei fewnbynnu o fewn amrediad penodol. Er enghraifft, mae'r holl fyfyrwyr mewn coleg yn hŷn na 14 oed, felly ni fyddai'r gwiriad amrediad yn caniatáu mewnbynnu dyddiad geni a fyddai'n rhoi oedran llai na hynny.
- Gwiriadau fformat – ar godau i sicrhau eu bod yn cydymffurfio â'r cyfuniadau cywir o nodau. Er enghraifft, gallai cod ar gyfer cydrannau moduron gynnwys tri rhif yn gyntaf ac wedyn un llythyren. Gellir pennu hyn ar gyfer maes er mwyn cyfyngu data sy'n cael eu mewnbynnu i'r fformat hwn.

Cofiwch

Yn ogystal â'r gofyniad i ddata fod heb wallau, mae'n hanfodol eu cadw'n gyfoes. Os na chaiff data eu diweddaru, byddant yn gywir ar adeg eu mewnbynnu ond, oherwydd newidiadau mewn manylion fel enw, cyfeiriad, rhif ffôn, ac ati, bydd gwallau'n dechrau llithro i mewn. Os caiff data personol eu storio, yna mae gofyniad o dan Ddeddf Gwarchod Data 1998 i gadw manylion o'r fath yn gyfoes.

Digidau gwirio

Caiff digidau gwirio eu hychwanegu at rifau pwysig fel rhifau cyfrifon, Rhifau

ISBN 978-1-85008-280-4

Mae'r rhif 13 digid a welwch o dan y barrau wedi'i amgodio yn y barrau, sy'n golygu bod modd eu sganio i roi'r rhif yn hytrach na gorfod ei deipio i mewn.

Llyfr Safonol Rhyngwladol (*ISBNs: International Standard Book Numbers*), rhifau nwyddau o dan y cod bar, ac ati. Rhoddir y rhifau hyn ar ddiwedd y bloc o rifau a chânt eu defnyddio i wirio bod y rhifau wedi'u mewnbynnu'n gywir i'r cyfrifiadur.

Pan gaiff y rhif mawr ei fewnbynnu, bydd y cyfrifiadur yn defnyddio'r holl rifau i gyfrifo'r rhif ychwanegol hwn. Os bydd y cyfrifiad yn dangos bod y rhif ychwanegol (sy'n cael ei alw'n ddigid gwirio) yr un fath â hwnnw sydd wedi'i gyfrifo drwy ddefnyddio'r rhifau eraill, mae'n golygu bod yr holl rifau wedi'u mewnbynnu'n gywir.

Cyfyngiadau gwirio am wallau

Er gwaethaf yr holl wiriadau y gellir eu gwneud, bydd gwallau'n dal i ddigwydd. Mae'n hawdd iawn i rywun feddwl ei fod yn gwybod sut i sillafu enw rhywun arall er nad yw'n gwybod mewn gwirionedd. Mae llawer o enwau sy'n swnio'r un fath ond yn cael eu sillafu'n wahanol. Yr unig beth y gallwch ei wneud yw cynnwys cynifer o wiriadau ag sy'n bosibl i'w gwneud yn llai tebygol y bydd gwallau'n digwydd.

Er mwyn cael llai o wallau, y peth gorau yw:

- mewnbynnu cyn lleied o ddata â phosibl drwy deipio – er mwyn cael llai o wallau, mae'n well o lawer cipio data'n awtomataidd drwy adnabod nodau/marciau gweledol, codau bar, ac ati, yn hytrach na'u teipio i mewn
- caniatáu i ddefnyddiwr deipio ei fanylion i mewn – mae'n annhebygol y bydd yn gwneud camgymeriad â'i fanylion ei hun
- caniatáu i ddefnyddiwr wirio ei fanylion a chadarnhau eu bod yn gywir
- defnyddio cynifer o ddulliau dilysu a gwireddu ag sy'n bosibl.

Topig 4 Dilysu a gwireddu

33

Pwrpas gwireddu

Cyflwyniad

Mae llawer o raglenni'n dal i alw am deipio data i mewn i'r system gyfrifiadurol drwy ddefnyddio bysellfwrdd. Yn aml bydd y person sy'n teipio i mewn un ai'n edrych ar ffurflen sy'n cynnwys y data neu'n gwrando ar rywun sy'n rhoi'r manylion iddo dros y ffôn. Yn y topig hwn byddwn yn troi ein sylw at wireddu data a sut mae'n helpu i sicrhau bod gwybodaeth yn gywir.

Gwireddu

Ystyr gwireddu yw gwirio bod y data sy'n cael eu mewnbynnu i'r system TGCh yn cyfateb yn union i ffynhonnell y data. Er enghraifft, os oedd manylion o ffurflen archebu'n cael eu teipio i mewn ar fysellfwrdd, wedi i'r defnyddiwr orffen bydd y data ar y ffurflen ar y sgrin yr un fath â'r data ar y ffurflen bapur (h.y. y ffynhonnell data). Mae tri dull gwireddu:

- darllen proflenni
- mewnbynnu data ddwywaith
- anfon allbrintiau'n ôl.

Wrth **ddarllen proflenni** bydd un defnyddiwr yn darllen yn ofalus beth mae wedi'i deipio i mewn ac yn ei gymharu â beth sydd yn y ffynhonnell data (ffurflenni archebu, ffurflenni cais, anfonebau, ac ati) i ddod o hyd i unrhyw wallau, y gellir eu cywiro wedyn.

Ystyr **mewnbynnu ddwywaith** yw bod dau berson yn defnyddio'r un ffynhonnell data i fewnbynnu'r manylion i'r system TGCh a dim ond os bydd y ddwy set o ddata yr un fath y byddant yn cael eu derbyn i'w prosesu. Anfantais hyn yw bod cost mewnbynnu data yn dyblu.

Mae **anfon allbrintiau'n ôl** yn ffordd arall i wirio bod y wybodaeth yn gywir drwy argraffu'r wybodaeth a'i hanfon yn ôl ar ffurf copi caled at y person a oedd wedi'i rhoi, gan obeithio y bydd yn gallu sylwi ar unrhyw gamgymeriadau. Hon yw'r drefn a ddilynir pan fyddwn yn archebu gwyliau dros y ffôn. Bydd y trefnwr teithiau'n anfon allbrint atoch sy'n cadarnhau'r archeb: dylech ei wirio'n ofalus a rhoi gwybod iddo wedyn os oes unrhyw gamgymeriadau.

Gwireddu a dilysu cynnwys

Os ydych yn datblygu datrysiad TGCh amlgyfrwng i broblem sydd gan gleient, mae llawer o ffyrdd i wirio cynnwys fel bod y datrysiad terfynol yn gywir ac yn addas. Mae cynnwys yn golygu'r deunydd yr ydych yn ei roi ar y wefan, yn y cyflwyniad, ac ati, megis testun, delweddau (ffotograffau, cartwnau, lluniadau llinell, brasluniau), fideo, sain, ac ati.

Wrth ddatblygu cynhyrchion amlgyfrwng rhaid gwirio'r cynnwys neu'r ffordd y mae'r cynnwys wedi'i drefnu drwy wneud y canlynol:

- Gwirio bod unrhyw gynnwys sydd wedi'i gyflenwi'n gywir. Dylid gwirio unrhyw wybodaeth ffeithiol sydd ynddo.
  - Gwirio bod y cynnwys yn ddarllenadwy ar sail nodweddion y defnyddiwr/cynulleidfa, megis oed, profiad o TGCh, ac ati.

Dylid gwireddu data fel eu bod yn addas i'w defnyddio.

- Gwirio sillafu – gall fod yn anffodus iawn os bydd cleientiaid, defnyddwyr neu gynulleidfaoedd yn gweld camgymeriadau sillafu. Defnyddiwch y gwirydd sillafu yn yr offer meddalwedd i sicrhau nad ydynt yn digwydd.
- Gwirio gramadeg – mae'n hollbwysig bod eich gramadeg yn gywir, felly defnyddiwch y gwirydd gramadeg yn yr offer meddalwedd i wirio hyn yn awtomatig. Dylech hefyd ganiatáu i bobl eraill ddarllen drwy'r cynnwys i gadarnhau ei fod yn gwneud synnwyr.
- Gwirio bod yr holl gynnwys yn bresennol – mae'n hawdd gadael testun neu ddelwedd allan. Byddwch chi neu bobl eraill yn gallu sylwi ar hyn drwy ddarllen proflenni.

Darllen proflenni – darllen beth sydd wedi'i deipio i mewn yn ofalus a'i gymharu â'r data sydd yn y ffynhonnell data (ffurflenni archebu, ffurflenni cais, anfonebau, ac ati) i sylwi ar unrhyw wallau, y gellir eu cywiro wedyn

Dilysu – y broses o sicrhau bod data sydd wedi'u derbyn i'w prosesu yn synhwyrol ac yn rhesymol

Gwireddu – gwirio bod y data sy'n cael eu teipio i mewn yn cyfateb yn union i'r data yn y ddogfen a ddefnyddiwyd i roi'r wybodaeth

Gwirydd gramadeg – caiff ei ddefnyddio i wirio'r gramadeg mewn brawddeg a thynnu sylw at broblemau ac awgrymu dewisiadau eraill

Gwirydd sillafu – cyfleuster sydd ar gael mewn meddalwedd sy'n cynnwys geiriadur y bydd yr holl eiriau a gaiff eu teipio i mewn yn cael eu cymharu yn ei erbyn

- Sicrhau nad yw cynnwys yn cael ei ddyblygu – un camgymeriad cyffredin yw dweud yr un peth ddwywaith. Gellir sylwi ar hyn drwy ddarllen proflenni.
- Gwirio bod gosodiad y tudalennau'n gyson – os yw tudalennau gwe neu sleidiau'n debyg o ran eu cynnwys, dylai eu dyluniad fod yn gyson. Unwaith eto, gellir sylwi ar hyn a'i gywiro drwy ddarllen proflenni.
- Gwirio delweddau – i sicrhau bod eu maint yn gywir a'u cydraniad yn addas.
- Gwirio bod y ffont a maint y ffont yn briodol i nodweddion y defnyddiwr a/neu'r gynulleidfa.
- Gwirio bod delweddau'n addas i'r testun.

Enghreifftiau o wireddu

Mewnbynnu data ddwywaith

Yn aml, wrth greu cyfrinair, bydd y defnyddiwr yn ei deipio i mewn ddwywaith a dim ond os bydd y ddau fersiwn yn cyfateb y caiff ei dderbyn fel cyfrinair newydd y defnyddiwr. Pe bai defnyddiwr yn gwneud camgymeriad wrth deipio cyfrinair unwaith, ni fyddai'n gwybod beth oedd y cyfrinair yr oedd wedi'i deipio a gallai hyn arwain at lawer o alwadau ffôn diangen i'r ddesg gymorth.

Darllen proflenni

Cymerwch eich bod yn mewnbynnu manylion disgyblion i gronfa ddata disgyblion ar gyfer ysgol. Fel arfer bydd y rhieni'n darparu'r wybodaeth ar ffurflen sydd wedi'i hanfon atynt. Wedyn bydd y manylion sydd ar y ffurflen hon yn cael eu teipio i mewn i'r gronfa ddata.

Mae'n hawdd gwneud camgymeriadau wrth deipio ac mae'n hawdd camddarllen gwybodaeth sydd ar ddalen o bapur.

Ar ôl i'r person orffen mewnbynnu'r wybodaeth, bydd yn darllen yn ofalus drwy'r wybodaeth sydd ym mhob maes i'w chymharu â beth a roddwyd ar y ffurflen gais i wirio bod y wybodaeth yr un fath.

Anfon allbrintiau'n ôl

Os prynwch lyfr neu gryno ddisg, er enghraifft, gan ddefnyddio'r Rhyngrwyd, bydd yn rhaid i chi eu dewis fel arfer drwy ychwanegu'r pethau yr ydych yn eu prynu at y fasged siopa. Ar ôl mynd i'r ddesg talu a thalu am eich pethau, byddwch yn cael e-bost i gadarnhau eich archeb. Derbynneb yw hon sy'n rhoi cyfle i chi wirio'ch archeb. Bydd y rhan fwyaf o bobl yn argraffu'r e-bost hwn i'w wirio gan eu bod yn ei chael yn haws ei wirio fel hyn ac mae'n ddefnyddiol i'w gadw wrth law.

Pan gaiff nwyddau eu harchebu mewn ffordd fwy traddodiadol (e.e. heb ddefnyddio'r Rhyngrwyd), anfonir allbrint o'r archeb at y cwsmer fel ei fod yn gallu ei gwirio. Gellir rhoi gwybod am unrhyw broblemau ynghylch yr archeb a'u cywiro cyn i'r nwyddau gyrraedd.

Osgoi gwallau dynol

Yn aml y ffactor dynol sy'n achosi gwallau ac mae'n well defnyddio dulliau nad ydynt yn cynnwys pobl ar gyfer mewnbynnu data er mwyn lleihau gwallau. Bydd y rhan fwyaf o wallau'n codi wrth ddefnyddio bysellfwrdd. Felly, os oes modd, bydd angen defnyddio dulliau mewnbynnu uniongyrchol yn lle bysellfwrdd, ond nid yw'r rhain yn addas bob tro. Mae dulliau mewnbynnu uniongyrchol yn fwy cywir ond mae'r dulliau hyn yn gallu achosi gwallau o hyd. Er enghraifft, byddai sganiwr a ddefnyddir i ddarllen y marciau ar ffurflen marciau gweledol yn gallu darllen diffygion ar y papur neu gerdyn fel pe baent yn farciau.

YN YR ARHOLIAD

Yn aml bydd myfyrwyr yn cymysgu rhwng y ddau derm gwireddu a dilysu. Mae angen i chi bwysleisio mewn unrhyw gymhariaeth rhwng y ddau derm mai'r cwbl yw gwireddu yw sicrhau nad yw unrhyw wallau wedi codi wrth gipio data, er enghraifft, wrth eu teipio i mewn. Felly mae'r manylion sy'n cael eu mewnbynnu'n cyfateb yn union i'r manylion sydd ar ffurflen fel ffurflen gais, ffurflen archebu, ac ati. Mae angen hefyd i chi egluro bod dilysu'n wiriad sy'n cael ei gyflawni gan raglen gyfrifiadurol.

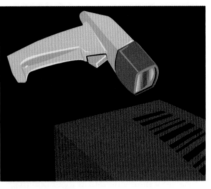

Drwy ddefnyddio sganwyr, megis darllenwyr codau bar neu ddarllenwyr marciau gweledol, gellir cipio data'n fwy cywir na thrwy deipio'r manylion i mewn. Maen nhw hefyd yn ffordd gyflymach a rhatach o fewnbynnu data.

Mae'n fwy anodd gwireddu data wrth eu casglu dros y ffôn gan nad oes gwaith papur ar gael i'w cadarnhau. Felly mae angen gwireddu manylion y cwsmer yn ofalus ar y pryd (e.e. enw, manylion cysylltu, manylion yr archeb, ac ati).

Creu gwiriadau dilysu

▼ **Byddwch yn dysgu**

▶ Sut i greu gwiriadau dilysu drwy ddefnyddio meddalwedd cronfa ddata

▶ Sut i greu gwiriadau dilysu drwy ddefnyddio meddalwedd taenlen

Cyflwyniad

Pan fyddwch yn creu system TGCh mae angen i chi gofio ei bod yn bosibl y bydd defnyddwyr eraill yn defnyddio'r system na fyddant mor ofalus â chi wrth fewnbynnu data. Mae'n hanfodol i chi geisio cyfyngu cymaint â phosibl ar y data y gall defnyddiwr eu mewnbynnu drwy ddefnyddio gwiriadau dilysu.

Byddwch yn dysgu yma sut y gellir creu gwiriadau dilysu drwy ddefnyddio meddalwedd cronfa ddata a meddalwedd taenlen.

Dilysu a chronfeydd data

Wrth greu cronfeydd data, caiff rheolau dilysu eu creu ar gyfer rhai o'r meysydd yn y gronfa ddata. Ni ellir cynnwys gwiriadau dilysu ar gyfer pob maes mewn cronfa ddata. Er enghraifft, gall cyfenw rhywun fod yn gyfuniad o unrhyw lythrennau bron, felly byddai'n anodd gwahaniaethu rhwng un cywir ac un anghywir. Wrth gwrs, gallwch bennu'r math o ddata a gaiff fynd i bob maes a'r hyd (h.y. nifer y nodau) ar gyfer pob maes.

Mae llawer o wahanol wiriadau dilysu ar gyfer cronfeydd data sy'n amrywio yn ôl y math o faes sy'n cael ei ddilysu. Caiff llawer o wiriadau eu cyflawni gan y meddalwedd cronfa ddata ei hun. Er enghraifft, os yw maes wedi cael ei bennu'n un rhifol, ni ellir mewnbynnu llythrennau.

Enw'r cyfarwyddiadau ar gyfer y gwiriad dilysu sy'n cael eu rhoi i'r gronfa ddata yw mynegiadau dilysu. Yn ogystal â chreu'r mynegiadau dilysu, mae angen i ddylunydd y gronfa ddata lunio'r negeseuon a fydd yn ymddangos os bydd y data y mae'r defnyddiwr yn eu teipio i mewn ar gyfer y maes yn torri'r rheol. Os oes modd, dylai negeseuon o'r fath roi rhyw syniad iddo o beth sydd o'i le ar y data.

Edrychwch ar y tabl canlynol. Mae'n dangos mynegiadau dilysu ar gyfer meysydd sy'n cael eu creu gan ddefnyddio meddalwedd cronfa ddata Microsoft Access. Yn yr ail golofn gwelwch y neges ddilysu a fydd yn ymddangos os bydd y defnyddiwr yn teipio data i mewn sy'n annerbyniol ar gyfer y maes.

Mynegiad dilysu	Y neges a fydd yn ymddangos os nad yw'r mynegiad yn ddilys
>50 And <100	Rhaid i'r rhif a fewnbynnir fod yn fwy na 50 ac yn llai na 100. Nid yw hyn yn cynnwys y rhifau 50 neu 100.
>=10 And <=20	Rhaid i'r rhif a fewnbynnir fod rhwng 10 a 20. Mae hyn yn cynnwys y rhifau 10 a 20.
>0	Rhaid mewnbynnu rhif positif.
<>0	Rhaid mewnbynnu rhif ansero.
>#12/01/07#	Rhaid mewnbynnu dyddiad sydd ar ôl y dyddiad 12/01/07.
>=#01/01/08#	Rhaid mewnbynnu dyddiad sydd ar neu ar ôl y dyddiad 01/01/08.
Like"????Y"	Rhaid i'r data a fewnbynnir fod yn bum nod o hyd a bod â'r llythyren Y ar eu diwedd.
= 3 Or 4	Rhaid i'r data a fewnbynnir fod yn 3 neu'n 4.
>=#01/01/07# And <#31/12/07#	Rhaid i'r data a fewnbynnir fod yn y flwyddyn 07.
"Male" Or "Female"	Dim ond y geiriau Gwryw neu Benyw y gellir eu mewnbynnu.
<=Date()	Rhaid i'r dyddiad a fewnbynnir fod yn ddyddiad heddiw neu'n gynharach.

Dilysu data sy'n cael eu mewnbynnu i feddalwedd taenlen

Mae llawer o systemau TGCh sy'n cael eu creu gyda meddalwedd taenlen yn dibynnu ar y defnyddiwr i gyflenwi ei ddata ei hun. Gellir creu gwiriadau dilysu ar gell neu amrediad o gelloedd er mwyn cyfyngu ar y data y gall defnyddiwr eu mewnbynnu. Yn yr adran hon byddwch yn dysgu am y gwahanol ddulliau a ddefnyddir i ddilysu data sy'n cael eu mewnbynnu i daenlenni.

▶ **GEIRIAU ALLWEDDOL**

Mynegiad dilysu/rheol ddilysu – y gorchymyn y mae'n rhaid i ddatblygwr ei deipio er mwyn sefydlu'r dilysiad ar gyfer maes/ cell benodol

Neges ddilysu – y neges y bydd y defnyddiwr yn ei gweld os bydd yn teipio data i mewn nad ydynt yn dilyn y rheolau dilysu ar gyfer y maes

Un agwedd ar greu cronfa ddata lwyddiannus yw ychwanegu gwiriadau dilysu.

▶ Gweithgaredd 1: Dilysu celloedd a chreu negeseuon dilysu

Yn y gweithgaredd hwn byddwch yn darganfod sut y gellir cymhwyso gwiriadau dilysu at gelloedd yn y rhaglen taenlen Microsoft Excel.

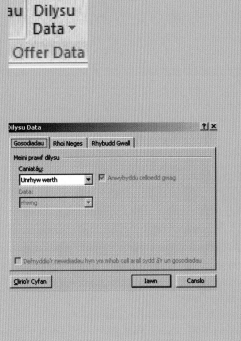

1 Llwythwch Excel a chrëwch ddalen waith newydd.

2 Cymerwch fod data'n cael eu mewnbynnu i gelloedd o A3 i A5. Mae angen i ni roi gwiriadau dilysu ym mhob un o'r celloedd hyn. Er mwyn dewis amrediad ar gyfer y gwiriad dilysu, amlygwch yr holl gelloedd o gell A3 i gell A5.

3 Cliciwch ar Data a dewis **Dilysu Data …** o'r bar offer fel hyn.

4 Bydd y sgrin **Dilysu Data** ganlynol yn ymddangos:

Cliciwch ar y gwymplen sydd o dan **Caniatáu**

5 Yma gallwch ddewis y math o ddata yr ydych am iddo gael ei roi yn y gell. Yn y ddalen waith hon mae angen mewnbynnu cyfanrifau i'r celloedd a ddewiswyd, felly cliciwch ar **Cyfanrif**.
Sylwch yn y rhestr hon ar yr holl fathau data y gallwch eu pennu ar gyfer data sy'n cael eu mewnbynnu i gell. Wedi i chi bennu math penodol o ddata, gall hynny atal mewnbynnu mathau eraill o ddata.

6 Nawr cliciwch ar y gwymplen sydd o dan **Data**.

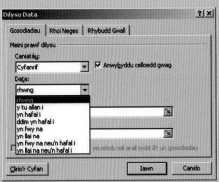

Dewiswch **rhwng** o'r rhestr.

7 Yn y blwch **Lleiaf Posibl** rhowch **1** ac yn y blwch **Mwyaf Posibl** rhowch **100** fel hyn:

8 Rydych bellach wedi ychwanegu gwiriad dilysu na fydd yn caniatáu ond i gyfanrifau rhwng 1 a 100 ac yn cynnwys 1 a 100 gael eu mewnbynnu.

9 **Ychwanegu neges**
Bydd neges yn ymddangos pan fydd y defnyddiwr yn dewis y gell. Mae'n rhoi gwybod i'r defnyddiwr pa werthoedd sy'n dderbyniol iddynt gael eu mewnbynnu.

Cliciwch ar y tab **Rhoi Neges** a bydd y ffenestr ganlynol yn ymddangos.

Teipiwch y testun sy'n cael ei ddangos yn y blychau **Teitl:** a **Rhoi neges**

10 **Ychwanegu neges ddilysu**
Pan fydd defnyddiwr yn ceisio mewnbynnu data annilys i gell sy'n cynnwys gwiriad dilysu, bydd y neges ganlynol yn ymddangos:

Nid yw'r neges hon yn fawr o gymorth gan nad yw'n egluro i'r defnyddiwr yr hyn a gaiff ei fewnbynnu a'r hyn na chaiff ei fewnbynnu.

Cliciwch ar y tab **Rhybudd Gwall** a theipiwch y testun sy'n cael ei ddangos:

11 Cliciwch ar **Iawn** i wneud yr holl newidiadau.

12 Nawr mae'n rhaid i chi brofi'r gwiriad dilysu hwn.

Mae angen i chi wirio:

- Ei fod yn caniatáu i rifau cyfain yn unig gael eu mewnbynnu.
- Ei fod yn caniatáu i rifau rhwng 1 a 100 yn unig gael eu mewnbynnu.

Y peth gorau i'w wneud yw creu tabl ac wedyn mewnbynnu'r gwerthoedd i gell A4 yn y daenlen a chofnodi beth sy'n digwydd. Ni ddylech byth gymryd yn ganiataol y bydd gwiriad dilysu'n gweithio yn ôl y disgwyl heb ei wirio.

13 Teipiwch bob un o'r rhifau i gell A3 yn ei dro ac wedyn copïwch y tabl dilysu isod a'i gwblhau.

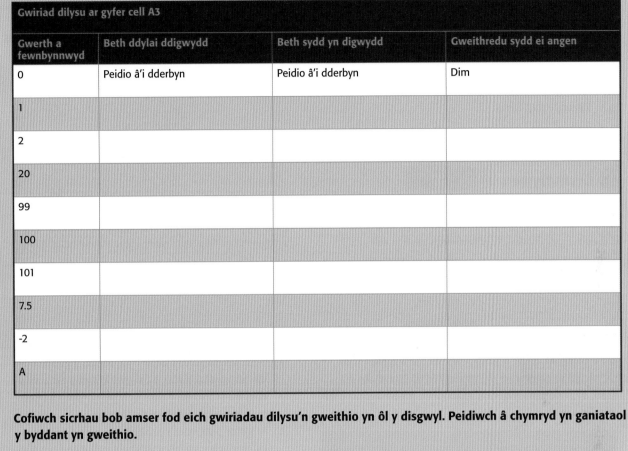

Gwiriad dilysu ar gyfer cell A3			
Gwerth a fewnbynnwyd	Beth ddylai ddigwydd	Beth sydd yn digwydd	Gweithredu sydd ei angen
0	Peidio â'i dderbyn	Peidio â'i dderbyn	Dim
1			
2			
20			
99			
100			
101			
7.5			
-2			
A			

Cofiwch sicrhau bob amser fod eich gwiriadau dilysu'n gweithio yn ôl y disgwyl. Peidiwch â chymryd yn ganiataol y byddant yn gweithio.

14 Er mwyn cwblhau'r dilysu, mae angen i chi wirio bod yr holl gelloedd yn yr amrediad rhwng A3 ac A5 yn cynnwys y gwiriad dilysu. Gallwch wneud hyn drwy fewnbynnu gwerthoedd dilys ac annilys i'r celloedd.

Cyfyngu'r defnyddiwr i restr

Un ffordd y gallwch helpu defnyddiwr i fewnbynnu data cywir yw rhoi rhestr o eitemau i ddewis ohonynt. Drwy ddefnyddio rhestr, ni fydd y defnyddiwr yn gallu mewnbynnu data sydd heb fod ar y rhestr. Yr unig broblem gyda rhestri yw nad ydynt yn addas ond lle mae nifer bach o ddewisiadau, ar gyfer maes fel G neu B, sgorio rhwng 1 a 5, ac ati.

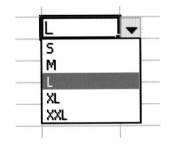

Yma mae meintiau crys yn cael eu dangos mewn rhestr y gall y defnyddiwr ddewis ohoni.

YN YR ARHOLIAD

Bydd rhai o'r cwestiynau ar y papur arholiad yn cyfeirio at ddeunydd sydd wedi'i greu gennych chi. Mae atal gwallau'n agwedd bwysig ar ddatblygu unrhyw ddatrysiad TGCh. Dylech sicrhau eich bod chi wedi cynnwys nifer o ddulliau gwireddu a dilysu sy'n briodol i'ch datrysiad.

Efallai y bydd gofyn i chi nodi rhif y dudalen lle'r ydych chi wedi bod yn gwirio am wallau.

Cwestiynau

▶ Cwestiynau 1 | tt. 30–31

1 Mae gwallau data'n gallu digwydd mewn sawl ffordd. Gan roi enghraifft ym mhob achos, disgrifiwch sut mae gwallau'n gallu digwydd wrth wneud y canlynol:
   (a) Mewnbynnu (2 farc)
   (b) Trawsgrifio (2 farc)
   (c) Prosesu (2 farc)
   (ch) Trawsyrru (2 farc)

2 Os caiff data anghywir eu prosesu, gall hynny arwain at nifer o ganlyniadau gwahanol.
   Disgrifiwch **dri** chanlyniad hollol wahanol pan gaiff data anghywir eu prosesu.
   (6 marc)

▶ Cwestiynau 2 | t.32

1 Meddyliwch am y mathau o gamgymeriadau y byddwch yn eu gwneud wrth deipio gwybodaeth i mewn i gyfrifiadur. Ysgrifennwch restr o **dri** chamgymeriad gwahanol y gallwch eu gwneud.
   (3 marc)

2 Mae rheolwr cyfrifiaduron yn dweud bod 'data'n gallu bod yn ddilys ond yn anghywir'. Gan roi un enghraifft addas, eglurwch ystyr y sylw hwn. (3 marc)

▶ Cwestiynau 3 | tt. 33–34

1 Mae coleg yn cadw holl fanylion ei staff mewn ffeil sy'n cael ei chadw yn ei system TGCh. Dyma ran o'r ffeil, sy'n dangos y data a gafodd eu mewnbynnu i rai o'r meysydd.

Cyfenw	Enw cyntaf	Rhif adran	Enw adran	Rhif estyniad
Peter	Hughes	112	Cyfrifon	318
Suzanne	Roberts	121	Cyfrifon	671
Charles	Jones	361	Personél	432
Jenny	712	Student services	543	
James	Wong	361	Cyfrifon	543
Suzanne	Roberts	121	Cyfrifon	671

(a) Wrth fewnbynnu'r data hyn, roedd y gwiriadau dilysu wedi'u hatal. Gan gyfeirio at y data sy'n cael eu storio yn y tabl uchod, nodwch **bedair** problem sydd wedi codi. (4 marc)

(b) Ar gyfer pob **un** o'r problemau a nodwyd yn (a), enwch y gwiriad dilysu y gellid fod wedi ei ddefnyddio i atal y problemau. (4 marc)

2 (a) Eglurwch yn ofalus y gwahaniaeth rhwng dilysu data a gwireddu data. (2 farc)

(b) Nodwch **dair** ffordd wahanol bosibl o wireddu data sy'n cael eu mewnbynnu i gronfa ddata. (3 marc)

▶ Cwestiynau 4 | tt. 36–39

1 Gan ddefnyddio'r mynegiadau dilysu yn y tabl ar dudalen 36 i'ch helpu, ysgrifennwch frawddeg sy'n egluro sut mae pob un o'r mynegiadau dilysu'n gweithio.
   (a) "Iau" OR "Hŷn"
   (b) = 1 OR 2
   (c) >=Date()
   (ch) LIKE"A????"
   (d) LIKE"???????"
   (dd) <20
   (e) >=1 AND <=50
   (f) >=#01/02/08#
   (ff) >=#01/01/08# AND <#31/12/08#
   (g) "G" OR "B"

2 Eglurwch y gwahaniaeth rhwng rheol ddilysu a neges ddilysu. (2 farc)

Astudiaeth achos

Nwy Prydain yn anfon bil am £2.3 triliwn

Mae'r cwmni gwasanaeth Nwy Prydain wedi cyfaddef ei fod wedi anfon bil am £2,320,333,681,613 at un o'i gwsmeriaid. Brian Law o Fartown, Huddersfield, a gafodd y bil y mis diwethaf fel rhybudd olaf wedi iddo fethu â thalu bil cynharach am £59. Roedd yn ymddangos bod y swm o £2.3 triliwn yn ddyledus am drydan a oedd wedi'i gyflenwi i gartref newydd Mr Law yn Fartown. Roedd y llythyr oddi wrth Nwy Prydain hefyd yn bygwth mynd ag ef i'r llys oni bai ei fod yn talu'r swm yn llawn. Roedd Mr Law, sy'n rhedeg cwmni arddangosfeydd o'r enw Prodis Play yn Leeds, yn hwyr yn talu'r bil gwreiddiol y llynedd gan ei fod ef oddi cartref ar fusnes.

Ceiniog y dydd

Yn ôl y papur newydd lleol, y *Yorkshire Post*, ceisiodd Mr Law alw Nwy Prydain i ddatrys y mater ond heb fawr o lwyddiant. 'Ar ôl dwy awr, llwyddais i gael gair â rhywun a dweud fy mod wedi cael y bil hwn,' meddai Mr Law wrth y papur newydd. 'Dechreuais ddarllen y ffigur a dywedodd y ferch yr oeddwn yn siarad â hi fod hynny'n sicr o fod yn gamgymeriad. Yn y diwedd, siaradais â rhywun a addawodd y byddai'n rhoi trefn ar bethau a gofynnodd i mi ffacsio'r bil ato. Gwnes i hynny a ffonio wedyn ddydd Mercher, ond nid oedd y gŵr bonheddig yn y swyddfa na'i reolwr chwaith. Daliais ati gan adael pob un o'm rhifau ffôn ond ni chefais alwad yn ôl gan neb.' Yn y diwedd, penderfynodd Mr Law mai'r unig ffordd y gallai ddatrys y mater fyddai drwy fynd i'r llys a chynnig talu ceiniog y dydd.

'Camgymeriad syml'

Fodd bynnag, wedi i'r wasg wneud ymholiadau, cafwyd ymateb gan Nwy Prydain a ddywedodd ei fod yn 'gamgymeriad clerigol, syml'. Y ffigur ar y rhybudd olaf oedd cyfeirnod y mesurydd ar gyfer eiddo Mr Law. 'O ganlyniad i'r gwall clerigol, rhoddwyd y cyfeirnod yn y blwch cyfanswm ar y bil,' meddai llefarydd ar ran y cwmni yn Leeds. Dywedodd y cwmni ei fod wedi cael 'sgwrs gyfeillgar iawn' â Mr Law am y dryswch, gan ychwanegu, 'ei bod yn ymddangos ei fod yn gweld yr ochr ddoniol'. Ar ôl hyn bydd Mr Law yn trefnu i dalu ei filiau drwy ddebyd uniongyrchol o hyn ymlaen. 'Yn sicr, ni fyddwn yn mynd ag ef i'r llys nac yn atal ei gyflenwad,' ychwanegodd y cwmni.

(Erthygl ar wefan y BBC, Mawrth 2003 http://news. bbc.co.uk/1/hi/business/2818611.stm)

1 Rhaid i bob system TGCh allu prosesu data cywir. Yn yr astudiaeth achos hon, roedd data anghywir wedi'u prosesu gan arwain at ganlyniadau gwirion. Eglurwch **ddau** ganlyniad gwahanol i gorff os bydd yn prosesu data anghywir. (4 marc)

2 Mae'r diagram ar dudalen 42 yn dangos bil nwy.
   (a) Eglurwch yn ofalus sut y digwyddodd i'r cwsmer yn yr astudiaeth achos uchod gael y bil anferth. (1 marc)
   (b)(i) Enwch wiriad dilysu addas a allai fod wedi cael ei ddefnyddio ar gyfer maint y bil. (1 marc)
      (ii) Disgrifiwch sut mae'r gwiriad yr ydych wedi'i ddisgrifio yn rhan (i) yn gallu atal y gwall a ddisgrifiwyd yn yr astudiaeth achos rhag digwydd. (1 marc)

3 Mae cyfeirnod y cwsmer yn rhif unigryw a roddir i bob cwsmer ac mae'n cynnwys 9 digid.
   (a) Cyfeirnod cwsmer y cwsmer cyntaf sydd wedi'i gofnodi ar y system yw 000000001.
      (i) Ysgrifennwch y nifer mwyaf o gyfeirnodau cwsmer unigryw y byddai'n bosibl eu cael drwy ddefnyddio'r system TGCh hon. (1 marc)
      (ii) Enwch a disgrifiwch wiriad dilysu a allai sicrhau mai dim ond rhifau a gaiff eu mewnbynnu i'r maes hwn. (2 farc)
      (iii) Enwch a disgrifiwch wiriad dilysu y gellid ei ddefnyddio a fyddai'n sicrhau mai dim ond 9 digid y gellid eu mewnbynnu ar gyfer cyfeirnod cwsmer. (2 farc)
   (b) Defnyddir taleb debyg i honno ar dudalen 42 pan fydd cwsmer yn talu bil. Rhoddir rhif unigryw i bob taliad y mae cwsmer yn ei wneud. Mae'r rhif taliad hwn yn rhif 23 digid. Defnyddir cod bar fel bod modd mewnbynnu'r rhif mawr hwn yn awtomatig i'r system TGCh.
      (i) Rhowch un rheswm dros ddefnyddio cod bar yn yr achos hwn i fewnbynnu data. (1 marc)
      (ii) Yn aml defnyddir digid gwirio mewn codau bar. Eglurwch yn fyr beth yw pwrpas digid gwirio. (2 farc)

Ynni Cartref

Mr A Rall
123 Rhodfa'r Parc
Pontyffynnon
Sir Gaernant
PF55 2PL

Eich bil nwy

Cyfrif cwsmer
912345678

Ffôn
01912 345678

Gwefan
www.ynnicartref.com

Darlleniad	Blaenorol	Presennol	Unedau/kWh	Cyfanswm
	11942 E	12150 E	208 = 2311.47 kWh	

Taliadau	Safonol		Rhif mesurydd 99999	
965 kWh am 4.266c y kWh (1 Mai 10 i 12 Meh 10)				£41.17
1346.47 kWh am 2.173c y kWh (1 Mai 10 i 12 Meh 10)				£29.26
Isgyfanswm (heb gynnwys TAW)				£70.43
TAW am 5.0% ar £70.43				£3.52
Taliadau am y cyfnod hwn				£73.95
Bil blaenorol 1-Mai-2010 12345666				£77.42
Taliad wedi'i dderbyn – Diolch 8-Meh-2010 01234567				£77.42

Swm i'w dalu £73.95

Cwmni Arian
Trosglwyddiad

credyd banc

Cyfeirnod (Rhif cwsmer)

123   912345678

Rhif cyfrif credyd

1234 56

Swm dyledus

£   73.95

Siec yn dderbyniol

Stamp a rhif
yr ariannydd

Llofnod

Dyddiad

Banc!Ni

COD DIDOLI

11-22-33

9123 4567 8912 3456 789

ARIAN PAROD		
SIEC		

£
_____

Cymorth gyda'r arholiad

Enghraifft 1

1 Darllenwch y frawddeg ganlynol:

Mae gwiriadau dilysu'n gallu sicrhau bod data'n rhesymol neu'n synhwyrol, ond ni allant sicrhau bod data'n gywir. Drwy roi enghraifft addas, eglurwch yn ofalus beth mae'r frawddeg hon yn ei olygu. (4 marc)

Ateb myfyriwr 1

1 Gallai'r data fod yn anghywir ond byddant yn dal i gael eu derbyn gan y gwiriad dilysu. Enghraifft o hyn yw pan fydd rhywun yn gwneud camgymeriad sillafu wrth deipio enw i mewn. Bydd yr enw'n dal i gael ei dderbyn er ei fod yn anghywir.

Sylwadau'r arholwr

1 Mae'r frawddeg gyntaf yn wir ond mae angen crybwyll y bydd gwiriadau dilysu'n chwilio am ddata sy'n amlwg yn ddata anghywir neu afresymol.

Mae'r camgymeriad sillafu'n ddewis gwael fel enghraifft gan ei bod yn anodd dilysu enw rhywun. Dim ond gwiriad math data y gallwch ei ddefnyddio mewn gwirionedd. Nid yw'r ateb yn rhoi ateb llawn i'r cwestiwn a ofynnwyd. **(2 farc allan o 4)**

Ateb myfyriwr 2

1 Mae'r defnyddiwr yn teipio'r nifer o getris argraffydd laser y mae am eu harchebu. Mae am archebu 2 ond yn lle hynny mae'n teipio 20, sy'n anghywir. Mae yna wiriad dilysu o'r enw gwiriad amrediad a fydd yn gwrthod derbyn y nifer os yw'n llai na 0 neu'n fwy na 150. Gan fod 20 o fewn yr amrediad, caiff ei dderbyn er bod y rhif 20 yn anghywir. Felly mae'r nifer 20 yn anghywir ac eto'n ddilys a chaiff ei dderbyn i'w brosesu.

Sylwadau'r arholwr

1 Yma rhoddwyd enghraifft glir ar gyfer maes y mae gwiriad dilysu wedi'i enwi ar ei gyfer (h.y. dilysiad amrediad) ac mae esboniad clir o'r modd y gall data fod yn ddilys ac eto'n anghywir. **(4 marc allan o 4)**

Atebion yr arholwr

1 Dau farc am esboniad a dau farc am yr enghraifft.

Unrhyw enghraifft yma sy'n nodi'r ffaith nad yw dilysu ond yn gallu cyfyngu ar y data – ni all sicrhau bod y data'n gywir.

Mae'r defnyddiwr yn mewnbynnu dyddiad fel 09/11/75. Bydd y gwiriad dilysu yn y maes data'n gwirio nad yw'r dyddiad yn amhosibl neu'n ddyddiad yn y dyfodol ac efallai'n gwirio i sicrhau nad yw'r dyddiad yn gwneud y person yn rhy hen o lawer. Serch hynny, os bydd y defnyddiwr yn gwneud camgymeriad wrth deipio i mewn ac yn trawsosod dau ddigid gan fewnbynnu 09/11/57, gan fod y dyddiad hwn yn un dilys ni fydd y gwiriad dilysu'n sylwi arno. Felly y cyfan y gall y gwiriad dilysu ei wneud yw gwirio bod y data'n synhwyrol neu'n rhesymol.

Enghraifft 2

2 Mae cwmni llogi offer yn defnyddio meddalwedd cronfa ddata i gofnodi manylion pob un o'i gwsmeriaid. Cyn bod cwsmer yn gallu llogi offer, rhaid i'r cwmni gofnodi'r manylion canlynol: teitl, enw cyntaf, cyfenw, cyfeiriad, cod post a dyddiad geni. Enwch a disgrifiwch wiriad dilysu y gellir ei ddefnyddio wrth fewnbynnu data i bob un o'r meysydd canlynol. Rhaid i'r gwiriad dilysu fod yn wahanol ym mhob achos. (8 marc)

(a) Cyfenw

(b) Cod post

(c) Dyddiad geni

(ch) Teitl

Ateb myfyriwr 1

2 (a) Gwiriad fformat

(b) Gwiriad fformat

(c) Gwiriad amrediad

(ch) Gwiriad fformat

Sylwadau'r arholwr

2 Dylai'r myfyriwr fod wedi edrych ar y cynllun marcio a sylwi bod cyfanswm o 8 o farciau sy'n golygu bod dau farc am bob rhan.

Fel y nodir yn glir yn y cwestiwn, roedd angen iddo enwi'r math o wiriad a disgrifio'r gwiriad. Dim ond wedi enwi'r gwiriad y mae'r myfyriwr hwn. Dylid sylwi bob tro ar y marc sy'n gysylltiedig â rhannau'r cwestiynau er mwyn peidio â gwneud camgymeriad o'r math hwn sydd mor gyffredin. Mae'r myfyriwr hwn wedi haneru nifer y marciau y mae'n gallu eu hennill.

Mae ateb (a) yn anghywir – defnyddir gwiriad fformat ar gyfer codau lle mae cyfuniad o lythrennau a rhifau.

Mae ateb (b) yn gywir ar gyfer y cod post.

Mae ateb (c) yn gywir ar gyfer y dyddiad geni.

Mae gwiriad fformat yn anaddas ar gyfer enw. Mae'n anodd dilysu enw, felly gwiriad math data yw'r unig wiriad syml heblaw am wirio yn erbyn rhestr neu ffeil o enwau.

(2 farc allan o 8)

Ateb myfyriwr 2

2 (a) Gwiriad presenoldeb sy'n golygu na ellir gadael y maes yn wag. Byddai angen cael yr enw er mwyn cysylltu â'r cwsmer.

(b) Byddai'n bosibl croeswirio'r cod post yn erbyn cronfa ddata o eiddo'r Post Brenhinol sy'n cynnwys pob cod post er mwyn gwirio ei fod yn god post dilys.

(c) Gwiriad amrediad fel nad yw oedran y person wedi'i gyfrifo ar sail y dyddiad geni yn ei wneud yn rhy ifanc neu'n rhy hen o lawer.

(ch) Gellir dilysu'r teitl drwy ddefnyddio gwiriad i sicrhau nad oes rhifau yn nheitl y person.

Sylwadau'r athro

2 Mae atebion (a) i (c) yn rhoi enw cywir ar wiriad addas a disgrifiad addas o'r gwiriad.

Yn rhan (ch) nid yw'r myfyriwr wedi enwi'r gwiriad, felly un marc yn unig am y rhan olaf hon. Y gwiriad y mae wedi'i ddisgrifio yw gwiriad math data.

(7 marc allan o 8)

Atebion yr arholwr

2 Un marc yr un am enw gwiriad dilysu ac un marc am ddisgrifiad addas ar gyfer pob maes.

(a) Gwiriad math data – i sicrhau nad oes rhifau yn yr enw.

Gwiriad presenoldeb – i wirio bod data wedi cael eu mewnbynnu i'r maes.

(b) Gwiriad fformat – fel bod y cod post yn cynnwys y cyfuniadau cywir o lythrennau a rhifau i'w wneud yn god post dilys.

Am-edrychiad tabl – gellid ei groeswirio yn erbyn cronfa ddata'r Post Brenhinol i sicrhau bod y cod post yn bodoli.

Gwiriad hyd – i sicrhau bod y nifer cywir o nodau ar gyfer cod post wedi'u mewnbynnu (e.e. 7, 8 neu 9 o nodau).

Gwiriad ar draws meysydd – gallai wirio bod y cod post yn cyfateb i'r un yn y maes cyfeiriad.

(c) Gwiriad fformat – i wirio bod y data sydd wedi'u mewnbynnu yn y fformat cywir ar gyfer dyddiad, e.e. DD/MM/BB.

Gwiriad amrediad – i sicrhau nad yw'r dyddiad yn y dyfodol neu'n gwneud y cwsmer yn rhy hen neu'n rhy ifanc.

(ch) Gwiriad hyd – i sicrhau nad yw'r teitl yn cynnwys gormod o nodau.

Gwiriad presenoldeb – i sicrhau bod data wedi'u mewnbynnu ar gyfer y maes.

Am-edrych tabl – i wirio bod teitl dilys wedi'i fewnbynnu drwy gymharu'r teitl â rhestr o deitlau mewn tabl.

Gwiriad math data – i sicrhau nad yw'r teitl yn cynnwys unrhyw rifau.

Mapiau meddwl cryno

Sut mae gwallau data'n digwydd

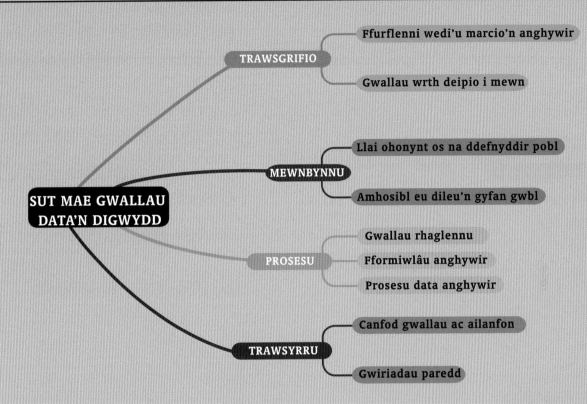

SUT MAE GWALLAU DATA'N DIGWYDD

- **TRAWSGRIFIO**
  - Ffurflenni wedi'u marcio'n anghywir
  - Gwallau wrth deipio i mewn
- **MEWNBYNNU**
  - Llai ohonynt os na ddefnyddir pobl
  - Amhosibl eu dileu'n gyfan gwbl
- **PROSESU**
  - Gwallau rhaglennu
  - Fformiwlâu anghywir
  - Prosesu data anghywir
- **TRAWSYRRU**
  - Canfod gwallau ac ailanfon
  - Gwiriadau paredd

Pwrpas dilysu a mathau o ddilysu

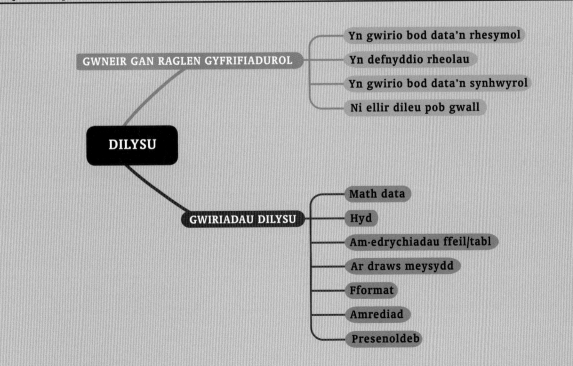

DILYSU

- **GWNEIR GAN RAGLEN GYFRIFIADUROL**
  - Yn gwirio bod data'n rhesymol
  - Yn defnyddio rheolau
  - Yn gwirio bod data'n synhwyrol
  - Ni ellir dileu pob gwall
- **GWIRIADAU DILYSU**
  - Math data
  - Hyd
  - Am-edrychiadau ffeil/tabl
  - Ar draws meysydd
  - Fformat
  - Amrediad
  - Presenoldeb

Gwireddu

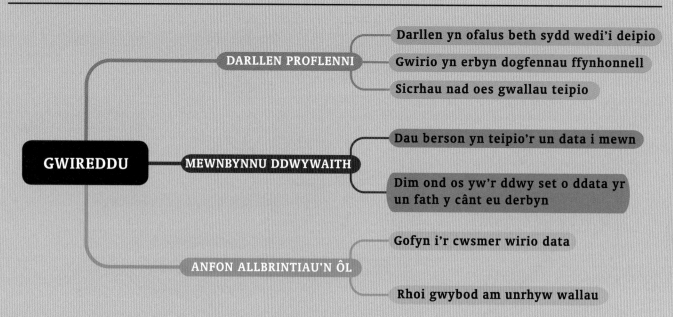

Yn y topig hwn byddwch yn dysgu am fanteision a chyfyngiadau systemau TGCh. Byddwch yn dysgu bod defnyddio TGCh yn rhoi llawer o fanteision dros ddulliau prosesu data â llaw, ac yn gweld beth yw'r rhain. Nid yw systemau TGCh yn berffaith bob amser a byddwch yn dysgu am y ffactorau sy'n cyfyngu ar effeithlonrwydd systemau prosesu data.

▼ Y cysyniadau allweddol sy'n cael sylw yn y topig hwn yw:

▶ Manteision TGCh dros ddulliau prosesu data â llaw

▶ Ffactorau sy'n effeithio ar effeithlonrwydd systemau prosesu data

▶ Cyfyngiadau systemau prosesu data

CYNNWYS

Uned IT1 Systemau Gwybodaeth

Manteision TGCh dros ddulliau prosesu data â llaw

Cyflwyniad

Erbyn hyn mae systemau cyfrifiadurol yn cyflawni llawer o'r gweithgareddau cyffredin sy'n gysylltiedig â phrosesu trafodion fel archebu, prynu, talu, ac ati.

Prif fanteision TGCh dros ddulliau prosesu data â llaw yw:

- prosesu ailadroddus
- cyflymder prosesu
- cynhwysedd storio data
- cyflymder chwilio
- cywirdeb
- cyflymder cyfathrebiadau data
- y gallu i gynhyrchu allbwn mewn gwahanol fformatau
- y gallu i chwilio a chyfuno data mewn llawer o wahanol ffyrdd a fyddai'n amhosibl fel arall
- gwarchod data a phrosesau'n well.

Prosesu ailadroddus

Mae proseyddion mor gyflym fel nad oes llawer o dasgau sy'n anodd iddynt. Mae cyfrifiaduron yn dda iawn ar gyfer prosesu ailadroddus cyflym lle y caiff tasgau tebyg eu hailadrodd dro ar ôl tro gyda dim ond ychydig o newidiadau bach. Mae angen prosesu ailadroddus cyflym ar gyfer llawer o gymwysiadau megis systemau bilio sy'n cynhyrchu biliau trydan neu gyfriflenni cerdyn credyd.

Dyma rai enghreifftiau syml o'r modd y mae prosesu cyflym, ailadroddus yn gallu helpu'r rhan fwyaf o ddefnyddwyr gyda'u gwaith:

- postgyfuno
- anfon yr un e-bost at bawb yn eich llyfr cyfeiriadau e-bost
- dyblygu fformiwla i lawr colofn neu ar draws rhes mewn taenlen
- creu dalen arddull fel bod dyluniad tebyg i'r holl ddogfennau sydd wedi'u seilio arni.

Cyflymder prosesu

Mae'r cyflymder prosesu'n dibynnu ar y canlynol:

- cyflymder y prosesydd
- cyflymder cyfathrebu os yw'r prosesu'n digwydd ar-lein
- ar ba gyflymder y mae'r data'n cyrraedd i'w prosesu – fel arfer mae hyn yn dibynnu ar gyflymder gweithio'r dyfeisiau mewnbynnu.

Po gyflymaf y gellir prosesu'r data, cyflymaf i gyd y bydd y canlyniadau neu'r allbynnau'n cael eu cynhyrchu. Yn achos rhai systemau busnes, mae cyflymder yn hanfodol i'w gweithrediad. Er enghraifft, bydd angen talu'r holl staff sydd ar gyflog misol ar ddiwrnod penodol o'r mis. Bydd cwmnïau gwasanaeth yn anfon eu holl filiau tua'r un adeg, felly mae angen eu prosesu'n gyflym iawn.

Cynhwysedd storio data

Gan fod cost storio data wedi gostwng dros y blynyddoedd, mae llawer o gyrff yn storio mwy o lawer o ddata nag yr oeddent yn arfer gwneud. Maen nhw wedi sylweddoli mai po fwyaf o ddata a gadwant am gynhyrchion, gwerthiant, cwsmeriaid, ac ati, mwyaf i gyd y bydd eu gallu i brosesu'r data hyn i gynhyrchu gwybodaeth ddefnyddiol. Er enghraifft, byddai uwchfarchnad, drwy ei chynllun cardiau teyrngarwch, yn gallu darganfod pa nwyddau nad yw cwsmer yn eu prynu yn y siop, y mae'n rhaid ei fod yn eu prynu mewn siop arall. Wedyn gall dargedu cynigion arbennig at y cwsmer i'w gymell i brynu'r nwyddau hyn. Heb gael y symiau anferth o wybodaeth am gwsmeriaid drwy gynlluniau cardiau teyrngarwch, a'r gallu i'w storio'n rhad, ni fyddai hyn yn bosibl.

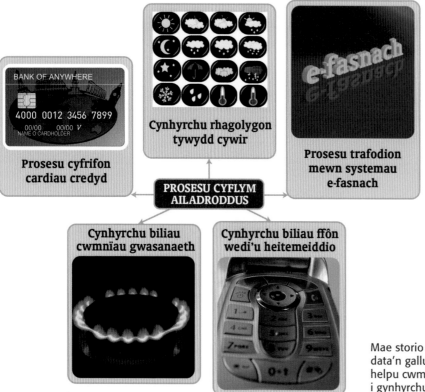

Prosesu cyfrifon cardiau credyd

Cynhyrchu rhagolygon tywydd cywir

Prosesu trafodion mewn systemau e-fasnach

PROSESU CYFLYM AILADRODDUS

Cynhyrchu biliau cwmnïau gwasanaeth

Cynhyrchu biliau ffôn wedi'u heitemeiddio

Mae storio data'n gallu helpu cwmnïau i gynhyrchu gwybodaeth ddefnyddiol.

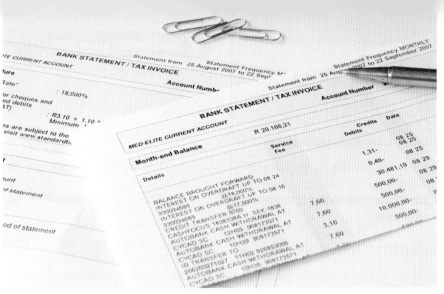

Yn aml mae angen i brosesu fod yn gyflym i sicrhau canlyniadau.

Drwy ddefnyddio'r Rhyngrwyd a rhwydweithiau gellir cyrchu gwybodaeth yn gyflym a gweithredu'n gyflym.

Cyflymder chwilio

Gall gymryd oesoedd i chwilio am wybodaeth â llaw. Mae chwiliadau ar gyfrifiadur yn gyflym ac mae'n hawdd creu amodau chwilio sy'n caniatáu i echdynnu gwybodaeth benodol iawn yn unig.

Cywirdeb

Mae pobl yn gwneud camgymeriadau ond nid felly cyfrifiaduron, os ydynt wedi'u rhaglennu'n gywir. Oherwydd hyn, mae systemau cyfrifiadurol yn llawer mwy cywir nag y mae systemau sy'n cael eu gweithio â llaw'n gallu bod.

Cyflymder cyfathrebiadau data

Cysylltiad band llydan sydd gan y rhan fwyaf o bobl sydd â chysylltiad

Gall systemau cyfrifiadurol fod yn fwy cywir.

â'r Rhyngrwyd, felly gallant gyrchu gwybodaeth yn gyflym iawn.

Erbyn hyn mae'r rhan fwyaf o gwmnïau'n cyfathrebu â'i gilydd drwy rwydweithiau gan fod dulliau cyfathrebu â llaw'n rhy araf. Er enghraifft, mae llawer o gwmnïau'n addo danfon nwyddau o fewn 24 awr ar ôl eu harchebu. Heb ddefnyddio rhwydweithiau neu'r Rhyngrwyd i roi archeb, ni fyddai hyn yn bosibl.

Y gallu i gynhyrchu allbwn mewn gwahanol fformatau

Un o fanteision mawr cyfrifiaduron yw eu gallu i drefnu gwybodaeth i'w gwneud mor hawdd ei deall ag sy'n bosibl. Gallwch newid fformat yr allbwn mewn gwahanol ffyrdd drwy ddefnyddio meddalwedd fel rhaglen prosesu geiriau neu gyhoeddi bwrdd gwaith.

Gellir rhoi data rhifol cymhleth mewn gwahanol fformatau fel:

- testun
- tablau
- graffiau
- lluniau.

Mae'n hawdd rhoi testun mewn tablau drwy ddefnyddio meddalwedd prosesu geiriau.

Gallwch newid fformat yr allbwn o rifau i graffiau'n hawdd iawn drwy ddefnyddio meddalwedd taenlen. Mae llunio graffiau taclus â llaw'n cymryd llawer iawn o amser.

Yn aml iawn gall llun gyfleu rhywbeth yn well na mil o eiriau. A allwch ddychmygu rhoi dodrefn fflatpac wrth ei gilydd heb gael llun i'ch helpu?

Un o fanteision mawr TGCh yw'r gallu i newid fformatau allbwn.

Y gallu i chwilio a chyfuno data mewn llawer o wahanol ffyrdd a fyddai'n amhosibl fel arall

Mae cronfeydd data modern yn galluogi rhywun i chwilio storfeydd anferth o ddata gan ddefnyddio amodau chwilio cymhleth. Weithiau dim ond rhan o'r data sy'n hysbys. Er enghraifft, gall yr heddlu chwilio am yr holl geir Ford Fiesta gwyn sydd â'r llythrennau CA ar ddechrau eu rhifau cofrestru a 10 ar eu diwedd. Buasai hyn yn amhosibl bron wrth ddefnyddio system bapur draddodiadol.

Gwarchod data a phrosesau'n well

Mae llawer o resymau dros gredu bod data a phrosesau'n cael eu gwarchod yn well drwy ddefnyddio systemau TGCh a dyma rai ohonynt:

- **Mae'n hawdd gwneud copïau wrth gefn o ddata.** Mae'n cymryd llawer o amser i gopïo data â llaw a rhaid cael lle i'w storio.
- **Llai o gamgymeriadau yn ystod prosesu** – gan nad yw pobl yn ymwneud â'r prosesau mae llai o gamgymeriadau.
- **Mae data'n fwy diogel** – caiff data eu gwarchod drwy ddefnyddio cyfrineiriau. Hefyd, dim ond staff penodol sy'n cael caniatâd i newid data.

Ffactorau sy'n effeithio ar effeithlonrwydd systemau prosesu data

Cyflwyniad

Yn aml caiff systemau prosesu data eu galw'n systemau prosesu trafodion gan mai nhw yw'r systemau sy'n cofnodi, yn prosesu ac yn adrodd am y gweithgareddau busnes o fewn cyrff o ddydd i ddydd. Mae prosesu data'n ymwneud â'r holl drafodion arferol y mae angen eu cyflawni o ddydd i ddydd. Ymhlith y rhain mae prosesu archebion cwsmeriaid, delio â nwyddau wedi'u dychwelyd, trefnu i anfon nwyddau, prosesu taliadau sydd wedi'u gwneud, ymdrin ag ymholiadau, prosesu'r rhestr gyflogau, delio â stoc a rhoi archebion i gyflenwyr.

Effeithiau caledwedd

Un ffactor sy'n cyfyngu ar system TG yw caledwedd. Mae meddalwedd yn defnyddio galluoedd y caledwedd. Mae hyn yn golygu na fydd meddalwedd yn rhedeg ar galedwedd oni bai ei fod yn cwrdd â'r fanyleb leiaf ar gyfer y meddalwedd hwnnw. Dyma pam y gwelwch restr ar gefn pecyn meddalwedd sy'n nodi'r fanyleb leiaf neu ofynion lleiaf y system.

Dyma enghraifft o ofynion caledwedd ar gyfer rhaglen dysgu drwy gymorth cyfrifiadur (CAL: computer-aided learning) i blant ifanc:

Uned brosesu ganolog: Pentium II 400 MHz
Cof hapgyrch: 128 MB
Fideo: 640 x 480 (24 did lliw)
CD-ROM: cyflymder 6x
Lle gwag ar y disg caled: 40 MB

Mae cyflymder y prosesu'n dibynnu ar fath a chyflymder y prosesydd a maint y cof hapgyrch (RAM: random access memory).

Mae maint y RAM yn bwysig oherwydd, os oes llawer ohono, gellir storio mwy o ddata a chyfarwyddiadau rhaglen yn y cof yr un pryd ac mae hyn yn cyflymu'r prosesu.

Wrth brynu systemau cyfrifiadurol,

dylid sicrhau bod digon o gynhwysedd storio dros ben i ychwanegu rhaglenni ac i ddarparu ar gyfer ehangu'r corff/busnes yn y dyfodol.

Effeithiau meddalwedd

Bydd dewis o feddalwedd ar gael bob amser, felly dylid ymchwilio i hyn yn ofalus. Mewn rhai achosion bydd gwahanol fathau o feddalwedd yn gallu cyflawni'r un dasg. Er enghraifft, gallech ddefnyddio meddalwedd prosesu geiriau i gynhyrchu cylchgrawn syml, ond byddai meddalwedd cyhoeddi bwrdd gwaith yn well ar gyfer cylchgrawn mwy cymhleth.

Bydd meddalwedd gwael yn achosi rhwystredigaeth i ddefnyddwyr yn aml. Weithiau bydd yn anodd ei defnyddio neu ni fydd yn gweithio fel yr oeddech yn disgwyl. Yn y mathau gwaethaf o feddalwedd, mae namau neu wallau sy'n peri i'r cyfrifiadur fethu'n annisgwyl ac mewn rhai achosion yn achosi i ddefnyddwyr golli gwaith.

Os nad oes meddalwedd addas ar gael, bydd angen ysgrifennu'r meddalwedd o'r dechrau. Mae hwn yn ddewis drud sy'n cymryd llawer o amser ond efallai mai hwn fydd yr unig ddewis os oes angen rhaglen arbenigol iawn.

Addasrwydd y system weithredu

Er mwyn rhedeg rhai o'r mathau diweddaraf o feddalwedd rhaglenni, rhaid cael y fersiwn diweddaraf o'r system weithredu. Mae'n bwysig i chi edrych, cyn prynu meddalwedd rhaglenni newydd, i weld pa system weithredu y mae'n rhaid ei defnyddio i'w redeg. Fel arfer bydd meddalwedd yn cynnwys manylion y systemau gweithredu y gallwch ddefnyddio'r meddalwedd arnynt yn y rhestr o ofynion y system.

Dyma ran o'r gofynion system ar gyfer rhaglen dysgu drwy gymorth cyfrifiadur (CAL) i blant ifanc:

Windows: 98, 2000, ME, XP, Vista
Mac OS9, OS X

Mae rhai mathau o feddalwedd rhaglenni newydd na fyddant yn rhedeg ar systemau gweithredu hŷn, a rhai mathau o feddalwedd rhaglenni hŷn na fyddant yn rhedeg ar systemau gweithredu newydd.

Effeithiau cyfathrebu

Wrth ddatblygu system newydd, dylid ymgynghori â phawb yn y corff a fydd yn ei defnyddio. Mae llawer o achosion lle mae systemau wedi cael eu datblygu heb ymgynghori â'r staff a fydd yn eu defnyddio. Wrth ddatblygu system, rhaid sicrhau cyfathrebu digonol rhwng y datblygwyr a'r defnyddwyr ym mhob cam.

Effeithiau mewnbynnu (GIGO)

Dylid ystyried yn gyntaf beth fydd yr allbwn o'r system gan mai hyn fydd yn penderfynu beth y mae angen ei fewnbynnu a hefyd y prosesu y mae angen ei wneud. Mae gan lawer o systemau sydd wedi cael eu datblygu y diffygion canlynol:

- Nid yw'r system yn gallu cynhyrchu rhai allbynnau oherwydd bod angen mewnbynnau ychwanegol nad oeddent wedi cael eu hystyried wrth ei datblygu.
- Nid yw'r mewnbynnau'n gywir gan nad yw'r technegau dilysu a gwireddu data'n gynhwysfawr.

Mae'r llythrennau GIGO yn golygu 'garbage in garbage out' (sbwriel i mewn sbwriel allan) ac mae'n derm a ddefnyddir yn aml mewn perthynas â TGCh i gyfeirio at y ffaith bod y wybodaeth sy'n cael ei hallbynnu'n dibynnu ar gywirdeb y data sy'n cael eu mewnbynnu. Os yw data anghywir wedi'u prosesu, nid oes dim y gellir ei wneud o ran prosesu neu gyflwyno clyfar i wneud iawn am hynny, ac mae'r allbwn yn ddiwerth gan nad oes modd dibynnu arno.

Cyfyngiadau systemau prosesu data

Cyflwyniad

Caiff systemau prosesu data eu cynllunio fel eu bod yn cwblhau tasgau yn y modd mwyaf effeithlon. Mae eu llwyddiant wrth wneud hynny'n dibynnu ar nifer o ffactorau sy'n cael eu trafod yma.

Problemau a chyfyngiadau

Natur meddalwedd cyfrifiadurol

Mae'n debyg mai meddalwedd yw'r agwedd ar system y bydd y defnyddiwr yn sylwi arni fwyaf, gan y bydd yn ei ddefnyddio o ddydd i ddydd ac y bydd unrhyw broblemau yn ei chylch yn dod i'r amlwg yn fuan. Bydd problemau'n codi pan gaiff meddalwedd ei ddewis gan rywun nad yw'n gwybod llawer am y tasgau y mae'r defnyddiwr yn eu cyflawni. Bydd y defnyddiwr yn darganfod wedyn nad yw'r meddalwedd cystal â'r disgwyl.

Gallwch brynu meddalwedd parod neu gellir ei ddatblygu'n benodol ar gyfer corff. Mae meddalwedd pwrpasol (wedi'i deilwra'n arbennig) yn cael ei ysgrifennu'n benodol ar gyfer rhaglen. Mae'n well gan lawer o gyrff mawr ysgrifennu eu meddalwedd eu hun yn hytrach na gorfod cysoni eu gweithdrefnau â phecyn sy'n bod eisoes. Drwy wneud hyn maent yn cael datrysiad sy'n cwrdd â'u hanghenion yn berffaith.

Mae gan feddalwedd nifer o gyfyngiadau:

- Y gallu i drawsyrru data – bydd data'n cael eu trosglwyddo'n aml o un darn o feddalwedd i ddarn arall. Os na fydd un darn o feddalwedd yn gallu darllen y data sydd wedi'u cynhyrchu gan ddarn arall o feddalwedd, bydd hynny'n gyfyngiad sylweddol.
- Namau – yn aml bydd namau mewn meddalwedd sy'n peri i'r system fethu. Mae angen rhoi prawf trylwyr ar feddalwedd cyn ei roi i'r defnyddiwr.
- Cydweddiad – efallai na fydd gennych system weithredu sy'n gallu rhedeg y meddalwedd rhaglenni. Hefyd, mae'n bosibl na fyddwch yn gallu trosglwyddo'r data o un darn o feddalwedd i ddarn gwahanol o feddalwedd.
- Meddalwedd sydd wedi'i ddylunio'n wael – os yw meddalwedd wedi'i ddylunio'n wael, bydd yn achosi rhwystredigaeth a straen i'r defnyddiwr, a gall hefyd achosi anaf straen ailadroddus (*RSI*) os oes angen gwneud llawer o deipio diangen.

Newid mewn amgylchiadau wrth ddatblygu

Er mwyn goroesi, rhaid i fusnesau ymateb i newid yn gyflym. Mae hyn yn golygu bod yn rhaid iddynt newid eu systemau'n rheolaidd er mwyn ymdopi â'r galwadau newydd ar y busnes. Mae'n cymryd amser hir i ddylunio a gweithredu rhai systemau ac, yn ystod cyfnod creu'r system newydd, gall anghenion y busnes newid. Oherwydd hyn, mae'n bosibl na fydd y system newydd yn bodloni anghenion y busnes bellach.

Newidiadau cyson mewn cyrff

Mae cyrff yn newid drwy'r amser a rhaid i'r systemau gwybodaeth y maent yn eu defnyddio newid hefyd. Er enghraifft, gallent gyfuno â chyrff eraill neu gael eu prynu.

Cyflymder gweithredu

Mae angen i fusnesau ymateb yn gyflym i newid. Oherwydd hyn, mae angen datblygu systemau'n gyflym er mwyn iddynt fod yn ddefnyddiol. Gall hyn achosi problemau oherwydd, os caiff systemau eu datblygu ar frys, gall problemau godi, megis rhoi prawf annigonol ar y meddalwedd. Gall hyn beri i'r meddalwedd fethu'n annisgwyl.

Cydweddiad

Os datblygir system newydd, rhaid ystyried nifer o bethau:

- A fydd y system newydd yn gweithio gyda'r data presennol? Mae hyn yn bwysig iawn yn achos systemau cronfa ddata gan na fyddech am neilltuo amser ac arian i aildeipio data a oedd eisoes ar ffurf ddigidol. Yn ffodus, bydd cyflenwyr meddalwedd yn sicrhau fel arfer fod modd mewnforio data'n rhwydd o feddalwedd cronfa ddata arall.
- A fydd yr hen system yn gweithio gyda data newydd? Weithiau gallwch brynu data o le arall. Er enghraifft, os bydd cwmni mawr a oedd yn cymryd archebion drwy'r post yn gorffen masnachu, gallai werthu ei ddata cwsmeriaid i fusnes tebyg.
- A fydd y meddalwedd newydd yn gweithio gyda'r meddalwedd presennol? Yn aml bydd angen i un system weithio gyda systemau eraill. Er enghraifft, byddai angen i system rheoli stoc weithio gyda system brynu fel bod modd prynu nwyddau'n awtomatig os bydd y stoc yn mynd yn isel. Mae hyn yn golygu bod angen i'r meddalwedd fod yn gydwedd.
- A fydd y system newydd yn gweithio ar y caledwedd presennol?

Profi annigonol

Yn aml bydd angen ysgrifennu meddalwedd ar frys, sy'n golygu na fydd yn cael ei brofi'n ddigonol bob tro. Ystyr profi annigonol yw:

- nad yw wedi'i brofi'n drwyadl gan ddefnyddwyr, fel bod y meddalwedd yn achosi rhwystredigaeth wrth ei ddefnyddio
- nad yw'r meddalwedd yn cwrdd yn gyfan gwbl â'r gofynion
- nad yw'r meddalwedd yn rhoi'r canlyniadau cywir gan fod fformiwla'n anghywir
- bod namau yn y meddalwedd sy'n peri i'r cyfrifiadur fethu.

Cyfathrebu gwael â'r defnyddiwr

Wrth gynllunio system newydd neu gynhyrchu meddalwedd newydd, dylid darganfod anghenion y defnyddiwr. Dylid ymgynghori â'r defnyddiwr ac unrhyw un sydd â diddordeb yn y system ym mhob cam wrth ei datblygu. Os bydd cyfathrebu gwael rhwng y datblygwr a'r defnyddiwr, mae'n bosibl na fydd y system yn cwrdd ag anghenion y defnyddiwr. O ganlyniad, ni fydd y system yn un dda a bydd yn achosi rhwystredigaeth i'r defnyddiwr fel rheol.

Weithiau ni fydd y sawl sy'n datblygu'r system prosesu data newydd yn cysylltu'n ddigon aml â darpar ddefnyddiwr y system. Yn lle hynny, aiff y datblygwr ati i ddyfeisio'r system sydd ei heisiau neu ei hangen ar y defnyddiwr yn ei farn ef. Dyma rai o'r pethau y dylid eu gofyn:

- A fu ymgynghori â'r holl bobl berthnasol yn y corff sydd â diddordeb yn y system neu a fydd yn ei defnyddio?
- A yw'r bobl hyn wedi'u cynnwys ym mhob cam wrth ddatblygu'r system?
- A yw'r system yn cynhyrchu gwybodaeth rheoli yn ogystal â chyflawni'r tasgau prosesu data sylfaenol?
- A roddwyd digon o sylw i'r angen am ehangu'r system yn y dyfodol?

Galluoedd y defnyddiwr

Mae defnyddwyr systemau TGCh yn amrywio o ran eu cefndir addysgol a'u gwybodaeth a sgiliau TGCh. Cyn datblygu system newydd, dylai'r datblygwr ddarganfod beth yw sgiliau'r defnyddiwr nodweddiadol a datblygu'r systemau newydd gyda hynny mewn golwg. Os na roddir ystyriaeth i sgiliau'r defnyddwyr, gall arwain at y canlynol:

- mwy o rwystredigaeth i'r defnyddiwr wrth iddo ymdrechu i ddefnyddio'r system newydd
- costau hyfforddi uwch gan fod angen mwy o hyfforddiant am fod y system yn anodd ei defnyddio
- galwadau aml i'r ddesg gymorth a fydd yn achosi oedi wrth gwblhau tasgau
- gwrthwynebiad i ddefnyddio'r meddalwedd gan ddefnyddwyr.

Gweithdrefnau gwael ar ôl gweithredu'r system

Ar ôl gweithredu system newydd, ni allwch adael y cwbl yn nwylo'r defnyddwyr. Mae mesurau a gymerir ar ôl gweithredu'r system yn sicrhau:

- bod y system yn perfformio fel y dylai ac, os nad yw, ei bod yn cael ei newid fel ei bod yn gwneud hynny
- bod namau a phroblemau meddalwedd yn cael eu cofnodi mewn adroddiadau fel bod modd eu cywiro
- bod defnyddwyr yn cael cymorth priodol os oes angen, gan y ddesg gymorth fel arfer.

Gweithdrefnau cynnal a chadw

Mae angen cynnal a chadw systemau fel eu bod yn gweithredu'n gywir. Rhai o broblemau cynnal a chadw yw:

- Peidio â gwneud copïau wrth gefn o raglenni a data'n rheolaidd fel bod perygl i'r corff golli data pwysig.
- Peidio â diweddaru meddalwedd yn rheolaidd. Os na chaiff meddalwedd gwirio firysau ei ddiweddaru'n rheolaidd, gallai firysau newydd ddod i mewn i'r system.
- Peidio â newid cyfrineiriau'n ddigon aml. Gall hyn beryglu diogelwch y data.

Os yw gwaith cynnal a chadw o ansawdd gwael, gall arwain at ddiffygion costus.

Cost

Mae cost bob amser yn ffactor gyfyngol wrth geisio cynhyrchu'r system TGCh orau neu wrth geisio rhedeg system. Bydd cost yn cyfyngu ar:

- yr amser y gellir ei dreulio ar gynhyrchu'r system
- faint o galedwedd a meddalwedd newydd y gallwch ei brynu
- hyfforddiant i'r staff a fydd yn defnyddio'r system
- y gallu i barhau i ddiweddaru'r meddalwedd i fanteisio ar swyddogaethau newydd.

Rhoddir cyllidebau i'r datblygwyr sy'n datblygu'r systemau newydd ac i'r adrannau sy'n defnyddio'r systemau i brosesu data o ddydd i ddydd. Mae cynllunio neu gyllidebu gwael gan y naill neu'r llall yn gallu arwain at orwario.

Caledwedd

Rhaid cael cyfiawnhad ariannol dros bob system. Rhaid iddynt allu creu arbedion neu gynyddu effeithlonrwydd, neu roi mwy o gyfleoedd i wneud elw. Er enghraifft, pe bai'n costio £20,000 i ddatblygu system, a bod honno wedyn yn arbed dim ond £4000 y flwyddyn am bum mlynedd, ni fyddai'n werth mynd ymlaen â hi.

Yn yr un modd, rhaid bod rheswm da dros gael caledwedd newydd yn lle'r caledwedd presennol.

Cymorth

Efallai y bydd y rheiny sy'n defnyddio systemau prosesu data'n teimlo nad ydynt yn cael cymorth priodol wrth eu defnyddio. Er enghraifft, gallent deimlo:

- nad yw problemau caledwedd yn cael sylw yn ddigon cyflym
- nad yw problemau gyda rhaglenni sy'n rhoi'r allbwn anghywir yn cael eu datrys
- bod y ddesg gymorth a sefydlwyd i'w helpu yn achosi mwy o ddryswch iddynt, fel nad ydynt yn trafferthu ei defnyddio
- nad ydynt wedi cael hyfforddiant priodol i ddefnyddio'r system newydd
- nad ydynt wedi cael hyfforddiant parhaus er mwyn manteisio ar holl nodweddion y system
- nad oes ffordd o gofnodi diffygion caledwedd neu broblemau meddalwedd.

Cwestiynau

▶ Cwestiynau 1 · tt. 48–49

1 Mae cwmni gwasanaeth mawr yn anfon biliau trydan at ei holl gwsmeriaid. Anfonir y biliau hyn dros ychydig o ddyddiau bob tri mis.
Disgrifiwch **dair** o fanteision systemau TGCh sy'n eu gwneud yn ddelfrydol ar gyfer prosesu'r data sydd eu hangen i gynhyrchu biliau trydan. (6 marc)

2 Mae erthygl papur newydd yn honni mai un o fanteision systemau TGCh yw bod data a phrosesau'n cael eu gwarchod yn well.
Rhowch **ddau** reswm dros gredu bod y data mewn systemau TGCh yn fwy tebygol o fod yn ddiogel o'u cymharu â systemau papur. (4 marc)

▶ Cwestiynau 2 · tt. 48–50

1 Mae'r Rhyngrwyd yn system TGCh ac mae'ch defnydd o'r Rhyngrwyd wedi'i gyfyngu gan nifer o ffactorau. Enwch a disgrifiwch **bedair** ffactor sy'n cyfyngu ar eich defnydd o'r Rhyngrwyd. (8 marc)

2 Mae cyfyngiadau ar systemau TGCh o ran beth y gallwch ei wneud gyda nhw. Nodwch **bedwar** cyfyngiad ar systemau TGCh. (4 marc)

▶ Cwestiynau 3 · tt. 51–52

1 Mae nifer o ffactorau'n gallu cyfyngu ar y defnydd o systemau prosesu data.
Er enghraifft, mae'r math o system weithredu a ddefnyddir yn gallu cyfyngu ar y mathau o feddalwedd rhaglenni y gallwch eu rhedeg. Disgrifiwch sut y mae pob un o'r ffactorau canlynol yn gallu effeithio ar effeithlonrwydd wrth brosesu data a rhowch enghraifft addas o'r ffactor ym mhob achos.
(a) Newid mewn amgylchiadau yn ystod y cyfnod datblygu. (2 farc)
(b) Cyfathrebu gwael â'r defnyddiwr. (2 farc)
(c) Profi annigonol. (2 farc)

2 Mae llawer o ffactorau'n effeithio ar effeithlonrwydd systemau prosesu data. Disgrifiwch **ddwy** ffactor o'r fath ac eglurwch sut y mae pob un yn gallu effeithio ar brosesu data. (4 marc)

3 Bydd systemau sy'n defnyddio offer meddalwedd yn cael eu datblygu ar frys yn aml. Mae hyn yn achosi nifer o broblemau megis profi annigonol.
(a) Eglurwch ystyr profi annigonol. (2 farc)
(b) Nodwch **ddau** o ganlyniadau rhoi prawf annigonol ar feddalwedd. (2 farc)

Cymorth gyda'r arholiad

Enghraifft 1

1 Mae systemau TGCh yn cynnig llawer o fanteision dros systemau papur cyfatebol.

   Disgrifiwch **dair mantais** o'r fath. **(6 marc)**

Ateb myfyriwr 1

1 Prosesu cyflymach gan eich bod yn gwneud pethau'n gyflymach. Gallwch gynhyrchu'r allbwn mewn fformatau gwahanol yn ôl anghenion y gynulleidfa, fel graffiau, cyflwyniad, fel ffeil i'w defnyddio'n fewnbwn i system gyfrifiadurol arall. Wrth ddefnyddio system bapur draddodiadol, rydych chi'n gallu cael allbwn ar bapur yn unig.

   Rydych chi'n gallu chwilio'n well am bethau ar y cyfrifiadur nag wrth chwilio drwy bentwr o ffeiliau papur. Dim ond mewn un drefn y gallwch storio ffeiliau papur ond gallwch drefnu cofnodion mewn ffeiliau cyfrifiadurol mewn llawer o ffyrdd.

Sylwadau'r arholwr

1 Un marc am y fantais gyntaf – roedd angen i'r myfyriwr egluro pa 'bethau' y gellir eu gwneud yn gyflymach. Dau farc am yr ail fantais gan ei fod wedi rhoi esboniad digonol o'r fantais ac wedi rhoi cymhariaeth hefyd. Mae'r gair 'pethau' yn amharu ychydig ar yr ateb am y drydedd fantais – pa bethau? Er hynny, mae wedi rhoi mantais ddilys ac wedi'i hegluro ymhellach drwy roi enghraifft. **(5 marc allan o 6)**

Ateb myfyriwr 2

1 Cyflymder y prosesu, gan fod prosesu cyflymach yn golygu bod modd echdynnu data'n gyflymach o gronfa ddata fawr. Cynhwysedd storio data, gan fod modd storio swm anferth o ddata mewn lle bach iawn, un ai ar weinydd neu ar CD/DVD. Byddai'r un swm o ddata'n cymryd llawer o le. Cyflymder wrth drosglwyddo data, gan fod modd anfon ffeiliau dros rwydweithiau fel y Rhyngrwyd yn gyflym drwy ddefnyddio band llydan. Os oeddech am anfon dogfennau papur yn gyflym, byddai'n dal i gymryd oriau a byddai'n ddrud iawn. Cywirdeb. Mae'r data sydd wedi'u storio yn y cyfrifiadur yn debygol o fod yn gywirach oherwydd bydd profion dilysu wedi'u defnyddio i sicrhau mai dim ond data synhwyrol a derbyniol sydd wedi'u mewnbynnu.

Sylwadau'r arholwr

1 Yn yr ateb cyntaf mae'r myfyriwr yn dweud 'bod modd echdynnu data'n gyflymach...', ond nid data sy'n cael eu hechdynnu o gronfa ddata, ond gwybodaeth. Nid yw'r myfyriwr wedi'i gosbi am roi'r ateb hwn.

   Nid yw'r myfyriwr wedi egluro yn y frawddeg olaf 'Byddai'r un swm o ddata'n cymryd llawer iawn o le' ei fod yn cyfeirio at system bapur. Dim ond un marc am y rhan hon.

   Mae'r ddau ddisgrifiad arall yn gywir fel manteision ac maen nhw'n cael eu cymharu â'r dull o gyflawni'r dasg â llaw, felly marciau llawn am y ddau ateb hyn.

   (5 marc allan o 6)

Atebion yr arholwr

1 Ni roddir marciau am roi enw'r fantais yn unig heb frawddeg i'w hegluro. Un marc am y fantais, a'r ail farc am esboniad pellach neu am enghraifft hyd at uchafswm o 6 o farciau.

   Gallwch gyflawni prosesu ailadroddus drwy ddefnyddio templedi neu ddalennau arddull, er enghraifft, fel nad oes rhaid dechrau pob tudalen mewn dogfen o'r dechrau.

   Drwy gael cynhwysedd storio data mawr gellir storio data mewn lle bach ac mae'r data'n gludadwy hefyd. Mae niferoedd mawr o ffeiliau papur yn cymryd llawer iawn o le.

   Mae cyflymder y prosesu'n uwch o lawer mewn systemau TGCh. Mae cyfrifiadur yn cyflawni prosesau fel chwilio am wybodaeth, didoli gwybodaeth, cyfrifo, ac ati, yn gyflymach o lawer.

   Mae cywirdeb yn well wrth ddefnyddio cyfrifiaduron. Mae profion dilysu'n sicrhau mai dim ond data synhwyrol a derbyniol a gaiff eu mewnbynnu.

   Mae cyflymder cyfathrebu'n well gan fod modd defnyddio e-bost, ffeiliau wedi'u hatodi, trawsyrru ffeiliau, ac ati, i drosglwyddo gwybodaeth yn gyflym iawn. Mae'n cymryd llawer o amser i anfon llythyrau â llaw.

   Mae cyflymder chwilio'n well gan mai proses gyflymach o lawer yw teipio amodau chwilio i mewn ac echdynnu gwybodaeth benodol o gronfa ddata yn hytrach na gorfod mynd drwy ffeiliau â llaw.

   Gallwch allbynnu'r un wybodaeth mewn llawer o fformatau gwahanol. Er enghraifft, gallwch allbynnu gwybodaeth ar ffurf ffeil i'w defnyddio gyda system arall, neu gyda chyflwyniad, adroddiad, gwefan, ac ati.

Enghraifft 2

2 Mae ysgol yn defnyddio meddalwedd prosesu geiriau i anfon llythyrau at rieni ac i ysgrifennu adroddiadau ar gyfer cyfarfodydd llywodraethwyr, a meddalwedd taenlen i ddadansoddi canlyniadau arholiadau a chyfrifo cyllidebau adrannau'r ysgol.

Eglurwch, drwy gyfeirio at yr enghreifftiau a roddwyd, sut y mae'r canlynol yn cynnig manteision i'r ysgol wrth ddefnyddio meddalwedd prosesu geiriau a meddalwedd taenlen.

(a) Prosesu ailadroddus. (2 farc)

(b) Cydweddiad. (2 farc)

(c) Cywirdeb. (2 farc)

Ateb myfyriwr 1

2 (a) Gellir cynhyrchu biliau'n gyflym drwy ddefnyddio darlleniadau o fesuryddion. Cymerir y darlleniad o'r mesurydd a chaiff y darlleniad blaenorol ei dynnu ohono er mwyn cyfrifo maint y nwy neu drydan sydd wedi'i ddefnyddio. Wedyn gall y cyfrifiadur gyfrifo cost y nwy, ychwanegu TAW a rhoi manylion yr enw a'r cyfeiriad.

(b) Gallu mewnforio data'n uniongyrchol o systemau eraill, fel system gwybodaeth rheoli'r ysgol, i feddalwedd prosesu geiriau. Er enghraifft, byddai'n bosibl anfon llythyrau at rieni plant a oedd wedi cyrraedd yr ysgol yn hwyr. Cydweddiad â'r meddalwedd presennol. Er enghraifft, bydd angen i'r ysgol sicrhau y bydd y meddalwedd prosesu geiriau a'r meddalwedd taenlen y mae'n dymuno eu defnyddio yn rhedeg ar ei meddalwedd system weithredu bresennol.

(c) Gellir archwilio dogfennau i sicrhau bod y sillafu a'r gramadeg yn gywir drwy ddefnyddio cyfleusterau gwirydd sillafu a gwirydd gramadeg y prosesydd geiriau cyn eu hanfon at rieni.

Ateb myfyriwr 2

2 (a) Defnyddio templedi fel bod diwyg cyffredin i'r holl adroddiadau y mae'r ysgol yn eu creu ar brosesydd geiriau ac nad yw'r person sy'n cyflenwi'r wybodaeth yn gorfod poeni am osodiad y dudalen, ffontiau a meintiau ffontiau. Drwy bostgyfuno bydd modd anfon llythyr personol at grwpiau o rieni i roi manylion teithiau ysgol, trefniadau ar gyfer cyfarfodydd rhieni, ac ati.

(b) Dylai'r ffeiliau sy'n cael eu cynhyrchu gan y systemau eraill, fel y gronfa ddata disgyblion, fod yn gydwedd â'r meddalwedd prosesu geiriau. Mae hyn yn bwysig oherwydd y gellir defnyddio ffeil disgyblion i gyflenwi'r data sydd eu hangen at bwrpas postgyfuno.

(c) Gellir sicrhau bod y taenlenni'n gywir drwy gynnwys profion dilysu sy'n atal mewnbynnu data gwirion.

Sylwadau'r arholwr

2 (a) Nid yw'r myfyriwr wedi darllen y cwestiwn yn iawn. Mae wedi ysgrifennu am brosesu ailadroddus heb gyfeirio at yr enghreifftiau sydd wedi'u rhoi yn y cwestiwn.
Dim marciau am yr ateb hwn.

(b) Mae wedi nodi dwy fantais a'u hegluro'n ofalus, felly marciau llawn am y rhan hon.

(c) Mae'r myfyriwr wedi rhoi dwy enghraifft addas gan gyfeirio at yr un eitem o feddalwedd. Nid yw'r rhain yn ddigon gwahanol i ennill y ddau farc, felly un marc yn unig am hyn.
(3 marc allan o 6)

Sylwadau'r arholwr

2 (a) Esboniad da o ddwy enghraifft wahanol o brosesu ailadroddus ac mae'r myfyriwr wedi cyfeirio'n glir at eu defnyddio mewn ysgolion. Marciau llawn am hyn.

(b) Er nad yw'r myfyriwr ond wedi cyfeirio at un eitem o feddalwedd, mae wedi rhoi ateb cynhwysfawr. Dau farc am yr ateb hwn.

(c) Mae'r esboniad a roddwyd yn dda ond mae angen ymhelaethu neu gyfeirio at bwynt arall i gael y ddau farc. Un marc yn unig am hyn.
(5 marc allan o 6)

Cymorth gyda'r arholiad (parhad)

Atebion yr arholwr

2   (a)   Unrhyw enghraifft addas o brosesu ailadroddus. Un marc am fantais ar gyfer defnyddio taenlen ac un marc am fantais ar gyfer prosesu geiriau. Rhoddir dau farc am ddwy enghraifft sy'n ymwneud â'r un eitem o feddalwedd.
Gellir rhoi dau farc hefyd am ateb cynhwysfawr iawn sy'n ymdrin ag un pwynt.
Rhai o'r enghreifftiau yw:
>   Defnyddio rheolweithiau wedi'u hawtomeiddio fel macros, dewiniaid, ac ati.
>   Postgyfuno
>   Dyblygu fformiwlâu
>   Defnyddio templedi
>   Defnyddio penynnau a throedynnau
>   Defnyddio dalennau arddull
>   Defnyddio technegau fformatio

Rhaid rhoi enghraifft o'r defnydd i gael y marc – nid yw'r enw'n ddigon.

(b)   Unrhyw fantais briodol sy'n ymwneud â thaenlenni a/neu brosesu geiriau fel:
>   Rhaid gallu mewnforio data i systemau eraill yr ysgol
>   Rhaid gallu allforio data o'r meddalwedd prosesu geiriau neu feddalwedd taenlen i systemau presennol yr ysgol
>   Rhaid iddynt fod yn gydwedd â'r meddalwedd system weithredu y mae'r ysgol yn ei ddefnyddio
>   Rhaid iddynt fod yn gydwedd â chaledwedd presennol yr ysgol fel argraffyddion ac ati.

(c)   Un marc yr un am ddau ddisgrifiad o fanteision sy'n cyfeirio at feddalwedd prosesu geiriau neu feddalwedd taenlen neu'r ddau.
>   Yn gallu defnyddio gwirydd sillafu/ gramadeg i wirio'r sillafu mewn dogfennau/ taenlenni
>   Yn gallu defnyddio profion dilysu i sicrhau mai dim ond data rhesymol a synhwyrol a gaiff eu derbyn i'w prosesu
>   Os gallwch fewnforio data'n rhwydd o raglenni eraill ni fydd angen aildeipio data, felly bydd llai o gamgymeriadau
>   Drwy gopïo a gludo nid oes angen aildeipio data, felly bydd llai o gamgymeriadau.

Mapiau meddwl cryno

Manteision TGCh dros ddulliau o brosesu data â llaw

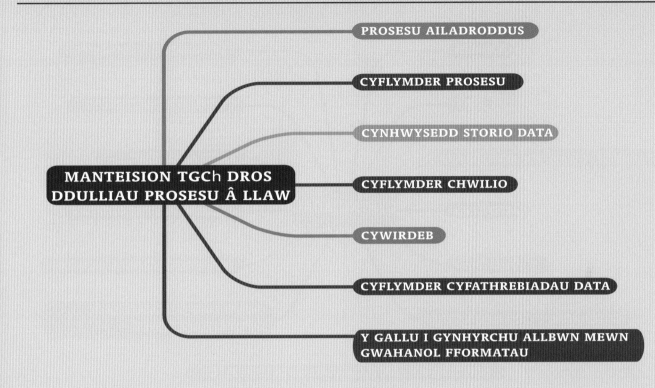

- PROSESU AILADRODDUS
- CYFLYMDER PROSESU
- CYNHWYSEDD STORIO DATA
- CYFLYMDER CHWILIO
- CYWIRDEB
- CYFLYMDER CYFATHREBIADAU DATA
- Y GALLU I GYNHYRCHU ALLBWN MEWN GWAHANOL FFORMATAU

MANTEISION TGCh DROS DDULLIAU PROSESU Â LLAW

Ffactorau sy'n effeithio ar effeithlonrwydd systemau prosesu data

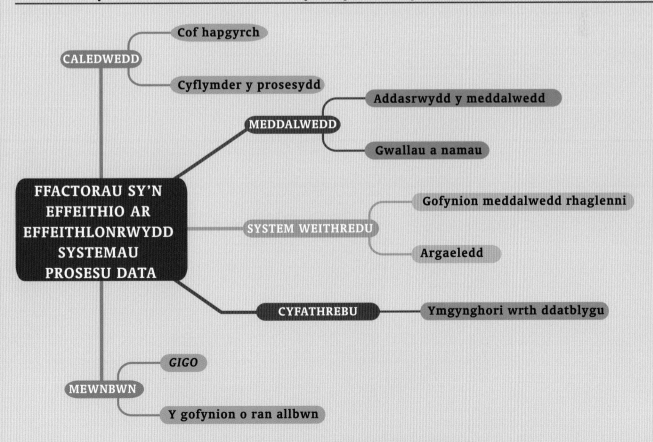

FFACTORAU SY'N EFFEITHIO AR EFFEITHLONRWYDD SYSTEMAU PROSESU DATA

- CALEDWEDD
  - Cof hapgyrch
  - Cyflymder y prosesydd
- MEDDALWEDD
  - Addasrwydd y meddalwedd
  - Gwallau a namau
- SYSTEM WEITHREDU
  - Gofynion meddalwedd rhaglenni
  - Argaeledd
- CYFATHREBU
  - Ymgynghori wrth ddatblygu
- MEWNBWN
  - GIGO
  - Y gofynion o ran allbwn

Cyfyngiadau systemau prosesu data

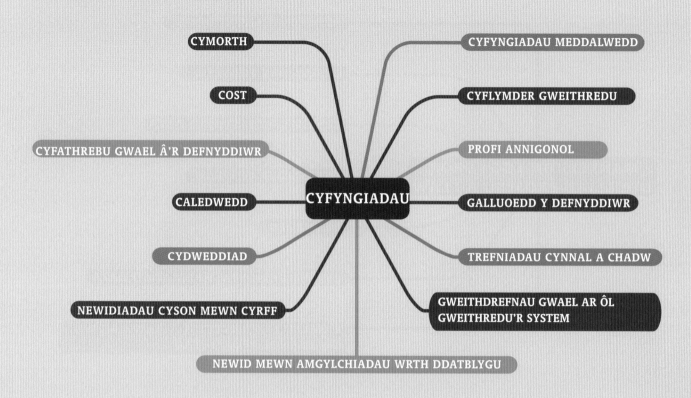

TOPIG 6(a): Defnyddio TGCh mewn busnes

Yn y topig hwn byddwch yn dysgu sut y mae TGCh yn cael ei defnyddio ym maes busnes ar gyfer dylunio a gweithgynhyrchu cydrannau neu nwyddau gan ddefnyddio meddalwedd cynllunio drwy gymorth cyfrifiadur (*CAD: computer-aided design*) a gweithgynhyrchu drwy gymorth cyfrifiadur (*CAM: computer-aided manufacturing*) a hefyd sut y mae systemau siopa cyfrifiadurol yn gweithio.

▼ Y cysyniadau allweddol sy'n cael sylw yn y topig hwn yw:

▷ Cynllunio drwy gymorth cyfrifiadur (*CAD*) a gweithgynhyrchu drwy gymorth cyfrifiadur (*CAM*)

▷ Systemau siopa cyfrifiadurol

CYNNWYS

Uned IT1 Systemau Gwybodaeth

Cynllunio drwy gymorth cyfrifiadur (CAD) a gweithgynhyrchu drwy gymorth cyfrifiadur (CAM)

▼ Byddwch yn dysgu

▶ Am nodweddion pecynnau CAD/CAM

▶ Am y gofynion caledwedd ar gyfer CAD/CAM

▶ Am fanteision ac anfanteision defnyddio meddalwedd CAD/CAM

▶ Am enghreifftiau o ddefnyddio CAD/CAM i ddylunio cynhyrchion, dylunio i'r cartref a'r ardd a dylunio ffasiwn

Cyflwyniad

Yn yr adran hon byddwn yn gweld sut y gallwn ddefnyddio cyfrifiaduron wrth ddylunio nwyddau a chydrannau newydd. Byddwn hefyd yn gweld sut y gellir defnyddio'r dyluniadau fel mewnbwn i systemau cyfrifiadurol er mwyn gweithgynhyrchu'r nwyddau neu gydrannau eu hun yn awtomatig.

CAD a CAM

Cynllunio drwy gymorth cyfrifiadur (CAD) yw defnyddio systemau cyfrifiadurol mewn peirianneg, pensaernïaeth, dylunio ceginau, ac ati, i helpu i ddylunio cynhyrchion ac adeiladau neu i leoli gwrthrychau (unedau cegin, dodrefn ystafell ymolchi, ac yn y blaen). Gallwn ddefnyddio CAD hefyd i ddylunio cynhyrchion megis pecynnau.

Gweithgynhyrchu drwy gymorth cyfrifiadur (CAM) yw defnyddio cyfrifiaduron i reoli'r broses gweithgynhyrchu mewn rhyw ffordd drwy reoli cyfarpar gweithgynhyrchu fel turniau, driliau, peiriannau melino a robotiaid. Mae llawer o systemau CAM yn gallu cymryd dyluniadau a gynhyrchir drwy ddefnyddio CAD a'u mewnbynnu i systemau CAM sydd wedyn yn gwneud y cynnyrch neu gydran.

Defnyddir robotiaid mewn gweithgynhyrchu drwy gymorth cyfrifiadur.

Defnyddir systemau CAD/CAM i integreiddio'r broses o ddylunio a gweithgynhyrchu cydrannau. Ar ôl creu'r dyluniad drwy ddefnyddio'r pecyn CAD, gellir rhaglennu'r wybodaeth i'r system CAM, lle y caiff y gydran ei hun ei chynhyrchu drwy ddefnyddio offer fel turniau, peiriannau melino, driliau, robotiaid ac ati.

Nodweddion pecynnau CAD

Dyma rai o nodweddion niferus pecynnau CAD:

- Chwyddo – y gallu i 'chwyddo i mewn' neu 'chwyddo allan' wrth ddangos rhan benodol o ddyluniad.
- Dau ddimensiwn a thri dimensiwn – y gallu i newid o luniadau dau ddimensiwn i fodelau arwyneb tri dimensiwn.
- Cylchdroi – y gallu i gylchdroi dyluniad tri dimensiwn i weld y dyluniad o wahanol gyfeiriadau.
- Dim angen adeiladu prototeip – gall dylunwyr weld dyluniadau heb wneud prototeip (model o'r peth ei hun).
- Graddliwio – y gallu i raddliwio diagram i'w wneud yn haws ei ddeall.
- Haenu – gellir defnyddio haenau, a phob haen yn ychwanegu manylion at y lluniad – er enghraifft, un haen yn dangos waliau'r adeilad, haen arall yn dangos y cylchedau trydanol, un arall yn dangos y pibellau dŵr, ac ati.
- Archwiliad rhaglen – mae'r pecyn CAD yn caniatáu i rywun fynd i mewn i'r adeilad ac astudio'r golygfeydd o'r tu mewn cyn codi'r adeilad.
- Costio – wrth ddefnyddio meddalwedd CAD i ddylunio ceginau, caiff pob dyfais neu uned ei chofnodi wrth ei hychwanegu, gan gynhyrchu rhestr o ofynion a'u costau. Caiff y costau eu hadio i roi'r gost derfynol.

⇨ GEIRIAU ALLWEDDOL

CAD – defnyddio systemau cyfrifiadurol ar gyfer dylunio

CAM – defnyddio systemau cyfrifiadurol i reoli'r peirianweithiau mewn prosesau gweithgynhyrchu

Manteision defnyddio CAD

Dyma rai o fanteision niferus defnyddio CAD i gynhyrchu lluniadau:

- Hawdd eu storio a'u trosglwyddo – caiff y lluniadau eu digido a gallwch eu hanfon drwy e-bost at bobl eraill sy'n gweithio ar y project.
- Hawdd eu newid – gallwch newid lluniadau'n hawdd yn hytrach na dechrau o'r dechrau.
- Trin delweddau – mae'n hawdd trin delweddau ar y sgrin.
- Mae tri dimensiwn ar gael – gall greu lluniadau tri dimensiwn sy'n arbennig o ddefnyddiol ar gyfer diagramau o geginau, gerddi, adeiladau ac ati.
- Newid graddfa – mae'n hawdd newid graddfa lluniadau.
- Gall ddefnyddio delweddau parod o lyfrgelloedd yn y diagramau – er enghraifft, gallwch roi coed, pobl, planhigion, ac ati, mewn lluniad tri dimensiwn o adeilad arfaethedig i'w wneud yn fwy realistig.
- Gall gynhyrchu rhestri o gydrannau'n awtomatig – gallwch ei ddefnyddio i greu rhestri o ddimensiynau a darnau sydd eu hangen i greu'r cynnyrch/cydran.
- Gall wneud cyfrifiadau diriant/straen – felly bydd y meddalwedd yn eich rhwystro rhag dylunio adeiladau nad ydynt yn ddiogel.

- Lliniogi/rendro – ystyr lliniogi yw ychwanegu gwahanol fathau o gysgodion at ddelwedd i'w gwneud yn fwy realistig. Rendro yw defnyddio cyfrifiadur i luniadu delwedd ar sgrin cyfrifiadur, ac yn aml mae hyn yn golygu dargopïo â phelydryn i droi braslun yn ddelwedd fanwl o wrthrych solet.

Nodweddion pecynnau CAM

Dyma brif nodweddion pecyn *CAM*:

- Mae'n defnyddio cyfrifiadur, meddalwedd *CAM* a dyfais neu ddyfeisiau sy'n gwneud y cynnyrch, a reolir gan y meddalwedd.
- Mae'n cymryd y mewnbwn o becynnau *CAD* ac yn defnyddio'r wybodaeth i gynhyrchu set o gyfarwyddiadau i'w rhoi i beiriant i weithgynhyrchu'r cynnyrch neu gydran.
- Caiff ei ddefnyddio i raglennu a rheoli cyfarpar (robotiaid, peiriannau melino, turniau, driliau, torwyr, ac ati).
- Mae'n gwneud cynhyrchion yn awtomatig.
- Gallwch ailraglennu'r cyfarpar *CAM* i wneud cynhyrchion neu gydrannau newydd sydd â dimensiynau gwahanol.

Manteision defnyddio CAM

- Gweithgynhyrchu rhatach – mae'r gweithgynhyrchu'n awtomatig, felly mae costau gweithgynhyrchu'r cynnyrch yn llai.
- Llai o amser rhwng y dylunio a'r gweithgynhyrchu – cynhyrchu cydrannau/cynhyrchion newydd yn gyflymach.
- Ansawdd gwell – mae ansawdd cynhyrchion sy'n cael eu creu drwy ddefnyddio *CAM* yn well (h.y. dim rhan i bobl yn y broses, felly dim camgymeriadau).
- Costau cyflog is – rhan fach iawn sydd gan bobl yn y broses felly gellir cynhyrchu'r nwyddau'n rhatach am fod y costau cyflog yn is.
- Ailraglennu peiriannau – gellir ailraglennu'r peiriannau sy'n defnyddio *CAM* (turniau, peiriannau melino, driliau, robotiaid, torwyr, ac ati) fel eu bod yn gallu gwneud cynhyrchion newydd.
- Gall gynhyrchu niferoedd bach a fyddai'n aneconomaidd fel arfer – gallwch wneud niferoedd bach o gynnyrch y mae'r cwsmer wedi'i ddylunio a hynny'n rhad.

Enghreifftiau o CAD

- cynhyrchu dyluniadau o geginau neu ystafelloedd ymolchi i gwsmeriaid
- cynhyrchu dyluniadau ar gyfer cydran sydd i gael ei gweithgynhyrchu
- ei ddefnyddio gan benseiri i ddylunio adeiladau
- ei ddefnyddio gan arddwyr/ tirlunwyr i ddylunio gerddi
- ei ddefnyddio i gynhyrchu lluniadau peirianegol
- ei ddefnyddio i gynhyrchu mapiau a chynlluniau.

Enghreifftiau o CAM

- ei ddefnyddio i weithgynhyrchu cydrannau i'w rhoi mewn peiriannau a blychau gêr ceir
- ei ddefnyddio i weithgynhyrchu ffenestri dwbl ac ystafelloedd gwydr.

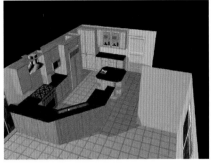

Defnyddir *CAD* gan gwmnïau sy'n dylunio ceginau.

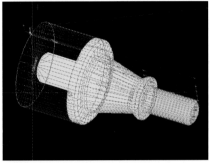

Mae'r model 3D hwn o gydran beirianegol wedi'i greu o luniad 2D.

Bydd tirlunwyr a phenseiri'n defnyddio meddalwedd *CAD* wrth wneud dyluniadau i gleientiaid.

Mae'r system *CAM* hon yn cynhyrchu cryno ddisgiau a'u rhoi mewn casys plastig yn barod i'w dosbarthu.

Mae'r system *CAM* hon yn torri'r clustogwaith sbwng ar gyfer seddau ceir.

Gofynion caledwedd ar gyfer *CAD* a *CAM*

Mae *CAD* a *CAM* yn gymwysiadau sy'n galw am galedwedd cyfrifiadurol â manyleb uchel iawn.

Dyfeisiau mewnbynnu

Yn ogystal â'r bysellfwrdd, mae systemau *CAD* yn defnyddio'r llygoden yn helaeth ac mae'r rhan fwyaf o systemau *CAD* yn defnyddio llygoden sydd â dau fotwm ac olwyn sgrolio. Mae rhai hefyd sy'n defnyddio llygoden a ddyluniwyd yn arbennig fel y llygoden ofod.

Y brif ddyfais ar gyfer systemau *CAD* yw'r llygoden.

Llygoden ofod – mae'n cynnwys llygoden a set o fotymau sy'n caniatáu i ddefnyddwyr rhaglen *CAD* leoli a thrin gwrthrychau mewn 3D.

Prosesu

Mae pecynnau *CAD/CAM* yn gofyn cryn dipyn gan brosesydd y cyfrifiadur.

Cyflymder y prosesydd

Rhaid i feddalwedd *CAD* wneud llawer o gyfrifiadau cymhleth wrth raddio, newid delweddau (symud, cylchdroi, estyn, adlewyrchu), neu gynhyrchu modelau 3D o ddyluniadau 2D. Mae ei gyflymder wrth wneud hynny'n dibynnu ar gyflymder y prosesydd.

Y prosesydd yw ymennydd y cyfrifiadur a chyflymder y prosesydd yw'r brif ffactor sy'n pennu pa mor gyflym y bydd y system *CAD* yn ymddangos i'r defnyddiwr. Er mwyn cyflymu systemau *CAD*, defnyddir prosesyddion deuol, fel bod modd ymdrin yn gyflymach â chyfarwyddiadau rhaglen drwy eu rhannu rhwng y prosesyddion.

Mae *CAD* yn gofyn am lawer o allu prosesu, felly dylid dewis prosesyddion cyflymach os oes modd.

Cof

Defnyddir cof i ddal rhaglenni a data y gallai fod angen i'r prosesydd eu cyrchu ar unwaith. Dylid cynnwys llawer o gof hapgyrch (*RAM*) a dylai fod lle i ychwanegu mwy o gof hapgyrch gan ei bod yn bosibl y bydd fersiynau newydd o'r meddalwedd *CAD* ei angen.

Cerdyn graffeg

Fel arfer, os defnyddir cyfrifiadur personol ar gyfer *CAD*, mae'n bosibl y bydd yn rhaid newid y cerdyn graffeg, gan fod y rhan fwyaf o gardiau graffeg wedi'u dylunio at ddibenion busnes a gemau. Mae *CAD* yn rhoi cryn bwysau ar y cerdyn graffeg.

Mae'r cardiau graffeg gorau'n rhagori o ran cyflymder, sefydlogrwydd ac ansawdd delweddau. Bydd angen cerdyn graffeg sydd â gallu 3D i droi dyluniadau 2D yn rhai 3D. Dangosir pa gardiau graffeg sy'n gydwedd ar y meddalwedd *CAD*, felly bydd angen i chi edrych yn ofalus ar y fanyleb system ar gyfer y meddalwedd.

Dyfeisiau allbynnu

Mae'r dyfeisiau allbynnu ar gyfer *CAD* ychydig yn wahanol i'r rhai ar gyfer systemau eraill, yn bennaf gan fod angen sgrin sy'n dangos llawer o fanylder fel arfer ac oherwydd maint yr allbrintiau y mae angen eu cynhyrchu.

Sgrin

Bydd dylunwyr *CAD* yn treulio llawer o amser yn gwylio'r sgrin, felly mae angen i'r sgrin:

- fod mor fawr â phosibl er mwyn rhoi llai o straen ar y llygaid – dylai fod yn un 17 fodfedd o leiaf
- bod â chydraniad o 1024 x 768 o bicseli o leiaf (picsel yw'r smotyn lleiaf o olau ar y sgrin)
- bod heb gryndod, gyda llun sefydlog iawn
- bod â haen anadlewyrchol ar y sgrin i'w gwneud yn llai llachar.

Argraffyddion/plotyddion

Gallwch argraffu allbrintiau o faint A4 a rhai llai ar argraffydd laser neu chwistrell cyffredin ond yn aml bydd angen argraffu cynlluniau manwl ar ddalennau papur mwy, felly defnyddir plotyddion arbenigol.

Plotyddion drwm – defnyddir y rhain pan fo angen argraffu lluniadau, cynlluniau a mapiau ar ddalennau papur mawr.

Mewn plotydd drwm mae'r papur yn symud yn ogystal â'r pennau.

Peirianwaith

Gallwch fewnbynnu'r allbwn o ddyluniad *CAD* i becyn *CAM* a fydd wedyn yn gallu rheoli peirianwaith er mwyn gwneud yr eitem. Yr allbwn o'r pecyn *CAM* yw'r cyfarwyddiadau i reoli dyfeisiau, fel peiriannau melino, turniau, torwyr, driliau, ac ati, a ddefnyddir i weithgynhyrchu cydrannau neu gynhyrchion yn awtomatig.

Defnyddir y torrwr laser hwn i dorri siapiau o ddarnau metel tenau â phelydr laser, ac mae'n defnyddio meddalwedd *CAM* i gael y mesuriadau a manylion eraill.

Meddalwedd *CAD* a *CAM*

Mae nifer o fathau o feddalwedd *CAD* a *CAM* ar gael. Bydd angen llawer o hyfforddiant i ddefnyddio'r rhan fwyaf ohonynt yn llwyddiannus, ond y mathau o feddalwedd sydd wedi'u disgrifio yma yw'r rhai a ddefnyddir mewn ysgolion gan eu bod yn syml. Gellir eu defnyddio mewn busnesau wrth gwrs.

Pro/Desktop

Meddalwedd *CAD* yw hwn ac mae'n caniatáu i wrthrychau tri dimensiwn gael eu gweld ar y sgrin o bob cyfeiriad. Wrth ddefnyddio'r meddalwedd gallwch gydosod ac archwilio gwahanol drefniadau o ddarnau 3D. Gallwch arbrofi hefyd â lliw a gwead y darnau ac edrych arnynt o wahanol gyfeiriadau.

Mae cyfres o siapiau ar gael mewn llyfrgell y gallwch eu dewis a'u gollwng i'r man gwaith ar y sgrin lle y gallwch bennu maint y siapiau a'u cyfuno â siapiau eraill i ffurfio cydosodiad.

Ar ôl ffurfio siâp mewn 3D, gallwch ddewis y defnydd ar ei gyfer a phennu màs a chyfaint y gwrthrych. Yn ogystal, gallwch gynhyrchu lluniadau (heblaw am rai 3D) i hwyluso'r gweithgynhyrchu.

Prif fantais y meddalwedd hwn yw ei fod yn caniatáu i'r dylunydd greu, dylunio a modelu gwahanol syniadau.

ArtCAM

Mae *ArtCAM* yn becyn *CAM* a *CAM* sy'n caniatáu i chi droi'ch dyluniadau 2D yn ddyluniadau 3D. Er enghraifft, gallwch greu'r dyluniad 2D drwy ddefnyddio'r meddalwedd neu drwy ei fewnforio o becyn dylunio neu becyn graffeg arall. Wedyn gallwch ei droi'n fodel 3D a all gynnwys cerfwedd (h.y. gwahanol ddyfnderoedd ar wynebau) a gallwch ychwanegu lliw i'w wneud yn fwy realistig. Drwy ddefnyddio'r meddalwedd, gallwch roi gwead a thestun ar arwynebau crwm. Wedi creu'r model, gallwch ei allforio i beiriant CNC sy'n cynnwys turniau, torwyr laser a phlaeniau.

Mae un o'r delweddau hyn wedi'i chynhyrchu drwy ddefnyddio'r pecyn *ArtCAM* a'r llall yw'r arwydd ei hun wedi'i wneud o bren. Gan fod y rendro mor realistig, mae'n anodd gwybod pa lun yw'r ddelwedd a pha un yw'r gwrthrych ei hun. Y gwrthrych pren yw'r un ar y dde.

ProSketch

Defnyddir y meddalwedd hwn at bwrpas dylunio graffeg a dylunio tecstilau. Gallwch ddefnyddio'r meddalwedd i greu brasluniau cychwynnol o ddillad a chynhyrchion tecstilau eraill.

Fel pob math arall o feddalwedd dylunio, mae ganddo lyfrgell o wrthrychau sy'n cynnwys, yn yr achos hwn, sipiau, botymau, llewys, tyllau botymau, coleri, ac ati. Gellir dewis delweddau cefndir hefyd fel bod modd dangos y dillad a ddyluniwyd ar eu gorau.

Drwy ddefnyddio math arall o feddalwedd gan yr un cwmni, gall defnyddwyr ddewis o blith nifer mawr o liwiau a ffabrigau o wead gwahanol ar gyfer eu dyluniad, a'r rheiny'n cynnwys rhesi, smotiau, lliwiau trosodd, patrymau siec, trosbrintiau, ac ati. Mae'r meddalwedd yn ei gwneud

yn hawdd newid dyluniadau a'u gwella.

Gallwch greu llyfrgelloedd o ddyluniadau fel bod modd addasu dyluniadau sydd wedi'u gwneud yn barod wrth greu dyluniadau newydd yn hytrach na dechrau o'r dechrau bob tro. Mae hyn yn arbed llawer o amser. Gellir ychwanegu dimensiynau at y dyluniadau i gynorthwyo'r gweithgynhyrchu.

Un o nodweddion defnyddiol y meddalwedd yw'r cyfleuster efelychu grymus sy'n caniatáu i chi roi'r dilledyn yr ydych wedi'i ddylunio dros luniad o ffiguryn (h.y. yn union fel model mewn siop).

Gallwch hyd yn oed dynnu llun o rywun â chamera ac wedyn cynhyrchu model ohono'n gwisgo'r dilledyn.

Gwefannau ar gyfer *CAD/CAM*

Dyma nifer o wefannau a fydd o ddefnydd i chi. Bydd rhai o'r gwefannau hyn yn caniatáu i chi lwytho i lawr fersiwn prawf o'r meddalwedd. Wrth edrych ar y gwefannau hyn, meddyliwch am y nodweddion y maent yn eu cynnig i'r defnyddiwr a'r cymwysiadau y maent yn fwyaf addas ar eu cyfer.

- http://www.prodesktop.net/
- http://www.artcampro.com/
- http://softwaresolutions. fibre2fashion.com/productDetail. aspx?refno=1760

Defnyddiwyd meddalwedd *CAD* i greu'r dyluniad hwn ar gyfer crys pêl-droed. Sylwch fod y defnyddiwr wedi dylunio nifer o goleri i weld pa un sy'n edrych orau.

Systemau siopa cyfrifiadurol

Cyflwyniad

Yn y topig hwn byddwn yn edrych ar y defnydd o TGCh ym myd adwerthu. Adwerthu yw un o'r busnesau mwyaf cystadleuol, ac mae angen i siopau ymateb yn gyflym i newidiadau yn arferion siopa cwsmeriaid er mwyn aros yn gystadleuol. Oherwydd y cynnydd aruthrol mewn siopa dros y Rhyngrwyd, yn enwedig ar adegau prysur fel y Nadolig, mae siopau wedi wynebu llawer her. Mae gwefannau gan y rhan fwyaf o siopau ac mae rhai o'r gwefannau hyn yn galluogi cwsmeriaid i roi archebion ar-lein am nwyddau.

Dulliau talu

Mae nifer o wahanol ffyrdd o dalu'n electronig a byddwn yn trafod y rhain yn yr adran nesaf.

Trosglwyddo cyfalaf electronig *(EFT)*

Mae trosglwyddo cyfalaf electronig *(EFT: Electronic Funds Transfer)* yn cyfeirio at dalu am nwyddau, lle y mae'r taliad yn cael ei wneud o un cyfrif i gyfrif arall. Gall taliadau *EFT* gynnwys:

- cardiau credyd a debyd
- taliadau drwy gyfryngwr fel PayPal neu Nochex
- taliadau drwy ddefnyddio pwrs electronig (h.y. credydu arian i gerdyn cyn ei ddefnyddio)
- taliadau rhwng un cyfrif banc ac un arall drwy ddefnyddio bancio ar-lein.

Byddwn yn manylu ymhellach ar y dulliau hyn yn Nhopig 6(ch) ar Ddefnyddio TGCh yn y cartref (yn yr adran ar fancio ar-lein yn y cartref).

Cerdyn credyd/debyd yw'r prif ddull talu ar gyfer siopa ar-lein.

Talu drwy ddefnyddio bancio ar-lein

Mae llawer o bobl yn defnyddio banciau ar-lein bellach ac, os oes ganddynt gyfrif ar-lein, peth hawdd yw trosglwyddo arian i dalu am nwyddau. Gallwch ddefnyddio cyfrif ar-lein i drosglwyddo arian o un cyfrif i gyfrif arall os ydych chi'n gwybod beth yw'r cod didoli a rhif y cyfrif.

Manteision taliadau electronig o safbwynt y cwsmer

- Cael nwyddau neu wasanaethau'n gyflymach – dim angen aros am ohebiaeth neu glirio sieciau.
- Mae'n gyflymach i chi fewnbynnu manylion cerdyn nag anfon siec drwy'r post.
- Os defnyddiwch gerdyn credyd i dalu am eitemau sy'n costio mwy na £100, bydd cwmni'r cerdyn credyd yn trafod unrhyw gwynion sydd gennych gyda'r siop.

⇨ GEIRIAU ALLWEDDOL

Trosglwyddo cyfalaf electronig (EFT) – Y broses o drosglwyddo arian yn electronig heb yr angen am waith papur neu'r oedi sy'n digwydd wrth ddefnyddio gwaith papur

Manteision taliadau electronig o safbwynt y siop

- Mae'r taliad yn cael ei wneud yn syth, gan wella llif arian y cwmni.
- Gellir integreiddio *EFT* â systemau cyfrifyddiaeth fel nad oes angen cynifer o staff cyfrifon. Mae hyn yn lleihau costau'r busnes.
- Dim gwastraffu amser wrth ddelio â sieciau sy'n cael eu gwrthod (h.y. eu dychwelyd gan nad oes gan y cwsmer ddigon o arian yn ei gyfrif).
- Gellir cynnig danfon nwyddau'n gyflymach, sy'n gallu gwella trosiant.

Mae siopau fel Tesco yn defnyddio'r datblygiadau diweddaraf mewn TGCh i wneud eu busnes yn broffidiol a'u galluogi i ehangu'n gyflym.

Anfanteision taliadau electronig o safbwynt y cwsmer

- Mae'n hawdd gwneud taliadau, felly gallai cwsmer brynu pethau ar fympwy ac edifarhau wedyn.
- Efallai bod tuedd i orwario ar gardiau credyd.
- Mae perygl wrth fewnbynnu manylion cerdyn oherwydd y gallant fynd i'r dwylo anghywir a chael eu defnyddio gan dwyllwyr.
- Nid oes gan bawb gyfrifiadur neu fynediad i'r Rhyngrwyd.
- Colli preifatrwydd yn raddol gan y bydd mwy o gwmnïau'n cadw data amdanoch a'r pethau yr ydych chi'n eu prynu.

Mae nifer cynyddol o bobl sydd â digon o arian ond dim digon o amser yn dewis siopa ar-lein, er bod tâl ychwanegol yn aml am ddanfon nwyddau.

Anfanteision taliadau electronig o safbwynt y siop

- Rhaid i siopau dalu comisiwn am daliadau electronig i'r cwmni a ddefnyddir i wneud y taliad (e.e. cwmni cerdyn credyd/debyd, PayPal, Nochex, ac ati). Y comisiwn fel arfer am daliad ar-lein ar gerdyn credyd yw 3.1%.
- Gellir defnyddio cardiau credyd wedi'u dwyn i dalu am nwyddau neu wasanaethau. Gwerthwr y nwyddau neu wasanaethau sy'n gorfod cwrdd â chost trafodion twyllodrus.
- Rhaid rhoi mesurau ar waith i gadw data cwsmeriaid yn ddiogel ac yn breifat, yn enwedig manylion eu cardiau credyd neu ddebyd.
- Mae sefydlu system dalu'n eithaf drud.

Rheoli stoc drwy gysylltu â'r derfynell pwynt talu

Bydd y codau bar ar nwyddau'n cael eu darllen yn y desgiau talu er mwyn tynnu'r eitemau hyn oddi ar y rhestr stoc. Dyma sylfaen y system archebu wedi'i seilio ar werthiant sy'n defnyddio gwybodaeth am werthiant o'r desgiau talu i ailarchebu nwyddau'n awtomatig o'r warws. Er enghraifft, pe bai 200 o duniau o ffa pob yn cael eu gwerthu mewn siop benodol mewn un diwrnod, byddai 200 yn cael eu hailarchebu'n awtomatig a'u trosglwyddo i'r siop drannoeth o un o ganolfannau dosbarthu'r cwmni.

Siopa ar-lein

Mae siopa ar-lein yn tyfu'n gyflym wrth i siopwyr sy'n brin o amser roi'r gorau i brynu yn siopau'r stryd fawr gan ei bod yn haws iddynt siopa o'u cartrefi eu hun. Daeth siopa ar-lein yn boblogaidd yn gyntaf ar gyfer prynu cryno ddisgiau, *DVD*au, llyfrau a bwydydd, ond mae llawer mwy o bobl yn defnyddio'r Rhyngrwyd nawr i brynu llawer o bethau amrywiol.

Systemau siopa cyfrifiadurol (parhad)

E-fasnach

Ystyr y gair masnach yw'r holl weithgareddau hynny sydd eu hangen i redeg busnes yn llwyddiannus. Fel arfer, byddai'n cynnwys y canlynol:

- prynu
- dosbarthu
- marchnata
- gwerthu
- talu.

Os bydd busnes yn cyflawni rhai neu'r cwbl o'r gweithgareddau uchod drwy ddefnyddio systemau electronig, fel y Rhyngrwyd neu rwydweithiau cyfrifiadurol eraill, gallwn ddweud ei fod yn ymwneud ag e-fasnach.

Nid gwerthu cynhyrchion yn unig yw e-fasnach; mae hefyd yn golygu gwerthu gwasanaethau, ac yn cynnwys technolegau fel:

- marchnata ar-lein
- trosglwyddo cyfalaf electronig (*EFT*)
- systemau rheoli mewn union bryd, a rheoli'r gadwyn gyflenwi mewn union bryd
- prosesu trafodion ar-lein
- ymgyfnewid data electronig (*EDI: electronic data interchange*)
- systemau rheolaeth stoc awtomatig
- systemau mewnbynnu data wedi'u hawtomeiddio.

Mae e-fasnach yn defnyddio'r dechnoleg gyfathrebu ddiweddaraf a thechnolegau cysylltiedig fel:

- y Rhyngrwyd
- ffonau symudol
- allrwydi
- e-bost
- cronfeydd data.

Mae'n amlwg bod newid mawr wedi bod yn y ffordd y mae pobl yn gweithio ac yn chwarae ac mae llawer o'r newidiadau hyn yn ganlyniad i'r defnydd o e-fasnach. Nawr gall pobl siopa a bancio ar yr aelwyd a gallant ddewis eu nwyddau a'u gwasanaethau o farchnad fyd-eang.

Mae rhai busnesau na allent fodoli heb dechnoleg e-fasnachu. Mae twf rhyfeddol y cwmnïau hedfan rhad yn ganlyniad yn rhannol i'r technolegau e-fasnachu sy'n eu galluogi i gadw costau rhedeg yn isel.

Yn yr adran hon byddwn yn ystyried goblygiadau cymdeithasol e-fasnach a'i manteision ac anfanteision ac yn bwrw golwg ar rai busnesau e-fasnach nodweddiadol i weld sut y maent yn gweithio.

Prif rannau system e-fasnach

Prif rannau system e-fasnach yw:

- Catalog o gynhyrchion sy'n cynnwys cyfleuster chwilio ac sydd wedi'i gysylltu â'r system rheoli stoc.
- Cert/basged siopa sy'n caniatáu i siopwyr bori a rhoi eitemau yn eu basged neu eu tynnu ohoni.
- Desg dalu – ar ôl gorffen siopa, gall siopwyr fynd at y ddesg dalu i fewnbynnu eu manylion (enw a manylion cysylltu) a thalu am eu nwyddau.
- Talu – yma caiff manylion y cerdyn credyd neu ddebyd eu hamgryptio a'u dilysu a chaiff yr archeb ei derbyn neu ei gwrthod. Ar ôl awdurdodi'r taliad, anfonir e-bost at y cwsmer yn cadarnhau'r archeb.

Manteision e-fasnach

Manteision e-fasnach i'r cwsmer a'r busnes yw:

- Bob amser yn hygyrch – nid oes oriau agor gan e-fusnes. Mae'r wybodaeth ar gael ar y wefan ddydd a nos bob diwrnod o'r wythnos. Gall y cwsmeriaid gyrchu'r wybodaeth ar y wefan o unrhyw le ac ar unrhyw adeg.
- Costau sefydlu a rhedeg isel – proses gymharol rad yw dechrau mewn e-fasnach oherwydd y cwbl sydd ei angen arnoch mewn gwirionedd yw cyfrifiadur wedi'i gysylltu â'r Rhyngrwyd a rhywbeth i'w werthu. Mae llawer o fusnesau wedi dechrau ar raddfa fach, drwy werthu ar y wefan arwerthu e-Bay ac wedyn creu eu gwefan eu hun i ddenu cwsmeriaid. Ar ôl sefydlu'r wefan, bydd y costau rhedeg yn eithaf bach o'u cymharu â'r rhai sydd gan fusnesau traddodiadol gan fod costau adeiladau a staff yn is.
- Hawdd eu diweddaru – y drafferth ynghylch deunyddiau printiedig yw y gallant fod wedi dyddio erbyn eu paratoi a'u hargraffu. Gallwch ddiweddaru gwybodaeth ar y wefan bob dydd neu'n amlach byth, felly mae'r wybodaeth yn gyfoes bob amser. Prynir llawer o nwyddau o wledydd tramor, felly mae angen troi eu pris yn bunnoedd. Gan fod y gyfradd cyfnewid yn wahanol bob dydd, bydd eu cost i'r cyflenwr yn newid. Oherwydd hyn gall pris nwyddau newid bob dydd. Yn achos cynhyrchwyr cyfrifiaduron fel Dell mae eu prisiau'n newid o ddydd i ddydd.
- Cyfleusterau chwilio – gallwch ddod o hyd i nwyddau'n gyflym ar wefannau e-fasnach drwy ddefnyddio cyfleuster chwilio.
- Costau dosbarthu isel – nid oes angen talu'r costau arferol sy'n gysylltiedig â mathau eraill o hysbysebu fel stampiau ac amlenni. Ar ôl eu sefydlu, nid yw gwefannau'n llafurddwys a gwaith eithaf hawdd yw eu diweddaru'n gyson.
- Marchnad fyd-eang – gellir anfon nwyddau atoch o unrhyw ran o'r byd, felly gallwch ddod o hyd i'r cynnyrch rhataf, nid yn unig yn y wlad hon ond drwy'r byd. Mae llawer o fusnesau ar-lein yn rhyngwladol ac mae unrhyw un sydd â chysylltiad â'r Rhyngrwyd yn gallu prynu o unrhyw le yn y byd.

Mae e-fasnach yn caniatáu i siopwyr brynu nwyddau o unrhyw le yn y byd.

Dyma hysbyseb bras wedi'i chyflenwi gan CD-wow. Gellid ei rhoi ar wefan e-fasnach lle y byddai cwsmeriaid sy'n clicio arni'n mynd i wefan CD-wow.

- Mantais gystadleuol – gallwch arbed arian wrth ddefnyddio'r Rhyngrwyd i brynu nwyddau neu wasanaethau. Y rheswm am hyn yw bod costau rhedeg busnes ar y Rhyngrwyd yn is na'r rhai sydd gan fusnes arferol mewn adeilad. Gan fod y costau yn is, mae gan y busnes e-fasnach fantais gystadleuol dros fusnes traddodiadol ond wrth i fwy a mwy o bobl ddatblygu e-fusnesau, bydd y fantais gystadleuol yn diflannu.
- Casglu gwybodaeth am gwsmeriaid – os prynwch nwyddau mewn siop draddodiadol, ychydig y bydd y siop yn ei wybod amdanoch, ac os talwch ag arian parod, ni fydd yn gwybod dim o gwbl amdanoch. Os bydd yn cynnal gwerthiant arbennig, neu'n cynnig nwyddau newydd a allai fod o ddiddordeb i chi, mae'n anodd iddi roi gwybod i chi. Nid yw hyn yn broblem i fusnes e-fasnach, oherwydd bod yn rhaid i chi fewnbynnu manylion personol fel eich enw a'ch cyfeiriad, cyfeiriad e-bost, rhif ffôn a manylion talu. Mae'n hawdd iddo gasglu mwy o wybodaeth a bydd hefyd yn gwybod beth yr ydych wedi'i brynu. Gall anfon cylchlythyrau electronig atoch drwy e-bost am nwyddau a allai fod o ddiddordeb i chi a chynigion arbennig, ac ati.
- Ffynonellau incwm eraill – os oes gennych wefan e-fasnach sy'n denu llawer o ymwelwyr, gallech ystyried rhai ffynonellau incwm eraill fel:
  - Hysbysebion bras i gwmnïau eraill.
  - Cysylltau i wefannau eraill.
  - Yn aml bydd yr hysbyseb bras hefyd yn gyswllt i'r busnes sy'n hysbysebu.
  - Cewch gomisiwn os bydd defnyddiwr yn ymweld â'ch gwefan ac wedyn yn dilyn cyswllt i wefan un o'ch partneriaid masnachu ac yn prynu rhywbeth.
  - Os yw'ch gwefan yn boblogaidd iawn, gall yr incwm hwn fod yn sylweddol a chyfrannu at dalu costau'ch gwefan e-fasnach eich hun.

Anfanteision e-fasnach

Mae gan e-fasnach anfanteision hefyd, o safbwynt y defnyddiwr gan amlaf. Mae crynodeb o'r anfanteision hyn yn y diagram isod:

- Diweithdra – mae cyfrifiaduron yn awtomeiddio llawer o'r tasgau gweinyddol a gyflawnir gan bobl, felly gall hyn arwain at fwy o ddiweithdra.
- Diffyg rhyngweithio â phobl – i rai pobl, fel yr henoed a phobl anabl, mae mynd i siopau traddodiadol yn ffordd dda o ryngweithio ag eraill. Os na fydd hyn ar gael, gall pobl droi'n fewnblyg ac yn ddrwgdybus o bobl eraill.
- Diffyg ymarfer corff – mae cerdded o gwmpas siopau traddodiadol yn ffordd dda i ymarfer, ond ychydig o ymarfer corff a gewch wrth eistedd ger bysellfwrdd yn archebu nwyddau a gwasanaethau ar-lein.
- Problemau os aiff rhywbeth o'i le – os archebwch nwyddau neu wasanaethau ar-lein, gallwch gael problemau os aiff rhywbeth o'i le. Os ydych wedi cael nwyddau drwy'r post, a'r rheiny'n ddiffygiol neu'n anghywir, rhaid i chi fynd i'r drafferth o'u parselu a'u hanfon yn ôl. Gall fod yn anodd datrys problemau'n ymwneud â danfon nwyddau.
- Diffyg ymddiriedaeth gan gwsmeriaid – mae gwefannau ffug, problemau ynghylch copïo cardiau credyd, a phrofiadau gwael o wasanaethau cwsmeriaid wedi troi rhai pobl yn erbyn e-fasnach.
- Problemau gyda deddfwriaeth dramor – gallai nwyddau a brynir mewn gwlad dramor gan eu bod yn ymddangos yn rhatach fod yn ddrutach yn y pen draw ar ôl ychwanegu tolldaliadau.
- Os prynir nwyddau mewn gwlad dramor, bydd yr elw'n aros yno – mae llawer o nwyddau fel ceir, cryno ddisgiau, eitemau ffasiwn, ac ati, yn rhatach dramor. Mae llawer o beiriannau chwilio sy'n dod o hyd i'r lle rhataf i brynu'r eitemau hyn. Bydd siopau'r stryd fawr a'r economi cyffredinol ar eu colled o ganlyniad.
- Problemau diogelwch – mae llawer o bobl yn poeni cyn mewnbynnu manylion eu cardiau credyd wrth dalu am nwyddau neu wasanaethau. Byddant yn poeni ynghylch dwyn eu hunaniaeth a defnyddio manylion eu cerdyn yn dwyllodrus ac mae'n bosibl hefyd bod y wefan wedi'i sefydlu'n unswydd i ddwyn arian oddi arnynt.

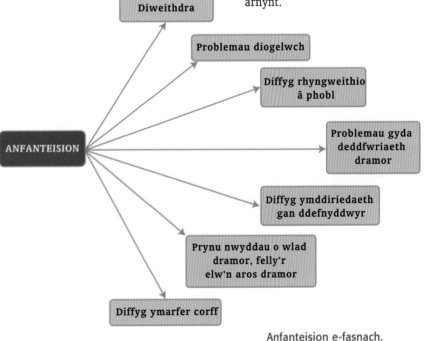

Anfanteision e-fasnach.

Pwynt talu electronig (*EPOS*)

Terfynellau pwynt talu

Bydd cwsmeriaid yn mynd i'r terfynellau pwynt talu mewn siopau i dalu am eu nwyddau. Defnyddir sawl math o ddyfais fewnbynnu gyda therfynellau pwynt talu, er enghraifft:

- dangosyddion sgrin gyffwrdd
- bysellfyrddau
- darllenyddion stribed magnetig (i ddarllen manylion cardiau credyd/ debyd a chardiau teyrngarwch)
- darllenyddion codau bar.

Adnabod codau bar

Mae adnabod codau bar yn golygu defnyddio cyfres o farrau golau a thywyll o wahanol led i fewnbynnu cod sydd fel arfer wedi'i argraffu o dan y cod bar.

Drwy ddefnyddio'r cod, gall y system gael gwybodaeth o gronfa ddata cynhyrchion am y wlad y mae'r cynnyrch yn dod ohoni, y gwneuthurwr, enw'r cynnyrch, y pris a gwybodaeth arall am y cynnyrch. Rhai cymwysiadau addas ar gyfer adnabod codau bar yw:

- cofnodi nwyddau mewn uwchfarchnadoedd

- systemau rheoli stoc mewn warysau
- systemau tracio parseli
- cysylltu llyfrau â benthycwyr mewn llyfrgelloedd
- labelu bagiau mewn meysydd awyr.

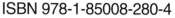

ISBN 978-1-85008-280-4

Cod bar.

Manteision defnyddio codau bar

- Cyflymach – mae sganwyr yn soffistigedig a gallant ddarllen codau bar ar wahanol onglau.
- Cywirach – o'i gymharu â theipio codau hir i mewn â llaw.
- Costau argraffu isel – gellir eu hargraffu ar labeli. Gallwch brynu meddalwedd arbennig sy'n caniatáu i argraffydd cyffredin argraffu codau bar.

Anfanteision defnyddio codau bar

- Dim ond rhifau y gellir eu mewnbynnu.
- Drud – mae'r sganwyr laser mewn uwchfarchnadoedd yn ddrud, er bod sganwyr llaw'n gymharol rad.

Dulliau eraill o fewnbynnu data

Mae nifer o ddyfeisiau mewnbynnu eraill a ddefnyddir gan siopau fel:

- Dyfeisiau mewnbynnu llaw – dyfeisiau cludadwy yw'r rhain a ddefnyddir i gyfrif y stoc mewn siopau. Mae darllenyddion codau bar ynghlwm wrth rai ohonynt i ddarllen y codau bar ar y labeli ar silffoedd. Mae'r ddyfais law'n defnyddio cyfathrebu diwifr i anfon y data i'r brif system gyfrifiadurol.
- Darllenyddion stribedi magnetig – mae stribedi magnetig ar gardiau credyd, cardiau debyd a chardiau teyrngarwch. Er bod darllenyddion sglodyn a *PIN*

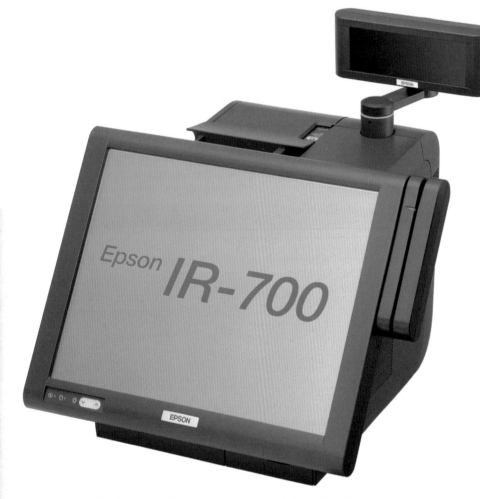

Mae'r derfynell pwynt talu hon yn cynnwys sgriniau cyffwrdd.

Defnyddir darllenyddion sglodyn a *PIN* gan gwsmeriaid i fewnbynnu eu rhif adnabod personol wrth y derfynell pwynt talu.

yn cael eu defnyddio i ddarllen manylion cardiau credyd a debyd, defnyddir darllenyddion stribedi magnetig o hyd i ddarllen y stribedi magnetig ar gardiau teyrngarwch. Rhai o fanteision defnyddio stribedi magnetig yw:

- Llai o wallau – mae llai o wallau gan nad yw data'n cael eu teipio i mewn.
- Mwy diogel – gan fod manylion diogelwch wedi'u hamgodio yn y cerdyn nad ydynt i'w gweld ar y cerdyn, fel ei bod yn anos ond nid yn amhosibl cyflawni twyll.
- Cyflym iawn – darllenir y cerdyn yn gyflym, sy'n arbennig o bwysig mewn siop.
- Ni ellir darllen data heb beiriant sydd wedi'i raglennu'n briodol – twyll yn llai tebygol.
- Darllenyddion sglodyn a *PIN* – mae'r rhain wedi cymryd lle darllenyddion stribedi magnetig bellach ar gyfer darllen manylion cardiau credyd a debyd. Yn lle llofnodi i wireddu mai chi yw perchennog y cerdyn, rhaid i chi fewnbynnu rhif adnabod personol o bedwar digid i gadarnhau mai chi yw perchennog y cerdyn.

Mae mwy o wybodaeth am ddarllenyddion sglodyn a *PIN* yn yr adran ar fancio'n ddiweddarach yn y llyfr hwn.

Rheolaeth stoc awtomatig

Mae pob uwchfarchnad yn cadw stoc y mae angen ei rheoli am y rhesymau canlynol:

- Mae cadw meintiau mawr o stoc yn ddrud a thrwy gadw meintiau llai gellir defnyddio'r adnoddau sydd wedi'u rhyddhau (arian, staff, lle) at ddibenion gwell o fewn y sefydliad.
- Os na fydd digon o stoc yn cael ei chadw, efallai na fydd anghenion cwsmeriaid yn cael eu diwallu a gallent ddewis siopa yn rhywle arall.
- Mae llawer o'r eitemau stoc mewn uwchfarchnad yn ddarfodus, felly oes silff gyfyngedig sydd ganddynt.

Mae nifer o gostau'n gysylltiedig â chadw stoc:

- Cost prynu'r stoc.
- Cost yr adeiladau lle y caiff y stoc ei chadw.
- Costau staff uwch gan fod angen mwy o bobl i ddod o hyd i'r stoc a'i symud.
- Mwy o wastraff oherwydd difrod, neu am fod nwyddau'n difetha os ydynt yn ddarfodus neu'n mynd heibio i'w dyddiad gwerthu.

Defnyddir systemau adborth mewn rhai mathau o reolaeth stoc er mwyn lleihau'r gwahaniaeth rhwng maint y stoc a gedwir a maint y stoc sydd ei hangen i gwrdd ag archebion cwsmeriaid. Fel hyn ni fydd lefelau'r stoc yn uwch na lefel y galw gan gwsmeriaid. Gan fod adborth cyson, mae'r lefel o stoc y mae'n rhaid ei chadw yn cael ei chymharu o hyd â'r stoc sy'n cael ei defnyddio.

Prif amcanion system rheolaeth stoc awtomatig yw:

- cadw digon o stoc i ateb y galw gan gwsmeriaid ond dim mwy na hynny
- ailarchebu nwyddau'n awtomatig pan fydd maint y stoc yn mynd yn is na lefel benodol
- monitro a newid lefelau stoc er mwyn cael y lefelau stoc sydd eu heisiau
- cynhyrchu prisiadau stoc at ddibenion cadw cyfrifon ac archwilio
- rhoi gwybodaeth gywir a chyfoes i reolwyr am stoc.

Systemau rheoli stoc mewn union bryd

Mae llawer o siopau ac uwchfarchnadoedd yn defnyddio system rheoli stoc mewn union bryd. Mewn system o'r fath, defnyddir y cysyniad 'mewn union bryd', lle y caiff nwyddau eu dosbarthu i'r siopau mor gyflym ag y cânt eu gwerthu. Mae'r system newydd hon yn sicrhau gostyngiad o un rhan o bump yn y stociau o nwyddau sy'n cael eu cadw ym mhob siop, a gall hyn ryddhau rhai o'r staff sydd fel rheol yn rhoi nwyddau ar silffoedd i weithio'n nes at y cwsmeriaid.

Mae'r system newydd yn cymryd lle'r hen system o archebu nwyddau ffres a nwyddau wedi'u pacio ac mae'n caniatáu i siopau unigol ymateb i newid yn y galw'n awtomatig drwy gydol y dydd. Roedd yr hen system yn rhoi archebion wedi'u seilio ar y galw cyfartalog am y nwyddau yn ystod y pum diwrnod blaenorol ac roedd hyn yn golygu na ellid ymateb i alw mawr annisgwyl am nwyddau. Mae'r system yn sicrhau na fydd y siop yn mynd yn brin o eitemau fel salad neu hufen iâ yn ystod tywydd poeth neu gawl yn ystod tywydd oer.

Yn y system ddiweddaraf, yn lle danfon nifer mawr o nwyddau unwaith yn y bore, caiff nwyddau eu danfon i'r siopau bedair neu bum gwaith y dydd. Disgwylir arbed ar adnoddau dynol hefyd a gall y staff hyn ganolbwyntio ar dasgau sy'n ymwneud yn fwy uniongyrchol â chwsmeriaid.

Manteision rheoli stoc mewn union bryd

- Gellir defnyddio siopau llai gan nad yw cymaint o stoc yn cael ei chadw.
- Gall y siop ymateb i newid yn y galw yn ystod y dydd.
- Mae'n haws danfon ychydig o nwyddau sawl gwaith yn hytrach na danfon llawer o nwyddau unwaith.
- Mae'n sicrhau na fyddant yn mynd yn brin o eitemau sy'n gwerthu'n gyflym.

Anfanteision rheoli stoc mewn union bryd

- Mae'n ddrud i'w sefydlu.
- Mae gan siopau fwy o gyfrifoldeb dros eu harchebion, felly mae angen mwy o staff gweinyddol.
- Gallai gwir faint y stoc fod yn wahanol oherwydd dwyn a difrodi.

Prisio

Bydd prisiau llawer o nwyddau'n newid yn aml. Mae hyn yn achosi trafferthion i siopau gan y bydd eu cyflenwyr yn codi mwy arnynt wedyn a bydd angen iddynt drosglwyddo'r cynnydd yn y pris i'w cwsmeriaid.

Nid yw nwyddau'n cael eu prisio'n unigol ar silffoedd uwchfarchnadoedd. Yn lle hynny, mae'r gronfa ddata ar gyfer yr holl nwyddau'n cynnwys y pris, a gellir ei newid drwy ddefnyddio cyfrifiadur yn y siop. Mae'r cod bar ar y nwyddau'n cysylltu'r eitem â'r cofnod cywir yn y gronfa ddata hon. Ar ôl newid y pris, bydd y cod bar yn cysylltu â'r pris newydd. Wedyn bydd angen i'r siop argraffu label silff newydd sy'n cynnwys manylion y nwyddau, y cod bar a'r pris.

Drwy ddefnyddio'r dull prisio hyblyg hwn, gall siopau drosglwyddo cynnydd mewn prisiau gan eu cyflenwyr i'w cwsmeriaid. Mae hyn yn gwneud y siop yn fwy proffidiol.

Label silff electronig yw hwn sy'n newid y pris yn awtomatig pan gaiff y pris yn y gronfa ddata o gynhyrchion ei ddiweddaru.

Rhyngwynebau cyfrifiadur-dyn

Mae angen diogelu staff sy'n gweithio mewn uwchfarchnadoedd a siopau eraill rhag rhai o'r problemau meddygol a achosir o ganlyniad i ddefnyddio systemau TGCh fel:

- straen ar y llygaid
- poen yn y cefn
- anaf straen ailadroddus
- straen emosiynol.

Mae poen yn y cefn yn gyffredin ymysg defnyddwyr cyfrifiaduron a rhaid defnyddio gweithfannau ergonomig i'w osgoi.

Mae siopau wedi troi oddi wrth ddefnyddio'r bysellfwrdd i fewnbynnu data ac wedi dechrau defnyddio sganwyr laser a sgriniau cyffwrdd. Y gobaith yw y bydd hyn yn datrys llawer o'r problemau iechyd.

Cardiau teyrngarwch

Mae'r rhan fwyaf o siopau ac uwchfarchnadoedd yn defnyddio cardiau teyrngarwch i gymell cwsmeriaid i siopa'n gyson yn y siop. Yn yr adran hon byddwn yn ystyried beth yw'r cardiau hyn a beth yw eu perthnasedd i faes TGCh.

Er mwyn gallu cyfathrebu â chwsmeriaid, mae angen i chi gael eu cyfeiriadau. Yn y gorffennol, pan fyddent yn prynu nwyddau, ni fyddech yn gwybod pwy oeddent (os oeddent wedi talu ag arian parod) nac ym mhle'r oeddent yn byw.

Heddiw mae llawer o siopau'n cynnig cardiau teyrngarwch. Bob tro y defnyddiwch y cerdyn, rydych chi'n ennill pwyntiau. Ar ôl ennill hyn a hyn o bwyntiau, rhoddir talebau i gwsmeriaid i'w defnyddio yn y siop yn lle arian parod.

Mae'r cynllun yn gweithio fel hyn:

- Mae'r cwsmer yn llenwi ffurflen gais i ymuno â'r cynllun.
- Rhoddir cerdyn sy'n cynnwys stribed magnetig i'r cwsmer.
- Pan fydd y cwsmer yn mynd i'r siop bydd yn mynd â'r cerdyn gydag ef/hi.
- Wrth brynu yn y siop, gan ddefnyddio arian parod, cerdyn debyd neu gerdyn credyd, bydd y cerdyn teyrngarwch yn cysylltu'r cwsmer â'r nwyddau y mae'n eu prynu.
- Mae'r cerdyn yn ychwanegu nifer penodol o bwyntiau, ar sail y bil a'r eitemau a brynir, at y cyfanswm.
- Gan fod siopau'n gallu cysylltu beth y mae'r cwsmer yn ei brynu â manylion y cwsmer, gallant anfon talebau ar gyfer y pethau y mae'r cwsmer yn eu prynu.

Defnyddio cardiau teyrngarwch

Mae astudiaeth achos o'r enw 'Cardiau teyrngarwch – eich cysylltu chi â'r hyn a brynwch' yn yr adran astudiaethau achos. Dylech ei darllen i gael gwybod mwy am gardiau teyrngarwch.

Mae llawer o'r siopau mawr yn defnyddio cardiau teyrngarwch.

Astudiaethau achos

▶ Astudiaeth achos tt. 60–63

Defnyddio CAD a CAM yn y diwydiant ffasiwn

Defnyddir *CAD* yn y diwydiant ffasiwn i ddylunio dillad. Byddai'r dylunydd yn arfer defnyddio pad braslunio i wneud y dyluniadau. Defnyddiai bensil fel ei fod yn gallu dileu rhannau o'r dyluniad os oedd wedi gwneud camgymeriad neu os oedd am ei newid. Mae hyn yn haws o lawer wrth ddefnyddio *CAD*. Mae'n hawdd iddo wneud newidiadau a dal i gadw'r dyluniadau blaenorol fel ei fod yn gallu mynd yn ôl atynt

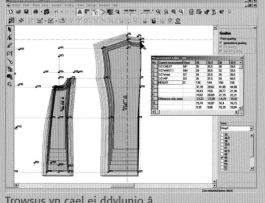

Trowsus yn cael ei ddylunio â meddalwedd *CAD*.

Ar ôl cwblhau dyluniad, gellir rhaglennu'r peiriant gweithgynhyrchu drwy gymorth cyfrifiadur (*CAM*) i dorri allan y dyluniadau ffasiwn sydd wedi cael eu dylunio ar y cyfrifiadur. Prif fantais defnyddio TGCh fel hyn yw nad oes angen cyflogi cymaint o bobl. Bellach nid oes angen cael rhywun i ddefnyddio'r dyluniad i dorri'r ffabrig a chynhyrchu'r darnau i'w pwytho at ei gilydd.

Yn ogystal â hyn, drwy ddefnyddio *CAM* ar y cyd â *CAD*, gellir lleihau'r amser rhwng dylunio dilledyn a'i gynhyrchu yn sylweddol, a gellir ailraglennu'r peiriannau torri i wneud gwahanol ddillad.

1 Eglurwch pam y mae *CAD* a *CAM* yn cael eu defnyddio gyda'i gilydd yn aml. (2 farc)
2 Nodwch **un** fantais o ddefnyddio *CAM* yn y diwydiant ffasiwn. (1 marc)
3 Eglurwch **dair** o nodweddion *CAM*. (3 marc)

▶ Astudiaeth achos tt. 60–61

Cynllunio gerddi gyda Great Gardens Ltd

Mae Great Gardens Ltd yn defnyddio meddalwedd *CAD* i'w helpu i gynllunio gerddi i'w gleientiaid. Bydd y cwmni'n dangos cyfres o erddi a gynlluniwyd ganddo i'r cleientiaid er mwyn iddynt weld pa agweddau ar y cynlluniau y maent yn eu hoffi sydd o fewn y gyllideb sydd ar gael.

Gan ddefnyddio modelu tri dimensiwn, mae'r meddalwedd yn ei gwneud hi'n bosibl i droi cynllun 2D y gerddi'n olwg 3D. Wedyn gall y cleient weld sut y bydd yr ardd yn edrych o wahanol onglau drwy ddefnyddio'r cyfleuster archwiliad rhaglen. Bydd y meddalwedd *CAD* hefyd yn caniatáu i'r cleient weld sut y bydd yr ardd yn edrych o dymor i dymor yn ogystal â dangos yr ardd yn y nos gyda gwahanol effeithiau goleuo.

Mae'r cynllunydd gerddi'n cynhyrchu rhestr o'r nodweddion y byddai'r cleient yn hoffi eu cynnwys, yn mesur gardd y cleient ac wedyn yn dechrau gweithio ar y cynllun. Weithiau bydd yn dechrau â chynllun y mae wedi'i wneud yn barod ac yn newid hwnnw yn ôl gofynion y cleient neu, os nad oes un ar gael, bydd yn dechrau o'r dechrau.

Adeileddau fel llwybrau, patios, lloriau pren, waliau,

Gellir troi cynlluniau 2D yn fodelau 3D i'w dangos i gleientiaid.

pergolas, tai gwydr, siediau, ffensys, ac ati, a gaiff eu hychwanegu'n gyntaf ac mae llyfrgell fawr o adeileddau o'r fath i ddewis ohoni.

Gellir ychwanegu nodweddion dŵr fel pyllau a rhaeadrau ac mae dewin ar gael i helpu'r cynllunydd i gynllunio'r rhain fesul cam.

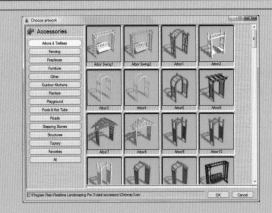

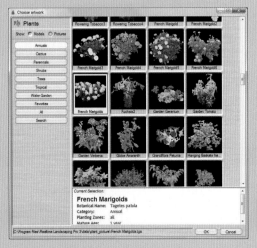

Wedyn gellir ychwanegu coed a phlanhigion o'r gronfa ddata enfawr. Bydd angen nawr i'r cynllunydd gerddi ystyried cyfuniadau o liwiau; a yw'r planhigion yn blodeuo yr un pryd, lliwiau'r hydref, pa blanhigion a fydd yn ffynnu yn yr ardd dan sylw, ac ati.

Mae angen i erddi fod yn ddeniadol i'r llygad yn syth ar ôl eu gwneud ac ymhen blynyddoedd i ddod hefyd. I sicrhau hyn, gall y cynllunydd gerddi ddefnyddio cyfleuster yn y meddalwedd o'r enw 'Plant growth projection'. Defnyddir y cyfleuster hwn i ddelweddu'r ardd ym Mlwyddyn 1, Blwyddyn 2, ac yn y blaen.

Mae dewin penodol ar gael ar gyfer elfennau cymhleth megis pyllau dŵr i dywys y defnyddiwr drwy'r camau cynllunio.

Yn ôl perchennog Great Gardens Ltd, prif fantais y meddalwedd yw ei bod mor hawdd arbrofi i weld beth sy'n gweithio a beth sydd ddim yn gweithio. Mae'r casgliad o adeileddau'n hawdd ei ddefnyddio ac mae'r gallu i newid cynlluniau'n gyflym ym mhresenoldeb y cleient yn fantais fawr.

'Rydym wedi cynllunio cannoedd o erddi ac wedi gweld bod llawer o gleientiaid yn dewis rhai o'r cynlluniau sydd gennym yn barod ac yn gwneud newidiadau bach iddyn nhw. Mae hynny'n arbed llawer o amser i ni.'

Mae'r sgrinluniau hyn yn dangos rhai o nodweddion y meddalwedd cynllunio gerddi.

1 Mae meddalwedd cynllunio gerddi'n enghraifft o feddalwedd *CAD*.
   (a) Beth yw ystyr y byrfodd *CAD*? (1 marc)
   (b) Enwch **dair** nodwedd sydd gan y meddalwedd cynllunio yn yr astudiaeth achos hon. (3 marc)

2 Yn y gorffennol, byddai'r cwmni cynllunio gerddi wedi cynhyrchu cynllun yr ardd â llaw gan ddefnyddio papur a phensil. Byddai angen ymweld â chartref y cleient lawer o weithiau er mwyn cwblhau'r cynllun. Disgrifiwch **dair** agwedd ar waith y cynllunydd gerddi sydd wedi dod yn haws o lawer wrth gynllunio gerddi. (3 marc)

3 Eglurwch beth yw ystyr y term modelu 3D fel y mae wedi cael ei ddefnyddio yn yr astudiaeth achos. (2 farc)

4 Dyma rai o nodweddion y meddalwedd *CAD* a ddefnyddir i gynllunio gerddi:
   Cronfa ddata planhigion
   Chwyddo
   Effeithiau goleuo
   Archwiliad rhaglen
   Golygfeydd tymhorol
   Llyfrgell adeileddau
   Dewiswch **bedair** o'r nodweddion uchod ac ar gyfer pob un disgrifiwch y fantais y mae'n ei rhoi i'r cynllunydd wrth iddo gynllunio gardd newydd o'r dechrau. (4 marc)

John Laing yn defnyddio cynllunio drwy gymorth cyfrifiadur

John Laing yw un o gwmnïau adeiladu mwyaf Prydain ac mae'n codi adeiladau mawr fel blociau swyddfeydd, ysbytai ac ysgolion. Nid yw'n syndod ei fod yn gwneud defnydd helaeth o *CAD* wrth gynllunio'r adeiladau cymhleth hyn.

Mae'r meddalwedd *CAD* yn caniatáu i benseiri greu delwedd electronig o adeilad mewn tri dimensiwn. Mae hyn yn bwysig oherwydd yn y gorffennol câi cynlluniau dau ddimensiwn eu cynhyrchu ac yn aml gwelwyd bod angen newid y cynlluniau pan gâi model o'r adeilad ei greu. Drwy ddefnyddio'r meddalwedd *CAD* gallwch weld delwedd o'r adeiladau yn y cyfnod cynllunio ac nid oes angen cynhyrchu model go iawn.

Gan fod cynlluniau'r adeilad yn cael eu storio fel ffeiliau cyfrifiadurol, mae pawb sy'n ymwneud â'r project yn gallu eu cyrchu drwy ddefnyddio rhwydwaith y cwmni. Yn ogystal â hynny, os oes angen newid y dyluniad, mae'r newidiadau'n cael eu gwneud a gall pawb gyrchu'r cynllun newydd wedyn. Mae'r cwmni wedi gweld bod modd darganfod camgymeriadau dylunio a'u cywiro'n gyflym ac mae hyn wedi arbed llawer iawn o arian i'r cwmni.

Drwy ddefnyddio'r meddalwedd *CAD*, gall y defnyddiwr ychwanegu gweadau, lliwiau a gorffeniadau at y dyluniadau gan greu delweddau o ansawdd ffotograffig y gellir cerdded drwyddynt. Mae hyn yn rhoi cyfle i'r dylunwyr weld yr effeithiau terfynol o fewn eiliadau.

1 Mae'r gallu i droi cynllun 2D yn ddelwedd 3D o adeilad yn un o fanteision defnyddio meddalwedd *CAD*.
Disgrifiwch **ddwy** o fanteision eraill defnyddio meddalwedd *CAD*. (2 farc)

2 Manylwch ar nodweddion y caledwedd cyfrifiadurol sydd ei angen i redeg meddalwedd *CAD*. (5 marc)

3 Enwch a disgrifiwch **dair** nodwedd hollol wahanol sydd gan feddalwedd *CAD*. (3 marc)

Tesco: Defnyddio CAD i gynllunio siopau

Bellach nid oes angen defnyddio byrddau lluniadu i gynllunio siopau newydd ac ailgynllunio'r rhai presennol. Yn lle hynny, defnyddir cynllunio drwy gymorth cyfrifiadur (*CAD*), sy'n lleihau'r amser y mae'n ei gymryd i gynllunio siopau newydd: mae cronfa ddata'n storio dyluniadau a chynlluniau o'r siopau presennol a gellir addasu'r rhain yn hytrach na gorfod creu rhai newydd bob tro. Mae'r meddalwedd *CAD* hefyd yn gallu dangos delweddau tri dimensiwn o'r siopau, a gellir newid lliwiau, goleuo a gorffeniadau ar ddefnyddiau dim ond drwy symud y llygoden. Wrth gynllunio siop newydd, gellir defnyddio ffotograffau o'r safle arfaethedig ar y cyd â *CAD* i weld sut y bydd yr ardal yn ymddangos ar ôl codi'r siop.

Defnyddir *CAD* hefyd i gynllunio'r warysau, a'r ffyrdd a'r mannau o gwmpas y canolfannau dosbarthu. Mae hyn yn bwysig gan fod angen i'r ffyrdd mynediad fod yn addas i gerbydau cymalog mawr, a rhaid cael digon o le iddynt droi ger y canolfannau dosbarthu.

1 Enwch a disgrifiwch **dair** nodwedd y byddech yn disgwyl eu cael mewn meddalwedd *CAD*. (3 marc)

2 Nodwch **ddwy** fantais i Tesco o ddefnyddio meddalwedd *CAD* i gynllunio ei siopau. (2 farc)

3 Bydd pobl sy'n defnyddio meddalwedd *CAD* yn aml yn treulio oriau hir wrth y cyfrifiadur, a gall hyn achosi nifer o broblemau iechyd.
Enwch ac eglurwch **dair** problem iechyd a allai effeithio arnynt ac, ar gyfer pob problem iechyd, awgrymwch ffordd bosibl o leihau'r perygl. (3 marc)

Topig 6(a) Defnyddio TGCh mewn busnes

▶ Astudiaeth achos t. 70

Cardiau teyrngarwch – eich cysylltu chi â'r hyn a brynwch

Defnyddir cardiau teyrngarwch i'ch cysylltu chi â'r hyn a brynwch er mwyn dadansoddi'ch arferion prynu.

Mae cardiau teyrngarwch yn boblogaidd iawn ymysg siopwyr. Wrth ddefnyddio eu cardiau maen nhw'n ennill pwyntiau sy'n rhoi hawl iddynt gael rhai nwyddau'n rhatach neu am ddim. Ond beth yw'r fantais i'r siopau? Yr ateb yw eu bod yn cael mantais sylweddol. Ar wahân i'r tebygolrwydd y byddwch yn dychwelyd i'r siop i brynu rhagor er mwyn cael mwy o bwyntiau, mae'r rhan fwyaf o adwerthwyr yn gweld bod siopwyr sy'n defnyddio cardiau teyrngarwch yn tueddu i wario mwy yn eu siopau.

Cyn dyddiau'r cardiau teyrngarwch, byddai'r siopau'n hysbysebu ar y teledu ac mewn papurau newydd i ennyn ein diddordeb. Drwy ddefnyddio cardiau teyrngarwch gallant dargedu siopwyr penodol drwy hysbysebu'r nwyddau y maen nhw'n fwyaf tebygol o'u prynu.

Un enghraifft o hyn fyddai ymgyrch gan siopau i gynyddu eu cyfran o'r farchnad am fwyd anifeiliaid anwes. Gan nad yw pawb yn berchen ar anifail anwes, byddai angen iddynt dargedu eu hymgyrch farchnata at y bobl hynny sy'n berchen ar anifeiliaid anwes. Drwy ddefnyddio cerdyn teyrngarwch, rydych chi'n cael eich cysylltu â'r hyn a brynwch, felly os ydych yn prynu bwyd cath yn rheolaidd,

mae bron yn sicr eich bod yn berchen ar gath. Felly gellid anfon y deunydd marchnata ar fwydydd anifeiliaid anwes atoch chi.

Gallwch weld bod modd anfon gwahanol ddeunyddiau marchnata at wahanol gwsmeriaid, gan roi talebau iddynt ar gyfer yr eitemau y maen nhw'n eu prynu neu'n fwyaf tebygol o'u prynu.

Yn ogystal â hyn, drwy ddefnyddio cardiau teyrngarwch, daw adwerthwyr i wybod beth yr ydych wedi'i brynu a hynny'n well na chi'ch hun weithiau. Er enghraifft, a wyddoch faint o roliau o bapur toiled a ddefnyddiwch yn eich tŷ chi? Mae'r siopau'n gwybod!

Felly mae gan yr adwerthwyr arf effeithiol iawn i greu cronfeydd data anferth yn llawn gwybodaeth am ein harferion prynu. Er enghraifft, gallent ddarganfod a ydym yn dilyn ffordd iach o fyw. Gallent ddarganfod faint o alcohol y mae person neu deulu penodol yn ei yfed.

Un mater sy'n peri pryder mewn perthynas â chynlluniau cardiau teyrngarwch yw bod ychydig o fusnesau preifat yn creu cronfeydd data anferth sy'n llawn gwybodaeth bersonol am bob un ohonom. Mae'n amlwg bod hyn yn amharu ar breifatrwydd ond rydych chi'n gwirfoddoli i ymuno â chynllun cardiau teyrngarwch ac felly'n cynnig y wybodaeth iddynt o'ch gwirfodd. Byddai rhai'n dweud bod y wybodaeth a roddwch iddynt yn dâl teg am y manteision a gewch.

Un broblem bosibl yw y gallai llywodraeth yn y dyfodol gyflwyno deddfwriaeth a fyddai'n caniatáu iddi ddefnyddio'r data yn y cronfeydd data hyn at ei dibenion ei hun.

Yn Unol Daleithiau America, penderfynodd llys y gallai dyn dalu mwy i gynnal ei deulu ar ôl i'r llys ddarganfod, drwy weld cofnodion adwerthwr, ei fod yn arfer prynu gwinoedd drud iawn.

1 Mae gan lawer o adwerthwyr gynllun cardiau teyrngarwch sy'n gwobrwyo siopwyr sy'n prynu ganddynt yn rheolaidd. O ganlyniad i'r defnydd o gynlluniau cardiau teyrngarwch datblygwyd cronfeydd data anferth o wybodaeth am gwsmeriaid. Mae llawer o'r wybodaeth hon yn wybodaeth bersonol am gwsmeriaid a'r hyn a brynant.

(a) Bydd rhywfaint o'r wybodaeth a gaiff ei chasglu'n cael ei werthu i gyrff eraill. Disgrifiwch **ddwy** ffordd bosibl y gallai'r cyrff hyn ddefnyddio'r data y maent yn eu prynu. (4 marc)

(b) Gallai rhai cwsmeriaid wrthwynebu trosglwyddo gwybodaeth bersonol i gyrff eraill. Disgrifiwch **un** rheswm posibl dros eu gwrthwynebiad. (1 marc)

(c) Eglurwch pam y byddai cyrff eraill am brynu rhywfaint o'r wybodaeth am gwsmeriaid y mae'r adwerthwr wedi'i chasglu. (2 farc)

Cwestiynau a Gweithgaredd

▶ Cwestiynau 1 — tt. 60–63

1 (a) Am beth y mae'r byrfoddau *CAD* a *CAM* yn sefyll? (2 farc)

(b) Disgrifiwch **ddwy** nodwedd y byddech yn disgwyl eu cael
   (i) mewn meddalwedd *CAD*
   (ii) mewn meddalwedd *CAM*. (4 marc)

2 Eglurwch **ddau** ddefnydd posibl i feddalwedd *CAD/CAM*. (2 farc)

3 Mae cwmni peirianneg yn defnyddio systemau *CAD* i ddylunio cydrannau i beiriannau a blychau gêr ceir.

(a) Nodwch **ddwy** fantais y mae pecynnau *CAD* yn eu cynnig o'u cymharu â chynhyrchu dyluniadau a lluniadau wrth raddfa â llaw. (2 farc)

(b) Mae meddalwedd *CAD* yn gofyn llawer gan y cyfrifiadur a ddefnyddir i'w redeg. Disgrifiwch nodweddion arbennig y caledwedd sydd ei angen i redeg meddalwedd *CAD* yn llwyddiannus. (3 marc)

(c) Mae'r cwmni peirianneg yn ystyried defnyddio *CAM* i'w helpu i weithgynhyrchu'r cydrannau, gan ddefnyddio gwybodaeth o'r meddalwedd *CAD*. Nodwch **ddwy** o fanteision defnyddio *CAM*. (2 farc)

4 (a) Eglurwch beth y mae'r term system *CAD* yn ei olygu a nodwch **ddau** gymhwysiad hollol wahanol ar ei chyfer. (4 marc)

(b) Eglurwch beth y mae'r term *CAM* yn ei olygu. (3 marc)

5 Mae cwmni cynllunio gerddi'n defnyddio pecyn *CAD* i'w helpu i gynllunio gerddi i'w gwsmeriaid. Trafodwch fanteision ac anfanteision defnyddio meddalwedd *CAD* at y diben hwn. (6 marc)

▶ Cwestiynau 2 — tt. 64–70

1 Bydd llawer o uwchfarchnadoedd yn defnyddio system 'mewn union bryd' i reoli stoc.
Eglurwch sut y mae system rheoli stoc 'mewn union bryd' yn gweithio a thrafodwch y manteision a'r anfanteision y mae'n eu cynnig i'r siop. (8 marc)

2 Mae gan lawer o siopau gynllun cardiau teyrngarwch i alluogi'r siopau i gael mwy o wybodaeth am eu cwsmeriaid.

(a) Eglurwch sut y mae cynllun cardiau teyrngarwch yn gweithio. (4 marc)

(b) Enwch y ddyfais galedwedd sydd ei hangen i ddarllen y wybodaeth ar gerdyn teyrngarwch y cwsmer. (1 marc)

(c) Mae'r defnydd o gardiau teyrngarwch yn codi nifer o faterion ynghylch gwarchod data a phreifatrwydd.
Eglurwch:
   (i) **un** mater yn ymwneud â gwarchod data
   (ii) **un** mater yn ymwneud â phreifatrwydd. (2 farc)

3 Mae codau bar yn cael eu defnyddio'n helaeth mewn siopau i gofnodi stoc a phryniadau.

(a) Eglurwch beth yw cod bar a sut y caiff ei ddefnyddio mewn siopau i gofnodi stoc a gwerthiant. (3 marc)

(b) Eglurwch **dair** mantais i'r siop o ddefnyddio codau bar i gofnodi gwerthiant. (3 marc)

(c) Eglurwch **un** anfantais i'r siop o ddefnyddio codau bar. (1 marc)

4 Trafodwch y gwahanol fathau o ddyfeisiau mewnbynnu a ddefnyddir mewn uwchfarchnadoedd ac mewn siopau eraill.
Wrth drafod hyn dylech grybwyll y caledwedd a ddefnyddir, y data sy'n cael eu cofnodi a'r wybodaeth sy'n cael ei hallbynnu, a'r manteision ac anfanteision o'u cymharu â dulliau eraill o fewnbynnu'r data. (10 marc)

▶ Gweithgaredd

Rydych yn chwilio am gryno ddisg sydd yn y siartiau. Ysgrifennwch restr o'r manteision o'i brynu gan siop ar-lein fel Amazon neu CD-wow. Wedyn ysgrifennwch restr o'r anfanteision.

Cymorth gyda'r arholiad

Enghraifft 1

1 Mae cynlluniau cardiau teyrngarwch yn boblogaidd iawn mewn siopau i annog siopwyr i brynu yn y siop yn rheolaidd. Wrth ymuno â'r cynllun bydd cwsmeriaid yn llenwi ffurflen gais ac, wedi iddynt wneud hynny, caiff y manylion eu mewnbynnu i gronfa ddata ac anfonir cerdyn sgubo at y cwsmer drwy'r post.

Pan gaiff manylion cwsmer eu mewnbynnu i gronfa ddata, cânt eu gwireddu a'u dilysu.

(a) Diffiniwch y term gwireddu. Enwch a disgrifiwch **un** dull gwireddu y gellir ei ddefnyddio wrth fewnbynnu data cwsmer. (3 marc)

(b) Diffiniwch y term dilysu. Enwch a disgrifiwch **un** dull dilysu a ddefnyddir wrth fewnbynnu data cwsmer. (3 marc)

Ateb myfyriwr 1

1 (a) Mae gwireddu'n golygu bod y rhaglen yn archwilio'r data i ddod o hyd i gamgymeriadau wrth fewnbynnu'r data i'r cyfrifiadur. Gallech edrych ar y data i weld a oes unrhyw gamgymeriadau ac wedyn eu cywiro.

(b) Mae dilysu'n brawf gan y rhaglen gyfrifiadurol i sicrhau nad yw'r data anghywir yn cael eu bwydo i'r cyfrifiadur. Gwiriad amrediad – mae'n sicrhau mai dim ond rhifau o fewn amrediad sydd wedi'i bennu a gaiff eu derbyn wrth eu mewnbynnu i'w prosesu ac, os ydynt y tu allan i'r amrediad, y byddant yn cael eu gwrthod.

Sylwadau'r arholwr

1 (a) Mae'r myfyriwr hwn wedi gwneud camgymeriad drwy roi diffiniad o ddilysu yn hytrach na gwireddu. Mae'r enghraifft a roddwyd yn berthnasol i wireddu ond ni roddwyd enw. Un marc am yr adran hon.

(b) Mae camgymeriad yn y diffiniad o ran credu bod dilysu'n gallu sicrhau nad yw data anghywir yn cael eu bwydo i'r cyfrifiadur. Nid yw dilysu ond yn gallu cadarnhau bod y data'n synhwyrol ac ni all chwilio am wallau syml fel camsillafu enw rhywun.

Dim marc am y diffiniad hwn.

Mae'r esboniad o wiriad amrediad yn dda.

(3 marc allan o 6)

Ateb yr arholwr

1 (a) Un marc am ddiffiniad addas fel y canlynol:

Mae gwireddu'n golygu sicrhau bod y data sy'n cael eu mewnbynnu i'r system TGCh yn cyfateb yn llwyr i ffynhonnell y data.

Dim marc am enwi'r dull ond hyd at ddau farc am y disgrifiad.

Darllen proflenni/prawf gweledol – darllen yn ofalus beth sydd wedi'i deipio i mewn (1) a'i gymharu â'r hyn sydd yn y ffynhonnell data/ffurflen gais i ddod o hyd i wallau (1).

Mewnbynnu data ddwywaith – dau berson yn defnyddio'r un ffynhonnell data i fewnbynnu'r manylion i'r gronfa ddata (1) a dim ond os yw'r ddwy set o ddata yr un fath y cânt eu derbyn i'w prosesu (1).

(b) Un marc am ddiffiniad addas fel y canlynol:

Dilysu – y broses sy'n sicrhau bod data a gaiff eu derbyn i'w prosesu'n synhwyrol ac yn rhesymol.

Dim marc am enwi'r dull ond hyd at ddau farc am y disgrifiad.

Gwiriadau presenoldeb – mae rhai meysydd yn y gronfa ddata y mae'n rhaid eu llenwi tra gellir gadael eraill yn wag (1), felly os na roddir data mewn maes hanfodol ni fydd y data ar gyfer y meysydd eraill yn cael eu derbyn i'w prosesu (1).

Gwiriadau math data – maent yn cadarnhau a yw'r data sy'n cael eu mewnbynnu o'r un math â'r math data sydd wedi'i bennu ar gyfer y maes (1). Byddent yn archwilio i sicrhau mai dim ond rhifau sy'n cael eu mewnbynnu i'r meysydd sydd wedi'u pennu'n rhai rhifol (1).

Gwiriadau amrediad – maent yn cael eu defnyddio ar rifau i sicrhau bod rhif sy'n cael ei fewnbynnu o fewn amrediad penodol (1). Er enghraifft, os oes rhaid i chi fod yn hŷn nag oedran penodol i gael cerdyn teyrngarwch, ni fydd y gwiriad amrediad yn caniatáu i chi fewnbynnu dyddiad geni a fydd yn rhoi oedran iau na hyn (1).

Gwiriadau fformat – maent yn cael eu defnyddio ar godau i sicrhau eu bod yn cydymffurfio â'r cyfuniadau cywir o nodau (1). Er enghraifft, efallai y bydd yn rhaid i ddyddiad geni fod mewn fformat penodol (e.e. dd/mm/bb) ac, os nad yw yn y fformat cywir, caiff ei wrthod (1).

Enghraifft 2

2 Mae pensaer yn defnyddio meddalwedd *CAD* arbenigol i gynllunio ysgol newydd.

(a) Dewiswch unrhyw **bedair** o'r nodweddion canlynol o feddalwedd *CAD* a disgrifiwch **un fantais** sydd gan bob un i'r pensaer wrth iddo gynllunio ysgol newydd o'r dechrau.

   Cylchdroi
   Chwyddo
   Prisio
   Archwiliad rhaglen
   Lliniogi/rendro
   Modelu 3D. (4 marc)

(b) Mae'r pensaer a'r staff yn ei swyddfa'n defnyddio meddalwedd *CAD* am gyfnodau hir wrth weithio ar ddyluniadau a lluniadau manwl iawn. Nodwch **un** broblem iechyd a allai godi o ganlyniad i ddefnyddio system *CAD* ac eglurwch sut y gellid atal y broblem iechyd hon rhag codi. (2 farc)

Ateb myfyriwr 1

2 (a) Chwyddo – gallwch weld manylion yn yr ardd fel planhigion a choed
      Cadw – gallwch gadw'r dyluniadau i'w defnyddio wedyn
      Cylchdroi – gallwch gylchdroi'r cynllun fel bod modd ei argraffu fel llun tirlun neu lun portread
      Modelu 3D – gellir cynhyrchu model 3D o'r dyluniad.

   (b) Straen ar y llygaid – gallwch gael straen ar y llygaid drwy edrych ar y sgrin am gyfnodau hir. Gellir datrys hyn drwy gymryd Paracetamol.

Ateb myfyriwr 2

2 (a) Chwyddo – gallwch weld rhan benodol o'r diagram yn fwy manwl drwy ei chwyddo.
      Archwiliad rhaglen – gallwch gerdded drwy'r adeilad i weld sut y bydd yn edrych.
      Prisio – mae hyn yn gadael i chi gyfrifo costau'r holl gydrannau yn yr adeilad.
      Modelu 3D – mae hyn yn caniatáu i chi droi cynllun dau ddimensiwn yn llun tri dimensiwn.

   (b) Anaf straen ailadroddus (*RSI*) – caiff hyn ei achosi drwy ddefnyddio'r llygoden neu'r bysellfwrdd dro ar ôl tro ac mae'n achosi poen yng nghymalau'r dwylo. Er mwyn lleihau'r tebygolrwydd o'i gael, gallwch ddefnyddio cynhaliwr arddwrn.

Sylwadau'r arholwr

2 (a) Rhoddwyd yr ateb hwn gan fyfyriwr eithaf gwan nad yw wedi deall yn iawn beth yw'r gofynion yma.
      Mae'r ateb ar 'chwyddo' yn cyfeirio at ardd ond mae'r cwestiwn yn cyfeirio at gynllunio adeilad. Nid yw'r myfyriwr wedi darllen y cwestiwn yn iawn.
      Nid yw 'cadw' wedi'i grybwyll yn y cwestiwn, felly dim marc am hwn.
      Nid yw'r myfyriwr wedi deall beth y mae cylchdroi yn ei wneud mewn meddalwedd *CAD*. Gallai'r ateb ar fodelu 3D fod yn ddyfaliad pur. Dim marc am yr un o'r atebion hyn.

   (b) Dim ond un marc yma am natur y broblem iechyd.

      (1 marc allan o 6)

Sylwadau'r arholwr

2 (a) Mae pob un o'r atebion hyn yn ymwneud â nodweddion meddalwedd *CAD*. Mae ychydig o ddiffygion yn rhai o'r disgrifiadau o'r nodweddion. Er enghraifft, nid yw'r nodwedd archwiliad rhaglen yn caniatáu i chi gerdded drwy'r adeilad. Model cyfrifiadurol yw hwn sy'n caniatáu i chi gymryd arnoch eich bod yn cerdded drwy'r adeilad ac mae'n modelu'r hyn y byddech yn ei weld.
      Mae'r disgrifiad o brisio'n rhy gyffredinol a byddai'n bosibl dyfalu'r wybodaeth hon ar sail y gair 'prisio'. Mae angen i fyfyrwyr fod yn fwy pendant drwy egluro'r fantais y byddai prisio yn ei rhoi i'r pensaer.
      Dau farc am yr ateb hwn.

   (b) Mae'r ateb hwn yn egluro'n ofalus beth yw natur y broblem ac yn nodi beth y gellir ei wneud i helpu i atal y broblem rhag codi.
      (4 marc allan o 6)

Cymorth gyda'r arholiad (parhad)

Atebion yr arholwr

2 (a) Rhaid peidio â rhoi nodweddion cyffredinol yn yr ateb (er enghraifft, rhai sy'n ymwneud â meddalwedd cynllunio gerddi) a rhaid i'r ateb fod yn berthnasol i'r pensaer sy'n cynllunio adeilad newydd.

Unrhyw bedair nodwedd (un marc yr un) megis:

Cylchdroi – gallwch weld y cynllun o wahanol onglau, sy'n galluogi'r pensaer i weld y cynllun i gyd – nid yw'n gorfod gwneud model go iawn.

Chwyddo – mae'n gallu chwyddo rhan benodol o ddiagram i'w gweld yn fwy manwl a gallu darllen y manylion ar y diagram.

Prisio – mae hyn yn caniatáu i'r pensaer ychwanegu eitemau at y lluniad a chaiff costau'r eitemau hyn eu hychwanegu at y cyfanswm i sicrhau nad yw'r cynllun yn costio mwy na'r gyllideb ar ei gyfer.

Archwiliad rhaglen – gall y pensaer a'i gleientiaid rithgerdded drwy adeilad a gweld yr adeilad o'r tu mewn.

Lliniogi/rendro – gellir gweld effaith gwahanol orffeniadau fel llechi, teils, brics, ac ati.

Modelu 3D – mae'n caniatáu i gynllun 2D gael ei ddefnyddio i gynhyrchu delwedd 3D fel bod y pensaer yn cael gweld y dyluniad o wahanol gyfeiriadau.

Mae meddalwedd *CAD* yn galluogi penseiri i fod yn fwy arloesol.

(b) Anaf straen ailadroddus (*RSI*) – caiff ei achosi drwy symud y llygoden a defnyddio'r bysellfwrdd yn barhaus.

Defnyddiwch gynhaliwr arddwrn/mat llygoden â chynhaliwr.

Straen ar y llygaid – wedi'i achosi drwy edrych ar fanylion ar y sgrin am gyfnodau hir. Gellir ei liniaru drwy ddefnyddio sgrin fwy/cael seibiau aml (am 5 munud bob awr efallai)/newid gweithgareddau/profion llygaid cyson, ac ati.

Poen yn y cefn/straen ar y cefn – defnyddio cadair gymwysadwy y gellir newid safle ei breichiau, uchder y sedd, cefn y sedd, ac ati.

Straen emosiynol – wedi'i achosi gan bwysau gwaith a natur gymhleth y meddalwedd. Sicrhau na roddir amserau cwblhau gwaith afresymol.

Newid gweithgareddau. Rhoi hyfforddiant i'w gwneud yn haws i staff ddefnyddio'r meddalwedd.

Mapiau meddwl cryno

Systemau *CAD*

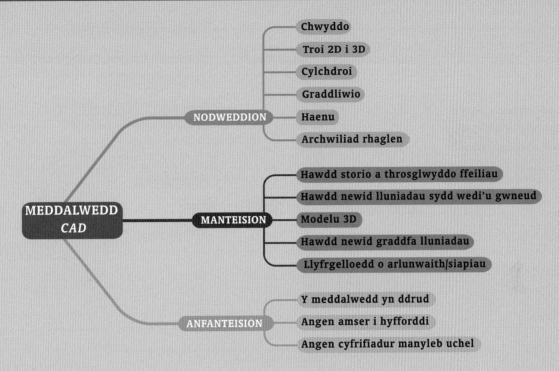

- **MEDDALWEDD CAD**
  - NODWEDDION
    - Chwyddo
    - Troi 2D i 3D
    - Cylchdroi
    - Graddliwio
    - Haenu
    - Archwiliad rhaglen
  - MANTEISION
    - Hawdd storio a throsglwyddo ffeiliau
    - Hawdd newid lluniadau sydd wedi'u gwneud
    - Modelu 3D
    - Hawdd newid graddfa lluniadau
    - Llyfrgelloedd o arlunwaith/siapiau
  - ANFANTEISION
    - Y meddalwedd yn ddrud
    - Angen amser i hyfforddi
    - Angen cyfrifiadur manyleb uchel

Systemau *CAM*

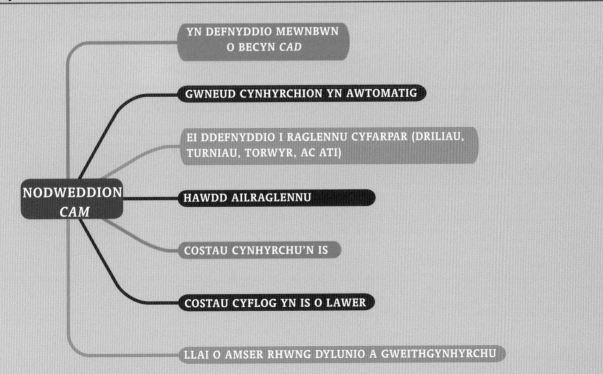

- **NODWEDDION CAM**
  - YN DEFNYDDIO MEWNBWN O BECYN *CAD*
  - GWNEUD CYNHYRCHION YN AWTOMATIG
  - EI DDEFNYDDIO I RAGLENNU CYFARPAR (DRILIAU, TURNIAU, TORWYR, AC ATI)
  - HAWDD AILRAGLENNU
  - COSTAU CYNHYRCHU'N IS
  - COSTAU CYFLOG YN IS O LAWER
  - LLAI O AMSER RHWNG DYLUNIO A GWEITHGYNHYRCHU

Mapiau meddwl cryno (parhad)

Dulliau talu

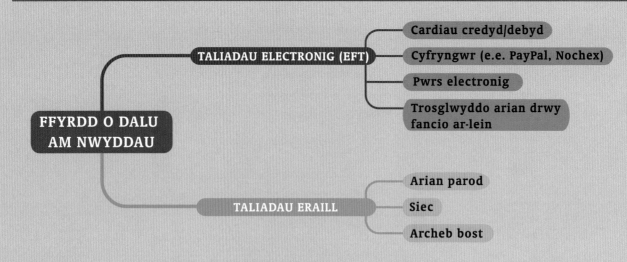

FFYRDD O DALU AM NWYDDAU

TALIADAU ELECTRONIG (EFT)
- Cardiau credyd/debyd
- Cyfryngwr (e.e. PayPal, Nochex)
- Pwrs electronig
- Trosglwyddo arian drwy fancio ar-lein

TALIADAU ERAILL
- Arian parod
- Siec
- Archeb bost

Codau bar

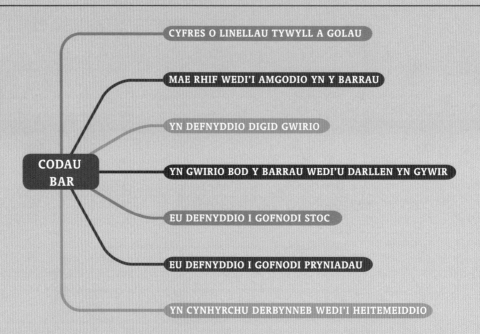

CODAU BAR
- CYFRES O LINELLAU TYWYLL A GOLAU
- MAE RHIF WEDI'I AMGODIO YN Y BARRAU
- YN DEFNYDDIO DIGID GWIRIO
- YN GWIRIO BOD Y BARRAU WEDI'U DARLLEN YN GYWIR
- EU DEFNYDDIO I GOFNODI STOC
- EU DEFNYDDIO I GOFNODI PRYNIADAU
- YN CYNHYRCHU DERBYNNEB WEDI'I HEITEMEIDDIO

TOPIG 6(b): Defnyddio TGCh mewn addysg

Yn y topig hwn byddwch yn dysgu sut y gellir defnyddio TGCh at bwrpas addysgu a dysgu mewn ysgolion a cholegau a hefyd sut y mae'r cyrff hyn yn defnyddio TGCh ar gyfer gweinyddu. Byddwch yn gweld sut y gellir defnyddio TGCh i helpu myfyrwyr i ddeall eu pynciau a sut y gellir ei defnyddio i'w helpu i adolygu at arholiadau.

Mae ysgolion a cholegau'n cyflogi nifer mawr o staff ac mae ganddynt gannoedd neu hyd yn oed filoedd o fyfyrwyr y mae angen cadw gwybodaeth amdanynt. Bydd angen cadw llawer o'r wybodaeth hon am flynyddoedd lawer rhag ofn y bydd angen i'r ysgol neu goleg roi geirda yn y dyfodol.

Mae gofynion cyfreithiol ar ysgolion a cholegau i gadw gwybodaeth benodol ac maent i gyd yn rheoli eu cyllidebau eu hun. Mae'n naturiol felly iddynt ddefnyddio TGCh i'w helpu i arbed amser wrth weinyddu, fel y gallant ganolbwyntio ar addysgu a dysgu.

▼ Y cysyniadau allweddol sy'n cael sylw yn y topig hwn yw:

▷ Defnyddio cyfrifiaduron at bwrpas addysgu a dysgu

▷ Defnyddio cyfrifiaduron i weinyddu ysgolion/colegau

CYNNWYS

Uned IT1 Systemau Gwybodaeth

Defnyddio cyfrifiaduron at bwrpas addysgu a dysgu

Cyflwyniad

Yn yr adran hon byddwch yn dysgu sut y mae TGCh yn gwella addysgu a dysgu mewn ysgolion a cholegau.

Dysgu drwy gymorth cyfrifiadur (*CAL*)

Mae dysgu drwy gymorth cyfrifiadur (*CAL: computer-assisted learning*) yn cynnwys amrywiaeth eang o becynnau cyfrifiadurol sy'n darparu hyfforddiant rhyngweithiol mewn maes neilltuol neu ar bwnc penodol. Gallwch redeg *CAL* ar gyfrifiadur mewn sawl ffordd:

- Rhedeg y meddalwedd yn syth oddi ar *CD* neu *DVD*.
- Ei osod a'i redeg o rwydwaith ar ei ben ei hun neu ar y cyd â rhith-amgylchedd dysgu (*VLE: virtual learning environment*).
- Rhoi'r meddalwedd ar y Rhyngrwyd.

Fel arfer, bydd *CAL* yn cynnwys rhai neu'r cwbl o'r nodweddion canlynol:

- Tiwtorialau – i hyfforddi myfyrwyr.
- Efelychiadau – i helpu myfyrwyr i ddeall sefyllfaoedd cymhleth.
- Animeiddiadau – i helpu myfyrwyr i ddeall sut y mae pethau'n gweithio.
- Ymarferion – i helpu myfyrwyr i gyfnerthu'r hyn y maent wedi'i ddysgu.
- Profion – i fyfyrwyr gael gwybod pa mor dda y maent wedi dysgu'r topig.
- Gemau – i ddod â hwyl i'r broses dysgu.

Hyfforddi'n seiliedig ar gyfrifiadur (*CBT*)

Ar gyfer hyfforddi'n seiliedig ar gyfrifiadur (*CBT: computer-based training*), defnyddir systemau TGCh i hyfforddi pobl yn y gweithle, gan ddefnyddio cyfrifiaduron personol neu ddyfeisiau cludadwy fel arfer. Mae'n bwysig nodi nad yw *CBT* yn ymwneud â hyfforddi pobl i ddefnyddio cyfrifiaduron yn unig, er bod modd ei ddefnyddio i wneud hynny. Ei bwrpas yw defnyddio cyfrifiaduron i ddysgu pobl sut i gyflawni gwahanol dasgau a sut i ymateb mewn gwahanol sefyllfaoedd.

82

Gallwch ddefnyddio *CBT* ar gyfer y canlynol:

- Hyfforddiant iechyd a diogelwch – i ddysgu pobl sut i adnabod peryglon yn y gweithle.
- Sut i gyflawni swydd benodol – er enghraifft, sut i weithio cyfarpar neu beiriant penodol.
- Cyrsiau sefydlu – i gyflwyno gweithwyr newydd i'r cwmni neu fusnes.
- Cyrsiau efelychu hedfan i beilotiaid – i roi profiad i beilotiaid o wahanol fathau o argyfwng.
- Hyfforddiant ar ddefnyddio meddalwedd penodol.

Nodweddion CAL/CBT

- Rhyngweithiol iawn – bydd defnyddwyr yn rhoi atebion i gwestiynau ac yn ymateb i sefyllfaoedd.
- Mae *CAL* a *CBT* yn defnyddio nodweddion amlgyfrwng.
- Eu defnyddio ar gyfer tiwtorialau – rhoi cyfle i'r defnyddiwr ddysgu rhywbeth newydd.
- Defnyddio modelau/efelychiadau – fel bod y defnyddiwr yn gallu arbrofi i weld beth fydd yn digwydd mewn gwahanol sefyllfaoedd.
- Eu defnyddio ar gyfer adolygu – gosod gweithgareddau rhyngweithiol i fyfyrwyr fel bod myfyrwyr/defnyddwyr yn gallu asesu eu cynnydd yn y maes adolygu.
- Rhoi hwb – nid yw o bwys os bydd defnyddiwr yn rhoi ateb anghywir; gall roi ail gynnig, ac yn aml bydd yr ateb yn cael ei ddangos ar ôl nifer penodol o gynigion.
- Gemau i wneud dysgu'n hwyl – gellir dod â hwyl i'r topigau mwyaf difrifol drwy eu troi'n gêm.
- Profi ac asesu – gall y defnyddiwr ymgymryd â phrawf/asesiad i weld pa mor dda y mae wedi deall y deunydd dysgu/hyfforddiant. Rhoddir canlyniadau'r prawf/asesiad yn syth, ac mae'n dangos cryfderau a gwendidau.
- Gellir eu defnyddio ar gyfer dysgu o bell – nid oes angen dysgu ffurfiol gyda gwersi mewn lleoedd penodol ar adegau penodol, ac ati.

➡ GEIRIAU ALLWEDDOL

Dysgu ar-lein/e-ddysgu – defnyddio TGCh i helpu yn y broses ddysgu

Dysgu drwy gymorth cyfrifiadur (CAL: computer-assisted learning) – defnyddio cyfrifiadur yn rhyngweithiol yn y broses ddysgu

Hyfforddi'n seiliedig ar gyfrifiadur (CBT: computer-based learning) – defnyddio cyfrifiadur yn rhyngweithiol at bwrpas hyfforddi (gweithwyr fel rheol)

Manteision CAL/CBT

- Gall myfyrwyr ddewis pa bryd ac ym mhle y maent am ddysgu.
- Caiff deunyddiau eu darparu ar lawer ffurf wahanol megis testun, llais, fideo, animeiddiadau.
- Gallwch gyrchu'r deunydd drwy ddefnyddio sawl math o galedwedd fel gliniadur, cynorthwyydd digidol personol (*PDA: personal digital assistant*), ffôn symudol â chwaraewr MP3, iPod, ac ati.
- Gallwch ddysgu mewn llawer o amgylcheddau gwahanol: mewn car, wrth gerdded neu redeg, ac ati.
- Maent yn cadw diddordeb a brwdfrydedd pobl drwy gynnig amrywiaeth o weithgareddau.

Anfanteision CAL/CBT

- Mae'r meddalwedd yn gymhleth, ac yn ddrud gan ei fod yn defnyddio llawer o animeiddiadau a graffigau.

- Mae rhai myfyrwyr yn dysgu'n well drwy ryngweithio â'u cyd-fyfyrwyr.
- Gellid eu gweld fel cyfle i'r myfyrwyr gael seibiant yn hytrach na gweithio ar y pecyn *CAL/CBT*.
- Mae'n anodd i athrawon fesur cynnydd wrth ddefnyddio rhai o'r pecynnau.

Y Brifysgol Agored

Sefydlwyd y Brifysgol Agored i gynnig cyrsiau dysgu o bell.

Dysgu o bell

Ystyr dysgu o bell yw dysgu sy'n digwydd y tu hwnt i derfynau'r sefyllfa draddodiadol lle y mae athro/darlithydd yn addysgu grŵp o fyfyrwyr mewn ystafell. Yn lle hynny, mae'r dysgu'n digwydd mewn lle gwahanol i'r athro. Yn aml defnyddir fideo-gynadledda ar gyfer dysgu o bell, fel y gall y myfyrwyr a'r athro weld ei gilydd. Mae dysgu o bell yn ddefnyddiol mewn ysgolion lle nad oes ond ychydig o fyfyrwyr yn dilyn cwrs Safon Uwch penodol a lle na all yr ysgol gyfiawnhau'r gost o gyflogi athro arbenigol. Mae llawer o brifysgolion hefyd yn cynnig cyrsiau dysgu o bell sy'n caniatáu i oedolion ddilyn cwrs gradd a pharhau i weithio a chyflawni eu hymrwymiadau teuluol yr un pryd.

Gall dysgu o bell ddefnyddio'r holl ddatblygiadau diweddaraf mewn TGCh fel:

- E-bost – mae myfyrwyr yn rhydd i e-hebu â'u tiwtoriaid am eu problemau wrth ddysgu'r pwnc.
- Ystafelloedd sgwrsio – gall myfyrwyr sgwrsio mewn amser real ymysg ei gilydd neu sgwrsio â'u tiwtor mewn tiwtorial grŵp.
- Fideo-gynadledda – mae'n caniatáu i athro/darlithydd roi gwers/darlith i grŵp o fyfyrwyr er y gallai pob un ohonynt fod mewn lleoedd gwahanol.

Fideo-gynadledda

Mae fideo-gynadledda'n galluogi dau neu ragor o bobl mewn gwahanol leoedd i weld a siarad â'i gilydd a chyfnewid ffeiliau sain neu fideo neu unrhyw fath arall o ffeil ddigidol. Gall defnyddwyr rannu rhaglenni cyfrifiadurol a hyd yn oed

weithio yr un pryd ar yr un ffeil.

Defnyddir fideo-gynadledda'n helaeth mewn ysgolion ar gyfer:

- Dysgu o bell – er mwyn cynnig dewis ehangach o bynciau Safon Uwch, bydd rhai ysgolion yn defnyddio cyrff allanol i ddarparu cyrsiau drwy gyfrwng dysgu o bell a fideo-gynadledda.
- Cynadleddau i ysgolion – mae gwyddonwyr neu fathemategwyr yn rhoi darlithoedd i fyfyrwyr ysgol ar bynciau cyfoes drwy gyfrwng fideo-gynadledda. Gall ysgolion o wahanol rannau o'r byd gymryd rhan mewn cynadleddau o'r fath.
- Rhith-ymweliadau â lleoedd o ddiddordeb – gall myfyrwyr fynd ar rith-ymweliadau ag amgueddfeydd, orielau celf, busnesau, ac ati, a siarad â'u staff drwy fideo-gynadledda.
- Cydweithio – mae myfyrwyr o wahanol ysgolion a cholegau, a allai fod mewn gwledydd gwahanol, yn gallu cydweithio ar broject.

Dysgu ar-lein/e-ddysgu

Gellir defnyddio meddalwedd awduro i greu cynhyrchion amlgyfrwng i'w defnyddio i addysgu pwnc penodol. Os caiff y cynnyrch amlgyfrwng ei roi ar lein, fel bod modd ei gyrchu drwy'r Rhyngrwyd, mae'n cael ei alw'n e-ddysgu. Enw arall ar e-ddysgu yw dysgu ar-lein.

Gallwch ddilyn cyrsiau o lawer math ar-lein, er enghraifft:

- TGAU a Safon Uwch
- cyrsiau gradd mewn prifysgolion
- cyrsiau iaith
- cyrsiau i ennill cymwysterau proffesiynol
- cyrsiau'n seiliedig ar swydd.

Mae'r rhan fwyaf o gyrsiau ar-lein yn cynnwys adrannau gwybodaeth sy'n

dangos beth y mae angen i chi ei wybod, wedyn adrannau adolygu lle y byddwch yn cyfnerthu'r wybodaeth hon ac, yn olaf, adrannau profi lle y cewch brofion ar yr hyn yr ydych wedi'i ddysgu.

Manteision dysgu o bell/ar-lein

- Gall myfyrwyr weithio wrth eu pwysau.
- Nid oes rhaid iddynt boeni am wneud camgymeriadau – ni fydd y cyfrifiadur yn eu beirniadu fel y byddai athro.
- Bydd myfyrwyr yn cael adborth ar brofion yn syth, fel y gallant fonitro eu cynnydd.
- Dim amseroedd penodol ar gyfer gwersi – gall y myfyrwyr benderfynu ble a phryd i ddysgu.
- Gallant drefnu eu dysgu i gyd-fynd â'u hymrwymiadau gwaith a theulu.
- Dewis eang o bynciau – efallai nad oes modd dilyn pwnc penodol yn lleol.

Anfanteision dysgu o bell/ar-lein

Mae gan ddysgu o bell/ar-lein nifer o anfanteision:

- Dim rhyngweithio cymdeithasol – mae pobl yn mwynhau'r profiad o ddysgu gyda myfyrwyr eraill.
- Diffyg hyblygrwydd – gall athrawon dynol egluro pethau mewn ffyrdd gwahanol er mwyn eich helpu.
- Drud – gall cyrsiau ar-lein fod yn ddrutach na dulliau eraill.
- Mae gweithio ar eich pen eich hun yn anos – dim cyd-fyfyrwyr i'ch helpu.
- Angen ysgogi'ch hun – mewn dosbarth gall yr athro/darlithydd eich ysgogi.
- Angen mwy o hunanreolaeth – i wneud y gwaith yn eich amser eich hun.

Cyn i athrawon ddod yn gymwys i addysgu mewn ysgolion, mae angen iddynt lwyddo mewn profion rhifedd, llythrennedd a TGCh. Cynhelir pob un o'r profion hyn ar-lein a'u marcio'n syth gan y cyfrifiadur. Mae'r sgrinlun hwn yn dangos un o'r tasgau y maen nhw'n gorfod ei chwblhau fel rhan o'r prawf TGCh.

Defnyddio cyfrifiaduron at bwrpas addysgu a dysgu (parhad)

Ystafelloedd sgwrsio ar gyfer trafod â thiwtoriaid/arbenigwyr

Mae llawer o broblemau'n gysylltiedig ag ystafelloedd sgwrsio, ac yn aml caiff myfyrwyr eu hatal rhag mynd iddynt drwy ddefnyddio systemau hidlo. Er hynny, mae ystafelloedd sgwrsio sydd wedi'u rheoli a'u cymedroli'n ofalus yn ddefnyddiol iawn i fyfyrwyr sy'n dysgu pwnc ar eu pennau eu hunain.

Mae ystafelloedd sgwrsio wedi cael eu defnyddio fel a ganlyn:

- i holi arbenigwr mewn maes penodol
- i gynnal tiwtorialau gyda thiwtoriaid cwrs
- maent yn ddelfrydol i fyfyrwyr sy'n dysgu iaith dramor.

Nodweddion pecynnau meddalwedd

Defnyddir llawer o wahanol fathau o becynnau meddalwedd ar gyfer addysgu a dysgu:
- meddalwedd cyflwyno
- meddalwedd i'w ddefnyddio â byrddau gwyn rhyngweithiol
- meddalwedd tiwtora
- meddalwedd adolygu.

Mae'r rhan fwyaf o'r meddalwedd a ddefnyddir at bwrpas addysgu a dysgu'n gwneud defnydd helaeth o nodweddion amlgyfrwng fel y rhai sy'n cael eu disgrifio isod:

Rhaglenni adolygu

Mae rhaglenni adolygu ar gael mewn meddalwedd sy'n eich helpu i adolygu. Maent yn ffordd dda a hwyliog i ddysgu mwy am bwnc, ac mae'r rhan fwyaf ohonynt yn defnyddio nodweddion amlgyfrwng.

Mae rhaglenni adolygu ar gael ar gryno ddisgiau neu gallwch eu rhedeg yn uniongyrchol o wefan.

Meddalwedd awduro

Efallai eich bod yn meddwl bod awduro'n

rhywbeth a wnaiff awduron wrth gynhyrchu llyfr. Bellach, ym maes TGCh, mae ystyr ychwanegol i awduro. Awduro yw'r broses o greu cynnyrch amlgyfrwng fel gwefan, cyflwyniad rhyngweithiol, arf dysgu rhyngweithiol ar gyfer *CAL/CBT*, neu feddalwedd hyfforddi ar gyfer bwrdd gwyn electronig.

Yn lle cyfuno testun a graffigau fel y byddai awdur traddodiadol yn ei wneud, caiff elfennau amlgyfrwng eraill eu cyfuno i greu cynnyrch amlgyfrwng sy'n defnyddio'r canlynol:
- testun
- graffigau
- sain
- fideo
- gemau
- cwisiau
- profion
- cysylltau i wefannau
- animeiddiadau.

Defnyddir y meddalwedd awduro i roi fframwaith i'r holl gydrannau uchod fel bod y cynnyrch amlgyfrwng yn gweithio fel cyfanwaith, gan ei gwneud hi'n bosibl i'r deunydd gael ei ddefnyddio'n rhyngweithiol.

GEIRIAU ALLWEDDOL

Amlgyfrwng – yn defnyddio llawer o gyfryngau, fel testun, delweddau, sain, animeiddio a fideo

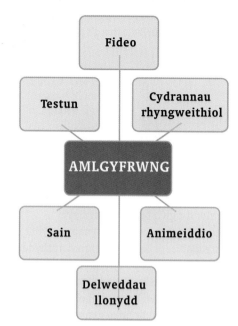

Os ydych am greu cynnyrch amlgyfrwng, mae dau ddewis ar gael i chi:
- Gallwch ddylunio'r cynnyrch ac wedyn ddefnyddio iaith rhaglennu i'w gynhyrchu.
- Gallwch ddefnyddio meddalwedd awduro.

Mae'r BBC yn cynnig *CAL* ar ei gwefan adolygu Bitesize.

"Sut galla' i gredu'r wybodaeth rydych yn ei rhoi a chithau'n defnyddio technoleg mor hen ffasiwn?"

"Does dim eiconau i ti glicio arnyn nhw. Rhaid i ti ddefnyddio sialc i ysgrifennu arno."

Manteision defnyddio meddalwedd awduro

Manteision creu cynhyrchion amlgyfrwng drwy ddefnyddio meddalwedd awduro yn hytrach na thrwy gynhyrchu cod rhaglennu yw:

- Fel arfer gall dechreuwyr ddefnyddio'r meddalwedd awduro – er enghraifft, byddai'n hawdd i athro dosbarth gynhyrchu deunyddiau e-ddysgu ar gyfer ei fyfyrwyr.

- Dim angen rhaglennu – mae'n caniatáu i'r awdur ganolbwyntio ar ddatblygu'r cynnwys yn hytrach nag ar y rhaglennu.
- Gellir datblygu cynnyrch e-ddysgu'n gyflymach – mae'n cyflymu'r broses o'r datblygu cychwynnol i gyhoeddi'r meddalwedd terfynol.
- Mae'n ychwanegu'r cod rhaglennu cefndirol yn awtomatig i ganiatáu i'r cwrs e-ddysgu roi canlyniadau profion, nodau tudalen a mathau eraill o wybodaeth i'r awdur.

Anfanteision defnyddio meddalwedd awduro

- Nid yw mor hyblyg – rhaid i chi addasu'r ffordd yr ydych am ddatrys y broblem i'r ffordd y mae'r meddalwedd awduro yn ei chaniatáu.
- Nid yw'n gallu cyflawni rhai tasgau – mae rhai pethau y bydd yn rhaid i chi eu gwneud drwy ddefnyddio rhaglennu.

Byrddau gwyn rhyngweithiol

Defnyddir byrddau gwyn rhyngweithiol yn helaeth mewn ystafelloedd dosbarth a darlithfeydd a'u pwrpas yw gwneud gwersi a darlithoedd yn fwy diddorol a chyffrous.

Dangosydd rhyngweithiol mawr sy'n defnyddio cyfrifiadur a thaflunydd yw bwrdd gwyn rhyngweithiol. Caiff y man gwaith a'r rhyngwyneb defnyddiwr ar hyd yr ymyl eu taflunio ar y bwrdd gwyn rhyngweithiol gan y cyfrifiadur. Wedyn bydd y defnyddiwr yn rheoli beth sy'n digwydd drwy ddefnyddio ysgrifbin arbennig, ei fys neu ddyfais fewnbynnu arall.

Byrddau gwyn rhyngweithiol yw'r dyfeisiau modern sydd wedi cymryd lle byrddau gwyn cyffredin a siartiau troi a gellir eu defnyddio i ddangos unrhyw beth y mae modd ei weld ar sgrin cyfrifiadur.

Rhai o nodweddion y meddalwedd y gallwch ei ddefnyddio gyda bwrdd gwyn rhyngweithiol.

Defnyddio cyfrifiaduron i weinyddu ysgolion/colegau

▼ Byddwch yn dysgu

▶ Am ddulliau cofrestru cyfrifiadurol (e.e. AMG/*OMR: optical mark recognition*), systemau diwifr, cardiau clyfar, adnabod olion bysedd a sganiau retina)

▶ Am gadw cofnodion myfyrwyr

Cyflwyniad

Yn yr adran hon byddwch yn dysgu sut y mae TGCh yn helpu i arbed amser wrth ddelio â materion gweinyddol mewn ysgolion a cholegau ac yn rhyddhau athrawon a darlithwyr o dasgau megis cofrestru myfyrwyr.

Systemau TGCh a ddefnyddir i weinyddu ysgolion/colegau

Mae ysgolion a cholegau'n cyflogi staff, yn talu am nwyddau a gwasanaethau, yn cadw cofnodion o bresenoldeb myfyrwyr, yn cadw cofnodion myfyrwyr, ac ati. Fel y gallech ddisgwyl, maent yn defnyddio systemau TGCh i'w helpu i gyflawni'r tasgau gweinyddol hyn lle bynnag y bo modd. Yn yr adrannau sy'n dilyn byddwch yn dysgu am ddwy system bwysig a ddefnyddir mewn ysgolion/colegau: y naill ar gyfer cofrestru myfyrwyr a'r llall ar gyfer cadw cofnodion myfyrwyr.

Yr hen system cofrestru ar bapur

Roedd yr hen system cofrestru ar bapur yn gweithio fel hyn:

- Câi marciau eu rhoi ar ddalen o bapur, sef y gofrestr, a oedd yn cynnwys rhestr o enwau'r myfyrwyr.
- Câi'r marciau eu rhoi gan yr athro dosbarth yn y bore ac ar ôl cinio.
- Câi'r cofrestri eu casglu a'u cadw mewn man canolog er mwyn gallu cyfeirio atynt ac am resymau iechyd a diogelwch.
- Câi'r marciau eu hadio gan yr athrawon dosbarth bob tymor er mwyn cynhyrchu ystadegau presenoldeb.

Roedd y system hon o gofrestru â llaw yn achosi llawer o broblemau. Er enghraifft:

- Yn aml byddai cofrestri'n cael eu gadael heb neb i gadw golwg arnynt fel ei bod yn hawdd i ddisgyblion eu newid.
- Oherwydd camgymeriadau yn y cofnodion, roedd yn anodd deall y cofrestri.
- Roedd tuedd i gynhyrchu ystadegau presenoldeb unwaith y tymor yn unig.
- Roedd athrawon yn gyfrifol am gywirdeb y cofrestri.
- Gallai myfyrwyr gael eu cofrestru ac wedyn peidio â mynd i'w gwersi.

Y cam nesaf oedd prosesu'r cofrestri gan gyfrifiaduron ac roedd hyn yn golygu bod yn rhaid i rywun fewnbynnu'r holl farciau o'r gofrestr i'r cyfrifiadur. Byddai'r marciau presenoldeb yn cael eu mewnbynnu drwy eu teipio ar fysellfwrdd.

Oherwydd y problemau a oedd yn codi wrth fewnbynnu cymaint o ddata, dechreuwyd defnyddio dulliau eraill o fewnbynnu uniongyrchol a oedd yn dileu'r angen am deipio marciau i mewn.

Dulliau cofrestru cyfrifiadurol

Dylai pob system TGCh a ddefnyddir i gofrestru myfyrwyr mewn ysgolion neu golegau wneud y canlynol:

- cofnodi presenoldeb myfyrwyr yn gywir
- cofnodi presenoldeb yn awtomatig
- bod yn gyflym iawn wrth gofnodi manylion presenoldeb
- atal pobl rhag camddefnyddio'r system hyd y bo modd
- ei gwneud hi'n bosibl i gofnodi presenoldeb ym mhob gwers yn ogystal ag yn y bore a'r prynhawn
- bod yn gymharol rad
- gallu rhyngwynebu â systemau TGCh eraill a ddefnyddir yn yr ysgol, fel y system ar gyfer cofnodi manylion myfyrwyr.

Defnyddir nifer o systemau TGCh mewn ysgolion ar hyn o bryd a rhoddir sylw i'r rhain yn yr adrannau nesaf.

Adnabod marciau gweledol (AMG/OMR)

Mae llawer o ysgolion yn defnyddio system adnabod marciau gweledol i gofrestru myfyrwyr, lle y mae'r athro neu ddarlithydd yn nodi bod myfyriwr yn bresennol drwy dywyllu blychau â phensil. Caiff y ffurflenni eu trosglwyddo i'r swyddfa weinyddol lle y cânt eu casglu a'u rhannu'n sypiau a'u prosesu'n awtomatig drwy ddefnyddio darllenydd marciau gweledol. Gan fod y ffurflenni'n cael eu darllen yn awtomatig, nid oes problemau fel y rhai sy'n codi wrth deipio marciau i mewn ar fysellfwrdd. Ar ôl eu mewnbynnu, caiff y data am bresenoldeb eu prosesu ac mae'n bosibl cynhyrchu adroddiadau sy'n dangos pa fyfyrwyr sy'n absennol yn aml.

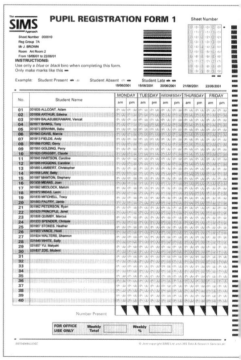

Ffurflen AMG sy'n cael ei defnyddio i fewnbynnu gwybodaeth am gofrestru myfyrwyr i system rheoli gwybodaeth yr ysgol.

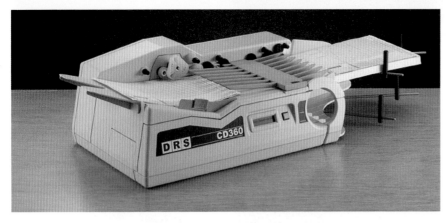

Darllenydd marciau gweledol – y ddyfais a ddefnyddir i fewnbynnu'r data ar y ffurflenni cofrestru i'r system.

O ran technoleg, hwn yw'r lleiaf soffistigedig o'r dulliau TGCh y byddwn yn edrych arnynt yn y cyswllt hwn, ac mae ganddo'r diffygion canlynol:

- nid yw'r gwirio'n cael ei wneud mewn amser real, felly ni all y staff gweinyddol weithredu ar unwaith pan fo angen
- gallai athro adael y gofrestr ar ei ddesg a pheidio â'i dychwelyd i'w phrosesu
- mae'n hawdd i gofrestri gael eu newid gan fyfyrwyr
- rhaid trosglwyddo cofrestri yn ôl ac ymlaen o'r swyddfa weinyddol â llaw
- os bydd y ffurflenni AMG wedi'u plygu neu eu llenwi'n anghywir, bydd y darllenydd yn eu gwrthod.

Systemau diwifr

Mae system adnabyddiaeth radio-amledd (*RFID: Radio Frequency Identification*) yn defnyddio signalau radio i ddarllen data sydd wedi'u storio ar dag (sglodyn bach), fel nad oes angen i'r ddyfais ddarllen a'r tag ddod i gysylltiad â'i gilydd. Yn y modd hwn, gellir darllen o bell y data sydd ar y tag, sydd ynghlwm wrth gerdyn plastig o faint cerdyn credyd fel rheol. Felly system ddiwifr yw hon.

Y brif fantais o ddefnyddio'r system hon yw nad oes angen tynnu'r cerdyn o'ch poced neu'ch bag gan fod modd darllen y tag o hyd. Oherwydd hyn, y cyfan mae'n rhaid i'r disgyblion ei wneud yw cofio dod â'u cerdyn gyda nhw, fel bod eu presenoldeb yn cael ei gofnodi'n awtomatig wrth iddynt gyrraedd yr ysgol.

Mae pris i'w dalu am hyn i gyd a phrif anfantais y system yw ei chost.

Cardiau clyfar

Mae cerdyn clyfar (neu *smartcard*) yn gerdyn plastig o'r un maint â cherdyn credyd sy'n cynnwys un ai microbrosesydd a sglodyn cof neu sglodyn cof yn unig. Mae cardiau clyfar yn dal mwy o lawer o wybodaeth na chardiau sydd â stribed magnetig yn unig a gall rhai ohonynt amgryptio data fel na ellir camddefnyddio'r cerdyn os caiff ei ddwyn neu ei golli.

Gellir defnyddio cardiau clyfar mewn ysgolion yn y ffyrdd canlynol:

- monitro presenoldeb
- talu am brydau bwyd yn ffreutur yr ysgol
- cofrestru myfyrwyr

- cael mynediad i safle, adeiladau ac ystafelloedd yr ysgol er mwyn gwella diogelwch
- cyrchu cyfleusterau penodol fel y rhwydwaith cyfrifiaduron, llungopïwr, ac ati.
- cofnodi benthyca a dychwelyd eitemau megis llyfrau llyfrgell, camerâu digidol, offerynnau cerdd, ac ati.

Mewn rhai ysgolion, defnyddir cardiau clyfar i brynu bwyd yn ffreutur yr ysgol. Gellir rhoi arian ar y cardiau ar ddechrau'r wythnos neu bob dydd ac mae hyn yn lleihau'r amser mae'n ei gymryd i brynu prydau bwyd gan nad yw arian parod yn cael ei gyfnewid.

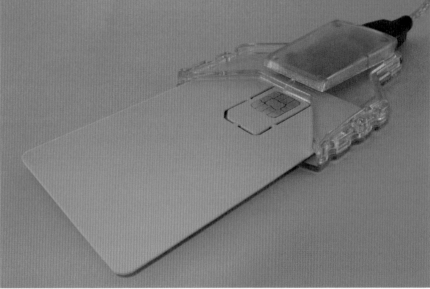

Tag adnabyddiaeth radio-amledd. Gall y data sydd wedi'u storio ar y sglodyn yn y canol gael eu darllen o bell.

Darllenydd a ddefnyddir i ddarllen data o'r sglodyn mewn cerdyn clyfar.

Defnyddio cyfrifiaduron i weinyddu ysgolion/ colegau (parhad)

Dulliau cofrestru cyfrifiadurol (parhad)

Cardiau llithro

Rhoddir cerdyn llithro i bob myfyriwr sy'n eu defnyddio i gofrestru drwy dynnu'r cerdyn drwy ddarllenydd cardiau. Cerdyn plastig â stribed magnetig sy'n cynnwys swm cyfyngedig o ddata yw cerdyn llithro. Defnyddir y cerdyn i ddangos pwy yw'r myfyriwr i'r system gofrestru ac i systemau eraill fel system y llyfrgell a'r system prydau ysgol. Gellir defnyddio'r un cerdyn i gael mynediad i adeiladau'r ysgol.

Rhai o fanteision cardiau llithro yw:

- mae cost y cardiau a'r darllenyddion yn isel o'i chymharu â chost dulliau eraill
- gellir gwneud darllenyddion sydd bron yn amhosibl eu difrodi.

Rhai o'r anfanteision yw:

- collir cardiau'n aml, a rhaid defnyddio bysellfwrdd i gofrestru myfyrwyr wedyn
- gall rhywun arall ddefnyddio cerdyn y myfyriwr yn lle'r myfyriwr ei hun.

Dulliau biometrig

Mae dulliau biometrig yn ffordd gyflym a hwylus o gofnodi presenoldeb myfyrwyr mewn ysgol neu goleg. Drwy ddulliau biometrig, defnyddir rhan o'r corff dynol sy'n unigryw i berson penodol er mwyn ei adnabod. Mae dulliau biometrig yn cynnwys:

- adnabod olion bysedd
- sganiau retina.

Mae dulliau biometrig yn ddelfrydol i ysgolion cynradd lle y mae'r plant yn rhy ifanc i ofalu am gardiau clyfar neu gardiau llithro. Hefyd nid oes angen i fyfyrwyr hŷn gofio dod â cherdyn i'r ysgol.

Cymerir mesuriadau ar bwyntiau penodol ar yr ôl bys a'u storio wedyn fel cod.

Adnabod olion bysedd

Mae olion bysedd pawb yn wahanol, felly mae cymryd olion bysedd yn ffordd unigryw i adnabod pobl. Defnyddir systemau olion bysedd mewn llawer o ysgolion bellach mewn cynllun sydd wedi'i gymeradwyo gan y llywodraeth i

Gellir gosod sganwyr olion bysedd y tu allan i ystafelloedd dosbarth i ganiatáu i fyfyrwyr gofnodi eu presenoldeb.

wella presenoldeb mewn ysgolion.

Mae systemau adnabod olion bysedd yn gweithio fel hyn:

- Mae'r myfyriwr yn rhoi ei fys mewn dyfais sganio olion bysedd.
- Mae'r sganiwr yn gweithio fel dyfais fewnbynnu ac yn storio rhai o nodweddion yr ôl bys fel cod mathemategol.
- Wedyn mae'r meddalwedd yn cymharu'r cod â'r holl godau ôl bys y mae wedi'u storio o'r blaen.
- Mae'r person y mae ei ôl bys wedi'i fewnbynnu yn cael ei adnabod o'r gronfa ddata o fyfyrwyr.
- Cofnodir manylion ei bresenoldeb.

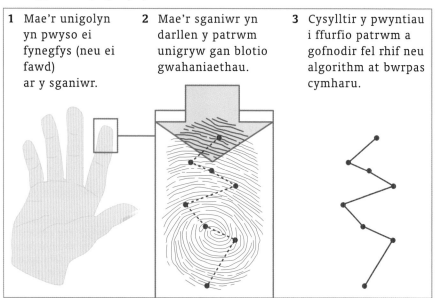

| 1 Mae'r unigolyn yn pwyso ei fynegfys (neu ei fawd) ar y sganiwr. | 2 Mae'r sganiwr yn darllen y patrwm unigryw gan blotio gwahaniaethau. | 3 Cysylltir y pwyntiau i ffurfio patrwm a gofnodir fel rhif neu algorithm at bwrpas cymharu. |

Dyma sut y mae sganwyr olion bysedd ysgolion a'r heddlu yn cofnodi manylion unigolion.
Nid yw'r cyfan o'r ôl bys yn cael ei storio, dim ond pwyntiau penodol sy'n cael eu defnyddio i wahaniaethu rhwng olion.

Sganiau retina

Mae'r retina'n feinwe denau ar gefn y llygad sy'n cynnwys miliynau o bibellau gwaed sydd â phatrwm unigryw. Fel olion bysedd, gellir defnyddio patrwm y pibellau gwaed hyn i adnabod person.

Mae dyfeisiau mewnbynnu o'r enw sganwyr retina yn gallu anfon paladr o oleuni lefel isel i lygad rhywun ac wedyn dadansoddi'r patrwm sy'n cael ei adlewyrchu. Caiff y patrwm hwn ei godio mewn ffordd debyg i godio olion bysedd. Caiff y cod hwn ei storio wedyn mewn cronfa ddata gyfrifiadurol. Ar ôl gwneud hyn, gall myfyriwr fynd at y sganiwr i gofnodi ei bresenoldeb yn yr ysgol neu'r dosbarth, felly gellir defnyddio'r system i adnabod myfyrwyr yn systemau cofrestru ysgolion.

Manteision defnyddio systemau TGCh ar gyfer cofrestru

- Caiff y manylion eu cofnodi mewn amser real bron – fel hyn gellir adnabod myfyrwyr sy'n absennol ar unwaith.
- Dim baich gweinyddol ar athrawon – mae'r cyfrifoldeb dros farcio presenoldeb wedi'i symud oddi wrth athrawon.
- Nid yw'n bosibl i fyfyrwyr gamddefnyddio'r system – ni all myfyrwyr eu marcio eu hunain neu bobl eraill yn bresennol.
- Mae'n hyrwyddo iechyd a diogelwch – os bydd tân, gall y system roi gwybodaeth am bawb sydd yn yr adeilad.
- Mae'n annog myfyrwyr i fod yn gyfrifol – rhoddir cyfrifoldeb i fyfyrwyr dros gofnodi eu presenoldeb.
- Gan fod y system yn syml, gellir gwirio presenoldeb ym mhob gwers yn lle dwywaith y dydd yn unig.
- Os bydd myfyriwr yn cyrraedd yn hwyr iawn, bydd y system yn cofnodi pa mor hwyr yr oedd a bydd ei bresenoldeb yn dal i gael ei gofnodi.
- Gellir eu cyrchu drwy unrhyw derfynell – gellir cyrchu'r manylion presenoldeb o unrhyw gyfrifiadur yn y rhwydwaith ac felly mae mwy nag un person yn gallu defnyddio'r un data yr un pryd.

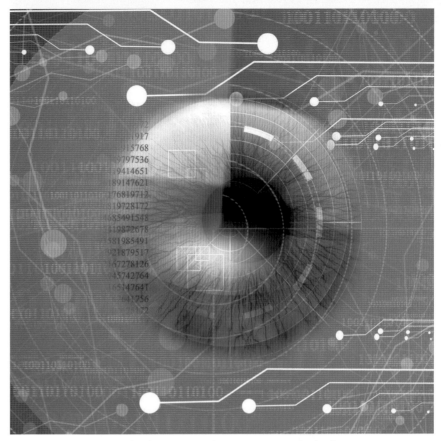

Mae sganiau retina'n cofnodi patrwm unigryw er mwyn adnabod person.

- Does dim angen symud cofrestri o un lle i le arall.
- Gellir cynhyrchu adroddiadau am unrhyw fyfyriwr yn gyflym – does dim angen adio cyfansymiau â llaw.
- Gan fod y data wedi'u storio mewn cyfrifiadur, maent yn cymryd llai o le o lawer na niferoedd mawr o gofrestri papur y mae angen eu cadw am sawl blwyddyn.

Anfanteision defnyddio systemau TGCh ar gyfer cofrestru

- Mae darllenyddion biometrig yn ddrud iawn.
- Ystyriaethau hawliau dynol wrth ddefnyddio systemau olion bysedd, er nad yw'r olion bysedd eu hunain yn cael eu storio ac nad oes modd eu hail-greu o'r cod.
- Rhaid cadw'r darllenyddion yn lân neu gellir cael darlleniadau anghywir.
- Gall diffygion godi yn y system, felly rhaid cael system wrth gefn.

Mae llawer o lyfrgelloedd mewn ysgolion yn defnyddio systemau olion bysedd yn hytrach na chardiau i gofnodi myfyrwyr sy'n benthyca llyfrau.

Ffyrdd eraill o ddefnyddio systemau biometrig mewn ysgolion

Nid ar gyfer cofnodi presenoldeb yn unig y defnyddir systemau biometrig. Mae modd eu defnyddio hefyd ar gyfer:

- cofnodi benthyca a dychwelyd llyfrau llyfrgell neu gyfarpar arall
- cofnodi'r defnydd o lungopïwyr
- cofnodi prydau bwyd disgyblion sy'n cael prydau ysgol am ddim
- rheoli mynediad i adeiladau ac ystafelloedd.

Defnyddio cyfrifiaduron i weinyddu ysgolion/colegau (parhad)

Cadw cofnodion myfyrwyr

Mae ysgolion a cholegau'n cadw gwybodaeth am eu myfyrwyr mewn cronfa ddata fawr ac fel arfer byddai cronfa ddata o'r fath yn cynnwys y meysydd canlynol ar gyfer y wybodaeth am bob myfyriwr:

- Rhif Disgybl Unigryw (rhif unigryw ar gyfer pob myfyriwr)
- Cyfenw
- Enw cyntaf
- Dyddiad geni
- Rhyw y disgybl
- Ei le yn y teulu
- Tarddiad ethnig (er bod hon yn eitem ddata 'sensitif' o dan Ddeddf Gwarchod Data 1998, mae gofyn i'r Adran Addysg a Sgiliau gasglu ystadegau am ethnigrwydd)
- Iaith y cartref (os nad yw'n Saesneg)
- Crefydd (er bod hon yn eitem ddata 'sensitif' o dan Ddeddf Gwarchod Data 1998, mae gan yr ysgol resymau da dros gasglu'r wybodaeth hon)
- Enwau rhieni a/neu warcheidwaid gyda chyfeiriad y cartref, rhifau ffôn a chyfeiriad e-bost
- Enw'r ysgol, a'r dyddiad derbyn a'r dyddiad gadael
- Enw meddyg y disgybl
- Manylion cysylltu mewn argyfwng.

Y meysydd uchod yw'r rhai gofynnol ar gyfer cofnod myfyriwr. Dyma fydd ar y system rheoli cronfeydd data:

- Unrhyw adroddiadau am y myfyriwr
- Dalennau canlyniadau'r Cwricwlwm Cenedlaethol
- Unrhyw wybodaeth feddygol bwysig am y myfyriwr
- Gwybodaeth am waharddiadau
- Gwybodaeth am unrhyw ddigwyddiadau o bwys yr oedd y myfyriwr yn gysylltiedig â nhw (e.e. damwain neu ddigwyddiad arall)
- Canlyniadau arholiadau
- Gohebiaeth ag asiantaethau allanol neu rieni am faterion pwysig
- Adroddiadau/datgeliadau ynghylch amddiffyn plant.

Fel y gwelwch, mae llawer o wybodaeth wedi'i storio am bob myfyriwr ac mae llawer ohoni'n wybodaeth bersonol sensitif. Mae cyfrifoldeb gan yr ysgol o dan Ddeddf Gwarchod Data 1998 i gadw'r wybodaeth hon yn gyfrinachol a diogel.

Systemau rheoli gwybodaeth ysgolion

Bydd ysgolion yn storio llawer o eitemau gwybodaeth gwahanol, er enghraifft, cofnodion myfyrwyr a chofnodion presenoldeb. Drwy integreiddio'r holl systemau, mae'n bosibl echdynnu'r data sydd eu hangen o'r system ar ffurf adroddiadau.

Prif fanteision defnyddio systemau rheoli gwybodaeth yw:

- maen nhw'n ysgafnhau baich gwaith athrawon yn yr ystafell ddosbarth a staff yn swyddfa'r ysgol
- gallant ddarparu gwybodaeth gyfoes i rieni
- gallant helpu rheolwyr ysgol i wneud penderfyniadau
- gallant fynd i'r afael â thriwantiaeth yn effeithiol
- gellir eu defnyddio i gynllunio amserlenni
- gellir eu defnyddio i gryfhau'r cysylltiadau rhwng y cartref a'r ysgol.

Defnyddio systemau TGCh ar gyfer gweinyddu mewn ysgolion a cholegau

Dyma enghreifftiau o ffyrdd eraill y mae ysgolion yn defnyddio cyfrifiaduron:

- Y Rhyngrwyd – ei ddefnyddio gan staff i ymchwilio, ei ddefnyddio i ddod o hyd i wybodaeth am yrfaoedd, prifysgolion, ac ati.
- Mewnrwyd – ei ddefnyddio gan staff i gyfnewid gwybodaeth a hefyd ar gyfer e-hebu mewnol.
- Prosesu geiriau – ei ddefnyddio i ysgrifennu cynlluniau gwaith, cynlluniau gwersi, geirda i fyfyrwyr, adroddiadau, ac ati.
- Taenlenni – eu defnyddio i reoli cyllidebau ysgolion/adrannau, i gadw marciau profion, ac ati.
- Meddalwedd cyflwyno – ei ddefnyddio gan staff i baratoi gwersi, ar gyfer datblygu staff, ac ati.
- Ymgyfnewid data electronig – ei ddefnyddio i gyfnewid gwybodaeth am ymgeiswyr a chanlyniadau arholiadau gyda byrddau arholi.
- Meddalwedd amserlennu – i gynllunio amserlenni a dyrannu adnoddau (staff ac ystafelloedd).

Cofnod disgybl o system rheoli gwybodaeth ysgol. Sylwch fod y manylion yn cynnwys ffotograff o'r disgybl.

Astudiaethau achos

▶ **Astudiaeth achos** tt. 86–89

Defnyddio systemau adnabod olion bysedd mewn ysgolion

Erbyn hyn mae llawer o ysgolion yn defnyddio dulliau adnabod olion bysedd i'w helpu i gofrestru disgyblion. Bu un ysgol yn ne Cymru yn defnyddio system adnabod olion bysedd ers tua pedair blynedd bellach. Bydd y disgyblion yn rhoi eu bys ar sganiwr sydd wedi'i osod y tu allan i'r ystafelloedd dosbarth. Bydd y sganiwr yn darllen rhai o nodweddion yr ôl bys er mwyn adnabod y disgybl ac yn cofnodi manylion ei bresenoldeb wedyn ar y cyfrifiadur.

Cafodd y system ei chanmol gan bennaeth yr ysgol a ddywedodd iddi fod o gymorth i leihau triwantiaeth gan fod disgyblion yn gwybod nawr fod y system yn gallu canfod hyn ar unwaith. Mae athrawon yn yr ysgol wedi croesawu'r system gan ei bod yn eu rhyddhau oddi wrth y dasg hon sydd, er ei bod yn bwysig, yn cymryd llawer o amser.

Os bydd disgybl yn methu cofrestru ar ddechrau'r diwrnod, mae modd anfon neges destun i ffôn symudol y rhiant i'w rybuddio nad yw ei blentyn yn bresennol. Drwy wneud hyn mae bron yn amhosibl i ddisgybl beidio â dod i'r ysgol heb yn wybod i'w rieni.

Mae llawer o ddisgyblion yn hoffi'r system sy'n rhoi mwy o amser iddynt sgwrsio â'u ffrindiau a chael gwybod beth sy'n mynd ymlaen yn yr ysgol gan eu hathro dosbarth.

Ar y dechrau, nid oedd rhai rhieni a disgyblion yn hoffi'r ffaith bod yr ysgol yn cymryd olion bysedd a'u storio fel mater o drefn gan fod y rhain yn ddata personol y byddai modd eu camddefnyddio. Fodd bynnag, mae'r cwmni a gyflenwodd y system wedi egluro i rieni nad yw'r system yn storio olion bysedd cyfan. Yn hytrach, caiff yr ôl bys ei storio ar ffurf cod a'r cod hwn sy'n cael ei adnabod. Cawsant sicrwydd nad oes modd ail-greu ôl bys o'r cod hwn ac y bydd yr ysgol yn ei ddefnyddio er mwyn adnabod disgyblion yn unig ac nid at unrhyw ddiben amheus.

1 Mae llawer o ysgolion yn cymryd olion bysedd fel dull o gofnodi presenoldeb disgyblion yn yr ysgol.
   (a) Mae'r system adnabod olion bysedd yn enghraifft o ddyfais fewnbynnu fiometrig. Eglurwch ystyr y frawddeg hon yn fyr. (2 farc)

(b) Nodwch **dair** mantais defnyddio olion bysedd i gofrestru presenoldeb. (3 marc)
(c) Gallai llawer o rieni bryderu gan fod y system yn storio olion bysedd eu plentyn. Ysgrifennwch frawddeg i egluro sut y gallech ymateb i'r pryder hwn. (2 farc)

2 Disgrifiwch **un** ffordd y mae'r system adnabod olion bysedd yn helpu i atal triwantiaeth mewn ysgolion. (2 farc)
3 Rhowch un enghraifft o sut y gallai'r system cofnodi presenoldeb hon gael ei chamddefnyddio. (2 farc)

▶ **Astudiaeth achos** tt. 86–89

Ystyriaethau preifatrwydd wrth ddefnyddio systemau adnabod olion bysedd mewn ysgolion

Mae ôl bys rhywun yn unigryw i'r person hwnnw ac nid yw'n newid dros amser. Oherwydd hyn, ar ôl cymryd ôl bys rhywun a'i storio, gellir ei ddefnyddio ar hyd oes y person hwnnw.

Mae rhai arbenigwyr ar gyfrifiaduron yn credu y bydd systemau adnabod olion bysedd yn cael eu defnyddio fel dull o adnabod pob un ohonom ac felly, pe gallai rhywun ddwyn ein holion bysedd, gallai ddwyn ein hunaniaeth.

Dywed y gwneuthurwyr a'r ysgolion sy'n cyflwyno systemau adnabod olion bysedd o'r fath 'nad yw'r system yn storio ôl bys, dim ond cod sy'n ddiffiniad unigryw o ôl bys'. Mae rhai pobl yn dadlau bod hyn yr un fath â storio'r ôl bys ei hun, gan fod yr heddlu a gwasanaethau diogelwch hefyd yn defnyddio'r codau hyn i adnabod troseddwyr unigol.

Yn ôl rhai pobl, byddai'n bosibl ail-greu'r ôl bys o'r cod, a hyd yn oed os na ellir gwneud hyn nawr, beth fydd yn digwydd yn y dyfodol?

O gofio'r holl broblemau ynghylch colli data personol sensitif gan adrannau'r llywodraeth, mae llawer o bobl yn dadlau nad yw ysgolion, gan fod eu cyllidebau'n gyfyngedig, yn gallu darparu'r mesurau diogelwch sydd eu hangen i gadw data olion bysedd yn ddiogel.

1 Defnyddir dulliau mewnbynnu biometrig mewn ysgolion i fonitro presenoldeb myfyrwyr.
   (a) Enwch y dull biometrig sy'n cael ei ddefnyddio i fewnbynnu yn yr astudiaeth achos hon. (1 marc)

(b) Nodwch **un** rheswm dros gredu bod dulliau biometrig yn well na dulliau eraill fel AMG, cardiau clyfar neu gardiau llithro ar gyfer monitro presenoldeb. (1 marc)

2 Mae llawer o bobl yn pryderu am yr arfer o gymryd olion bysedd disgyblion i'w defnyddio mewn systemau fel hon. Eglurwch **ddau** fater a allai beri pryder i riant mewn perthynas â chymryd olion bysedd ei blentyn. (2 farc)

Cwestiynau a Gweithgareddau

▶ **Gweithgaredd 1: Gwefannau defnyddiol**

Ar y wefan ganlynol gwelwch arddangosiad rhyngweithiol o rai o nodweddion y meddalwedd a ddefnyddir gyda byrddau gwyn electronig. Treuliwch ychydig o amser yn edrych ar hwn ac ysgrifennwch restr o'r nodweddion.

http://www.prometheanworld.com/uk/server/show/nav.1693

▶ **Gweithgaredd 2: System rheoli gwybodaeth i ysgolion** *(SIMS: schools information management system)*

Mae *SIMS* yn system TGCh boblogaidd iawn sy'n cael ei defnyddio mewn ysgolion i redeg yr ysgol o ddydd i ddydd. Er mwyn i chi ddeall beth y gall system cofnodi ac adrodd ysgolion ei wneud, gweler http://www.capitaes.co.uk/SIMS/Downloads/demos.asp

▶ **Gweithgaredd 3: Pam y mae ar ysgolion angen y data canlynol?**

Mae un gronfa ddata i ddisgyblion ysgol yn cynnwys y meysydd canlynol. Ar gyfer pob maes, ysgrifennwch frawddeg i egluro pam y mae angen y data ar yr ysgol.
- Dyddiad geni
- Iaith yr aelwyd
- Crefydd
- Manylion cysylltu mewn argyfwng
- Rhif Disgybl Unigryw
- Rhyw y disgybl
- Enw meddyg y disgybl.

▶ **Cwestiynau 1** tt. 82–90

1 Erbyn hyn mae'r rhan fwyaf o ysgolion yn defnyddio cronfeydd data i storio manylion pob disgybl. Mae'r tabl yn dangos enwau rhai o'r meysydd a mathau o ddata sy'n cael eu storio mewn un gronfa ddata disgyblion.

Enw maes	Math data
RhifDisgyblUnigryw	Cyfanrif
Enwcyntaf	
Cyfenw	Testun
LlinellGyntafCyfeiriad	Testun
AilLinellCyfeiriad	Testun
Codpost	
RhifFfônLlinellTir	Testun
DyddiadGeni	Dyddiad
PrydauYsgolAmDdim(I/N)	

(a) Enwch y mathau data mwyaf priodol ar gyfer y meysydd:
  (i) Enwcyntaf
  (ii) Codpost
  (iii) Prydauysgolamddim(I/N) (1 marc)

(b) Rhowch enwau **tri** maes arall a fyddai'n debygol o gael eu defnyddio yn y gronfa ddata hon. (1 marc)

(c) Nodwch y maes sy'n cael ei ddefnyddio fel y maes unigryw yn y gronfa ddata ac eglurwch pam y mae'n rhaid cael maes o'r fath. (2 farc)

(ch) Mae'n bwysig bod y data sydd yn y gronfa ddata hon yn gywir.
  Disgrifiwch sut y gallai **dau** wall gwahanol ddigwydd wrth fewnbynnu data i'r gronfa ddata hon. (2 farc)

(d) Eglurwch sut y byddai'n bosibl canfod neu atal y gwallau yr ydych wedi'u crybwyll yn rhan (ch). (2 farc)

2 Mae byrddau gwyn rhyngweithiol yn cael eu defnyddio'n helaeth mewn ysgolion.
  Eglurwch, drwy gyfeirio at enghraifft yr ydych wedi'i gweld, sut y mae defnyddio'r byrddau hyn yn gwella'r addysgu a dysgu i fyfyrwyr. (4 marc)

3 Dyma sylw mewn erthygl ddiweddar am ddulliau hyfforddi yn un o gyhoeddiadau'r diwydiant cyfrifiaduron:
  'Troi tudalennau electronig yn y bôn yw hyfforddi'n seiliedig ar gyfrifiadur a dysgu drwy gymorth cyfrifiadur, a phrin yw'r gwahaniaeth rhwng hyn a darllen llyfr neu lawlyfr.'
  Ar sail eich profiad chi o becynnau *CBT/CAL*, ysgrifennwch ychydig o eiriau i roi'ch ymateb i'r ddadl uchod, gan ddweud a ydych yn cytuno neu'n anghytuno. Ategwch eich dadl drwy roi enghreifftiau yr ydych wedi'u defnyddio neu eu gweld. (8 marc)

▶ **Cwestiynau 2** tt. 82–90

1 Mae dyddiad geni myfyriwr yn cael ei fewnbynnu'n anghywir fel 3/4/92 yn lle 4/3/92.
  Caiff y dyddiad geni ei dderbyn i'r system i'w brosesu.
  (a) Eglurwch, gan gyfeirio at yr enghraifft yn y cwestiwn, beth y mae gwall trawsosod yn ei olygu. (1 marc)
  (b) Eglurwch, drwy gyfeirio at yr enghraifft, pam y gall data fod yn ddilys ac yn anghywir. (2 farc)
  (c) Eglurwch sut y gellid defnyddio gwireddu i ganfod y gwall. (2 farc)

2 Pan fydd disgybl yn ymuno ag ysgol, rhoddir rhif disgybl unigryw o wyth digid iddo.
  (a) Nodwch **un** rheswm dros roi rhif unigryw i bob disgybl yn yr ysgol. (1 marc)
  (b) Enwch a disgrifiwch **ddau** wiriad dilysu y byddai'n bosibl eu cyflawni ar y rhif hwn. (4 marc)

3 Mae systemau TGCh ar gyfer cofrestru myfyrwyr mewn ysgolion yn cynnig manteision o ran cyflymder a chywirdeb i athrawon dosbarth. Trafodwch **ddwy** fantais arall i'r ysgol o ddefnyddio TGCh i gofrestru myfyrwyr. (4 marc)

Cymorth gyda'r arholiad

Enghraifft 1

1 Bydd ysgolion yn defnyddio TGCh i leihau'r baich gweinyddol. Er enghraifft, gellir cofrestru presenoldeb disgyblion drwy ddefnyddio TGCh yn hytrach na chofrestr bapur lle y byddai'r athro dosbarth yn cofnodi presenoldeb.

(a) Disgrifiwch **dri** dull gwahanol o ddefnyddio systemau TGCh i gofnodi presenoldeb disgyblion. (6 marc)

(b) Nodwch **ddwy** o fanteision defnyddio systemau TGCh i gofnodi a phrosesu manylion presenoldeb myfyrwyr. (2 farc)

Ateb myfyriwr 1

1 (a) Gall y disgyblion ddangos eu bod yn bresennol drwy ddefnyddio dulliau biometrig.

Gall yr athro gofnodi presenoldeb y disgyblion ar gyfrifiadur.

Gall yr athro roi'r marciau ar ffurflen sydd wedyn yn cael ei mewnbynnu i'r cyfrifiadur.

(b) Nid oes rhaid i'r athro gyfrifo cyfanswm y dyddiau pan oedd pob disgybl yn bresennol na manylion presenoldeb fel canran, felly nid oes gwastraff amser ac mae'n fwy cywir. Nid oes rhaid i'r athro fynd i'r drafferth o farcio'r disgyblion yn bresennol gan fod y cyfrifiadur yn gwneud hynny drosto.

Sylwadau'r arholwr

1 (a) Er bod y myfyriwr wedi crybwyll 'dulliau biometrig' nid oes digon o fanylion i roi hyd yn oed un marc am hyn. Roedd angen i'r myfyriwr egluro beth yw dull biometrig a sut y mae'r marc presenoldeb yn cael ei gynhyrchu.

Dim ond un marc am yr ail ateb. Dylai'r myfyriwr nodi'r dull sy'n cael ei ddefnyddio (h.y. defnyddio bysellfwrdd).

Er ei bod yn ymddangos bod y myfyriwr yn cyfeirio at ddefnyddio ffurflenni marciau gweledol i fewnbynnu'r manylion presenoldeb i'r cyfrifiadur drwy gyfrwng adnabod marciau gweledol, nid lle'r arholwr yw 'dyfalu' beth y mae myfyriwr yn ei olygu. Felly dim marciau am yr ateb hwn.

(b) Un marc am yr ateb cyntaf – mae'r ail ateb yn rhy annelwig o lawer.

Dim marciau am ddatganiadau fel 'gan fod y cyfrifiadur yn gwneud hynny drosto'.

(2 farc allan o 8)

Ateb myfyriwr 2

1 (a) Profion biometrig drwy ddefnyddio olion bysedd. Mae'r disgyblion yn cofrestru eu presenoldeb yn yr ysgol drwy roi eu bys mewn sganiwr. Mae'r sganiwr yn sganio eu bys ac yn eu hadnabod ac yn mewnbynnu eu manylion ac amser eu presenoldeb.

Mae disgyblion yn defnyddio cardiau llithro sy'n cynnwys stribed magnetig sy'n dangos i'r system pwy yw'r disgybl. Mae'r darllenydd stribedi magnetig yn darllen manylion y disgybl sydd wedi'u hamgodio yn y stribed magnetig a defnyddir y wybodaeth hon i adnabod y disgybl yn y gronfa ddata. Cofnodir ei bresenoldeb.

Profion biometrig drwy sganio'r retina. Mae patrwm y pibellau gwaed ar gefn y llygad yn unigryw i ddisgybl penodol a defnyddir y ffaith hon i ddweud pwy yw'r disgybl wrth y system cofnodi presenoldeb.

(b) Nid oes rhaid i athrawon wastraffu amser yn cofnodi presenoldeb a gallant dreulio mwy o amser yn dysgu.

Mae disgyblion yn gyfrifol am gofnodi eu presenoldeb. Mae hyn yn eu gwneud yn fwy cyfrifol ac yn debycach i oedolion.

Sylwadau'r arholwr

1 (a) Mae dull biometrig yn un dull mewnbynnu a ddefnyddir mewn system cofrestru mewn ysgolion. Yma mae'r myfyriwr wedi rhoi dau ateb sy'n cyfeirio at ddulliau biometrig (h.y. adnabod olion bysedd a sganio retina) a dim ond un ohonynt y gellir ei gyfrif. Rhaid i fyfyrwyr ofalu bob amser eu bod yn rhoi atebion hollol wahanol os gofynnir am nifer penodol o ddulliau, swyddogaethau, nodweddion, mathau, ac ati. Mae'r camgymeriad hwn yn un cyffredin iawn.

Rhoddir y marciau am y dull mewnbynnu arall.

(b) Mae'r ddau ateb hyn yn gywir.

(6 marc allan o 8)

Cymorth gyda'r arholiad (parhad)

Atebion yr arholwr

1 (a) Un marc am enw'r dull mewnbynnu ac un marc am ddisgrifiad o'r ffordd y caiff y system ei defnyddio i farcio presenoldeb.

Rhaid i'r tri dull fod yn wahanol, felly ni all myfyrwyr roi mwy nag un dull biometrig.

Dull biometrig (sganio retina, sganio ôl bys, adnabod wyneb, ac ati). Mae'r sganiwr yn adnabod myfyrwyr a chofnodir eu manylion presenoldeb.

Cardiau llithro – mae pob disgybl yn cael cerdyn plastig ac ynddo stribed magnetig sy'n cynnwys manylion adnabod sy'n cael eu darllen gan y darllenydd.

Terfynellau diwifr – mae'r athrawon yn cael gliniaduron i gofnodi presenoldeb pob disgybl a chaiff y manylion eu hanfon yn ddiwifr i ddiweddaru cyfrifiaduron gweinyddu'r ysgol.

(b) Un marc am bob esboniad o fantais x 2

Rhai esboniadau posibl yw:

Mae'n codi'r baich o gofnodi presenoldeb oddi ar ysgwyddau athrawon.

Mae'n gwneud disgyblion yn debycach i oedolion drwy eu gwneud yn gyfrifol am gofnodi eu presenoldeb.

Mae ystadegau presenoldeb ar gael ar unwaith, felly gellir rhoi gwybod i rieni os nad yw eu plant yn bresennol.

Mae'n anos i ddisgyblion gael eu marcio'n bresennol a mynd adref wedyn.

Enghraifft 2

2 Bydd llawer o ysgolion yn defnyddio pecynnau dysgu drwy gymorth cyfrifiadur (*CAL*) at bwrpas addysgu a dysgu. Bydd ysgolion hefyd yn defnyddio dysgu o bell a dysgu ar-lein i gynorthwyo addysgu a dysgu.

(a) Nodwch **ddwy fantais a dwy anfantais** defnyddio dysgu o bell/ar-lein. (4 marc)

(b) Defnyddir pecynnau *CAL* weithiau gyda disgyblion sydd ag anawsterau dysgu. Nodwch **ddwy fantais a dwy anfantais** defnyddio pecynnau *CAL* gyda'r myfyrwyr hyn. Rhaid i'ch atebion fod yn wahanol i'r rheiny yn rhan (a). (4 marc)

Ateb myfyriwr 1

2 (a) Ni fydd athro o gwmpas i ddweud y drefn wrthych pan fyddwch yn gwneud camgymeriad.

Mae modd i chi fynd yn ôl at dopig yr ydych yn teimlo nad oeddech yn ei ddeall.

Mae dysgu'n rhywbeth cymdeithasol ac nid oes cyfle i chi ryngweithio gyda phobl eraill yn eich dosbarth wrth ddysgu ar-lein. Nid oes neb o gwmpas i'ch helpu os byddwch yn methu deall rhywbeth ond, os oes gennych athro go iawn, mae'n bosibl y bydd yn gallu ei egluro'n wahanol er mwyn i chi ei ddeall.

(b) Ni fydd y pecyn *CAL* yn eich beirniadu os byddwch yn gwneud camgymeriadau, yn wahanol i athro a allai feddwl eich bod yn dwp.

Bydd y pecyn *CAL* yn defnyddio effeithiau amlgyfrwng ac felly bydd yn rhoi hwb ymlaen i ddysgwyr sydd heb lawer o ddiddordeb drwy wneud y dysgu'n hwyl.

Nid oes modd defnyddio pecynnau *CAL* gartref.

Mae pecynnau *CAL* yn ddrud gan ei bod hi'n cymryd llawer o amser i'w cynhyrchu.

Sylwadau'r arholwr

2 (a) Mae'r ddwy fantais yn synhwyrol ac wedi'u mynegi'n dda, felly marciau llawn am y rhain. Unwaith eto, mae'r ddwy anfantais yn atebion derbyniol ac wedi'u mynegi'n dda, felly marciau llawn am y rhain.

(b) Mae'r ateb cyntaf, yr ail a'r pedwerydd ateb yn rhesymau y gellir eu cyfiawnhau ac mae pob un yn berthnasol i ddisgybl sydd ag anawsterau dysgu.

Mae'r trydydd ateb yn anghywir gan fod llawer o becynnau *CAL* y gellir eu rhedeg dros rwydwaith fel y Rhyngrwyd.

(7 marc allan o 8)

Ateb myfyriwr 2

2 (a) Gallwch gyrchu'r deunyddiau addysgu o unrhyw gyfrifiadur, felly mae'n hyblyg iawn pan fyddwch yn gwneud y cwrs. Mae modd gweithio ar y cwrs ar unrhyw adeg, felly mae'n fwy hyblyg na gwersi traddodiadol y mae'n rhaid eu trefnu gydag amserlen.

(b) Gallwch ddysgu ar eich cyflymder eich hun ac nid ar gyflymder gweddill y dosbarth.
Yn aml bydd pecynnau *CAL* yn troi dysgu'n gêm, sy'n hwyl ac yn cadw diddordeb y disgyblion yn eu gwaith dysgu. Gallai'r athro feddwl eich bod chi'n dysgu ar y cyfrifiadur, ond mewn gwirionedd dydych chi ddim yn darllen y wybodaeth ac rydych chi'n dyfalu beth yw'r atebion. Nid oes unrhyw gystadlu â phobl eraill yn eich dosbarth i weld pwy sy'n gwneud orau, a gall hyn roi llai o gymhelliant i chi.

Sylwadau'r arholwr

2 (a) Mae'r ddau ateb hyn yn debyg iawn gan fod y ddau'n cyfeirio at y ffaith bod cyrsiau ar-lein yn cynnig hyblygrwydd (e.e. amser a lleoliad). Rhaid i fyfyrwyr ofalu nad ydynt yn ysgrifennu ateb nad yw ond mymryn yn wahanol, oherwydd ni roddir marciau am y ddau ateb. Rhaid i'r atebion i gwestiwn o'r math hwn fod yn hollol wahanol. Dim ond un marc a roddir yma am un fantais.
Ni roddwyd unrhyw anfanteision yma. Mae'n debyg bod y myfyriwr wedi anghofio darllen y rhan hon o'r cwestiwn. Mae bob amser yn werth darllen y cwestiwn a'ch ateb eto ar ôl gorffen er mwyn osgoi gwneud y camgymeriad hwn.

(b) Mae'r holl atebion hyn yn gywir, felly marciau llawn am y rhan hon o'r cwestiwn.

(5 marc allan o 8)

Atebion yr arholwr

2 (a) Un marc yr un am ddwy fantais fel:

Gall myfyrwyr weithio ar y deunydd gartref neu yn y llyfrgell

Mae'n ddefnyddiol os nad yw myfyrwyr yn gallu dod i'r ysgol am resymau personol (e.e. salwch, ac ati)

Mae'r myfyrwyr yn fwy cyfrifol am eu dysgu a bydd hyn yn brofiad defnyddiol pan ânt i goleg neu brifysgol

Gall myfyrwyr fynd drwy'r wers eto os oes rhywbeth nad ydynt yn ei ddeall

Mae modd cynnal dosbarthiadau sydd â llai o fyfyrwyr nag arfer

Gellir cynnal dosbarthiadau ar unrhyw adeg – nid oes angen amserlen.

Un marc yr un am ddwy anfantais fel:

Mae angen creu cymhelliant mewn myfyrwyr oherwydd, fel arall, ni fyddant yn cwblhau'r tasgau

Gall fod yn ddrud

Diffyg cymorth a chefnogaeth gan athro

Dim cefnogaeth gan fyfyrwyr eraill na dysgu cydweithiol.

(b) Un marc yr un am ddwy fantais fel:

Gall myfyrwyr weithio wrth eu pwysau eu hun

Nid oes rhaid iddynt bryderu am wneud camgymeriadau gan nad oes bod dynol i'w beirniadu

Gallant ail-wneud rhannau nifer o weithiau nes deall y cynnwys yn llwyr

Mae modd addasu agweddau amlgyfrwng y meddalwedd i gwrdd ag anghenion gwahanol fathau o ddysgwr

Mae'n ychwanegu mwy o hwyl i'r broses dysgu

Mae modd defnyddio dyfeisiau mewnbynnu arbennig fel sgriniau cyffwrdd i helpu myfyrwyr sy'n ei chael yn anodd defnyddio bysellfwrdd a llygoden

Gall dysgwyr fesur eu cynnydd eu hun.

Un marc yr un am ddwy anfantais fel:

Diffyg anogaeth gan athro

Gallai myfyrwyr ei weld fel gêm yn unig a pheidio â dysgu dim

Nid oes dysgu cydweithiol

Nid yw'n eu dysgu i ryngweithio â phobl.

Mapiau meddwl cryno

CAL/CBT

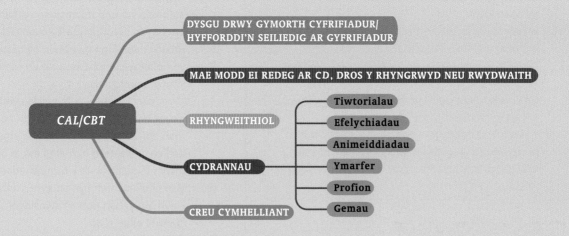

System cofrestru myfyrwyr sy'n seiliedig ar TGCh

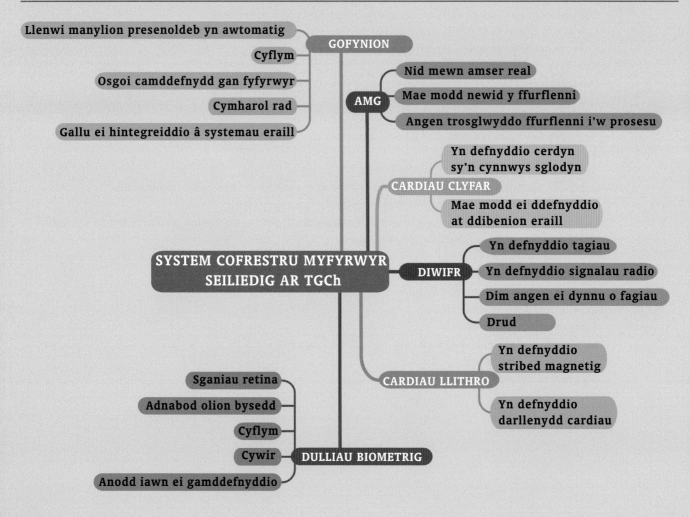

Yn y topig hwn byddwch yn dysgu sut y caiff TGCh ei defnyddio ar gyfer gofal iechyd mewn ysbytai a gan feddygon teulu. Byddwch yn gweld sut y mae rhai o'r pethau yr ydych wedi'u trafod eisoes yn cael eu defnyddio i wneud y GIG yn gorff effeithlon. Byddwch yn gweld bod TGCh yn cael ei defnyddio nid yn unig i gadw cofnodion cleifion ond hefyd ar gyfer tasgau sy'n gysylltiedig ag iechyd cleifion.

▼ Y cysyniadau allweddol sy'n cael sylw yn y topig hwn yw:

▶ Cronfeydd data meddygol

▶ Sganio, cynnal bywyd a chyfarpar a reolir gan gyfrifiadur

▶ Systemau arbenigo

CYNNWYS

Uned IT1 Systemau Gwybodaeth

Cronfeydd data meddygol

Cyflwyniad

Yn yr adran hon byddwn yn edrych ar rai o'r systemau TGCh a ddefnyddir i gofnodi gwybodaeth am gleifion a'u cyflyrau meddygol. Mae yna systemau hefyd sy'n rhyngwynebu â'r systemau cofnodion cleifion i sicrhau diogelwch y claf.

Y cleifion sy'n cymryd blaenoriaeth yn y GIG ac un agwedd hanfodol ar hyn yw cael gwybodaeth gywir am bob un.

Cadw cofnodion electronig o gleifion (*EPR: electronic patient records*)

Yn y gorffennol byddai'r holl gofnodion cleifion yn cael eu cadw ar bapur ac roedd hyn yn achosi llawer o broblemau gan gynnwys:

- Roedd llawer o staff meddygol angen cyrchu'r un cofnodion cleifion, weithiau ar yr un pryd. Yr unig ffordd i ddau feddyg eu cyrchu'r un pryd oedd drwy eu llungopïo ac roedd hyn yn ddrud a gwastraffus.
- Roedd problemau o ran storio ac adalw cofnodion papur gan fod cymaint ohonynt.
- Gan fod nodiadau wedi'u hysgrifennu'n gyflym â llaw, nid oedd yn bosibl i bobl eraill eu deall bob amser.
- Byddai cofnodion cleifion yn mynd ar goll yn aml, gan fod meddygon yn eu cadw ar eu desg yn hytrach na'u dychwelyd i'r adran cofnodion meddygol.
- Gan fod cofnodion cleifion yn cael eu ffeilio yn y lle anghywir roedd yn rhaid ail-wneud llawer o brofion, gan wastraffu amser ac arian.
- Weithiau ni fyddai cofnodion yn cyrraedd mewn pryd ar gyfer apwyntiadau cleifion.
- Nid oedd y fferyllydd yn gallu deall presgripsiynau a oedd wedi'u hysgrifennu â llaw ac roedd hyn yn gwastraffu amser.

Os ydych wedi bod mewn ysbyty neu ym meddygfa'ch meddyg teulu'n ddiweddar, byddwch wedi sylwi bod llawer o'r systemau papur wedi'u disodli'n rhannol neu'n llwyr gan systemau electronig.

Gwell o lawer yw bod manylion y claf yn cael eu storio mewn cronfa ddata fawr y gall pob gweithiwr gofal iechyd ei chyrchu os oes ganddo'r caniatâd angenrheidiol. Bydd unrhyw un mewn unrhyw ran o'r system yn gallu gweld y wybodaeth a gall llawer o bobl gyrchu'r un cofnod claf yr un pryd.

Mae llawer o fanteision yn gysylltiedig â storio data'n electronig yn hytrach nag ar bapur. Rhai o'r manteision hyn yw:

- Gellir gweld manylion cleifion lle bynnag y mae terfynell. Mewn rhai achosion gellir cyrchu'r manylion drwy ddyfeisiau symudol fel gliniadur neu *PDA*.
- Dim ond un set o ddata sy'n cael ei chadw, felly mae'n haws sicrhau bod y data'n gyson.
- Mae'n fwy diogel gan fod modd gwarchod y data drwy ddefnyddio mathau gwahanol o ganiatâd ar gyfer gwahanol staff.
- Mae'n haws o lawer gwneud copïau wrth gefn o'r data.
- Nid oes angen cludo ffeiliau cleifion o le i le fel yn achos system bapur.
- Mae gwybodaeth ar gael am gleifion mewn llawer o leoedd gwahanol ar unwaith. Er enghraifft, mae ar gael wrth ochr y gwely, yn swyddfa'r meddyg ymgynghorol ac yn yr adran achosion brys.

Cronfeydd data meddygol newydd a datblygiadau yn y dyfodol

Cronfa Ddata Genedlaethol y GIG

Mae'r gronfa ddata fwyaf yn y byd yn

"Rwy'n rhoi presgripsiwn am draed brain."

cael ei datblygu ar hyn o bryd i'r GIG a fydd yn storio gwybodaeth ddiogel am ofal iechyd cleifion. Mae'r gronfa ddata newydd yn darparu cofnodion gofal cleifion fel bod gweithwyr iechyd proffesiynol sy'n gofalu am gleifion yn gallu cyrchu gwybodaeth ddibynadwy am y claf yn gyflym. Bydd y gronfa ddata anferth hon yn storio gwybodaeth am alergeddau, presgripsiynau cyfredol ac adweithiau gwael i foddion yn ogystal â'r holl wybodaeth am gleifion sy'n cael ei dal gan feddygon teulu ac ysbytai. Bydd gwybodaeth yn y gronfa ddata newydd am fwy na 70 miliwn o gleifion a bydd 400,000 o ddefnyddwyr wedi'u cofrestru i ddefnyddio'r system.

Y Gwasanaeth Presgripsiynau Electronig

Mae'r Gwasanaeth Presgripsiynau Electronig yn wasanaeth newydd a fydd yn galluogi gweithwyr iechyd fel meddygon teulu a nyrsys practis i anfon presgripsiynau'n electronig at fferyllfa y mae'r claf wedi'i dewis. O ganlyniad i hyn bydd y broses o roi presgripsiynau a dosbarthu moddion yn fwy diogel ac

Mae systemau cofnodion electronig o gleifion yn argraffu'r presgripsiwn, felly ni fydd problemau'n codi wrth geisio deall presgripsiynau sydd wedi'u hysgrifennu ar frys â llaw.

yn fwy cyfleus i gleifion a staff. Mae tua 70 y cant o bresgripsiynau yn rhai a roddir dro ar ôl tro, a gall hyn gymryd amser wrth ddefnyddio'r system bapur bresennol, felly bydd y system newydd hon yn arbed amser i feddygon y gallant ei dreulio gyda'u cleifion.

Adnabod cleifion

Pan fydd claf yn cyrraedd yr ysbyty bydd rhif unigryw yn cael ei roi iddo. Ei rif GIG yw hwn mewn rhai achosion. Mae'r rhif hwn yn bwysig gan ei fod yn rhoi'r maes allweddol ar gyfer y gronfa ddata cleifion ac fe'i defnyddir i wahaniaethu rhwng cleifion sydd â'r un enw sy'n byw yn yr un cyfeiriad.

Mae'r gallu i adnabod cleifion yn bwysig iawn mewn ysbytai, felly rhoddir band am arddwrn pob claf a chod bar arno. Y system hon yw'r cam cyntaf hollbwysig a gymerir i sicrhau bod cleifion yn cael eu hadnabod yn gywir.

Mae'r cod bar ar y band yn cynnwys y wybodaeth ganlynol am y claf:

- enwau'r claf
- ei ddyddiad geni
- ei fath gwaed
- rhif GIG neu ryw rif arall sy'n unigryw i adnabod y claf.

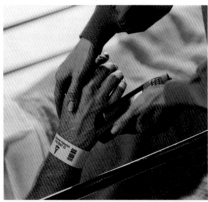

Band ar arddwrn claf a chod bar arno.

Systemau bar-godio ac olrhain gwaed

Gall trallwysiadau gwaed fod yn risg mawr i gleifion os bydd naill ai'r gwaed neu'r claf yn cael eu hadnabod yn anghywir. Byddai rhoi'r gwaed anghywir i glaf yn gallu bod yn angheuol, felly mae'n bwysig sicrhau nad yw camgymeriadau'n cael eu gwneud. Yn ogystal, rhaid cael dull o wybod pwy a roddodd y gwaed a phwy a'i cafodd, gan fod llawer o heintiau'n gallu cael eu trosglwyddo drwy gynhyrchion gwaed. Os daw i'r amlwg

yn y dyfodol fod gan roddwr y gwaed neu'r sawl a'i cafodd broblem feddygol, bydd modd adnabod y ddau.

Bydd cod bar sy'n cynnwys gwybodaeth benodol yn cael ei roi ar y bagiau gwaed yn y banc gwaed cyn eu dosbarthu i'r ysbyty.

Sut y mae'r system olrhain gwaed yn gweithio

Mae'r gallu i olrhain gwaed yn bwysig iawn, felly mae ysbytai'n defnyddio system TGCh gyfrifiadurol i wneud hyn. Dyma sut y mae'n gweithio:

1. Mae'r gwaed yn cael ei gymryd gan roddwyr a'i brofi i ddarganfod ei nodweddion neilltuol, megis grŵp gwaed (A, B, AB, O) ac ati.
2. Mae'r gwaed yn cael ei storio gan y Gwasanaeth Trallwyso Gwaed Cenedlaethol. Caiff ei groes-baru *(cross match)* a chynhyrchir labeli â chod bar yn ystod y profion a'u glynu wrth y bagiau gwaed.
3. Ar ôl ei baru, anfonir y gwaed i'r ysbyty lle y caiff ei gadw mewn oergell/ banc gwaed. Cyn rhoi bag gwaed yn yr oergell, caiff y cod bar arno ei sganio i gofnodi manylion y gwaed.
4. Bydd staff yr ysbyty yn cael y gwaed sydd ei angen drwy sganio eu cerdyn adnabod yn gyntaf. Mae hyn yn agor cloeon magnetig yr oergell er mwyn iddynt fynd at y gwaed. Caiff y cod bar adnabod ar y bag gwaed ei sganio cyn mynd â'r gwaed i'r ward. Fel hyn caiff y gwaed ei olrhain wrth ei roi yn yr oergell a'i dynnu allan.
5. Mae'r cod bar ar fand arddwrn y claf sydd angen y trallwysiad yn cael ei sganio drwy ddefnyddio *PDA*. Os bydd yn cyfateb, rhoddir y trallwysiad gwaed.

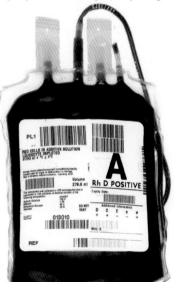

Mae gwybodaeth sydd yn y cod bar yn cael ei sganio i'r system cyn trosglwyddo'r gwaed i'r oergell.

Manteision y system olrhain gwaed

- Mae'r system yn darparu trywydd archwilio di-dor drwy nodi'r aelod staff a aeth â'r gwaed, yr amser/ dyddiad, y lleoliad, a'r cyfnod yr oedd y tu allan i'r oergell.
- Mae'n dileu'r angen am gadw cofnodion papur gan staff ac felly'n arbed amser.
- Mae'n dileu'r angen am le i storio'r cofnodion papur fel bod costau'n is.
- Drwy groes-baru'r wybodaeth yn electronig nid oes risg o roi'r gwaed anghywir i gleifion, felly mae'n arbed arian gan nad yw cleifion yn hawlio iawndal.
- Mae'n ddiogel gan mai dim ond staff penodol sy'n gallu cyrchu'r gwaed yn yr oergell.
- Caiff ei ddefnyddio i reoli stoc fel bod gwaed ar gael bob amser i ddiwallu anghenion y cleifion.
- Gall ddangos pwy sydd wedi rhoi a derbyn y gwaed os credir bod croes-heintio wedi digwydd.

Cymwysiadau eraill ar gyfer codau bar mewn gofal iechyd

Mae sganio codau bar yn ddull mewnbynnu cyflym ac effeithlon a chaiff ei ddefnyddio at ddibenion meddygol heblaw am adnabod cleifion ac olrhain gwaed fel:

- enwi sbesimenau yn y labordy (gwaed, troeth, ac ati)
- rhoi codau bar ar rai cofnodion papur er mwyn adnabod cleifion.

PDA gyda darllenydd codau bar i sganio manylion cleifion.

Defnyddio'r Rhyngrwyd, mewnrwydi ac allrwydi

Mae technoleg y Rhyngrwyd yn caniatáu i ymddiriedolaethau gofal iechyd leihau eu costau rhyngweithio. Mae hefyd yn caniatáu mynediad i'w systemau TGCh o unrhyw le ac ar unrhyw adeg ar ôl cael yr awdurdodiad cywir.

Defnyddio'r Rhyngrwyd

Mae ysbytai'n caniatáu i staff gael mynediad i'r Rhyngrwyd o allrwyd neu fewnrwyd y corff. Defnyddir muriau gwarchod i sicrhau nad yw pobl yn gallu cael mynediad i systemau'r ysbyty o'r Rhyngrwyd heb gael caniatâd.

Gall ysbytai ddefnyddio'r Rhyngrwyd i wneud y canlynol:

- e-hebu â chleifion y mae'n anodd cysylltu â nhw dros y ffôn
- cyfathrebu â chleifion drwy ddefnyddio gwefan ysbyty
- caniatáu i staff wneud gwaith ymchwil
- galluogi cleifion i gyfathrebu â'u ffrindiau a'u teulu
- anfon gwybodaeth am brofion labordai neu luniau pelydr X i feddygon mewn gofal cychwynnol (e.e. meddygon teulu) neu ofal eilaidd o weinyddion yr ysbyty neu'r labordy.

Mewnrwydi

Mae mewnrwydi'n rhwydweithiau preifat sy'n defnyddio'r un dechnoleg â'r Rhyngrwyd i anfon negeseuon a data o gwmpas y rhwydwaith. Dim ond staff yr ysbyty sy'n cael mynediad i'r fewnrwyd. Bydd llawer o ysbytai'n defnyddio mewnrwydi i drosglwyddo data cleifion i wahanol ddyfeisiau (e.e. cyfrifiaduron personol, gliniaduron, PDAs) o gwmpas yr ysbyty.

Allrwydi

Mae allrwydi'n rhwydweithiau sy'n defnyddio'r un dechnoleg â'r Rhyngrwyd ond sy'n caniatáu i bobl nad ydynt yn gweithio i'r ysbyty neu ymddiriedolaeth gael mynediad iddynt a chyfnewid gwybodaeth benodol. Er hynny, rhaid iddynt gael eu hawdurdodi i ddefnyddio'r allrwyd a gaiff ei gwarchod drwy enwau defnyddiwr a chyfrineiriau. Defnyddir allrwydi gan:

- cyflenwyr – i sicrhau nad yw cyffuriau a chyfarpar hanfodol byth yn mynd yn brin
- asiantaethau eraill (e.e. gweithwyr cymdeithasol, cartrefi gofal, ac ati) sy'n gweithio gyda chleifion ond y tu allan i'r ysbytai
- meddygon teulu – sy'n gallu cadarnhau cyflwr eu cleifion yn yr ysbyty.

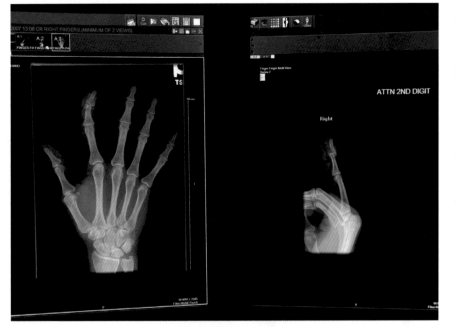

Mae lluniau pelydr X yn cael eu digido bellach fel bod modd eu storio gyda chofnodion y claf.

Cronfeydd data meddygol gwasgaredig

Mae cronfa ddata feddygol wasgaredig yn gasgliad o wybodaeth am gleifion sydd wedi'i rhannu rhwng dau neu ragor o weinyddion mewn rhwydwaith. Defnyddir llawer o wahanol systemau mewn ymddiriedolaethau iechyd a phe baech chi'n glaf mae'n bosibl y byddai'ch manylion wedi'u storio ar fwy nag un system. Drwy ddefnyddio technoleg y Rhyngrwyd mae'n bosibl adeiladu system sy'n gallu cyrchu'r holl wybodaeth am glaf penodol, hyd yn oed os yw wedi'i storio ar wahanol weinyddion mewn gwahanol leoedd.

Pan fydd angen i weithiwr gofal iechyd proffesiynol weld cofnod meddygol claf, bydd y system yn dod o hyd i'r rhannau gwasgaredig ac yn eu huno i wneud un cofnod. Yn ddelfrydol, ni fydd y defnyddiwr yn ymwybodol bod y cofnod wedi'i wneud o rannau gwahanol sydd wedi'u gwasgaru ar draws y rhwydwaith.

Manteision cronfeydd data gwasgaredig:

- mwy diogel gan nad yw'r holl ddata'n cael eu cadw mewn un lle – gellir dyblygu cronfeydd data'n rhwydd
- gellir cyrchu gwybodaeth yn gyflymach gan nad oes rhaid i un gweinydd ddelio â'r holl geisiadau am wybodaeth gan ddefnyddwyr.

Mae systemau TGCh yn galluogi meddygon i dreulio mwy o amser gyda chleifion.

Gwneud copïau wrth gefn ac adfer data

Mae cronfeydd data meddygol yn hollbwysig mewn gofal cleifion a rhaid i'r data ynddynt gael eu cadw'n ddiogel a rhaid i gopïau wrth gefn gael eu gwneud yn rheolaidd. Rhaid sefydlu gweithdrefnau i sicrhau y gall staff adfer data os cânt eu colli, a rhaid rhoi prawf ar y gweithdrefnau hyn i sicrhau bod modd adfer y systemau os bydd problem yn codi.

Rhai ystyriaethau:

- A yw'n dderbyniol i'r gronfa ddata beidio â bod ar gael weithiau – os nad yw hyn yn dderbyniol dylid defnyddio system *RAID*.
- Faint o ddata y mae angen eu copïo – tâp sy'n storio'r mwyaf o ddata.
- Ble y caiff y data eu storio – dylid cadw copïau o ddata oddi ar y safle.
- Pa mor aml y dylid copïo'r data – mae hyn yn dibynnu ar ba mor aml y mae'r data'n newid.
- Pa bryd y dylid gwneud copïau wrth gefn o'r data – pan fo'r system yn cael ei defnyddio leiaf fel rheol, er enghraifft, yn ystod y nos.

Sicrhau preifatrwydd cofnodion cleifion

Mae preifatrwydd cofnodion cleifion yn fater pwysig iawn yng ngolwg ysbytai a staff meddygol a rhaid iddynt sicrhau na fydd manylion meddygol personol ond yn cael eu datgelu i staff sydd wedi'u hawdurdodi. Bydd preifatrwydd y system *EPR* yn cael ei sicrhau drwy:

- Lefelau mynediad – mae'r rhain yn rheoli beth y caiff defnyddiwr ei wneud. Er enghraifft, byddai mynediad darllen yn unig yn caniatáu i aelod staff weld data penodol yn unig ac nid eu copïo, eu dileu na'u newid mewn unrhyw ffordd.
- Amgryptio 128 did – mae hyn yn sicrhau bod data sy'n cael eu hanfon drwy rwydweithiau wedi'u codio fel na fyddent yn gwneud synnwyr pe caent eu rhyng-gipio. Dim ond y sawl sydd i fod i dderbyn y data a fydd yn gallu eu dadgodio a'u deall.
- Cyfrinair – mae system cyfrineiriau'n sicrhau na fydd defnyddwyr ond yn cael mynediad i'r rhannau o gofnodion cleifion y mae angen iddynt eu gweld i gyflawni eu gwaith eu hun. Er enghraifft, ni fyddai staff gweinyddol yn cael gweld cofnodion meddygol, fel y byddai meddygon a nyrsys.
- Trywyddau archwilio – mae'r rhain wedi'u darparu fel bod modd gweld pwy sydd wedi gweld neu newid gwybodaeth sydd yn y gronfa ddata.

Defnyddir y gweinyddion ffeiliau hyn i storio'r holl wybodaeth am gleifion mewn ysbyty mawr.

Sganio, cynnal bywyd a chyfarpar a reolir gan gyfrifiadur

Cyflwyniad

Yn yr adran hon byddwn yn gweld sut y mae systemau TGCh yn cael eu defnyddio i wneud diagnosis o afiechyd claf a sut y gellir monitro cyflwr claf a'i reoli os oes angen drwy ddefnyddio systemau TGCh.

Synwyryddion (analog a digidol)

Mae angen cofnodi llawer o fesuriadau ffisiolegol ar gyfer claf mewn ysbyty. Er mwyn rhyddhau staff meddygol i wneud tasgau eraill, gellir cofnodi data'n rheolaidd ac yn awtomatig drwy ddefnyddio synwyryddion.

Dyfeisiau sy'n cael eu defnyddio i ganfod signalau ffisegol, cemegol a biolegol yw synwyryddion. Caiff y signalau hyn eu mesur a'u cofnodi gan brosesyddion neu gyfrifiaduron. Mae dau fath gwahanol o synhwyrydd:

- Synwyryddion analog – sy'n cael eu defnyddio i fesur maint analog, sef maint sy'n gallu bod â set o werthoedd sydd bron yn anfeidraidd fel tymheredd, gwasgedd, ac ati.
- Synwyryddion digidol – sy'n gallu canfod meintiau digidol. Er enghraifft, dim ond dau safle posibl sydd i switsh (ymlaen ac i ffwrdd neu 0 ac 1), felly mae modd ei ddangos fel maint digidol.

Os caiff synhwyrydd analog ei gysylltu â chyfrifiadur, bydd angen troi'r signal y mae'n ei gynhyrchu'n signal digidol er mwyn i'r cyfrifiadur allu ei brosesu neu ei storio. Y rheswm am hyn yw mai dim ond signalau digidol y gall cyfrifiaduron eu prosesu neu eu storio ym mron bob achos.

▼ Byddwch yn dysgu

- ► Am synwyryddion (analog a digidol)
- ► Am y data sy'n cael eu casglu drwy ddefnyddio synwyryddion
- ► Am fanteision defnyddio synwyryddion i fonitro cleifion
- ► Am fonitro a rheoli cyflwr y claf
- ► Am ddyfeisiau sganio (*MRI* a *CAT*)
- ► Am fanteision ac anfanteision dyfeisiau sganio
- ► Am weithdrefnau gwneud copïau wrth gefn ac adfer data
- ► Am ddatblygiadau newydd ac yn y dyfodol, a chyfyngiadau

Y data sy'n cael eu casglu drwy ddefnyddio synwyryddion

Bydd synwyryddion yn cael eu defnyddio mewn meddygaeth i gasglu data am y canlynol:

- tymheredd
- pwysedd gwaed
- pwysedd gwythiennol canolog (i ganfod faint o waed sy'n dychwelyd i'r galon a gallu'r galon i bwmpio gwaed i'r rhydwelïau)
- curiad y galon
- nwyon yn y gwaed (e.e. crynodiad o ocsigen wedi'i hydoddi)
- siwgr gwaed
- gweithgaredd yr ymennydd
- gweithgaredd trydanol y galon (*electrocardiogram (ECG)*)
- gwasgedd o fewn y benglog
- dadansoddiad o'r nwyon yn anadl y claf
- cyfradd resbiradu.

Defnyddir unedau gofal dwys i drin cleifion sy'n ddifrifol wael ac arnynt angen gofal parhaus. Er mwyn ysgafnhau'r baich ar staff, mae llawer o'r mesuriadau ffisiolegol rheolaidd yn cael eu gwneud drwy ddefnyddio synwyryddion. Defnyddir systemau TGCh i fonitro cyflwr y claf yn barhaus ac os bydd unrhyw un o'r mesuriadau'n mynd y tu allan i amrediad penodol,

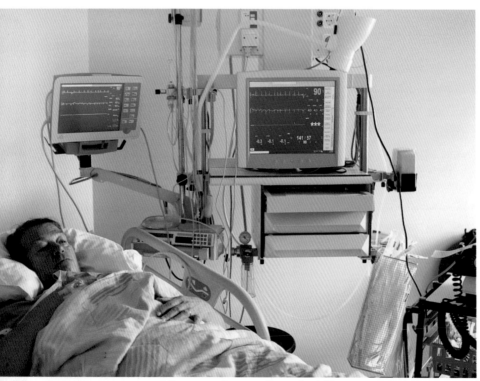

Bydd llawer o synwyryddion yn cael eu cysylltu wrth gleifion.

caiff y staff meddygol eu rhybuddio fel eu bod yn gallu gweithredu ar unwaith. Bydd cleifion yn llawer mwy tebygol o oroesi os caiff y staff meddygol eu rhybuddio cyn gynted ag y bydd yr arwyddion bywyd yn mynd y tu allan i'w hamrediadau arferol.

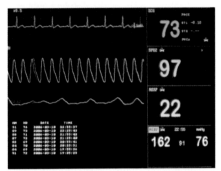

Mae'r wybodaeth o nifer o synwyryddion arwyddion bywyd yn cael ei dangos ar yr un sgrin wrth ymyl y claf yn yr uned gofal dwys. Os bydd unrhyw ddarlleniadau'n mynd y tu allan i'r amrediad arferol bydd larwm yn canu er mwyn rhybuddio'r staff meddygol.

Manteision defnyddio synwyryddion i fonitro cleifion

Mae manteision defnyddio synwyryddion a systemau TGCh i fonitro cleifion yn cynnwys:

- Byth yn methu gwneud mesuriadau gan eu bod yn cael eu gwneud yn awtomatig.
- Monitro amser real – cymryd darlleniadau o arwyddion bywyd y claf mewn amser real, sy'n well o lawer na'u cymryd bob hyn a hyn. Os bydd unrhyw fesuriadau y tu allan i amrediad derbyniol, bydd larwm yn canu i rybuddio'r staff meddygol.
- Rhyddhau staff meddygol o wneud mesuriadau rheolaidd fel y gallant ganolbwyntio ar weini cyffuriau, ac ati.
- Lleihau costau – gall un aelod staff fod yn gyfrifol am fwy o gleifion mewn unedau gofal dwys.
- Gallu sylwi ar dueddiadau yng nghyflwr y claf – gan fod y graffiau wrth ymyl ei gilydd ar y sgrin, mae'n hawdd i feddygon sylwi ar dueddiadau yng nghyflwr y claf.
- Darlleniadau mwy cywir – mae synwyryddion yn cynhyrchu

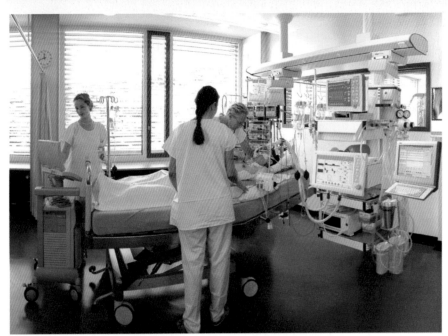

Yn ogystal â gwneud mesuriadau'n awtomatig, gellir defnyddio synwyryddion a TGCh gyda'i gilydd i reoli cyflwr y claf.

darlleniadau mwy cywir na phobl gan fod pobl yn gallu gwneud camgymeriadau wrth gymryd darlleniadau.

Monitro a rheoli cyflwr y claf

Gellir defnyddio synwyryddion i fonitro cleifion ond, yn ogystal â defnyddio'r data gan gyfrifiadur i asesu a yw cyflwr y claf yn gwaethygu a rhybuddio staff meddygol, mae modd defnyddio'r data i reoli cyfarpar meddygol sy'n cyflawni swyddogaethau rhai o organau'r claf.

Mae systemau cynnal bywyd yn defnyddio'r data o synwyryddion i reoli cyfarpar meddygol sy'n cymryd lle neu'n cynorthwyo gweithrediadau pwysig y corff ac felly'n galluogi claf a fyddai heb oroesi fel arall i aros yn fyw. Gellir defnyddio data o synwyryddion i reoli:

- resbiradu – defnyddir peiriant anadlu, sef peiriant sy'n pwmpio aer i mewn ac allan o ysgyfaint y claf
- ysgarthu
- gweithrediad y galon – gall peiriannau gyflawni rhai o weithrediadau'r galon
- gweithrediad yr arennau – defnyddir peiriannau dialysis os nad yw'r arennau'n gweithio'n gywir
- diferwyr mewnwythiennol sy'n cynnwys hylifau.

"Os bydd eich lefel colesterol yn mynd yn rhy uchel, bydd synhwyrydd yn anfon signal i gloi drws y gegin a throi'ch offer cadw'n heini ymlaen yn awtomatig."

Sganio, cynnal bywyd a chyfarpar a reolir gan gyfrifiadur (parhad)

Dyfeisiau sganio

Defnyddir dyfeisiau sganio i greu model o adeileddau mewnol y claf a fydd o gymorth wrth wneud diagnosis ac i sicrhau bod y claf yn cael y driniaeth gywir.

Delwedd cyseiniant magnetig (MRI: magnetic resonance image)

Mae sganiwr *MRI* yn defnyddio tonnau magnetig a thonnau radio i greu darlun o'r tu mewn i glaf. Nid yw sganiau *MRI* yn defnyddio pelydrau X, felly nid ydynt yn gwneud unrhyw niwed i'r claf.

Bydd y claf yn gorwedd oddi mewn i fagnet silindrog mawr, pwerus iawn a chaiff tonnau radio pwerus eu hanfon i mewn i'w gorff. Mae'r atomau hydrogen yng nghorff y claf yn allyrru tonnau radio eu hun ac mae'r sganiwr yn darllen y rhain ac yn eu troi'n ddarlun.

Mae angen cyfrifiadur i ddadansoddi'r data o'r tonnau radio hyn a chynhyrchu delwedd ar y sgrin. Caiff y ddelwedd ei modelu ar sail lleoliad a chryfder y signalau radio y mae'n eu derbyn.

Defnyddir y sgan *MRI* i gynhyrchu lluniau clir a hon yw'r dechneg orau i'w defnyddio gan feddygon pan fyddant yn chwilio am dyfiannau.

Mae modd defnyddio sganiau *MRI* hefyd ar gyfer:

- archwilio'r galon a'i phibellau gwaed i weld a oes difrod
- archwilio cymalau a'r asgwrn cefn i weld a oes difrod
- archwilio gweithrediad rhai organau fel yr afu (iau), yr arennau a'r ddueg.

Tomograffeg echelinol gyfrifiadurol (CAT: computerised axial tomography)

Mae sganiwr *CT* yn fath arbennig a mwy cymhleth o beiriant pelydr X. Yn wahanol i beiriannau pelydr X cyffredin, sy'n allyrru un pelydr X yn unig, mae sganiau *CT* yn allyrru nifer o belydrau X ar wahanol onglau

i'r corff. Caiff y pelydrau X eu canfod wedyn ar ôl mynd drwy gorff y claf a mesurir eu cryfder. Bydd y pelydrau hynny sydd wedi mynd drwy rannau mwy trwchus o'r corff yn wannach na'r rhai sydd wedi mynd drwy feinweoedd meddal. Felly gall y sganiwr roi darlun at ei gilydd ar sail cryfder y signalau ac, ar ôl prosesu'r signalau hyn ar gyfrifiadur, bydd y system yn cynhyrchu llun dau ddimensiwn ar sgrin.

Mae sganiau *CT* yn fwy manwl na sganiau pelydr X cyffredin ac mae rhai o'r sganwyr *CT* diweddaraf yn gallu cynhyrchu delweddau tri dimensiwn hyd yn oed. Gellir eu defnyddio i gynhyrchu rhithddelweddau, sy'n galluogi meddygon i weld yr hyn y byddai llawfeddyg yn ei weld fel arfer yn ystod llawdriniaeth cyn trin y claf.

Defnyddir sganiau *CT* yn bennaf i leoli tyfiannau yn y corff yn fanwl ac i gynllunio'r defnydd o radiotherapi i drin tyfiannau. Gan fod sganiau *CT* yn defnyddio mwy o belydrau X na sgan pelydr X arferol, gallant achosi sgil effeithiau a dim ond os ydynt yn hollol angenrheidiol y cânt eu defnyddio.

Manteision dyfeisiau sganio

- Cyfradd gwella uwch – drwy ddarganfod tyfiannau'n gynnar, mae'r claf yn fwy tebygol o gael ei wella.
- Llai o lawdriniaethau diangen – gallant leihau nifer y llawdriniaethau ymchwiliol diangen, gan leihau costau'r GIG ac arbed straen diangen i'r claf.
- Maent yn helpu llawfeddygon i gynllunio llawdriniaethau – maent yn galluogi'r llawfeddyg i edrych ar leoliad a siâp yr organau mewnol er mwyn deall beth sydd i'w wneud cyn trin y claf.
- Diagnosis cyflymach – llai o straen i gleifion gan nad oes rhaid iddynt aros mor hir am ganlyniadau profion.
- Gellir sganio'n rheolaidd – darganfod afiechydon fel bod modd dechrau'r driniaeth cyn i'r symptomau ymddangos.
- Yn ddiogel yn achos sganiau *MRI* – mae sganio *MRI* yn ddull sganio diogel iawn, ond nid sganiau *CT* gan eu bod yn defnyddio pelydrau X.
- Gellir edrych ar organau mewnol a thyfiannau mewn tri dimensiwn drwy fodelu cyfrifiadurol er mwyn gweld y ffordd orau i roi llawdriniaeth neu radiotherapi i'r claf.

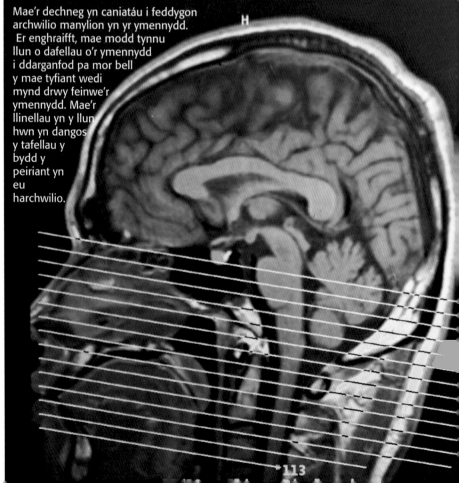

Mae'r dechneg yn caniatáu i feddygon archwilio manylion yn yr ymennydd. Er enghraifft, mae modd tynnu llun o dafellau o'r ymennydd i ddarganfod pa mor bell y mae tyfiant wedi mynd drwy feinwe'r ymennydd. Mae'r llinellau yn y llun hwn yn dangos y tafellau y bydd y peiriant yn eu harchwilio.

Anfanteision dyfeisiau sganio

- Mae cyfarpar sganio soffistigedig a reolir gan gyfrifiadur yn ddrud iawn.
- Gallant fethu – gan fod y cyfarpar yn fwy soffistigedig, mae mwy o bethau a all dorri.
- Gall fod yn beryglus i staff eu defnyddio – wrth wneud sganiau *CT* mae'r claf a'r staff yn agored i belydriad ïoneiddio, felly rhaid iddynt fod yn ofalus.
- Yn achos sganiau *MRI*, mae angen i'r claf aros yn llonydd am gyfnod o tua awr mewn lle cyfyng iawn ac mae hyn yn achosi anghysur a gofid i rai cleifion.

Gwneud copïau wrth gefn ac adfer data

Mae sganwyr yn defnyddio synwyryddion a rhaid cael y darlleniadau cywir o'r synwyryddion hyn er mwyn monitro cyflwr y claf yn gywir. Gan fod cyfleuster hunanbrofi mewn synwyryddion gallant wirio eu darlleniadau eu hun. Mae hyn yn bwysig dros ben mewn unedau gofal dwys lle y byddai darlleniadau anghywir o synwyryddion yn gallu arwain at beidio â chofnodi newid critigol mewn claf yn gywir a pheidio â chanu'r larwm.

Ar ôl eu cofnodi, bydd llawer o'r sganiau'n cael eu cadw gyda chofnodion y claf fel bod modd eu gweld drwy ddefnyddio unrhyw derfynell yn yr ysbyty. Caiff copïau wrth gefn eu gwneud o'r holl ddata hyn, sydd mewn cronfa ddata fawr, mewn amser real, fel bod y system hollbwysig hon ar gael drwy'r amser.

Mae gan yr ysbyty gynllun adfer data wrth gefn a fydd yn cael ei weithredu os collir unrhyw ddata neu raglenni neu os bydd unrhyw rwydweithiau neu galedwedd yn methu gweithio'n gywir. Mae'r cynllun yn cynnwys y canlynol:

- gyriannau caled wedi'u drychweddu (*mirrored*)
- tapiau wrth gefn sy'n rhedeg ar system cylchdroi tapiau
- archifo data oddi ar y safle.

Gall y trydan fethu weithiau ond mae gan yr holl sganwyr a systemau TGCh mewn ysbytai gyflenwad pŵer annhoradwy (*UPS: uninterruptible power supply*) sy'n cadw'r pŵer ymlaen os caiff y cyflenwad i'r ysbyty ei dorri.

Datblygiadau newydd ac yn y dyfodol

Mae meddygaeth fodern wedi dechrau canolbwyntio'n fwy ar ofal cleifion y tu allan i ysbytai ac yn benodol ar atal afiechyd. Er enghraifft, mae bwriad i gynnal profion yn fwy rheolaidd gan fod llawer o afiechydon y gellir eu gwella os cânt eu darganfod yn ddigon cynnar.

Drwy ddatblygu technoleg synwyryddion a chyfathrebu bydd yn bosibl cyflawni tasgau yng nghartrefi pobl yn hytrach nag ym meddygfa'r meddyg teulu neu mewn uned cleifion allanol mewn ysbyty fel sy'n digwydd nawr. Bydd datblygiadau yn nhechnoleg synwyryddion yn creu cyfres o synwyryddion clyfar sy'n cynnwys sglodyn cyfrifiadurol bach a fydd yn gallu casglu data a'u prosesu hefyd. Y cam nesaf ar ôl hyn fydd defnyddio'r data o brosesydd i weithio ysgogydd (*actuator*) a fydd yn caniatáu i swm mesuredig o gyffur gael ei roi yng nghorff y claf pan fydd y system yn canfod bod angen gwneud hynny.

Mae llawer o synwyryddion newydd yn cael eu datblygu a fydd yn canfod bacteria penodol heb orfod anfon sampl i'r labordy i'w ddadansoddi. Gellir gwneud hyn pan fydd y meddyg gyda'r claf a gellir rhoi presgripsiwn i'r claf ar unwaith am foddion addas.

Bydd synwyryddion pwysedd gwaed clyfar yn rheoli'r cyffuriau ar gyfer cleifion sydd â phwysedd gwaed uchel a bydd rhybudd yn cael ei anfon ar unwaith i'r uned fonitro ganolog os bydd mesuriadau synwyryddion ar gyfer gweithrediad y galon ac arwyddion bywyd eraill yn dangos bod problem.

Gofal iechyd yn y cartref – drwy dechnoleg fideo-gynadledda a synwyryddion bydd modd i gleifion siarad â meddygon a meddygon ymgynghorol o'u cartrefi drwy ddefnyddio eu cyfrifiaduron cartref. Gallai hyn arbed llawer iawn o gostau oherwydd gallai ysbytai fod yn llai o lawer ac ni fyddai angen cynifer o staff gweinyddol a staff eraill.

Un broblem iechyd fawr yw diabetes ac mae synwyryddion deallus wedi cael eu datblygu a roddir ar y claf. Rhoddir synhwyrydd glwcos (math o siwgr) sy'n eithaf tebyg i oriawr ar fraich y claf. Mae hwn yn anfon cerrynt trydan bach sy'n agor mandyllau yn y croen lle y gall y synhwyrydd fesur y crynodiad o glwcos. Gellir gosod cronfa glwcos yn y claf fel y bydd y system yn rhoi glwcos iddo'n awtomatig os bydd y synhwyrydd yn canfod bod arno ei angen. Fel hyn nid oes angen i'r claf roi pigiad iddo'i hun.

Mae peirianwyr sy'n gweithio i gwmni Toto o Japan wedi dylunio toiled sy'n dadansoddi'r troeth i ganfod crynodiadau glwcos, yn cofnodi pwysau a darlleniadau sylfaenol eraill, ac yn anfon adroddiad bob dydd yn awtomatig drwy gyfrwng modem at feddyg y defnyddiwr.

Byddwch wedi darllen llawer am y problemau ynghylch *MRSA*, firws sy'n ysu'r cnawd. Mae'n ymddangos ei fod wedi ymsefydlu mewn llawer o ysbytai. Yn y dyfodol, datblygir synwyryddion a fydd yn gallu canfod firysau sy'n deillio o gleifion neu staff. Gellir cadw'r bobl hyn oddi wrth gleifion sy'n ddifrifol wael a thrwy hynny atal y firysau rhag ymledu.

Mae'n bosibl y bydd gwelyau ysbyty arbennig yn cael eu datblygu sy'n cynnwys synwyryddion a all fonitro arwyddion bywyd a chynnwys cemegol gwaed ac sydd hefyd yn gallu rheoli peiriannau ar gyfer anadlu, sugno, trwythiadau (*infusions*) mewnfasgwlar a diffibrilio cardiaidd. Gellir gwneud yr holl bethau hyn ar unwaith mewn ymateb i ddata o'r synwyryddion. Drwy ddefnyddio'r gwelyau arbennig hyn, ni fydd angen uned gofal dwys a bydd croes-heintio'n llai tebygol o ganlyniad.

Cyfyngiadau

Mae rhai cyfyngiadau ar ddefnyddio cyfarpar a reolir gan gyfrifiadur ar gyfer sganio, cynnal bywyd a dibenion eraill. Er enghraifft:

- Mae'r lled band yn gyfyngedig weithiau, fel nad oes modd storio sganiau gyda chofnodion eraill y claf – mae'n cymryd gormod o amser i drosglwyddo'r ffeiliau, does dim digon o le i'w storio, ac ati.
- Os bydd cyfarpar cynnal bywyd yn methu, gall achosi marwolaeth cleifion sy'n ddifrifol wael.
- Problemau moesegol – pa bryd y dylid diffodd systemau cynnal bywyd?
- Mae cyfarpar o'r fath yn ddrud iawn ac efallai y byddai'n well defnyddio'r arian i atal afiechyd yn hytrach na'i wella.

Systemau arbenigo

Cyflwyniad

Yn yr adran hon byddwch yn dysgu am systemau TGCh sy'n dynwared yr arbenigedd sydd gan arbenigwyr dynol ac am y modd y mae'r systemau hyn yn cael eu defnyddio gan staff llai profiadol i'w helpu i wneud diagnosis cywir a sicrhau bod y claf yn cael y cyffur mwyaf addas i'w gyflwr.

Beth yw deallusrwydd artiffisial?

Proses resymu sy'n cael ei chyflawni gan gyfrifiaduron yw deallusrwydd artiffisial. Mae'n caniatáu i'r cyfrifiadur wneud y canlynol:

- dod i gasgliadau
- cynhyrchu gwybodaeth newydd
- addasu rheolau neu ysgrifennu rheolau newydd.

Mae'r cyfrifiadur, yn yr un modd â pherson, yn gallu dysgu wrth iddo storio mwy a mwy o ddata.

Rhwydweithiau niwral

Mae rhwydweithiau niwral yn systemau biolegol y mae'r ymennydd yn eu defnyddio i ddysgu pethau newydd. Drwy ddeall sut y mae'r ymennydd yn gweithio, gall gwyddonwyr ddatblygu systemau TGCh gan ddefnyddio rhwydweithiau niwral artiffisial sy'n dynwared y ffordd y mae'r ymennydd yn gweithio. Prif fantais rhwydweithiau niwral artiffisial yw eu bod yn gallu dysgu drwy esiampl yn union fel yr ymennydd dynol, felly maent yn ddefnyddiol i ddadansoddi patrymau neu ddosbarthu data.

Mae systemau TGCh cyffredin yn dda ar gyfer:

- prosesu data'n gyflym
- ufuddhau i set o gyfarwyddiadau sydd wedi'i rhoi fel cod rhaglen.

Nid yw systemau TGCh cyffredin yn dda ar gyfer:

- ymaddasu i amgylchiadau
- delio â data'n gyfochrog (h.y. mae cyfrifiaduron yn hoffi prosesu data'n llinol)
- delio â data sy'n amwys neu'n cynnwys gwallau.

Mae gan systemau TGCh sy'n defnyddio rhwydweithiau niwral y manteision canlynol:

- maent yn gweithio'n dda lle na ellir datblygu algorithmau (h.y. lle y mae'n anodd datblygu rhaglen gyfrifiadurol gan nad oes dealltwriaeth ddigonol o natur y broblem sy'n cael ei datrys)
- maent yn gweithio'n dda os oes digon o enghreifftiau i'r system ddysgu oddi wrthynt
- maent yn gweithio'n dda lle y gellir canfod strwythur o'r data sydd ar gael.

Mae gan systemau TGCh sy'n defnyddio rhwydweithiau niwral yr anfanteision canlynol:

- maent yn addas ar gyfer rhai tasgau'n unig
- rhaid i'r enghreifftiau a ddefnyddir i addysgu'r system gael eu dewis yn ofalus neu fe fydd amser yn cael ei wastraffu a gall y system gynhyrchu canlyniadau anrhagweladwy
- gan fod y rhwydwaith niwral yn dysgu ar ei ben ei hun, ni ellir rhagweld sut y bydd yn gweithredu.

Sut y mae prosesyddion paralel yn gweithio

Prif nod deallusrwydd artiffisial yw peri i gyfrifiaduron feddwl fel bodau dynol ac, i wneud hyn, rhaid adeiladu cyfrifiadur sy'n gweithio'n debyg i'r ymennydd dynol. Defnyddir y rhan fwyaf o gyfrifiaduron i wneud un peth ar y tro, er eu bod yn gwneud hynny'n gyflym iawn, fel ein bod yn cael ein twyllo i feddwl eu bod yn gwneud mwy. Mae'r ymennydd dynol yn llawer mwy pwerus o ganlyniad i'r ffaith ei fod yn cynnwys mwy na 1000 biliwn o nerfgelloedd o'r enw niwronau y mae gorchmynion yr ymennydd yn cael eu hanfon drwyddynt ar ffurf curiadau electronig. Yn y modd hwn gall yr ymennydd brosesu llawer o ddata yr un pryd, fel y gallwn feddwl, siarad, gwrando, a cherdded ar yr un pryd. Gall yr ymennydd dynol brosesu data'n gyfochrog

⤷ GEIRIAU ALLWEDDOL

Deallusrwydd artiffisial (AI) – creu rhaglenni cyfrifiadurol neu gyfrifiaduron sy'n ymddwyn yn debyg i'r ymennydd dynol drwy ddysgu o brofiad, ac ati

Rhaglenni cregyn ar gyfer systemau arbenigo – maent yn caniatáu i bobl greu eu systemau arbenigo eu hun heb yr angen am sgiliau rhaglennu neu'r angen i ddechrau o'r dechrau

Rhwydwaith niwral – system TGCh sy'n prosesu gwybodaeth yn yr un ffordd â'r ymennydd dynol. Mae'n defnyddio cyfres o elfennau prosesu sy'n gweithio'n gyfochrog i ddatrys problem benodol. Ni allwch ei raglennu ac yn lle hynny mae'n dysgu drwy esiampl

System arbenigo – system TGCh sy'n efelychu gallu penderfynu arbenigwr dynol

a'r enw ar hyn yw prosesu paralel.

Mae cyfrifiaduron arbenigol megis uwchgyfrifiaduron ar gael sy'n gallu cyflawni prosesu paralel, a chânt eu defnyddio i gyflawni tasgau cyfrifiadurol cymhleth lle y mae angen prosesu miliynau o ddarnau o ddata'n gyflym iawn, er enghraifft, wrth gynhyrchu rhagolygon y tywydd.

Gan ddefnyddio un prosesydd, caiff y broblem ei rhaglennu fel cyfres o gyfarwyddiadau sy'n cael eu prosesu gan y prosesydd (uned brosesu ganolog) yn eu tro.

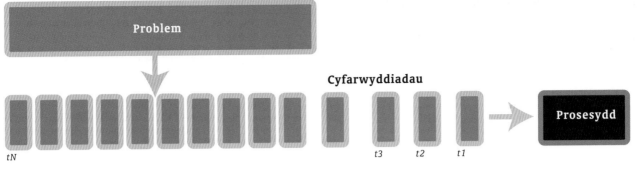

Wrth ddefnyddio prosesyddion paralel gellir torri'r broblem yn rhannau i'w datrys yr un pryd ac wedyn gellir ysgrifennu'r cyfarwyddiadau rhaglennu ar gyfer pob rhan.

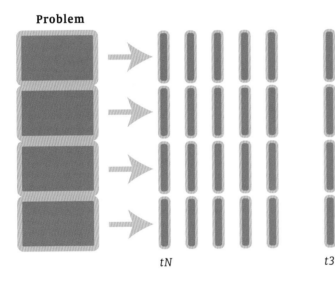

Wrth ddefnyddio prosesu paralel caiff y broblem ei rhannu'n dasgau y gellir eu prosesu'r un pryd. Bydd pob prosesydd yn gweithio ar ran o'r broblem, felly byddwch yn cael y canlyniadau'n gyflymach.

Beth yw system arbenigo?

Mae system arbenigo'n system TGCh sy'n defnyddio deallusrwydd artiffisial i wneud penderfyniadau ar sail data sy'n cael eu cyflenwi ar ffurf atebion i gwestiynau. Mae hyn yn golygu bod y system yn gallu ymateb yn yr un ffordd ag y byddai arbenigwr dynol yn y maes er mwyn dod i gasgliad. Mae system arbenigo dda yn un sy'n gallu perfformio cystal ag arbenigwr dynol yn y maes.

Y tair cydran mewn system arbenigo

Mae system arbenigo'n cynnwys y cydrannau canlynol:

- Cronfa wybodaeth – set drefnedig anferth o wybodaeth am bwnc penodol. Yn ogystal â ffeithiau, mae'n cynnwys gwybodaeth farnu, sy'n rhoi iddi'r gallu i ddyfalu'n dda, fel arbenigwr dynol.
- Peiriant casgliadau – set o reolau sy'n sail i benderfyniadau. Strwythur 'os-felly' sydd i'r rhan fwyaf o'r rheolau hyn. Hon yw'r rhan o'r system arbenigo sy'n rhesymu drwy drin a defnyddio'r wybodaeth yn y gronfa wybodaeth.
- Rhyngwyneb defnyddiwr – mae'r rhyngwyneb defnyddiwr yn rhoi cwestiynau a gwybodaeth i'r gweithredwr a hefyd yn cymryd atebion gan y gweithredwr.

Sut y mae systemau arbenigo'n gweithio

Mae systemau arbenigo'n defnyddio model datrys problemau sy'n trefnu ac yn rheoli'r camau y mae angen eu cymryd i ddatrys y broblem. Un rhan o'r model hwn yw'r defnydd o reolau OS-FELLY i ffurfio llinell resymu. Mae'r dulliau datrys problemau hyn yn rhan o'r peiriant casgliadau.

Y gronfa wybodaeth yw'r holl wybodaeth y bydd arbenigwr yn ei defnyddio wrth ddod i benderfyniad neu wneud diagnosis. Po fwyaf o wybodaeth a phrofiad fydd gan arbenigwr dynol yn y maes, mwyaf fydd y wybodaeth y gellir ei hychwanegu at y gronfa wybodaeth. Gan fod gwybodaeth yn anghyflawn neu'n ansicr yn aml, gellir rhoi ffactor hyder neu bwysiad i reol.

Pan fydd rhywun yn defnyddio system arbenigo gofynnir cyfres o gwestiynau iddo a allai gynnwys canlyniadau profion ac, ar sail yr atebion, gall y system arbenigo roi ateb neu wneud diagnosis.

Systemau arbenigo (parhad)

Rhaglenni cregyn ar gyfer systemau arbenigo

Gallwch greu system arbenigo mewn dwy ffordd:

- adeiladu'r system arbenigo o'r dechrau gan ddefnyddio iaith meddalwedd sy'n addas ar gyfer y dasg hon
- defnyddio darn o feddalwedd datblygu o'r enw cragen system arbenigo.

Darn generig o feddalwedd yw cragen system arbenigo a ddefnyddir i greu systemau arbenigo. Ystyr y gair 'generig' yw bod modd i'r defnyddiwr ddefnyddio'r meddalwedd mewn gwahanol ffyrdd at ddibenion gwahanol. Mae'r rhaglen gragen yn cynnwys peiriant casgliadau a'r rhyngwyneb defnyddiwr ond nid y gronfa wybodaeth. Bydd y gronfa wybodaeth yn cael ei chreu gan y person/arbenigwr sy'n adeiladu'r system arbenigo.

Y rheswm dros ddefnyddio'r gair 'cragen' yw bod yn rhaid i'r defnyddiwr adeiladu'r gronfa wybodaeth ei hun, felly ni fydd y system arbenigo'n cael ei hystyried yn gyflawn nes gwneud hynny. Drwy ddefnyddio'r rhaglen gragen, mae pobl nad oes ganddynt lawer o wybodaeth am raglennu'n gallu creu systemau arbenigo, er bod angen gwybod cryn dipyn am systemau arbenigo i'w creu fel hyn. Dyma pam y caiff llawer o systemau arbenigo eu creu gan beirianwyr gwybodaeth (y bobl sy'n adeiladu'r systemau arbenigo) mewn ymgynghoriad â'r arbenigwyr dynol.

Ieithoedd meddalwedd

Mae ieithoedd rhaglennu wedi cael eu datblygu sy'n ieithoedd arbenigol ar gyfer datblygu systemau arbenigo. Yn yr ieithoedd hyn, defnyddir datganiadau sy'n debyg i Saesneg, sy'n ffeithiau, ynghyd â chanlyniadau a chwestiynau.

Dwy iaith meddalwedd/rhaglennu a ddefnyddir i ddatblygu systemau arbenigo yw:

- PROLOG
- ASPRIN.

Gellir defnyddio'r ieithoedd hyn hefyd i adeiladu systemau sy'n defnyddio deallusrwydd artiffisial.

Defnydd meddygol o systemau arbenigo

Mae meddygaeth yn ymwneud yn bennaf â gwneud penderfyniadau wedi'u seilio ar ffeithiau penodol, felly mae gan systemau arbenigo lawer o gymwysiadau yn y maes hwn. Dyma fanylion rhai o'r systemau arbenigo sy'n cael eu defnyddio ar gyfer gofal iechyd cleifion.

MYCIN

MYCIN oedd y system arbenigo gyntaf i'w defnyddio mewn meddygaeth ac mae'n defnyddio profion gwaed claf a'r canlyniadau i alluogi meddygon i ganfod yr union organeb, o blith llawer, sy'n gyfrifol am haint yn y gwaed. Cyn datblygu'r system arbenigo hon roedd yn rhaid tyfu meithriniad o'r organeb heintio, a gymerai 48 awr, ac roedd yn bosibl y byddai'r claf yn marw wrth i'r meddygon aros am y canlyniadau. Drwy ddefnyddio'r system hon i ganfod yr organeb gywir, gellir rhoi cyffuriau penodol i'r claf i drin yr organeb benodol honno. Mae'r system yn galluogi meddygon iau i wneud diagnosis cywir sydd mor gywir ag un gan feddyg arbenigol yn y maes ac oherwydd hyn gallant roi'r feddyginiaeth gywir i gleifion ar unwaith.

Rhai o nodweddion y system MYCIN yw:

- Mae'r system arbenigo'n defnyddio tua 500 o reolau.
- Bydd y system yn gofyn am fwy o wybodaeth, er enghraifft 'a yw'r claf wedi cael llosgiadau'n ddiweddar?'.
- Bydd y system yn gofyn am wneud profion labordy ychwanegol os bydd angen.
- Bydd y system yn awgrymu'r feddyginiaeth orau i drin yr haint.
- Bydd y system yn rhoi rhestr o gyffuriau ac yn nodi pa mor debygol ydyw y byddant yn gweithio.
- Bydd y system yn dewis cyffur yn derfynol ar sail cyfres o gwestiynau y bydd y system yn eu gofyn am alergeddau cleifion.

Gellir barnu pa mor llwyddiannus yw unrhyw system arbenigo drwy gymharu'r system ag arbenigwyr dynol. Yn achos MYCIN darganfuwyd bod y system yn gwneud cystal ag arbenigwr dynol yn y maes ac yn well na meddygon teulu.

NEOMYCIN

Neomycin yw enw system arbenigo arall a ddefnyddir mewn meddygaeth a gafodd ei datblygu i hyfforddi meddygon. Mae'r system yn arwain y meddygon drwy nifer o achosion enghreifftiol, gan wirio casgliadau'r meddygon a rhoi eglurhad os ydynt wedi gwneud camgymeriad.

Manteision ac anfanteision systemau arbenigo

Manteision ac anfanteision systemau arbenigo yw:

Manteision

- Cysondeb – maent yn rhoi atebion cyson ar gyfer penderfyniadau ailadroddus.
- Rhatach – maent yn rhatach na defnyddio arbenigwr dynol fel meddyg neu feddyg ymgynghorol.
- Gall y system arbenigo wneud defnydd o gronfa wybodaeth fwy o lawer nag y gall arbenigwr dynol.
- Mae'r system arbenigo ar gael bob amser ac ni fydd byth yn mynd ar wyliau nac yn absennol oherwydd salwch.
- Bydd y cyfrifiadur yn defnyddio'r holl wybodaeth sydd ganddo, yn wahanol i arbenigwr dynol a allai anghofio a gwneud camgymeriadau.

Anfanteision

- Dim synnwyr cyffredin – felly pe câi'r system MYCIN ei defnyddio ar gyfer claf a oedd wedi'i saethu ac a oedd yn gwaedu i farwolaeth, byddai'r system yn chwilio am haint bacteriol fel achos.
- Gallant wneud gwallau gwirion – os caiff data eu mewnbynnu'n anghywir, er enghraifft, drwy gyfnewid oed a phwysau claf, gellid rhoi dosiau afresymol o gyffuriau.
- Ni allant ymateb yn greadigol – gall arbenigwyr dynol roi ymatebion creadigol, ond nid yw system arbenigo'n gallu gwneud hynny.
- Methu sylweddoli pan nad oes ateb ar gael i broblem.
- Maent yn dibynnu ar gywirdeb y rheolau a'r wybodaeth. Byddai unrhyw gamgymeriadau yn y rhain yn gallu arwain at wneud diagnosis anghywir.

Astudiaethau achos

▶ Astudiaeth achos   tt. 98–99

Troli cyffuriau cyfrifiadurol

Mae Ysbyty Charing Cross yn ysbyty athrofaol mawr yn Llundain ac mae'n un o'r ysbytai sy'n defnyddio system codau bar newydd sy'n cysylltu cleifion â throli cyffuriau cyfrifiadurol.

Mae perygl bob amser o roi'r cyffuriau anghywir i glaf o'r troli cyffuriau, ac mae'r system newydd hon yn ei gwneud yn llai tebygol o lawer y bydd hynny'n ddigwydd. Mae'r holl gleifion yn gwisgo bandiau arddwrn â chod bar sy'n cynnwys manylion y claf. Pan fydd nyrsys yn dod â'r troli cyffuriau heibio i roi meddyginiaeth i'r claf, caiff y cod bar ar y band ei sganio, ac mae hyn yn agor drôr y claf yn y troli cyffuriau sy'n cynnwys ei feddyginiaethau.

Mae dwy system TGCh arall yn yr ysbyty sydd wedi'u cysylltu â system y troli cyffuriau. System ysgrifennu presgripsynau yw'r gyntaf sy'n galluogi meddygon i ddefnyddio cyfrifiaduron personol i deipio presgripsynau'r claf. Defnyddir hyn wedyn i reoli braich godi robotig yn fferyllfa'r ysbyty sy'n rhoi cyffuriau pob un o'r cleifion yn nroriau'r troli cyffuriau'n barod i'w rhoi i'r claf.

Mae'r system hon yn gwneud y broses o roi moddion yn fwy diogel gan ei bod yn dileu'r elfen ddynol, ac mae'n arbed arian gan ei bod yn atal camgymeriadau wrth roi moddion.

1 (a) Yn aml bydd cleifion mewn ysbytai'n gwisgo bandiau arddwrn â chod bar. Eglurwch pam. (2 farc)

(b) Yn ogystal â chodau bar y gellir eu darllen â pheiriant, mae'r band arddwrn yn cynnwys gwybodaeth wedi'i theipio.

(i) Awgrymwch **ddwy** eitem o wybodaeth a gâi eu cynnwys yn y wybodaeth wedi'i theipio. (2 farc)

(ii) Nodwch **un** rheswm dros gynnwys gwybodaeth wedi'i theipio ar y cod bar. (1 marc)

2 Mae'r system TGCh sydd wedi'i disgrifio yn yr astudiaeth achos yn atal cleifion rhag cael y feddyginiaeth anghywir. Eglurwch yn fyr sut y mae'r system yn gweithio. (3 marc)

▶ Astudiaeth achos   tt. 100–101

System cofnodion electronig o gleifion (EPR) Ymddiriedolaeth GIG Ysbytai Brenhinol Salford

Mae Ymddiriedolaeth GIG Ysbytai Brenhinol Salford yn defnyddio system cofnodion electronig o gleifion sy'n cynnwys yr holl sefydliadau iechyd yn Salford. Mae mwy na 3500 o ddefnyddwyr gan y system ac maent yn gallu cyrchu cofnodion cleifion o dan fesurau gwarchod caeth o fwy na 2500 o derfynellau.

Mae staff meddygol fel meddygon a nyrsys yn gallu cyrchu gwybodaeth am gleifion a'i diweddaru wrth ochr gwely'r claf gan ddefnyddio dyfeisiau diwifr. Gall staff meddygol gael canlyniadau profion, cyfeirio cleifion i gael triniaeth arbenigol fel ffisiotherapi neu ofal gan dîm nyrsys ardal, cofnodi manylion gofal cleifion, a chyrchu'r holl wybodaeth sy'n cael ei chadw am y claf.

Heb TGCh byddai'r holl fanylion hyn wedi cael eu cofnodi ar bapur ac roedd yn anodd adalw'r wybodaeth hon.

Roedd staff TGCh a staff clinigol yn gysylltiedig â'r project *EPR,* ac felly gallai staff clinigol ddweud sut y gellid gwella arferion gweithio a rhoi gofal gwell i'r claf.

Mae'r data am gleifion yn cael eu diogelu gan system warchod wedi'i seilio ar rolau, h.y. rhaid i ddefnyddwyr fod â rôl ddilys mewn perthynas â'r claf er mwyn cael gweld ei fanylion. Er enghraifft, mae clercod ward yn cael cyrchu rhai o fanylion claf fel ei enw, cyfeiriad a pherthnasau, ond ni chânt gyrchu manylion clinigol.

Pan gaiff manylion claf eu cyrchu, mae cyfleuster archwilio yn cofnodi pwy sydd wedi agor y cofnod yn ogystal â'r dyddiad, yr amser a'r gweithfan a ddefnyddiwyd. Felly mae'n hawdd ymchwilio i ymholiadau ynghylch preifatrwydd a diogelwch cofnod y claf. Mae hyn hefyd yn rhwystro staff rhag camddefnyddio'r system.

Mae defnyddio cofnodion electronig wedi cyflymu rhai prosesau. Er enghraifft, yn y gorffennol pan oedd claf wedi cael prawf gwaed, roedd yn rhaid i'r nyrsys aros i'r cofnod papur gyrraedd y ward cyn gallu rhoi'r cyffuriau. Oherwydd hynny roedd y nyrsys yn gorfod mynd ar ôl y canlyniadau drwy ffonio'r labordy. O dan y system newydd caiff y sampl gwaed ei brosesu a chaiff y canlyniadau eu diweddaru ar y system cofnodion electronig o fewn ychydig oriau. Gall y staff meddygol priodol gyrchu'r wybodaeth yn syth ar ôl ei hychwanegu. O safbwynt y claf, mae hyn yn golygu y gall gael y cyffur cywir ar gyfer ei afiechyd yn gynharach a gallai hynny achub ei fywyd.

Yn ogystal â hyn, mae'r ymddiriedolaeth yn defnyddio mewnrwyd sy'n cynnwys cyfeiriadur ffôn yr ysbyty a rhestr o fanylion cysylltu ar gyfer e-hebu, manylion

1 Mae system cofnodion electronig o gleifion yn cynnig llawer o fanteision i weithwyr gofal iechyd ac i gleifion. Disgrifiwch **dair** ffordd y mae'r system ddi-bapur o fantais i ofal iechyd yn gyffredinol. (3 marc)

2 Mae cronfeydd data meddygol yn cynnwys manylion meddygol sensitif am gleifion. Eglurwch **ddwy** ffordd y mae'r system *EPR* yn atal pobl

rhag cyrchu'r manylion hyn heb awdurdod. (2 farc)

3 Mae rhywun wedi cyrchu cofnod meddygol claf enwog yn anghyfreithlon ac wedi rhoi'r manylion i bapur newydd tabloid. Mae'r ysbyty wedi ymchwilio i'r achos hwn o dorri cyfrinachedd. Eglurwch sut y bydd cyfleuster archwilio'r system *EPR* yn ei helpu.

blipwyr, a chofnodion o fanylion shifftiau fel bod modd i staff ddarganfod pwy sydd ar alwad ar ddiwrnod ac amser penodol.

(2 farc)

4 Mae system *EPR* yn dibynnu ar y gallu i warchod data mewn cronfeydd data a hefyd ar y gallu i drawsyrru data yn ddiogel gan ddefnyddio rhwydweithiau. Eglurwch **dair** o fanteision defnyddio system *EPR*. (3 marc)

▶ Astudiaeth achos   tt. 102–103

Monitro cleifion

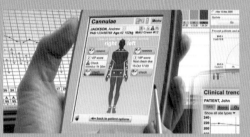

Defnyddir systemau 'tracio a rhybuddio' mewn ysbytai i adnabod cleifion ag anhwylderau'r galon sy'n rhy sâl i gael llawdriniaeth neu'n gwaethygu ar ôl llawdriniaeth. Mae'r systemau hyn yn dibynnu ar gymryd mesuriadau cywir o gyflwr y claf yn rheolaidd gan nyrsys fel bod y meddygon yn gallu adnabod y cleifion hyn a rhoi triniaeth briodol iddynt. Fel arfer bydd y data am y claf yn cael eu hychwanegu at siart sydd ger gwely'r claf. Os bydd y llawfeddyg am gael y wybodaeth hon ac yntau mewn ward arall, neu hyd yn oed ar safle arall, ni fydd yn bosibl iddo wneud hyn.

Mae'r system TGCh newydd sy'n defnyddio *PDAs*, cyfrifiaduron llechen (*tablet PCs*) a mewnrwyd yr ysbyty'n caniatáu i nyrsys fewnbynnu data am arwyddion bywyd y claf yn uniongyrchol i'r system wrth gymryd y mesuriadau. Wedyn bydd y meddalwedd yn dadansoddi'r data – cyfradd curiad y galon, pwysedd gwaed, cyfradd resbiradu,

tymheredd, statws niwrolegol, troeth a gynhyrchir, a dirlawnder ocsigen ynghyd â data fel biocemeg a haematoleg sydd wedi'u storio yng nghronfeydd data eraill yr ysbyty. Yna gall nodi'r cleifion hynny sydd i gael gofal blaenoriaethol a bydd larwm yn canu os bydd ar y claf angen sylw meddygol ar frys. Gellir cysylltu'n awtomatig â meddyg neu lawfeddyg drwy flipiwr o unrhyw ran o'r ysbyty. Defnyddir dulliau dilysu data i sicrhau mai dim ond data cywir a gaiff eu prosesu. Bydd y system TGCh hyd yn oed yn dweud wrth y staff meddygol pa mor aml y mae angen i nyrsys gymryd darlleniadau o arwyddion bywyd.

Bydd yr holl ddarlleniadau a gymerir wrth ochr gwely'r claf yn cael eu hanfon yn awtomatig i weinydd canolog yr ysbyty drwy rwydwaith diwifr. Gall unrhyw un o'r staff meddygol weld y data a manylion eraill am gleifion ar fewnrwyd yr ysbyty drwy ddefnyddio cyfrifiaduron llechen neu *PDAs* mewn unrhyw le yn yr ysbyty neu hyd yn oed gartref.

Mae gweithdrefnau yn eu lle ar gyfer gwneud copïau wrth gefn ac adfer data i sicrhau y bydd y system yn gweithio hyd yn oed os bydd y rhwydwaith yn methu neu os bydd toriad trydan.

Gan fod llawfeddygon yn gallu defnyddio'r system i fonitro eu cleifion mewn amser real bron, gellir rhoi gwybod iddynt ar unwaith os bydd cyflwr claf yn gwaethygu, fel y gallant wneud rhywbeth yn ei gylch. Y peth pwysicaf am y system hon yw ei bod yn achub bywydau ac yn sicrhau gwell ansawdd gofal i'r claf.

1 Yn y system hon defnyddir synwyryddion i gymryd mesuriadau sy'n dangos cyflwr y claf. Enwch **dri** mesuriad y gallech eu cymryd. (3 marc)

2 Yn yr astudiaeth achos nodir bod 'gweithdrefnau yn eu lle ar gyfer

gwneud copïau wrth gefn ac adfer data i sicrhau y bydd y system yn gweithio hyd yn oed os bydd y rhwydwaith yn methu neu os bydd toriad trydan'. Eglurwch yn fyr sut y byddai'n bosibl datrys problem y toriad trydan. (2 farc)

3 Mae'r system hon mewn ysbyty'n defnyddio llawer o ddyfeisiau diwifr fel cyfrifiaduron llechen a *PDAs*. Rhowch **un** rheswm dros ddefnyddio dyfeisiau diwifr yn y system hon. (1 marc)

Cwestiynau

▶ Cwestiynau 1 — tt. 98–99

1 Mae pob ysbyty'n defnyddio TGCh yn helaeth ar gyfer gweinyddu ac mae'r rhan fwyaf ohonynt yn defnyddio systemau cofnodion electronig o gleifion (*EPR*) i storio manylion cleifion.
   (a) Disgrifiwch **ddwy** fantais storio manylion cleifion yn electronig yn hytrach nag ar bapur. (2 farc)
   (b) Mae'r gallu i adnabod cleifion yn bwysig iawn mewn ysbytai. Eglurwch sut y gellir adnabod cleifion mewn ysbytai i sicrhau bod y driniaeth gywir yn cael ei rhoi i'r claf cywir. (2 farc)

2 Rhaid i ysbytai olrhain gwaed i sicrhau bod y gwaed cywir yn cael ei roi i'r claf cywir, ac mae ysbytai'n defnyddio system TGCh gyfrifiadurol i wneud hyn.
   (a) Eglurwch pam y mae ysbytai wedi mabwysiadu system olrhain gwaed sy'n defnyddio codau bar. (2 farc)
   (b) Eglurwch **ddwy** ffordd y gall staff ysbytai ddefnyddio'r Rhyngrwyd i'w helpu i ofalu am gleifion. (2 farc)

▶ Cwestiynau 2 — tt. 102–105

1 Caiff cyfarpar TGCh ei ddefnyddio i fonitro cyflwr meddygol y claf yn awtomatig.
   Er enghraifft, defnyddir TGCh i fonitro cyflwr y claf yn yr uned gofal dwys lle y mae synwyryddion yn cael eu defnyddio i fonitro arwyddion bywyd fel cyfradd curiad y galon a thymheredd.
   Enwch arwyddion bywyd eraill mewn cleifion y gellir eu cofnodi drwy ddefnyddio synwyryddion a disgrifiwch fanteision defnyddio synwyryddion i wneud hyn. (5 marc)

2 Bydd ysbytai'n defnyddio cyfarpar diagnostig a reolir gan gyfrifiadur i ddarganfod beth sydd o'i le ar gleifion a phenderfynu beth yw'r ffordd orau i'w trin.
   (a) Enwch **ddwy** o'r prif ddyfeisiau sganio cyrff a ddefnyddir wrth wneud diagnosis, a thrafodwch yn fanwl, gan ddefnyddio enghreifftiau priodol, brif fanteision y dyfeisiau hyn. (4 marc)
   (b) Disgrifiwch **ddau** ddefnydd a fydd yn cael eu gwneud o TGCh yn y dyfodol yn y gwasanaeth iechyd. (4 marc)

3 Defnyddir synwyryddion wrth ofalu am gleifion i fonitro cyflwr claf drwy'r amser.
   (a) Enwch **dri** synhwyrydd sy'n cael eu defnyddio i fonitro cyflwr claf. (1 marc)
   (b) Drwy ddefnyddio synwyryddion gellir monitro claf yn gyson drwy'r amser.
       Nodwch **ddwy** o fanteision eraill defnyddio synwyryddion wrth ofalu am gleifion. (2 farc)
   (c) Eglurwch **ddwy** weithdrefn ar gyfer gwneud copïau wrth gefn ac adfer data y gallai ysbyty eu defnyddio er mwyn sicrhau bod data cleifion ar gael drwy'r amser. (4 marc)

▶ Cwestiynau 3 — tt. 106–108

1 Mae system arbenigo feddygol wedi cael ei datblygu i wneud diagnosis o afiechydon penodol. Bydd yn galluogi meddygon dibrofiad i wneud diagnosau cywir. Eglurwch yn fyr sut y byddai'n bosibl rhoi prawf ar system arbenigo i gadarnhau ei bod yn dod i'r casgliadau cywir. (2 farc)

2 Mae cragen system arbenigo'n cynnwys y tair cydran ganlynol:
   Cronfa wybodaeth
   Peiriant casgliadau
   Rhyngwyneb defnyddiwr
   Eglurwch yn fyr bwrpas pob un o'r tair cydran hyn. (3 marc)

Cymorth gyda'r arholiad

Enghraifft 1

1 Mae cregyn systemau arbenigo yn bwysig ar gyfer datblygu systemau arbenigo meddygol.
   (a) Disgrifiwch y **tair** prif ran ym mhob system arbenigo. (3 marc)
   (b) Disgrifiwch, gan roi enghreifftiau, **ddwy** fantais defnyddio system arbenigo mewn meddygaeth. (2 farc)

Ateb myfyriwr 1

1 (a) Cronfa ddata
      Peiriant casgliadau
      Rhyngwyneb defnyddiwr graffigol
   (b) Mae'n galluogi meddyg dibrofiad i wneud gwaith meddyg ymgynghorol.
      Mae'n arbed amser.

Ateb myfyriwr 2

1 (a) Cronfa wybodaeth
      Peiriant casgliadau neu beiriant rhesymu
      Rhyngwyneb defnyddiwr
   (b) Gall seilio ei diagnosis ar lawer mwy o ffeithiau nag y gall person.
      Bydd yn mynd drwy gamau y gallai arbenigwr dynol anghofio eu cymryd i gyrraedd diagnosis mwy cywir.

Sylwadau'r arholwr

1 (a) Nid yw cronfa ddata'n gywir. Yr ateb cywir yw 'cronfa wybodaeth' sy'n cynnwys ffeithiau yr ydym yn eu gwybod a gwybodaeth am wneud barnau da. Mae rhyngwyneb defnyddiwr graffigol yn un math o ryngwyneb y gellir ei ddefnyddio fel y rhyngwyneb rhwng y defnyddiwr a'r system. Fodd bynnag, yr ateb cywir yw 'rhyngwyneb defnyddiwr', felly dim marc am hwn.
      Un marc am yr ateb cywir 'Peiriant casgliadau'.
   (b) Nid oes modd i feddyg dibrofiad ddod yn feddyg ymgynghorol drwy ddefnyddio system arbenigo. Dim ond ar gyfer un rhan fach o feddygaeth y defnyddir systemau arbenigo, i roi cymorth wrth wneud diagnosis fel arfer. Dim marciau am 'arbed amser' ar ei ben ei hun. Dylai'r myfyriwr fod wedi dweud yn y fan hyn sut y mae'r system yn arbed amser.
      (1 marc allan o 5)

Sylwadau'r arholwr

1 (a) Mae pob un o'r atebion hyn yn gywir. Mae'r ddau ateb 'peiriant casgliadau neu beiriant rhesymu' yn gywir.
   (b) Mae'r ddau ateb hyn yn hollol wahanol i'w gilydd ac yn gywir, felly marciau llawn am y rhan hon.
      (5 marc allan o 5)

Atebion yr arholwr

1 (a) Un marc yr un hyd at uchafswm o dri am:
         Cronfa wybodaeth
         Peiriant casgliadau
         Rhyngwyneb defnyddiwr
   (b) Un marc yr un hyd at uchafswm o ddau farc am:
      Mae'n gadael mwy o amser i feddygon/arbenigwyr ganolbwyntio ar achosion difrifol.
      Gellir diweddaru'r gronfa wybodaeth i'w gwneud yn fwy cyfoes.
      Gall meddygon cyffredin ddefnyddio'r system i wneud diagnosis arbenigol heb orfod cysylltu ag arbenigwr.
      Bydd cleifion yn cael diagnosis yn gynharach, felly gallant wella'n gyflymach.
      Mae'n rhatach defnyddio'r system arbenigo na hyfforddi meddygon yn y maes arbenigol.
      Gallai person anghofio ystyried ffaith benodol ond bydd system arbenigo'n ystyried yr holl ffeithiau i gyrraedd diagnosis cywir.

Enghraifft 2

2 Bydd ysbytai'n defnyddio systemau TGCh yn helaeth i gadw cofnodion cleifion. Ar wahân i fanylion cysylltu fel enw, cyfeiriad, cod post a rhifau ffôn, nodwch **bedwar** maes hollol wahanol a fyddai'n cael eu cynnwys a disgrifiwch y rheswm dros eu cynnwys. (10 marc)

Ateb myfyriwr 1

2 Cyfeiriad e-bost fel bod modd i'r ysbyty gysylltu â'r claf yn gyflym rhag ofn bod llawdriniaeth claf arall wedi'i chanslo a bod modd cael lle iddo ac ni ellir cysylltu ag ef dros y ffôn.

Y meddyg sy'n gyfrifol am y claf. Mae hyn yn bwysig gan y bydd claf sydd wedi'i anafu'n ddifrifol mewn damwain car yn gweld llawer o feddygon ond rhoddir y prif gyfrifoldeb i un meddyg. Enwau'r perthnasau agosaf fel y gallant roi caniatâd ar gyfer llawdriniaethau neu roi organau.

Rhif GIG i fod yn brif allwedd ar gyfer adnabod y claf yn y gronfa ddata. Drwy ddefnyddio'r maes hwn bydd yn bosibl gwahaniaethu rhwng cleifion sydd â'r un enw ac sy'n byw yn yr un cyfeiriad.

Sylwadau'r arholwr

2 Nid yw cyfeiriad e-bost ynghyd â'r disgrifiad yn ateb dilys yma gan fod y cwestiwn yn gofyn am faes 'ar wahân i fanylion cysylltu'.

Mae pob un o'r tri maes nesaf sydd wedi'u disgrifio'n feysydd y gellid eu defnyddio mewn system cofnodion cleifion. Mae'r disgrifiadau a roddwyd yn berthnasol i'r maes ac yn rhoi esboniad clir o'r rheswm dros gynnwys y maes. Nid oes camgymeriadau sillafu ac mae'r gramadeg a'r atalnodi'n gywir.

Nid yw'r myfyriwr yn gallu ennill marc yn yr amrediad 7-10 gan mai dim ond tri maes a disgrifiad cywir y mae wedi'u rhoi. **(6 marc allan o 10)**

Atebion yr arholwr

2 Rhaid i ymgeiswyr nodi maes sy'n synhwyrol yng nghyd-destun cofnod claf a rhoi esboniad cywir. Ni roddir marciau am fanylion cysylltu.

Perthnasau agosaf – rhag ofn y bydd angen cysylltu â nhw ynghylch dirywiad yng nghyflwr y claf, marwolaeth, ac ati.

Alergeddau – fel bod meddygon yn gallu sicrhau na roddir cyffuriau a fydd yn achosi adwaith alergaidd yn y claf.

Meddyginiaeth – gall meddygon weld pa gyffuriau y mae'r claf yn eu cymryd er mwyn sicrhau eu bod yn rhoi presgripsiwn am gyffuriau addas.

Rhif GIG – mae'n cael ei ddefnyddio i ddangos pwy yw claf penodol i'r system gyfrifiadurol.

Llawdriniaethau – manylion unrhyw lawdriniaethau a gafodd y claf fel bod y meddygon yn gallu gwneud diagnosis cywir.

Ateb myfyriwr 2

2 Defnyddir rhif claf i ddangos pwy yw'r claf i'r system cofnodion electronig o gleifion ac mae'n bwysig gan ei bod yn bosibl y bydd llawer o gleifion sydd â'r un enw ond mae'r rhif claf yn unigryw. Rhif claf yw'r brif allwedd yn y gronfa ddata hon.

Mae'r dyddiad geni'n faes pwysig oherwydd gellir ei ddefnyddio i gyfrifo oed y claf ac felly mae'r oed yn gywir bob amser. Mae hyn yn bwysig am fod angen i chi wybod oed y claf er mwyn cyfrifo dosiau rhai cyffuriau.

Mae manylion meddygol yn bwysig am fod angen i'r meddygon wybod am afiechydon sydd gan y claf.

Mae angen manylion y perthnasau agosaf fel bod modd rhoi gwybod iddynt am gyflwr y claf ac fel bod modd cysylltu â rhywun pan gaiff y claf ei ryddhau o'r ysbyty.

Mae angen manylion y meddyg teulu fel y gellir trosglwyddo manylion y driniaeth iddo, fel y bydd yn gwybod pa driniaeth a fydd ei hangen wedi i'r claf ddychwelyd i'w gartref.

Sylwadau'r arholwr

2 Mae pob un o'r meysydd uchod wedi'i enwi a'i ddisgrifio'n gywir ac mae wedi defnyddio termau'n gywir. Mae'r sillafu, yr atalnodi a'r gramadeg yn yr ateb yn gywir.

Ateb da iawn sy'n ennill marciau yn yr amrediad 7-10.
(9 marc allan o 10)

Cyflyrau meddygol – wrth i feddygon drin un cyflwr meddygol bydd angen iddynt wybod pa gyflyrau meddygol eraill sydd gan y claf.

7-10 marc
Mae'r ymgeiswyr yn rhoi ateb clir a rhesymegol sy'n disgrifio ac yn egluro'n llawn ac yn gywir o leiaf bedwar maes hollol wahanol a'r rheswm dros eu cynnwys. Defnyddiant dermau priodol a sillafu, atalnodi a gramadeg cywir.

4-6 marc
Mae'r ymgeiswyr yn egluro rhywfaint ar rai meysydd a'r rheswm dros eu cynnwys, ond nid yw'r atebion yn eglur neu mae'r enghreifftiau'n amherthnasol. Mae ychydig o wallau o ran sillafu, atalnodi a gramadeg.

0-3 marc
Nid yw'r ymgeiswyr ond yn rhestru'r meysydd neu'n rhoi esboniad byr o un neu ddau o feysydd a'r rheswm dros eu cynnwys. Nid yw'r atebion yn eglur ac mae gwallau sylweddol o ran sillafu, atalnodi a gramadeg.

Mapiau meddwl cryno

Cronfeydd data meddygol

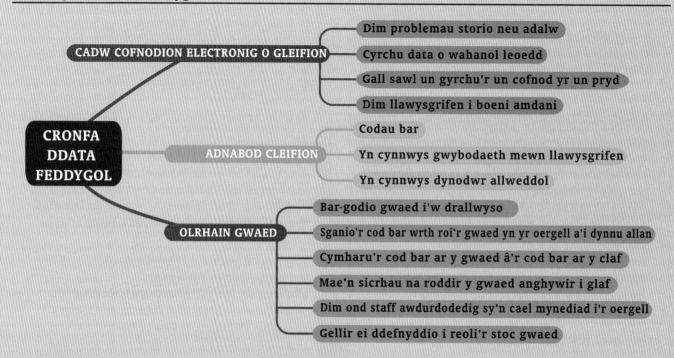

CRONFA DDATA FEDDYGOL

CADW COFNODION ELECTRONIG O GLEIFION
- Dim problemau storio neu adalw
- Cyrchu data o wahanol leoedd
- Gall sawl un gyrchu'r un cofnod yr un pryd
- Dim llawysgrifen i boeni amdani

ADNABOD CLEIFION
- Codau bar
- Yn cynnwys gwybodaeth mewn llawysgrifen
- Yn cynnwys dynodwr allweddol

OLRHAIN GWAED
- Bar-godio gwaed i'w drallwyso
- Sganio'r cod bar wrth roi'r gwaed yn yr oergell a'i dynnu allan
- Cymharu'r cod bar ar y gwaed â'r cod bar ar y claf
- Mae'n sicrhau na roddir y gwaed anghywir i glaf
- Dim ond staff awdurdodedig sy'n cael mynediad i'r oergell
- Gellir ei ddefnyddio i reoli'r stoc gwaed

Defnyddio'r Rhyngrwyd, mewnrwydi ac allrwydi

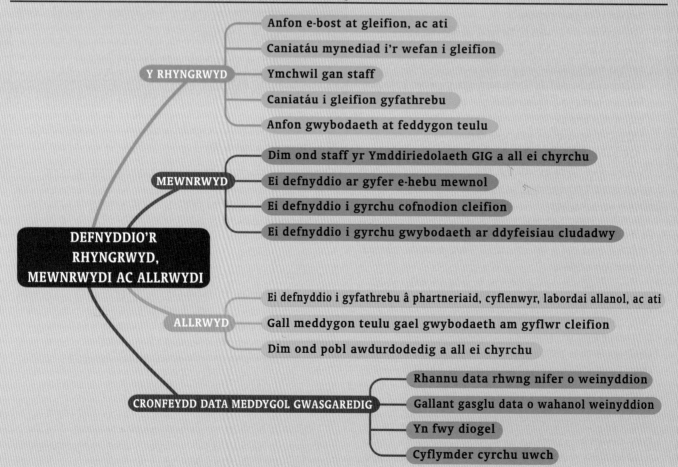

DEFNYDDIO'R RHYNGRWYD, MEWNRWYDI AC ALLRWYDI

Y RHYNGRWYD
- Anfon e-bost at gleifion, ac ati
- Caniatáu mynediad i'r wefan i gleifion
- Ymchwil gan staff
- Caniatáu i gleifion gyfathrebu
- Anfon gwybodaeth at feddygon teulu

MEWNRWYD
- Dim ond staff yr Ymddiriedolaeth GIG a all ei chyrchu
- Ei defnyddio ar gyfer e-hebu mewnol
- Ei defnyddio i gyrchu cofnodion cleifion
- Ei defnyddio i gyrchu gwybodaeth ar ddyfeisiau cludadwy

ALLRWYD
- Ei defnyddio i gyfathrebu â phartneriaid, cyflenwyr, labordai allanol, ac ati
- Gall meddygon teulu gael gwybodaeth am gyflwr cleifion
- Dim ond pobl awdurdodedig a all ei chyrchu

CRONFEYDD DATA MEDDYGOL GWASGAREDIG
- Rhannu data rhwng nifer o weinyddion
- Gallant gasglu data o wahanol weinyddion
- Yn fwy diogel
- Cyflymder cyrchu uwch

Sganio, cynnal bywyd a chyfarpar a reolir gan gyfrifiadur

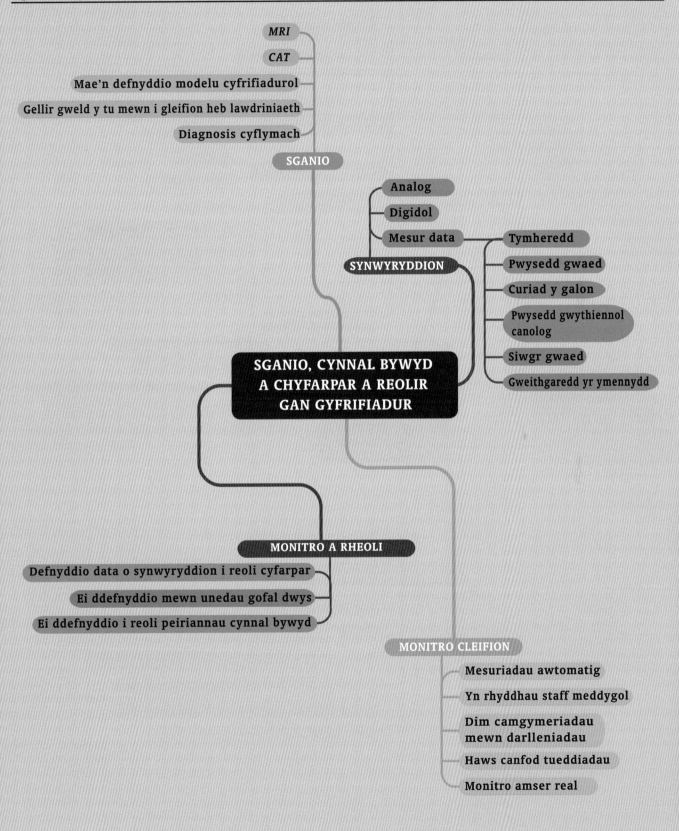

MRI

CAT

Mae'n defnyddio modelu cyfrifiadurol

Gellir gweld y tu mewn i gleifion heb lawdriniaeth

Diagnosis cyflymach

SGANIO

Analog

Digidol

Mesur data

SYNWYRYDDION

Tymheredd

Pwysedd gwaed

Curiad y galon

Pwysedd gwythiennol canolog

Siwgr gwaed

Gweithgaredd yr ymennydd

SGANIO, CYNNAL BYWYD A CHYFARPAR A REOLIR GAN GYFRIFIADUR

MONITRO A RHEOLI

Defnyddio data o synwyryddion i reoli cyfarpar

Ei ddefnyddio mewn unedau gofal dwys

Ei ddefnyddio i reoli peiriannau cynnal bywyd

MONITRO CLEIFION

Mesuriadau awtomatig

Yn rhyddhau staff meddygol

Dim camgymeriadau mewn darlleniadau

Haws canfod tueddiadau

Monitro amser real

Systemau arbenigo

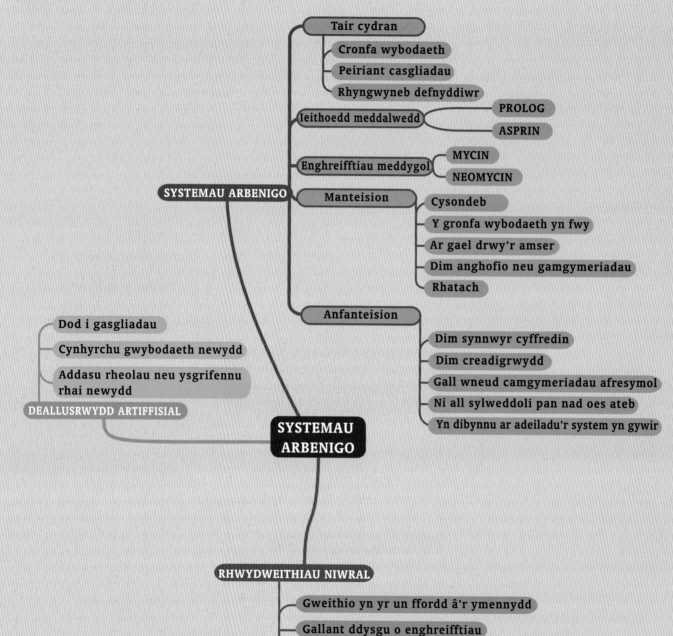

SYSTEMAU ARBENIGO

Tair cydran
- Cronfa wybodaeth
- Peiriant casgliadau
- Rhyngwyneb defnyddiwr

Ieithoedd meddalwedd
- PROLOG
- ASPRIN

Enghreifftiau meddygol
- MYCIN
- NEOMYCIN

Manteision
- Cysondeb
- Y gronfa wybodaeth yn fwy
- Ar gael drwy'r amser
- Dim anghofio neu gamgymeriadau
- Rhatach

Anfanteision
- Dim synnwyr cyffredin
- Dim creadigrwydd
- Gall wneud camgymeriadau afresymol
- Ni all sylweddoli pan nad oes ateb
- Yn dibynnu ar adeiladu'r system yn gywir

DEALLUSRWYDD ARTIFFISIAL
- Dod i gasgliadau
- Cynhyrchu gwybodaeth newydd
- Addasu rheolau neu ysgrifennu rhai newydd

SYSTEMAU ARBENIGO

RHWYDWEITHIAU NIWRAL
- Gweithio yn yr un ffordd â'r ymennydd
- Gallant ddysgu o enghreifftiau
- Mae'n gweithio'n dda lle na ellir datblygu algorithm
- Mae'n dda am adnabod strwythur mewn data
- Gall gynhyrchu canlyniadau anrhagweladwy
- Mae'n defnyddio prosesyddion paralel

Mae'r ffordd y mae pobl yn eu difyrru eu hunain wedi newid. Bydd llawer o bobl yn defnyddio cyfrifiaduron i gael adloniant ac yn treulio oriau ar y Rhyngrwyd neu'n chwarae gemau cyfrifiadur. Drwy ddefnyddio TGCh mae wedi bod yn bosibl gwylio llawer mwy o sianeli teledu.

Mae TGCh wedi dylanwadu'n aruthrol ar y ffordd y mae pobl yn treulio eu hamser hamdden. Bellach bydd llawer o bobl yn diffodd eu set deledu ac yn defnyddio'r Rhyngrwyd yn ei lle fel eu prif ffynhonnell adloniant. Mae gemau cyfrifiadur yn boblogaidd ymysg yr ifanc. Bydd rhai pobl yn treulio eu hamser yn golygu ffotograffau y maent wedi'u cael o'u camerâu digidol, neu'n defnyddio pecynnau cyhoeddi bwrdd gwaith. Bydd pobl hŷn yn defnyddio'r Rhyngrwyd i gadw mewn cysylltiad â'u teulu a'u ffrindiau neu i gadw mewn cysylltiad â phobl eraill a allai fod â'r un problemau meddygol â nhw.

Yn ogystal, mae TGCh wedi newid y ffordd y mae pobl yn cael cerddoriaeth. Mae cerddoriaeth wedi'i llwytho i lawr yn dod yn fwy poblogaidd gan fod pobl am storio cerddoriaeth ar eu chwaraewyr MP3 cludadwy fel iPods a ffonau symudol. Bellach mae llawer o bobl yn dewis bancio o'u cartrefi. Gallant drosglwyddo arian rhwng cyfrifon wrth eistedd gartref.

Yn y topig hwn byddwch yn dysgu sut y gellir defnyddio TGCh yn y cartref ar gyfer adloniant a bancio o'r cartref.

▼ Y cysyniadau allweddol sy'n cael sylw yn y topig hwn yw:

▶ Defnyddio systemau TGCh yn y cartref ar gyfer adloniant

▶ Defnyddio systemau TGCh yn y cartref ar gyfer bancio ar-lein

CYNNWYS

Uned IT1 Systemau Gwybodaeth

Adloniant

Cyflwyniad

Mae mwy o lawer o bobl yn defnyddio eu cyfrifiaduron cartref ar gyfer adloniant. Drwy gael mynediad cyflym ar fand llydan i'r Rhyngrwyd mae bellach yn bosibl gwrando ar y radio neu gerddoriaeth dros y Rhyngrwyd yn ogystal â gwylio fideos cerddoriaeth, ffilmiau a rhaglenni yr ydych wedi'u colli.

Bydd llawer o bobl yn treulio amser yn cyfathrebu â ffrindiau drwy ddefnyddio ystafelloedd sgwrsio, negeseua sydyn, gwefannau rhwydweithio cymdeithasol, negeseuon testun, e-bost, ac ati.

Bydd pobl eraill yn defnyddio TGCh i chwarae gemau un ai fel unigolion neu fel rhan o dîm.

Defnyddio TGCh i chwarae gemau

Defnyddir cyfrifiaduron gan bobl o bob oed i chwarae gemau, a'r rheiny'n amrywio o gemau traddodiadol fel gwyddbwyll, tabler (*backgammon*) a chardiau i efelychiadau o geir rasio/awyrennau a gemau cyflym o'r math a gewch mewn arcedau chwaraeon.

Mae gemau'n bwysig gan eu bod yn rhoi hwb i'r diwydiant cyfrifiaduron, ac yn aml mae gan gyfrifiaduron cartref a ddefnyddir i chwarae gemau fwy o bŵer na chyfrifiaduron a ddefnyddir mewn busnes.

Ar gyfer chwarae gemau cyfrifiadurol sy'n symud yn gyflym, rhaid defnyddio:

- prosesydd cyflym
- sgrin fawr
- llawer o *RAM*
- disgyrrwr â digonedd o gynhwysiant storio
- cerdyn graffeg o ansawdd uchel
- cerdyn sain o ansawdd uchel
- uchelseinyddion pwerus mawr.

Rhai o fanteision gemau cyfrifiadurol yw:

- gall plant ifanc ddysgu drwy eu chwarae
- gallant wneud dysgu'n hwyl
- mae rhai gemau'n cael eu chwarae ar-lein fel tîm, felly maent yn hybu gwaith tîm

- gallant arwain at waith â chyflog da fel dylunydd gemau, rhaglennydd, ac ati.

Rhai o anfanteision gemau cyfrifiadurol yw:

- gallant fod yn gaethiwus
- nid ydych yn weithgar iawn yn gorfforol wrth chwarae'r gemau a gall hyn arwain at ordewdra
- gallant fod yn dreisgar iawn ac mae rhai pobl o'r farn bod hyn yn gallu peri i bobl yn eu harddegau ymddwyn yn dreisgar
- gwastraffu amser – gellir esgeuluso gwaith ysgol drwy dreulio amser yn chwarae gemau
- problemau iechyd – mae defnydd ailadroddus o ddyfeisiau mewnbynnu fel ffon reoli neu lygoden yn gallu arwain at anaf straen ailadroddus (*RSI: repetitive strain injury*) a phoen cefn wrth eistedd yn gam.

➡ GEIRIAU ALLWEDDOL

Llwytho i lawr – copïo ffeiliau o gyfrifiadur pell i'r un yr ydych yn ei ddefnyddio ar y pryd

MP3 –gallwch gywasgu ffeil gerddoriaeth mewn sawl ffordd, ond defnyddir MP3 fel rheol

Yma mae'r ffotograffydd heb sylwi bod potel yn y blaendir. Gall meddalwedd golygu fod o gymorth.

Defnyddio TGCh ar gyfer ffotograffiaeth

Yn yr un ffordd ag y mae meddalwedd prosesu geiriau'n caniatáu i bobl gynhyrchu dogfennau â golwg proffesiynol, mae camerâu digidol a chyfrifiaduron sydd â meddalwedd golygu delweddau wedi caniatáu i bobl gynhyrchu ffotograffau o ansawdd uchel yn rhad.

Mae'r rhan fwyaf o bobl yn berchen ar gamera digidol neu ffôn symudol sydd â chamera ac yn storio eu delweddau ffotograffig ar eu cyfrifiadur cartref. Mae llawer o bobl yn hoff o natur hyblyg delweddau digidol. Er enghraifft, gellir:

- eu rhannu â phobl eraill drwy eu hanfon drwy e-bost
- eu hanfon drwy ffonau symudol
- eu trosglwyddo i wefannau rhwydweithio cymdeithasol fel Facebook
- eu golygu.

Drwy ddefnyddio meddalwedd golygu delweddau a thrwy docio'r ddelwedd, gallwch gael gwared â'r botel sy'n ymddangos yn y ffotograff (t. 118).

Gan ddefnyddio meddalwedd golygu a delwedd ddigidol gallwch wneud y canlynol:

- copïo rhan o ddelwedd
- ychwanegu testun
- newid y maint
- tocio (h.y. defnyddio rhan o'r ddelwedd yn unig)
- cael gwared â llygaid coch
- newid fformat y ffeil
- defnyddio hidlyddion (h.y. newid y lliwiau mewn delwedd).

Bydd llawer o bobl yn defnyddio camerâu fideo digidol at ddibenion personol ac mae modd golygu delweddau a'u rhoi ar wefannau neu eu hanfon at ffrindiau a pherthnasau.

Cerddoriaeth – llwytho i lawr o'r Rhyngrwyd

Mae'r rhan fwyaf o recordiadau sengl yn cael eu prynu drwy eu llwytho i lawr o'r Rhyngrwyd ond prynir albymau fel arfer ar ffurf cryno ddisgiau.

Mae ffeiliau sy'n cael eu llwytho i lawr yn boblogaidd am y rhesymau canlynol:

- gallwch eu cael yn rhwydd iawn
- gallwch lwytho i lawr y traciau unigol sydd eu heisiau arnoch – nid oes rhaid i chi brynu'r albwm cyfan
- mae modd llosgi'r traciau ar gryno ddisg wedyn ar yr amod eu bod at eich defnydd personol yn unig
- gellir eu llwytho'n rhwydd i chwaraewyr cludadwy fel i-Pods, chwaraewyr MP3 a ffonau symudol.

Mae nifer o broblemau'n gysylltiedig â llwytho ffeiliau i lawr gan gynnwys:

- bydd llawer o bobl yn defnyddio gwefannau rhannu ffeiliau i osgoi talu am draciau cerddoriaeth sy'n cael eu llwytho i lawr
- bydd darparwyr gwasanaethau Rhyngrwyd yn torri cysylltiad Rhyngrwyd pobl sy'n llwytho cerddoriaeth neu ffilmiau i lawr yn anghyfreithlon
- ni fydd gennych gryno ddisg y gallwch ei werthu mewn gwerthiant cist car neu ar e-Bay.

Hawlfraint 2005 gan Randy Glasbergen

www.glasbergen.com

"RWY'N GWYBOD BOD LLWYTHO CERDDORIAETH I LAWR O'R RHYNGRWYD YN ANGHYFREITHLON... OND FE DDYWEDOCH CHI NAD YW'R STWFF YR YDW I'N GWRANDO ARNO YN GERDDORIAETH!"

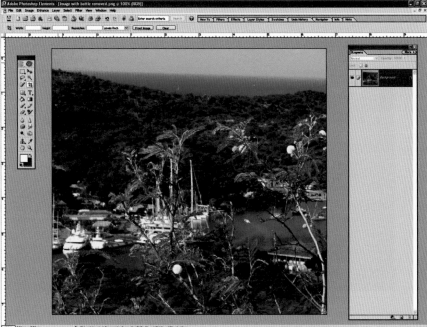

Gallwch ddefnyddio meddalwedd golygu delweddau i docio delwedd.

Adloniant (parhad)

Cyfansoddi cerddoriaeth – *MIDI*, dilynianwyr, nodianwyr a golygyddion tonnau sain

Drwy ddefnyddio'r dechnoleg ddiweddaraf gall defnyddwyr TGCh yn y cartref gyfansoddi a chlywed eu cerddoriaeth eu hun drwy ddefnyddio nifer o dechnolegau fel y rhai canlynol.

Rhyngwyneb Digidol Offeryn Cerdd (MIDI)

Mae caledwedd a meddalwedd sydd wedi'u dylunio'n unol â safonau *MIDI* yn gallu anfon negeseuon digidol i ddyfeisiau *MIDI* fel allweddellau, syntheseiddwyr cerddorol a pheiriannau drymiau. Mae gwybodaeth am draw, cryfder, vibrato a thempo yn y negeseuon digidol hyn.

Mae'n bwysig cofio bod *MIDI* yn brotocol neu'n safon a ddefnyddir gan y diwydiant cerddoriaeth i ganiatáu rhannu ffeiliau data cerddorol rhwng dyfeisiau.

Dilynianwyr

Caledwedd neu feddalwedd yw dilynianwyr a ddefnyddir i greu a rheoli cerddoriaeth electronig. Rhai enghreifftiau o ddilynianwyr yw:

- Peiriannau drymiau – offerynnau cerdd electronig yw'r rhain sy'n efelychu sain drymiau ac offerynnau taro eraill weithiau. Mae peiriannau drymiau'n ddilynianwyr gan eu bod yn creu ac yn rheoli curiadau drwm.
- Gweithfan cerddoriaeth – cyfarpar electronig sy'n caniatáu i gerddor greu cerddoriaeth electronig heb ddefnyddio cyfarpar arall.
- Mae gweithfannau cerddoriaeth yn cynnwys cyfrifiadur a sgrin fawr fel bod yr holl offer rheoli fel byliau, llithryddion, botymau a gwybodaeth samplu yn ymddangos ar y sgrin. Defnyddir sgriniau cyffwrdd mewn rhai gweithfannau cerddoriaeth.

Nodianwyr

Meddalwedd yw nodiannwr sy'n caniatáu i chi gyfansoddi'ch cerddoriaeth eich hun drwy fewnbynnu nodau i'r cyfrifiadur, gan ddefnyddio'r dulliau canlynol:

- y bysellfwrdd
- system *MIDI*
- sganio darn o gerddoriaeth ar bapur gan ddefnyddio sganiwr.

Ar ôl mewnbynnu'r nodau i'r system, gall y cerddor arbrofi drwy newid nodau, cryfder y sain, tempo, ac ati. Y brif fantais yw bod y nodiannwr yn caniatáu i'r cerddor arbrofi. Gallwch ei ddefnyddio hefyd i greu'r gerddoriaeth ar gyfer offerynnau cerdd unigol. Mae modd chwarae'r rhain gyda'i gilydd wedyn i gynhyrchu'r darn cerddoriaeth terfynol.

Golygyddion tonnau sain

Mae golygyddion tonnau sain yn feddalwedd sy'n caniatáu i chi olygu tonnau sain. Gallwch ddefnyddio'r meddalwedd i wneud y canlynol:

- golygu tonnau sain
- torri, copïo a gludo tonnau sain.

Gellir defnyddio golygyddion tonnau sain hefyd i newid patrwm lleferydd. Felly gallech guddio llais rhywun neu hyd yn oed efelychu llais rhywun arall.

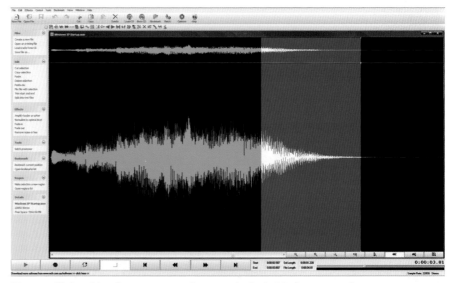

Defnyddio nodiannwr i gyfansoddi cerddoriaeth.

Mae meddalwedd golygu tonnau sain yn caniatáu i chi olygu ton sain ddigidol.

Gwasanaethau teledu digidol rhyngweithiol

Gall teledu digidol fod ar gael am ddim neu gall fod yn wasanaeth talu i wylio. Y naill ffordd neu'r llall mae teledu digidol yn cynnig llawer o nodweddion rhyngweithiol nad oeddent yn bosibl o'r blaen. Dyma rai ohonynt:

- cymryd rhan mewn rhaglenni drwy anfon sylwadau
- gweld storïau newyddion a chwaraeon ychwanegol
- archebu tocynnau ar gyfer y sinema neu wyliau
- chwarae gemau
- siopa
- betio
- defnyddio e-bost
- pleidleisio ar gyfer rhaglenni – mae cynlluniau ar y gweill i ddefnyddio'r gwasanaeth hwn i bleidleisio mewn etholiadau seneddol
- hysbysebion rhyngweithiol.

Rhai problemau y mae gwasanaethau rhyngweithiol yn eu hachosi:

- gallent annog plant ifanc i chwarae gemau ar eu set deledu yn hytrach na chwarae gemau mwy egnïol
- gallent wneud pobl yn gaeth i anfon a derbyn e-bost, chwarae gemau, ac ati
- byddai gwasanaethau betio'n gallu gwneud pobl yn gaeth i fetio.

Drwy ddefnyddio gwasanaethau talu i wylio fel Sky gallwch weld llawer o gemau pêl-droed yn fyw drwy dalu ffi fisol.

Gwasanaethau talu i wylio

Mae gwasanaethau teledu talu i wylio'n wasanaethau wedi'u seilio ar danysgrifio lle y talwch ffi fisol am wasanaethau teledu digidol. Mae hyn yn cynnwys:

- sianeli lloeren a gwasanaethau eraill
- teledu cebl a gwasanaethau eraill
- teledu daearol digidol a gwasanaethau eraill (yn debyg i deledu cyffredin ond gyda signal wedi'i amgryptio).

Rhai o'r gwasanaethau ychwanegol y mae'r cwmnïau teledu'n eu cynnig yw:

Gwasanaethau talu bob tro

Hyd yn oed os ydych yn tanysgrifio i'r gwasanaethau talu i wylio, mae yna wasanaethau eraill y talwch amdanynt bob tro yr ydych am eu gweld. Ymhlith y gwasanaethau talu bob tro hyn y mae:

- fideo ar alwad – lle y gallwch ddewis ffilm i'w gwylio o blith nifer
- rhai digwyddiadau chwaraeon mawr – pêl-droed, bocsio, ac ati.

Siopa ar-lein/rhyngweithiol o'r cartref

Y dyddiau hyn bydd llawer o bobl yn defnyddio eu cyfrifiadur cartref gyda chysylltiad â'r Rhyngrwyd i siopa ar-lein heb adael eu cartref. Gweler Topig 6(a).

Systemau bwcio ar-lein

Rhaid gwneud bwciadau mewn llawer sefyllfa a dyma rai ohonynt:

- bwcio tocyn cyngerdd neu'r theatr
- bwcio gwyliau/taith mewn awyren
- bwcio tocyn trên
- bwcio car llog.

Pan fydd rhywun yn bwcio'r pethau uchod gall fod gwahaniaeth mawr rhwng prisiau, ac mae rhai o'r arbedion mwyaf a chynigion arbennig gorau ar gael drwy'r Rhyngrwyd. Bydd llawer o'r gwasanaethau hyn yn cadw mewn cysylltiad â'u cwsmeriaid drwy e-bost er mwyn rhoi gwybod iddynt am y cynigion arbennig sydd ar gael.

Mae'r Rhyngrwyd wedi newid y ffordd y mae pobl yn bwcio gwyliau a theithiau awyren. Drwy ddefnyddio'r Rhyngrwyd gallwch:

- chwilio i weld a yw gwyliau a theithiau awyren ar gael a beth yw eu prisiau
- arbed arian drwy archebu'n uniongyrchol
- darllen adroddiadau gan bobl sydd wedi bod ar yr un gwyliau yr ydych chi'n ystyried eu bwcio
- gwneud eich trefniadau'ch hun ar gyfer teithio a llety
- cael gwybodaeth am y gyrchfan wyliau cyn mynd.

Gan fod y cwsmer yn mewnbynnu'r manylion i'r system bwcio ei hun, mae'n llai tebygol o wneud camgymeriad ac nid oes rhaid i chi dalu am ddefnyddio'r system chwaith. Yn achos llawer o'r systemau hyn, nid oes rhaid iddynt argraffu tocynnau a'u hanfon atoch, gan mai'r cwbl a wnewch yw argraffu taleb neu e-bost sy'n cadarnhau'r bwciad ar eich argraffydd eich hun. Mae'r cwmnïau'n arbed llawer o arian, gan nad oes rhaid iddynt dalu comisiwn i asiantaethau teithio a thalu staff i fewnbynnu manylion, a chaiff rhai o'r arbedion hyn eu trosglwyddo i'r cwsmer.

Mae'n bosibl y bydd asiantaethau teithio'n diflannu wrth i fwy o bobl drefnu eu gwyliau'n uniongyrchol. Ym marn rhai, mae'n debygol y bydd gwyliau parod yn peidio â bod yn y pen draw wrth i fwy o bobl greu eu gwyliau eu hun drwy drefnu'r daith a'r llety ar wahân.

E-bost

Mae llawer o bobl yn hoffi cadw mewn cysylltiad â'u ffrindiau ac aelodau o'u teulu drwy ddefnyddio e-bost. Wedi i chi dalu am ddefnyddio'r Rhyngrwyd, mae e-bost am ddim, beth bynnag fydd nifer y negeseuon a anfonwch. Gan fod y dull cyfathrebu hwn mor rhad, mae'n ddelfrydol i aelodau o deuluoedd sydd am gadw mewn cysylltiad, yn enwedig os ydynt mewn gwahanol rannau o'r byd. Gan fod modd atodi ffeiliau i negeseuon e-bost, gallwch gyfnewid ffotograffau neu hyd yn oed ffilmiau fideo byr.

Manteision ac anfanteision defnyddio e-bost

Yn America anfonir mwy o negeseuon e-bost nag o lythyrau traddodiadol a bydd y newid hwn yn digwydd yng ngwledydd Prydain hefyd cyn bo hir. Dyma fanteision ac anfanteision defnyddio e-bost o'i gymharu â defnyddio llythyrau traddodiadol.

Manteision

- Mae'n gyflym iawn – caiff neges e-bost ei hanfon ar unwaith ac mae modd anfon ateb yn syth wedi i'r derbynnydd agor ei e-bost. Mae'r post arferol yn cymryd nifer o ddiwrnodau.
- Yn gyflymach i'w ysgrifennu – nid yw negeseuon e-bost yn dilyn yr un drefn ffurfiol â llythyrau, felly gallwch eu hysgrifennu'n gyflymach.
- Dim angen treulio amser yn chwilio am y neges e-bost wreiddiol – gallwch atodi'ch ateb i gopi o neges e-bost yr anfonwr, felly nid oes rhaid iddo chwilio am y neges wreiddiol.
- Yn rhatach na llythyrau – nid oes angen stamp, amlen na phapur. Byddwch yn arbed amser hefyd, felly mae hyn yn gwneud e-bost yn rhatach. Hyd yn oed os anfonwch y neges e-bost ar draws y byd, ni fydd yn costio mwy na neges e-bost leol.
- Dim angen mynd o'r tŷ– nid oes angen chwilio am un o flychau Swyddfa'r Post.
- Dim angen gwastraffu amser ar siopa – nid oes rhaid i chi fynd i siop i brynu stampiau, amlenni a phapur.

- Atodi ffeiliau – os gellir storio rhywbeth fel ffeil, gallwch ei hatodi i neges e-bost a'i hanfon.
- Bydd dogfennau/diagramau ar ffurf ddigidol – felly gallwch weithio arnynt a'u hanfon yn ôl ar unwaith.

Anfanteision

- Nid pawb sydd â chyfarpar i anfon a derbyn negeseuon e-bost. Er hynny, drwy gael mynediad i'r Rhyngrwyd o setiau teledu, ffonau llinell tir a ffonau symudol, bydd yn fwy cyffredin na'r post traddodiadol cyn bo hir.
- Mae post sothach yn broblem. Gallech wastraffu amser yn chwilio drwy negeseuon e-bost sy'n ddim byd ond hysbysebion.
- Gellir rhyng-gipio negeseuon e-bost neu hacio iddynt, felly gallent fod yn llai diogel na llythyrau traddodiadol.
- Er mwyn i'r system weithio, rhaid i bobl edrych yn rheolaidd i weld a ydynt wedi cael negeseuon e-bost.
- Gallai pobl hŷn deimlo nad yw'n berthnasol iddyn nhw gan eu bod yn rhy hen i ddysgu.
- Mae'r cyfarpar ar gyfer anfon a derbyn e-bost yn eithaf drud o'i gymharu â dulliau traddodiadol.

Gwasanaethau rhyngweithiol (e.e. betio, pleidleisio, trefnu dêt)

Mae nifer mawr o wasanaethau rhyngweithiol ar gael sy'n defnyddio'r Rhyngrwyd a rhai o'r systemau cebl/lloeren. Dyma rai ohonynt.

Betio ar-lein

Os ewch i unrhyw wefan chwaraeon ar y Rhyngrwyd byddwch yn sylwi ar y nifer mawr o wefannau betio ar-lein. Mae rhai o'r gwefannau hyn yn canolbwyntio ar gemau sy'n cael eu chwarae mewn casinos fel pocer a rwlét ac eraill yn cynnig cyfle i fetio ar ddigwyddiadau chwaraeon fel gemau pêl-droed, rasys ceffylau, bocsio, ac ati.

Manteision betio ar-lein:

- nid oes rhaid mynd o'r tŷ – yn gyfleus i bobl hŷn a phobl anabl
- cynigion arbennig ar y Rhyngrwyd – mae cynigion arbennig i'ch temtio i fetio mwy
- dim angen mynd i gasglu'r arian a enillir – caiff ei roi ar gerdyn credyd neu ddebyd
- yn gyflymach – nid oes angen mynd i siop fetio ar y stryd fawr.

Anfanteision betio ar-lein:

- mae angen cerdyn credyd neu ddebyd – rhaid agor cyfrif drwy ddefnyddio'ch cerdyn cyn cael betio
- gall droi'n gaethiwus – ychydig o hwyl yw betio i'r rhan fwyaf o bobl ond gall eraill golli eu teulu a'u cartref drwy fetio gormod
- gallai pobl fetio mwy nag y byddent wrth ddefnyddio arian parod – gallai defnyddio cardiau credyd annog pobl i fetio symiau mwy.

Trefnu dêt

Mae nifer mawr iawn o wefannau trefnu dêt ar y Rhyngrwyd a bydd llawer o bobl yn dewis trefnu dêt fel hyn gan ei fod yn gyfleus iddynt yng nghanol eu bywyd prysur. Drwy edrych ar luniau o bobl a chael gwybod am eu diddordebau, gallech deimlo eich bod yn gwybod mwy amdanynt nag y byddech wrth sgwrsio â nhw mewn bar.

Pleidleisio ar-lein

Un broblem sydd gan lywodraethau yw bod llawer o bobl ifanc heb ddiddordeb mewn gwleidyddiaeth ac felly'n peidio â phleidleisio. Efallai ei bod yn rhy anodd i bobl ifanc fwrw pleidlais. Pe bai modd iddynt bleidleisio drwy ddefnyddio'r Rhyngrwyd, efallai y byddai llawer mwy ohonynt yn gwneud. Efallai nad ydynt yn hoffi'r syniad o roi croes ar ddarn o bapur mewn neuadd bentref neu ysgol.

"Wnes i ddim sylweddoli pa mor hunanol oeddwn i nes i ddeg o'r gwasanaethau trefnu dêt ar-lein fy mharu â fi fy hun!"

Pan fydd y tywydd yn wael, bydd y canran o etholwyr sy'n bwrw pleidlais yn gostwng. Pe bai pobl yn gallu defnyddio'r Rhyngrwyd i bleidleisio, gallent fwrw pleidlais heb fynd o'r tŷ.

Un o'r problemau ynghylch seiber-etholiadau yw ei bod yn anodd sicrhau eu bod yn deg. Byddai pob etholwr yn cael rhif adnabod personol ond byddai modd ei roi neu ei werthu i etholwyr eraill. Problem arall yw nad yw pawb yn gallu cyrchu'r Rhyngrwyd, felly byddai angen rhai gorsafoedd pleidleisio traddodiadol o hyd.

Mae rhai manteision mawr i seiber-etholiadau gan gynnwys:

- Mae'n golygu nad oes angen argraffu ffurflenni pleidleisio papur.
- Byddai pleidleisiau'n cael eu cyfrif yn llawer cyflymach ac yn fwy cywir.
- Gallai etholwyr bleidleisio mewn unrhyw le yn y byd.

Rhai o anfanteision seiber-etholiadau yw:

- Nid yw pawb yn gallu cyrchu'r Rhyngrwyd, felly bydd angen gorsafoedd pleidleisio o hyd.
- Mae'r system yn fwy agored i'w chamddefnyddio gan hacwyr, twyllwyr, ac ati.
- Efallai na fydd pobl hŷn yn deall y system newydd.

Gwasanaethau teledestun

Gwasanaeth darlledu yw teledestun. Ystyr hynny yw ei fod yn dod i'n setiau teledu ar ffurf signal teledu ac oherwydd hynny, ac yn wahanol i'r Rhyngrwyd, ni fydd yn arafu wrth i ragor o bobl ddefnyddio'r gwasanaeth. Rhagflaenydd y Rhyngrwyd yw teledestun mewn gwirionedd, ond mae'n dal yn wasanaeth defnyddiol ar gyfer dod o hyd i wybodaeth fel rhagolygon y tywydd, newyddion, prisiau cyfranddaliadau, gwyliau rhad, amserlenni rhaglenni teledu, ac ati.

"Pan ddaw hi'n amser etholiad, fe fydda i'n pleidleisio ar sail y materion cyfoes sy'n cyfri – pa ymgeisydd sydd â'r fideo gorau ar YouTube a'r mwyaf o ffrindiau ar ei dudalen MySpace!"

Yn wahanol i'r Rhyngrwyd, dim ond nifer eithaf bach o dudalennau sydd ar deledestun ond mae pob set deledu'n gallu derbyn teledestun, felly mae ar gael am ddim i bob pwrpas. Nid yw teledestun yn rhyngweithiol chwaith, felly rhaid i chi fynd drwy gyfres o dudalennau i gyrraedd y wybodaeth yr ydych chi'n chwilio amdani.

Ffonau symudol

Ffonau symudol yw un o'r dyfeisiau modern mwyaf poblogaidd. Byddai'r rhan fwyaf o bobl ar goll hebddynt. Pan gawsant eu datblygu gyntaf yr unig wahaniaeth rhyngddynt a ffonau cyffredin oedd eu bod yn gludadwy, felly eu prif bwrpas oedd cynnal sgyrsiau ffôn. Gyda datblygiad y Rhyngrwyd a systemau negeseua eraill, mae ffonau symudol yn cynnig llawer o ffyrdd newydd o gyfathrebu.

Bellach mae ffonau symudol yn cynnig dewis helaeth o nodweddion ac mae rhai newydd yn cael eu hychwanegu drwy'r amser. Dyma rai o'r nifer mawr o bethau y gallwch eu gwneud gyda ffonau symudol:

- anfon a derbyn negeseuon testun
- gwneud galwadau ffôn
- tynnu ffotograffau digidol
- recordio ffilmiau fideo byr
- pori'r Rhyngrwyd
- gwylio teledu byw
- anfon a derbyn e-bost
- llwytho cerddoriaeth i lawr a gwrando arni
- llwytho gemau i lawr a'u chwarae
- anfon negeseuon llun
- chwarae fideos.

Mae ffonau symudol yn cynnig llawer o ffyrdd newydd o gyfathrebu.

Bancio ar-lein

Cyflwyniad

Mae llawer o bobl bellach yn defnyddio eu cyfrifiadur a mynediad i'r Rhyngrwyd i fancio o'r cartref. Heblaw am fynd i gasglu arian o'r twll yn y wal, ni fydd llawer o'r bobl hyn byth yn mynd drwy ddrws cangen o'u banc.

Yn yr adran hon byddwn yn edrych ar y systemau TGCh ac ar fanteision ac anfanteision bancio ar-lein o'r cartref.

Swyddogaeth banc

Bydd banciau'n gwneud nifer o bethau a dyma'r rhai pwysicaf:

- Cadw'ch arian yn ddiogel a gadael i chi ei dynnu allan pan fydd arnoch ei angen.
- Rhoi llyfr siec i chi fel y gallwch dalu biliau drwy'r post.
- Gadael i chi wneud cais am fenthyciadau a morgeisiau (benthyciadau i brynu tŷ yw morgeisiau).
- Rhoi cardiau credyd/debyd i chi.
- Caniatáu i chi godi arian drwy ddefnyddio peiriant arian twll yn y wal.
- Gallwch drefnu archebion sefydlog a debydau uniongyrchol fel y bydd biliau'n cael eu talu'n awtomatig heb i chi orfod cofio.
- Darparu gwasanaethau yswiriant.

Wrth ddefnyddio cardiau sydd â sglodyn a *PIN*, rhaid mewnbynnu rhif cyfrinachol i wireddu mai'r sawl sy'n defnyddio'r cerdyn yw daliwr y cerdyn.

Efallai eich bod chi wedi sylwi bod llawer o ganghennau banc wedi cau'n ddiweddar a chael eu troi'n fwytai neu'n farrau gwin. Nid yw banciau'n cau gan eu bod yn brin o gwsmeriaid neu gan nad yw bancio mor boblogaidd ag yr oedd. Yn hytrach, maent yn cau gan fod eu cwsmeriaid yn bancio mewn ffordd wahanol. Yn lle defnyddio canghennau, gallant fancio o'u cartref drwy ddefnyddio un ai'r Rhyngrwyd neu'r ffôn. Mae'n fwy cyfleus iddynt wneud hynny. Nid oes rhaid iddynt ddod o hyd i le i barcio i fynd i'r banc ac nid oes rhaid iddynt giwio'n hir. Un fantais fawr arall yw y gallant fancio bob awr o'r dydd a'r nos ar bob diwrnod o'r flwyddyn.

Mae bancio o'r cartref wedi gweddnewid y ffordd y mae pobl yn bancio. Yn y gorffennol byddai pobl yn agor cyfrif banc wrth ddechrau gweithio ac yn aros gyda'r banc hwnnw. Bellach, drwy ddefnyddio TGCh, mae'n haws o lawer i chi symud eich cyfrif, eich morgais neu'ch benthyciad. Bydd llawer o gwsmeriaid yn chwilio am y fargen orau ac yn newid eu cyfrif os bydd angen. Mae gan fanciau lai o gwsmeriaid ffyddlon bellach. Mae'n arferol i gwmnïau cardiau credyd geisio denu cwsmeriaid newydd drwy gynnig bargeinion fel cyfradd llog o 0% am y chwe mis cyntaf.

▼ Byddwch yn dysgu

▶ Am beth y mae banciau'n ei wneud

▶ Am drosglwyddo cyfalaf electronig yn y pwynt talu (*EFTPOS*) a throsglwyddo cyfalaf electronig (*EFT*)

▶ Am fanteision ac anfanteision bancio ar-lein o'r cartref

▶ Am wasanaethau cerdyn (cardiau credyd a debyd)

▶ Am droseddau cerdyn a dulliau o'u hatal

Mae rhai problemau ynghylch bancio o'r cartref. Yn gyffredinol, pobl fwy cyfoethog sy'n gallu manteisio ar y cyfraddau uwch ar gyfer cynilo a'r cyfraddau is ar gyfer benthyca sy'n cael eu cynnig. Efallai y bydd pobl lai cyfoethog yn gweld eu cangen leol yn cau. Gan nad oes rhaid i'r banciau dalu am rwydwaith canghennau sy'n ddrud i'w redeg, gallant gynnig mwy o log a morgeisiau a benthyciadau rhatach i'w cwsmeriaid.

Trosglwyddo cyfalaf electronig yn y pwynt talu (*EFTPOS*) a throsglwyddo cyfalaf electronig (*EFT*)

EFTPOS yw'r dull y mae siopau'n ei ddefnyddio i drosglwyddo arian o gardiau credyd neu ddebyd eu cwsmeriaid yn uniongyrchol i gyfrif banc y siop. Mae hynny'n golygu mynd â'r arian o un cyfrif (un y cwsmer) a'i roi mewn cyfrif arall (cyfrif y siop) ac mae'r cwbl yn digwydd yn electronig. Wrth ddefnyddio cerdyn debyd mewn siop, gofynnir yn aml i'r cwsmer a fyddai'n hoffi cael arian yn ôl. Mae hynny'n golygu mynd ag arian o'i gyfrif banc a'i roi iddo ar ffurf arian parod.

Mae *EFTPOS* yn estyniad o'r gwasanaeth trosglwyddo cyfalaf electronig (*EFT*) sy'n cael ei ddarparu gan y banciau. Mae'n caniatáu i chi symud arian o un cyfrif banc i un arall yn electronig. Bydd llawer o bobl yn defnyddio *EFT* nawr pan fyddant yn talu biliau ar-lein gan ddefnyddio cyfleuster bancio ar-lein eu banc.

Manteision bancio ar-lein

- mae gwasanaethau bancio ar gael bob awr o'r dydd a nos drwy'r wythnos
- does dim angen cadw cyfriflenni papur gan fod modd gweld cyfriflenni ar-lein
- gallwch fewnforio'r data sydd mewn cyfriflenni i feddalwedd taenlen neu feddalwedd cyllidebu i'ch helpu i drin eich arian
- does dim angen i chi wastraffu amser yn mynd i fanciau a chiwio i gyflawni trafodion cyffredin
- gallwch symud arian rhwng cyfrifon yn gyflym a chael y gyfradd llog orau
- yn aml bydd y banciau ar-lein arbenigol yn cynnig cyfraddau llog gwell na banciau'r stryd fawr
- gallwch dalu arian i bobl eraill drwy ei drosglwyddo'n uniongyrchol i'w cyfrif banc heb adael eich cartref
- nid yw bancio ar-lein yn creu gwaith papur, felly mae'n llai tebygol i'ch hunaniaeth gael ei dwyn.

Anfanteision bancio ar-lein

- byddai'n bosibl hacio i mewn i gyfrifon banc ar-lein a dwyn eich arian
- ni allwch gael arian parod, felly mae angen i chi ddefnyddio twll yn y wal o hyd
- efallai y byddai'n well gan bobl hŷn gael gwasanaeth personol mewn banc confensiynol.

Gwasanaethau cerdyn (cardiau credyd a debyd)

Cardiau credyd a debyd

Y dull mwyaf poblogaidd o dalu'n electronig yw drwy ddefnyddio cardiau credyd neu ddebyd. Wrth ddefnyddio'r dull talu hwn, y cwbl a wnewch yw teipio i mewn fanylion eich cerdyn a bydd y taliad wedi'i wneud. Mae hyn yn hwylus wrth ddelio â busnesau yr ydych yn eu hadnabod ac yn ymddiried ynddynt. Ond rhaid i chi fod yn ofalus os ydych yn talu i unigolion neu fusnesau nad ydych yn gwybod llawer amdanynt, yn enwedig os ydynt mewn gwlad dramor. Wedi i rywun gael eich manylion personol a manylion eich cerdyn credyd, gallai eu defnyddio i dwyllo.

Mae'r rhan fwyaf o gardiau credyd/debyd yn defnyddio'r system sglodyn a *PIN* i atal twyll.

Mae'r rhan fwyaf o gardiau credyd/debyd yn rhai 'sglodyn a *PIN*'. Mae sglodyn bach ar gardiau o'r fath sy'n cynnwys data wedi'u hamgryptio a dim ond y darllenyddion mewn siopau sy'n gallu eu darllen. Felly, pan fyddwch yn teipio i mewn eich rhif adnabod personol, gall y siop fod yn sicr mai chi yw gwir berchennog y cerdyn.

Defnyddir cardiau credyd/debyd i brynu eitemau dros y ffôn neu drwy ddefnyddio'r Rhyngrwyd. Yn y ddau achos hyn, ni fydd y cwsmer yn bresennol wrth dalu am ei nwyddau. Yn lle hynny, bydd yn rhoi manylion penodol fel enw, cyfeiriad a manylion ei gerdyn.

Mae'r system sglodyn a *PIN* wedi lleihau'r twyll sy'n gysylltiedig â defnyddio cardiau mewn siopau cyffredin, ond gan fod cynnydd yn nifer y trafodion lle nad yw'r cwsmer yn bresennol (e.e. wrth brynu nwyddau neu wasanaethau dros y Rhyngrwyd) mae twyll cerdyn credyd/debyd wedi cynyddu'n gyffredinol.

Darllenydd sglodyn a *PIN*: mae'r cwsmer yn mewnbynnu ei *PIN*.

PayPal

Mae PayPal yn system bancio ar-lein a gafodd ei sefydlu ar gyfer defnyddwyr e-Bay, y wefan arwerthu ar-lein, i dalu am nwyddau yr oeddent wedi'u prynu. Bydd unrhyw un sydd â chyfeiriad e-bost yn gallu anfon a derbyn taliadau drwy ddefnyddio PayPal.

Mae PayPal yn ddefnyddiol iawn i gwsmeriaid sydd am dalu am nwyddau o e-Bay yn gyflym heb roi manylion eu cerdyn credyd i gwmnïau neu unigolion nad ydynt yn gwybod dim amdanynt. Yn lle hynny, gallant agor cyfrif e-Bay a thalu arian iddo gan ddefnyddio cerdyn credyd neu gyfrif banc a gellir trosglwyddo'r arian hwn o PayPal i'r person sy'n gwerthu'r nwyddau neu wasanaethau. Os yw busnes yn gwerthu nwyddau neu wasanaethau, gall ddefnyddio PayPal i dderbyn tâl gan ei gwsmeriaid. Mae hyn yn arbennig o ddefnyddiol i fusnesau bach os ydynt am gael yr arian gan eu cwsmeriaid yn gyflym heb sefydlu system talu â cherdyn credyd. Gall y cwsmeriaid dalu'r arian i gyfrif PayPal y busnes.

Nochex

Mae Nochex yn gwmni sy'n eithaf tebyg i PayPal ond, yn wahanol i PayPal, mae ei ganolfan yng ngwledydd Prydain. Mae Nochex yn darparu gwasanaeth talu ar-lein diogel, felly mae modd talu unrhyw un sydd â chyfeiriad e-bost. Fel PayPal, mae Nochex yn caniatáu i chi anfon taliadau at bobl eraill heb roi manylion eich cerdyn iddynt. Mae hyn yn arbennig o bwysig os ydych yn talu am nwyddau yr ydych wedi'u prynu ar wefan arwerthu ar-lein neu gan gwmnïau newydd ar y Rhyngrwyd nad ydych yn gwybod llawer amdanynt. Yn syml, mae'r system yn gweithio fel hyn:

- Rydych yn agor cyfrif gyda Nochex.
- Rydych chi'n rhoi arian yn eich cyfrif Nochex gan ddefnyddio'ch cerdyn credyd neu ddebyd.
- Gallwch brynu nwyddau ar-lein ac wedyn trosglwyddo'r arian o'ch cyfrif Nochex i gyfrif y gwerthwr.

Fel y gwelwch, dim ond Nochex sy'n cadw manylion eich cerdyn credyd, nid gwerthwr y nwyddau neu wasanaethau.

Mae hefyd yn bosibl defnyddio Nochex i wneud taliadau bob tro heb agor cyfrif. Y cwbl a wnewch yw mynd i gyfrif Nochex, rhoi manylion eich cerdyn credyd/debyd a gwybodaeth am y swm a phwy yr ydych am ei dalu. Wedyn mae'r taliad yn cael ei wneud. Mae gwasanaeth Nochex ar gael am ddim i'r sawl sy'n talu ond codir ffi ar y person sy'n gwerthu'r nwyddau neu wasanaethau.

Splash Plastic

Mae cerdyn Maestro® rhagdaledig Splash Plastic, sydd ar gael gan 360money, yn gerdyn y gallwch ei ddefnyddio i wneud taliadau yn yr un ffordd ag unrhyw gerdyn banc, gan gynnwys siopa ar-lein. Cerdyn i bobl sydd heb gyfrif banc neu gardiau banc yw hwn. Mae Splash Plastic ar gael i rai dan 18 oed sy'n rhy ifanc i gael cerdyn credyd ond sydd am siopa ar-lein a defnyddio eu cerdyn mewn gwledydd

Cardiau credyd neu ddebyd

SYSTEM TALU AR-LEIN
DDIOGEL FEL
PayPal neu Nochex

Gallwch roi arian ar gerdyn Splash Plastic drwy ddefnyddio cardiau credyd/debyd, trosglwyddo o'ch cyflog/cyfrif banc, neu ddefnyddio arian parod mewn unrhyw siop lle y gwelwch y logo PayPoint. Mae modd rhoi arian ar y cardiau hefyd mewn unrhyw gangen o Swyddfa'r Post yng ngwledydd Prydain.

tramor. Gallwch roi mwy o arian ar y cerdyn drwy ddefnyddio cerdyn credyd neu ddebyd (sy'n ddelfrydol i rieni sydd am helpu plant yn eu harddegau i gyllidebu) neu drwy roi arian arno mewn siopau sy'n dangos yr arwydd PayPoint neu unrhyw gangen o Swyddfa'r Post.

Troseddau cerdyn a dulliau o'u hatal

Troseddau cerdyn yw un o'r meysydd troseddu sy'n cynyddu gyflymaf ac mae'n digwydd ar raddfa fawr. Mae troseddau cerdyn yn cynnwys:

- **Twyll yn ymwneud â chardiau wedi'u colli neu eu dwyn** – rhywun yn dwyn cardiau ac wedyn eu defnyddio i brynu nwyddau a gwasanaethau gan honni mai ef yw daliwr y cardiau. Mae'r system sglodyn a *PIN* wedi lleihau troseddu o'r math hwn oherwydd bod yn rhaid gwybod y *PIN* i ddefnyddio'r cerdyn.
- **Cardiau ffug** – gwneud clôn o'ch cerdyn. Defnyddir cyfarpar i ddarllen y data ar y stribed magnetig ac wedyn trosglwyddo'r wybodaeth i gerdyn ffug sydd â'r un rhif cerdyn wedi'i foglynnu arno. Sgimio yw'r enw ar hyn. Wedyn defnyddir y cerdyn ffug i dalu am nwyddau a gwasanaethau.

Sut y mae gwasanaethau talu ar-lein yn gweithio.

- **Twyll heb gerdyn yn bresennol** – mae twyll o'r math hwn yn digwydd pan ddaw troseddwyr o hyd i fanylion cardiau yn eich sbwriel, drwy osod rhaglen ar eich cyfrifiadur, neu drwy anfon negeseuon e-bost ffug atoch, sy'n edrych fel petaen nhw'n dod o'ch banc, yn gofyn am y wybodaeth. Dyma'r math mwyaf cyffredin o dwyll gan ei bod yn anodd cyflawni'r ddwy drosedd uchod ar ôl cyflwyno cardiau sglodyn a *PIN*. Y broblem wrth geisio atal twyll o'r math hwn yw nad yw'r cerdyn na daliwr y cerdyn yn bresennol yn y pwynt talu. Oherwydd hyn ni ellir defnyddio llofnod neu *PIN* i wireddu bod y cerdyn yn cael ei ddefnyddio gan ddaliwr y cerdyn.
- **Gwe-rwydo (*phishing*)** – mae twyllwyr yn anfon negeseuon e-bost ar hap at bobl sy'n defnyddio system bancio ar-lein gan ofyn iddynt ddiweddaru manylion eu cyfrif. Pan fydd y defnyddiwr yn clicio ar y cyswllt yn y neges e-bost neu'n copïo'r *URL* i'w borwr, bydd yn mynd i wefan ffug sy'n debyg o ran ei golwg i wefan y banc. Wedyn gofynnir i'r defnyddiwr deipio i mewn wybodaeth bersonol fel ei enw, cyfeiriad, manylion cerdyn credyd neu gyfrif banc, a'i gyfrinair. Wedi gwneud hyn, gall y twyllwr ddefnyddio cyfrif banc a cherdyn credyd y defnyddiwr.

Dwyn hunaniaeth

Mae dwyn hunaniaeth yn golygu defnyddio gwybodaeth bersonol sydd wedi cael ei dwyn i agor neu gyrchu gwasanaethau bancio neu gardiau credyd. Mewn llawer o achosion bydd y troseddwr yn defnyddio'r wybodaeth ynghyd â dogfennau sy'n ffug neu wedi'u dwyn (biliau cwmnïau gwasanaethau, cyfriflenni, ac ati) i agor cyfrifon yn enw rhywun arall.

Drwy gael y wybodaeth hon mae'r troseddwyr yn gallu rheoli eich cyfrif. Gallant ddechrau drwy ddweud wrth eich banc eu bod nhw (h.y. chi) wedi newid cyfeiriad a gallent hyd yn oed wneud cais am gardiau credyd neu fenthyciadau.

Sut y gallwch atal hyn? Dyma ychydig o awgrymiadau:

- Byddwch yn amheus iawn o unrhyw negeseuon e-bost a gaiff eu hanfon atoch. Mae system e-bost y Rhyngrwyd yn anniogel iawn ac ni ddylech byth ddatgelu gwybodaeth bersonol mewn e-bost neu ddilyn cyswllt at wefan mewn e-bost a datgelu gwybodaeth bersonol.
- Peidiwch byth ag ymddiried mewn negeseuon e-bost sy'n ymddangos yn swyddogol, er eu bod yn cynnwys y logos cywir ac yn defnyddio iaith swyddogol. Peidiwch â chael eich twyllo i fewnbynnu'r manylion hyd yn oed os ydynt yn dweud pethau fel 'bydd eich cyfrif yn cael ei atal os na roddwch y manylion hyn'. Os oes angen, anfonwch gopi o'r e-bost i'ch banc.
- Cofiwch rwygo unrhyw waith papur sy'n cynnwys gwybodaeth bersonol.
- Peidiwch â gadael gwybodaeth bersonol fel biliau cwmnïau gwasanaeth, cyfriflenni banc neu gerdyn credyd lle y gall pobl eraill eu gweld.
- Peidiwch â rhoi gwybodaeth bancio fel cyfrineiriau i lawr ar bapur.
- Gosodwch fur gwarchod i atal hacwyr rhag cyrchu'r manylion personol yn eich cyfrifiadur.

Banciau'n gorfodi'r defnydd o beiriannau sglodyn a PIN i atal twyll

Mae twyll yn digwydd amlaf wrth ddefnyddio cardiau credyd ar-lein. Oherwydd hyn mae banciau'n dechrau rhoi dyfeisiau sglodyn a *PIN* i'w cwsmeriaid i'w defnyddio yn eu cartrefi er mwyn eu hadnabod pan fyddant yn cyrchu eu cyfrifon banc ar-lein neu'n defnyddio cardiau i brynu ar-lein. Mae'r banciau'n gobeithio y bydd y dyfeisiau hyn yn trechu'r twyllwyr gan eu bod yn annibynnol ar gyfrifiadur y defnyddiwr. Bydd hyn yn atal ystrywiau megis defnyddio meddalwedd Trojan i gofnodi'r bysellau sy'n cael eu teipio ar fysellfwrdd er mwyn cael manylion fel cyfrineiriau a'r wybodaeth sydd ei hangen i wneud taliadau ar-lein.

Wrth ddefnyddio system sglodyn a *PIN*, defnyddir rhif adnabod personol yn hytrach na llofnod i wireddu bod y cerdyn yn cael ei ddefnyddio gan ddaliwr y cerdyn.

Hawlfraint 2003 gan Randy Glasbergen

www.glasbergen.com

www.chipandpin.co.uk

"Rydyn ni'n chwilio am rywun i'n helpu i atal twyllwyr sy'n dwyn hunaniaeth. Llenwch y ffurflen gais yma a chofiwch roi'ch rhif Nawdd Cymdeithasol, eich dyddiad geni, eich rhif ffôn, cyfeiriad eich cartref ac enw'ch mam cyn priodi."

Astudiaethau achos a Gweithgareddau

▶ Astudiaeth achos 1 | tt. 126–127

Gwe-rwydo – twyllo pobl fel eu bod yn rhoi gwybodaeth am eu cyfrif

Mae gwe-rwydo'n digwydd pan gaiff gwefan ffug, sy'n edrych yr un fath â gwefan banc, ei sefydlu gan dwyllwyr sydd wedyn yn anfon llawer o negeseuon e-bost i ddenu pobl i'r wefan. Pan aiff y bobl hyn i'r wefan ffug, gofynnir iddynt roi manylion personol/ariannol a gall twyllwyr ddefnyddio'r rhain i ddwyn eu hunaniaeth a'u harian. Dyma enghraifft o neges e-bost 'gwe-rwydo'.

Mae'r neges e-bost gwe-rwydo'n ymddangos yn ddilys, ond darllenwch hi i weld a oes rhywbeth a fyddai'n codi amheuon ynoch.

Os cliciwch ar y cyswllt yn y neges e-bost, cewch eich anfon i'r wefan ganlynol:

Pe baech chi'n rhoi'r wybodaeth bersonol hon, byddai gan y twyllwr ddigon o fanylion i ddwyn eich hunaniaeth a phrynu nwyddau a gwasanaethau gan ddefnyddio'ch cerdyn credyd. Sylwch nad oes dim sy'n dweud y bydd y wybodaeth a roddwch yn cael ei hamgryptio.

Er mwyn atal gwe-rwydo, bydd banciau bellach yn eich cyfarch wrth eich enw wrth anfon neges e-bost atoch a hefyd yn ysgrifennu rhifau olaf eich cyfrif. Pe bai rhywun yn anfon negeseuon e-bost ffug atoch, mae'n annhebygol y byddai'r manylion hyn ganddo, felly gallwch fod yn sicr eich bod yn darllen neges e-bost oddi wrth eich banc.

Ni fyddai banciau byth yn anfon negeseuon e-bost atoch i gadarnhau neu newid eich manylion cyfrinachol, rhifau cyfrif, rhifau adnabod personol, neu ddyddiadau dod i ben eich cardiau.

1 Wrth i fwy o bobl ddefnyddio'r Rhyngrwyd i fancio a phrynu nwyddau a gwasanaethau ar-lein, mae gwe-rwydo wedi cynyddu'n aruthrol. Eglurwch ystyr y term gwe-rwydo a rhowch enghraifft i ddangos sut y mae'n gweithio. (2 farc)

2 Pan gaiff manylion cardiau credyd neu wybodaeth bersonol/ariannol arall eu hanfon dros y Rhyngrwyd, byddant yn cael eu hamgryptio bob tro cyn eu hanfon.
   (a) Eglurwch ystyr y term amgryptio. (2 farc)
   (b) Rhowch un rheswm dros yr angen i amgryptio. (2 farc)
   (c) Bydd llawer o fanciau'n gofyn cwestiwn diogelwch cyn cwblhau trafodion. Rhowch enghraifft o gwestiwn diogelwch. (1 marc)

3 Mae banciau a chwmnïau cardiau credyd yn pryderu'n fawr am we-rwydo. Rhowch ddau air o gyngor y byddech yn eu rhoi i bobl sy'n prynu nwyddau a gwasanaethau neu'n bancio ar-lein, er mwyn sicrhau na fyddant yn cael eu twyllo gan negeseuon e-bost a gwefannau ffug o'r fath. (2 farc)

▶ **Gweithgaredd 1 Peryglon dwyn hunaniaeth**

Mae llawer o sôn wedi bod yn y newyddion yn ddiweddar am ddwyn hunaniaeth a'r ffaith ei fod yn debygol o effeithio ar un ym mhob deg o bobl. Mae gofyn i chi gynhyrchu cyflwyniad sy'n ei redeg ei hun am ddwyn hunaniaeth a'r peryglon sy'n gysylltiedig â hyn.

Ar gyfer y cyflwyniad bydd angen i chi ddefnyddio'r hyn yr ydych yn ei wybod am y pwnc ynghyd â deunyddiau y gallwch eu cael drwy wneud ymchwil ar y Rhyngrwyd.

Mae dwyn hunaniaeth yn broblem fawr i gymdeithas, felly dylai fod yn ddigon hawdd i chi ddod o hyd i wybodaeth amdano.

Er mwyn eich helpu, dylech ystyried defnyddio'r ffynonellau canlynol i gael gwybodaeth:
   • Gwefannau papurau newydd ar-lein (Guardian, Daily Telegraph, Daily Mail, ac ati)
   • Gwefan newyddion y BBC yn www.bbc.co.uk
   • Gwefannau'r prif fanciau (e.e. Lloyds, Barclays, ac ati)

▶ **Gweithgaredd 2 Rhannu ffeiliau cymar wrth gymar**

Yn y gweithgaredd hwn byddwch yn ymchwilio i rwydweithiau cymar wrth gymar a rhannu ffeiliau cymar wrth gymar. Defnyddiwch y Rhyngrwyd ac ewch i'r wefan ganlynol: http://www.kazaa.com/us/help/glossary/p2p.htm Darllenwch drwy'r eirfa nes bod gennych syniad da o beth yw cymar wrth gymar, sut y mae'n gweithio a pham y mae'n ddefnyddiol, ac wedyn atebwch y cwestiynau canlynol:

1 Eglurwch y gwahaniaeth rhwng rhwydwaith cymar wrth gymar a rhwydwaith cleient/gweinydd.

2 Mae rhwydweithio cymar wrth gymar drwy ddefnyddio'r Rhyngrwyd yn boblogaidd iawn. Enwch ddau beth y gallwch eu gwneud drwy ddefnyddio rhwydwaith cymar wrth gymar.

3 Yn aml mae gan bobl ffeiliau personol ar eu cyfrifiaduron nad ydynt am eu rhannu â phobl eraill. Sut y mae system rhannu ffeiliau Kazaa P2P yn delio â hyn?

4 Nid yw systemau rhannu ffeiliau'n boblogaidd gan gyhoeddwyr cerddoriaeth.
   (a) Enwch y Ddeddf sy'n gwarchod cerddorion a chyhoeddwyr cerddoriaeth rhag i'w gwaith gael ei gopïo.
   (b) Rhowch un rheswm pam nad yw systemau fel Kazaa yn boblogaidd gan gyhoeddwyr cerddoriaeth.
   (c) Mae'n bosibl y byddai grwpiau sy'n ceisio dod yn adnabyddus yn hoffi systemau fel Kazaa. Rhowch un rheswm dros hynny.

5 Rhowch ddau reswm i egluro pam y gallai defnyddwyr bryderu am y system Kazaa o safbwynt diogelwch eu manylion.

6 Gallwch lwytho Kazaa i lawr am ddim o'r wefan: http://www.kazaa.com/us/index.htm Eglurwch sut y gall Kazaa wneud elw o'r fenter, er bod Kazaa yn cael ei ddarparu am ddim.

Cwestiynau

1 (a) Mae TGCh wedi effeithio'n fawr ar y ffordd y mae plant yn treulio eu hamser hamdden. Disgrifiwch **dair** ffordd y mae TGCh wedi effeithio ar y ffordd y mae plentyn yn treulio ei amser hamdden. (4 marc)

  (b) Gan roi **dwy** enghraifft, trafodwch rai o'r problemau y mae TGCh wedi'u hachosi i rieni plant ifanc oherwydd y defnydd y mae eu plant yn ei wneud o TGCh. (4 marc)

2 Mae arbenigwr ar gyfrifiaduron wedi awgrymu mai'r farchnad gemau cartref sydd wedi ysgogi datblygiadau diweddar mewn TGCh.

  (a) Gan roi **dwy** enghraifft berthnasol, trafodwch sut y gellir gwella rhyngwyneb cyfrifiadur-dyn drwy ddefnyddio dyfeisiau mewnbynnu arbenigol ar gyfer gemau. (4 marc)

  (b) Disgrifiwch **ddwy** broblem iechyd a allai godi o ganlyniad i chwarae gemau cyfrifiadurol am gyfnodau hir. (2 farc)

3 Bydd llawer o bobl yn defnyddio eu cyfrifiaduron a'u camerâu digidol ar gyfer ffotograffiaeth ddigidol.

  (a) Rhowch **dri** rheswm i egluro pam y mae ffotograffiaeth ddigidol wedi dod yn boblogaidd ymysg defnyddwyr cartref fel ffordd o ddefnyddio cyfrifiaduron. (3 marc)

  (b) Bydd llawer o'r defnyddwyr cartref hyn yn defnyddio meddalwedd golygu delweddau digidol i drin eu delweddau digidol. Enwch **dair** nodwedd mewn meddalwedd golygu delweddau ac eglurwch pam y mae pob un ohonynt yn ddefnyddiol i ddefnyddwyr cyfrifiaduron cartref. (3 marc)

  (c) Trafodwch y gofynion mewnbwn ac allbwn arbenigol ar gyfer ffotograffiaeth ddigidol. (4 marc)

4 Mae'r defnydd o'r Rhyngrwyd wedi creu ffynhonnell hollol newydd ar gyfer cerddoriaeth, sef ffeiliau cerddoriaeth sy'n cael eu llwytho i lawr.

  (a) Eglurwch sut y mae'r defnydd o TGCh wedi'i gwneud yn bosibl i ni lwytho, storio a throsglwyddo ffeiliau cerddoriaeth. (4 marc)

  (b) Mae storio ffeiliau cerddoriaeth mewn fformat digidol wedi codi rhai materion. Eglurwch **un** mater cyfreithiol ac un mater moesegol sy'n codi o lwytho cerddoriaeth i lawr. (2 farc)

5 Bydd pobl yn defnyddio'r Rhyngrwyd i gyrchu systemau bwcio. Drwy gyfeirio at enghraifft berthnasol, eglurwch sut y mae system bwcio ar y Rhyngrwyd yn gweithio a manteision gallu bwcio tocynnau/seddau ar-lein. (5 marc)

6 Trafodwch sut y mae defnyddio ffonau symudol wedi dod â manteision ac anfanteision i gymdeithas. (6 marc)

1 Mae'r cynnydd yn y defnydd o'r Rhyngrwyd wedi arwain at dwf aruthrol yn nifer y bobl sy'n defnyddio TGCh ar gyfer adloniant neu fancio o'r cartref.

  (a) Gan gyfeirio at **bedair** enghraifft berthnasol, trafodwch y cynnydd yn y defnydd o'r Rhyngrwyd ar gyfer adloniant cartref. (8 marc)

  (b) Trafodwch fanteision ac anfanteision defnyddio gwasanaethau bancio o'r cartref. (4 marc)

2 Mae bancio ar-lein yn boblogaidd iawn ymysg pobl sy'n defnyddio TGCh gartref.

  (a) Enwch a disgrifiwch **dri** gwasanaeth sydd ar gael drwy fancio o'r cartref. (3 marc)

  (b) Mae rhai pobl yn amheus o fancio ar-lein. Disgrifiwch **ddau** bryder a all fod gan bobl ynghylch bancio ar-lein. (2 farc)

  (c) Disgrifiwch **un** ffordd y gall y banciau ymateb i un o'r pryderon yr ydych wedi'u disgrifio yn rhan (b). (1 marc)

Cymorth gyda'r arholiad

Enghraifft 1

1 Mae llawer o bobl yn dewis bancio ar-lein nawr gan ei fod yn arbed amser iddynt. Nid oes rhaid iddynt deithio i'r banc a gorfod ciwio wedyn yn ôl pob tebyg.

Mae manteision eraill i fancio ar-lein. Trafodwch y manteision eraill a'r anfanteision posibl i gwsmer y banc. **(6 marc)**

Ateb myfyriwr 1

Cyflymach – mae bancio ar-lein yn gyflymach o lawer
Haws – gallwch eistedd yn eich cartref i'w wneud
Mwy diogel – gallwch dalu arian heb yr angen i dynnu arian parod i dalu biliau
Efallai na fydd yn werth i chi gael cyfrif ar-lein oherwydd y pryder y gall hacwyr gyrchu eich cyfrif banc.

Sylwadau'r arholwr

1 Yn y cwestiwn gofynnwyd i'r myfyriwr 'drafod' y manteision a'r anfanteision. Mae hyn yn golygu bod disgwyl iddo ateb mewn brawddegau ac nid rhoi rhestr o bwyntiau'n unig. Yn ogystal â hyn, mae'r myfyriwr wedi disgyn i'r fagl o ddefnyddio'r geiriau 'Cyflymach' a 'Haws' heb ddweud pam. Dim marciau am y ddau bwynt cyntaf.
Mae 'mwy diogel' yn ateb dilys gan ei fod yn fwy diogel peidio â chario arian parod, felly un marc am y rhan hon. Mae'r pwynt olaf ar ffurf brawddeg ac mae hon yn anfantais ddilys. **(2 farc allan o 6)**

Ateb yr arholwr

1 Gallai'r ymgeiswyr drafod nifer o'r canlynol:
Manteision

Gall cwsmer symud arian yn gyflym rhwng cyfrifon cyfredol a chyfrifon cynilo er mwyn manteisio ar gyfraddau llog gwell
Gall cwsmeriaid wirio eu holl gyfriflenni ar-lein yn hytrach na gorfod storio cyfriflenni papur
Bydd cyfraddau llog y cyfrifon ar-lein yn well yn aml
Gallwch dalu biliau neu roi arian mewn cyfrif arall yn uniongyrchol o'ch cartref
Gallwch gyrchu cyfrifon ar-lein bob awr o'r dydd a'r nos drwy'r wythnos fel bod modd i chi fancio y tu allan i'r oriau bancio arferol
Nid oes gwaith papur â rhifau cyfrif arno y mae'n rhaid ei daflu, felly mae llai o risg o ddwyn hunaniaeth
Gallwch wneud cais am fenthyciadau, gorddrafftiau a chardiau credyd heb orfod mynd i fanc
Mae'n caniatáu i chi dalu am nwyddau a gwasanaethau heb ddefnyddio arian parod na sieciau, ac mae hynny'n haws

Ateb myfyriwr 2

1 Cyfrifon ar-lein sy'n rhoi'r cyfraddau llog gorau yn aml gan fod costau rhedeg y banciau'n is na'r rhai sydd gan fanciau'r stryd fawr.
Nid yw cwsmeriaid yn gorfod gwastraffu amser yn teithio i fanciau a chiwio i wneud y trafodion syml y gallent eu gwneud heb adael eu cartref.
Nid yw cwsmeriaid yn gorfod storio eu cyfriflenni papur eu hun bellach gan fod modd gweld pob un ohonynt ar-lein.
Byddwn yn prynu nwyddau'n aml drwy eu harchebu drwy'r post neu dros y Rhyngrwyd. Gellir talu drwy drosglwyddo arian i gyfrif rhywun arall drwy fancio ar-lein fel nad oes rhaid ysgrifennu siec neu ddatgelu manylion cardiau credyd.
Bydd rhai cwsmeriaid yn pryderu am hacwyr a allai gyrchu eu cyfrif ar-lein heb ganiatâd a chyflawni twyll.

Sylwadau'r arholwr

1 Nid yw'r myfyriwr yn cael marciau am yr ail bwynt oherwydd dyma'r pwyntiau sydd wedi'u crybwyll yn y cwestiwn. Mae gweddill yr atebion yn gywir ac wedi'u rhoi mewn brawddegau iawn ac mae wedi trafod tair mantais ac un anfantais yn fanwl. Roedd ei esboniad o'r rhain yn glir iawn. **(4 marc allan o 6)**

Anfanteision

Byddai'n bosibl hacio i mewn i'ch cyfrifon ar-lein a dwyn eich arian
Ni allwch gael arian parod, felly mae angen mynd allan i ddefnyddio twll yn y wal o hyd
Efallai y byddai'n well gan bobl hŷn gael y gwasanaeth personol y mae banc confensiynol yn ei gynnig

4–6 marc
Mae'r ymgeiswyr yn rhoi ateb clir, rhesymegol sy'n disgrifio ac yn egluro'n llawn ac yn gywir o leiaf bedair mantais/anfantais.

2–3 marc
Mae'r ymgeiswyr yn rhoi esboniad o ddwy neu dair o fanteision/ anfanteision.

0–1 marc
Mae'r ymgeiswyr yn rhoi un fantais neu anfantais yn unig.

Enghraifft 2

2 Mae cynnydd aruthrol wedi bod yn y defnydd o TGCh gan bobl yn y cartref, yn enwedig ym maes adloniant. Mae llawer o weithgareddau traddodiadol fel chwaraeon a darllen wedi cael eu disodli gan fathau newydd o adloniant sy'n defnyddio TGCh.

(a) Gan roi **pedair** enghraifft hollol wahanol, trafodwch sut y mae datblygiadau TGCh wedi dod â manteision i adloniant yn y cartref. **(8 marc)**

(b) Mae nifer o anfanteision ynghylch defnyddio TGCh ar gyfer adloniant. Drwy roi **dwy** enghraifft hollol wahanol, trafodwch ddwy anfantais o'r fath. **(4 marc)**

Ateb myfyriwr 1

2 (a) Un fantais yw'r gallu i lwytho ffeiliau cerddoriaeth i lawr gan ddewis y traciau yr ydych am eu cael, yn lle gorfod prynu'r cryno ddisg cyfan. Mae hyn yn arbed arian i chi a thrwy ddefnyddio rhestrau chwarae gallwch wrando ar eich hoff draciau gyda'i gilydd.

Un fantais arall yw siopa dros y Rhyngrwyd lle gallwch dalu ffi fach ac yna ddewis yr holl nwyddau yr ydych chi eu heisiau wrth eistedd yn eich cartref, ac mae'r rhain wedyn yn cael eu danfon i'ch cartref ar adeg benodol.

Mae prosesu geiriau'n ddefnyddiol yn y cartref oherwydd gallwch deipio'ch holl lythyrau, gwaith ysgol, CVs, ac ati, a'u hargraffu ar eich argraffydd cartref.

Mae teledu cebl yn ddelfrydol oherwydd gallwch wylio ffilmiau drwy dalu ffi fach fel nad oes rhaid i chi fynd i siop fideos bellach gan fod data'r ffilmiau'n cael eu hanfon atoch ar hyd cebl. Gallwch wylio rhaglenni o hen gyfresi hefyd neu hyd yn oed raglenni yr oeddech am eu gwylio yr wythnos flaenorol.

(b) Gallech fynd yn ddiog wrth wneud dim byd ond gwylio'r teledu drwy'r dydd ac yn y pen draw gallech golli'r gallu i wneud ffrindiau neu gyfathrebu â phobl eraill.

Mae peryglon yn gysylltiedig â chwrdd â dieithriaid drwy ystafelloedd sgwrsio, yn enwedig i blant ifanc a allai gwrdd â nhw heb i'w rhieni wybod. Gallent gwrdd â phaedoffilydd sy'n cymryd arno ei fod yn blentyn wrth sgwrsio ar-lein.

Sylwadau'r arholwr

2 (a) Mae'r ddwy fantais gyntaf wedi'u hegluro'n dda ac mae'r enghreifftiau a roddwyd yn synhwyrol ac yn ymwneud â'r fantais.

Mae'r trydydd ateb yn crybwyll mantais prosesu geiriau, fel math o adloniant. Mae hynny'n ymestyn y diffiniad o adloniant braidd yn rhy bell, felly dim credyd am yr ateb hwn.

Mae'r pedwerydd ateb yn gywir gan ei fod yn disgrifio gwasanaeth talu i wylio sydd wedi'i ddarparu gan wasanaeth teledu lloeren neu gebl.

(b) Nid yw'r ffaith bod rhywun yn gwylio teledu yn ei wneud yn ddiog o reidrwydd ac mae'r ateb hwn yn llawer rhy gyffredinol i ennill marciau. Ni ddylai'r Arholwr orfod chwilio am rywbeth ychwanegol mewn ateb er mwyn rhoi marciau amdano.

Mae ail ran yr ateb yn dda gan ei bod yn enwi'r anfantais yn glir a'r problemau y mae'n eu hachosi. **(8 marc allan o 12)**

Ateb yr arholwr

2 (a) Unrhyw bedwar o'r rhestr ganlynol. (Un marc am enwi'r eitem a'r ail farc am ymhelaethu drwy ddisgrifio'r caledwedd neu egluro beth yr oedd yn caniatáu i'r defnyddiwr ei wneud.)

Chwaraewr MP3 – mae'n caniatáu i bobl wrando ar ddewis o filoedd o draciau ar chwaraewr cludadwy bach.

Llwytho cerddoriaeth i lawr – mae'n caniatáu i ddefnyddwyr ddewis y traciau y maen nhw eu heisiau yn unig yn hytrach na gorfod prynu'r cryno ddisg cyfan.

Ffotograffiaeth ddigidol – mae'n caniatáu i ddefnyddwyr ddod yn fwy medrus wrth dynnu ffotograffau gan eu bod nhw'n gallu gweld y canlyniadau ar unwaith.

Teledu rhyngweithiol – mae'n caniatáu i bobl siopa, gweld e-bost, archebu gwyliau, betio, ac ati.

Ystafelloedd sgwrsio – maent yn caniatáu i bobl wneud ffrindiau newydd ym mhob rhan o'r byd.

Ffonau symudol – gallwch gyfathrebu â ffrindiau mewn sawl ffordd: negeseuon testun, llais ac e-bost.

Betio – gellir betio heb fynd o'r cartref ac nid oes angen casglu'r enillion gan eu bod yn mynd yn ôl ar y cerdyn.

Trefnu dêt – mae'n haws trefnu dêt â phobl newydd drwy weld y lluniau a'r proffiliau ar-lein.

Gemau – gallwch chwarae gemau cyfrifiadur ar deithiau hir i'ch difyrru'ch hun.

Golygu delweddau digidol – mae modd gwella ffotograffau digidol gwael drwy ddefnyddio meddalwedd golygu delweddau/ffotograffau.

Siopa ar-lein – gall pobl ddod o hyd i fargeinion yn llawer o'r siopau ar-lein sy'n cynnig disgowntiau arbennig i siopwyr ar-lein.

Archebu ar-lein – bydd llawer o bobl bellach yn dewis bwcio teithiau awyren, gwestai a cheir llog ar wahân gan fod hynny'n fwy hyblyg ac yn rhatach yn aml.

Pleidleisio – gallwch bleidleisio ar gyfer rhaglenni teledu drwy ddefnyddio'r Rhyngrwyd, ac yn y pen draw bydd modd i chi bleidleisio fel hyn mewn etholiadau lleol a chyffredinol.

Caledwedd gwell – defnyddwyr cartref yw'r rhai sy'n gwneud y defnydd mwyaf o gyfrifiaduron o bell ffordd, felly bydd hyn yn arwain at gynhyrchu caledwedd newydd gwell fel cardiau sain, cardiau fideo, ac ati.

Seinyddion – mae'r galw am sain o ansawdd uchel gan chwaraewyr gemau a gwylwyr teledu wedi arwain at gynllunio systemau sain amgylchynol.

(b) Unrhyw ddau o'r rhestr ganlynol. (Un marc am enwi'r eitem a'r ail farc am ymhelaethu drwy ddisgrifio'r problemau sy'n dilyn.)

Gemau cyfrifiadur – gallant fod yn gaethiwus a gall hyn effeithio ar waith ysgol.

Gemau cyfrifiadur – nid yw plant yn cael llawer o ymarfer corff wrth chwaraeu'r gemau, felly gallant achosi gordewdra.

Problemau iechyd – os bydd rhywun yn dal ei gorff yn anghywir, gall hyn arwain at boen cefn; mae defnydd ailadroddus o ffon reoli'n gallu arwain at anaf straen ailadroddus.

Ystafelloedd sgwrsio – byddai pobl annymunol yn gallu meithrin perthynas amhriodol â phlant ifanc er mwyn cwrdd â nhw.

Sylwadau'r arholwr

2 (a) Mae hon yn set dda o atebion sydd i gyd yn wahanol ac wedi'u hegluro'n dda. Marciau llawn am y rhan hon o'r cwestiwn.

(b) Roedd yr ateb cyntaf yn fwy cynhwysfawr na'r ail, ac felly mae'n ennill dau farc.

Byddai wedi bod yn bosibl egluro'r ail ateb yn fwy manwl, felly dim ond un marc am y rhan hon. **(11 marc allan o 12)**

Mapiau meddwl cryno

Gemau cyfrifiadur

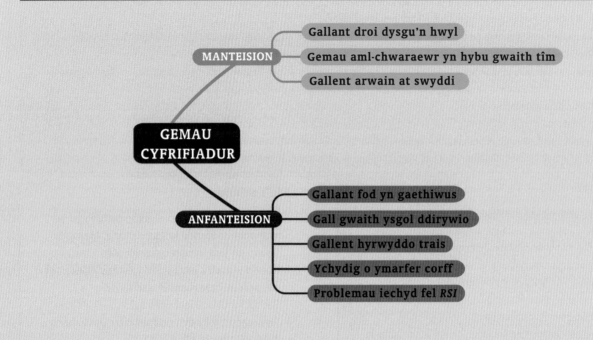

MANTEISION
- Gallant droi dysgu'n hwyl
- Gemau aml-chwaraewr yn hybu gwaith tîm
- Gallent arwain at swyddi

GEMAU CYFRIFIADUR

ANFANTEISION
- Gallant fod yn gaethiwus
- Gall gwaith ysgol ddirywio
- Gallent hyrwyddo trais
- Ychydig o ymarfer corff
- Problemau iechyd fel *RSI*

Chwarae a chyfansoddi cerddoriaeth

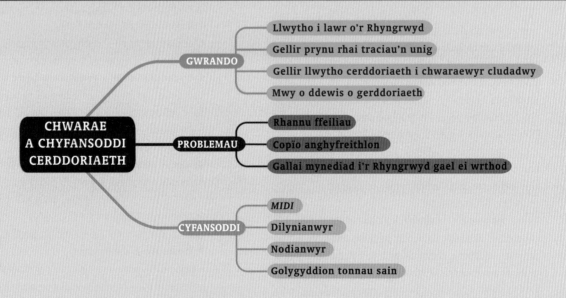

GWRANDO
- Llwytho i lawr o'r Rhyngrwyd
- Gellir prynu rhai traciau'n unig
- Gellir llwytho cerddoriaeth i chwaraewyr cludadwy
- Mwy o ddewis o gerddoriaeth

CHWARAE A CHYFANSODDI CERDDORIAETH

PROBLEMAU
- Rhannu ffeiliau
- Copïo anghyfreithlon
- Gallai mynediad i'r Rhyngrwyd gael ei wrthod

CYFANSODDI
- *MIDI*
- Dilynianwyr
- Nodianwyr
- Golygyddion tonnau sain

TOPIG 7: Cyflwyno gwybodaeth

Yn y topig hwn byddwch yn dysgu am yr angen i gyflwyno gwybodaeth mewn fformat penodol, gan ddefnyddio cyfryngau penodol neu gyfuniad o gyfryngau ar gyfer cynulleidfa neilltuol. Byddwch yn dysgu sut i addasu gwybodaeth drwy ystyried sut y caiff ei defnyddio ac anghenion y sawl a fydd yn ei derbyn. Byddwn hefyd yn edrych ar y defnydd sy'n cael ei wneud o wahanol fathau o feddalwedd, eu prif swyddogaethau a'u manteision ac anfanteision, gan gynnwys meddalwedd prosesu geiriau/cyhoeddi bwrdd gwaith (*DTP*), meddalwedd cyflwyno, meddalwedd cronfa ddata a meddalwedd gwe-awduro.

▼ Y cysyniadau allweddol sy'n cael sylw yn y topig hwn yw:

▷ Deall yr angen i gael y fformat, y cyfryngau a'r gynulleidfa gywir ar gyfer gwybodaeth

▷ Deall y defnydd sy'n cael ei wneud o feddalwedd prosesu• geiriau/*DTP*, meddalwedd cyflwyno, meddalwedd cronfa ddata a meddalwedd gwe-awduro, eu prif swyddogaethau, a'u manteision ac anfanteision

CYNNWYS

Uned IT1 Systemau Gwybodaeth

Fformatau, cyfryngau a chynulleidfaoedd ar gyfer gwybodaeth

▼ **Byddwch yn dysgu**

▶ Am yr angen i feddwl am eich cynulleidfa

▶ Am y gwahanol fformatau ar gyfer gwybodaeth

▶ Am y gwahanol gyfryngau ar gyfer gwybodaeth

Cyflwyniad

Caiff data eu prosesu gan systemau TGCh i gynhyrchu gwybodaeth, a chyn rhoi'r wybodaeth i rywun mae angen i chi benderfynu ar fformat y wybodaeth, y cyfryngau yr ydych am eu defnyddio i'w chyflwyno a'r gynulleidfa y mae'r wybodaeth ar ei chyfer.

Yn yr adran hon byddwn yn rhoi sylw i'r fformatau, y cyfryngau a'r gynulleidfa ar gyfer gwybodaeth ac yn darganfod pam y mae pob un yn bwysig.

Meddwl am y gynulleidfa

Y gynulleidfa yw'r bobl y mae'r wybodaeth ar eu cyfer. Mae angen i chi sicrhau bod dyluniad y ddogfen yn addas i'r bobl a fydd yn ei darllen. Er enghraifft, byddai angen i ddyluniad poster sy'n hysbysebu disgo ysgol i blant 14-16 oed fod yn wahanol i ddyluniad poster sy'n hysbysebu ymgyrch yn erbyn yfed a gyrru. Os ydych yn siarad am TGCh â phobl eraill sydd hefyd yn gwybod am TGCh, gallwch ddefnyddio termau technegol heb eu hegluro. Ym myd busnes, mae angen i wybodaeth fodloni anghenion y person sydd wedi gofyn amdani. Er enghraifft, byddai ar gyfarwyddwr neu berchennog cwmni angen gwybodaeth sy'n cyfleu darlun cyffredinol yn hytrach na manylion.

Yn aml, bydd y wybodaeth ar gyfer ystod eang o gynulleidfaoedd. Mae gwefannau'n un enghraifft. Mae'n anodd bodloni pob cynulleidfa, felly mae angen i chi gynhyrchu gwefan y byddai'r rhan fwyaf o ddefnyddwyr yn gallu ei deall a'i defnyddio.

Fformatau ar gyfer gwybodaeth

Gallwch gyflwyno gwybodaeth mewn llawer o wahanol fformatau gan gynnwys:

- testun
- tablau
- graffigau (graffiau, siartiau, diagramau, ffotograffau, ac ati)
- sain
- animeiddiadau
- fideo.

Mewn llyfrau, adroddiadau a chyfryngau printiedig eraill, dim ond testun a graffigwaith a ddefnyddir, ond bellach gellir defnyddiau dulliau amlgyfrwng i gyfleu gwybodaeth mewn cyflwyniadau ac ar wefannau, felly mae'n bosibl defnyddio'r holl fformatau sydd ar gael.

Ffactorau sy'n effeithio ar y dewis o fformat

Mae nifer o ffactorau sy'n dylanwadu ar y dewis o fformat ac mae'r rhain yn cynnwys:

- **Anghenion penodol y defnyddiwr** – efallai bod y defnyddiwr yn ddall neu'n rhannol ddall, felly byddai angen defnyddio gwybodaeth ar ffurf sain yn hytrach na thestun.
- **Cymhlethdod y wybodaeth** – mae'n haws esbonio gwybodaeth gymhleth drwy gyfrwng darluniau. Gellir cyflwyno ffigurau ar ffurf graffiau a siartiau er mwyn gwneud cymariaethau a nodi tueddiadau.
- **Pa un yw'r deunydd i gael ei gyflwyno ar-lein** – gellir ychwanegu animeiddiadau a fideo at gyflwyniadau amlgyfrwng neu wefannau.

Gallwch ddefnyddio llawer o wahanol fformatau i gyflwyno gwybodaeth.

⮕ **GEIRIAU ALLWEDDOL**

Amlgyfrwng – yn defnyddio llawer o gyfryngau fel testun, delweddau, sain, animeiddio a fideo

Cyfryngau – y dulliau o gyfleu gwybodaeth

Fformat – yr arddull a ddefnyddir wrth drefnu a chyflwyno gwybodaeth

Tabl – ffordd fwy gweledol o ddangos data, yn enwedig data rhifol

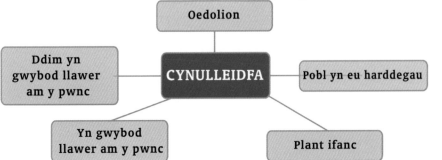

Cyfryngau

Rydym yn byw mewn byd amlgyfrwng nawr, a gallwn gyflwyno gwybodaeth drwy lawer o wahanol gyfryngau. Meddyliwch am yr holl ffyrdd gwahanol o gael canlyniadau gemau pêl-droed. Gallwch eu cael:

- ar deledestun
- fel fideo sy'n dangos uchafbwyntiau'r gêm
- fel neges destun i'ch ffôn symudol
- ar ffurf sain ar eich radio
- ar wefan
- wedi'u hargraffu mewn papur newydd.

Mae amrywiaeth o gyfryngau y gallwch eu dewis ac yn aml, er mwyn cael sylw cynulleidfa eang, mae angen i chi ddefnyddio nifer o'r cyfryngau isod.

Rhai enghreifftiau o gyfryngau yw:

- Cyfryngau ar bapur – sy'n cael eu galw weithiau'n gopi caled. Cyfryngau cyffredin a mwy traddodiadol yw'r rhain lle y rhoddir gwybodaeth ar ffurf testun a graffigwaith ar bapur. Rhai enghreifftiau yw papurau newydd, llyfrau, cylchgronau, llyfrynnau, posteri, catalogau, ac ati.
- Mae cyfryngau ar bapur yn ddelfrydol ar gyfer gwybodaeth fanwl y mae angen ei hastudio'n ddiweddarach ac ar gyfer gwybodaeth nad yw'n newid yn rhy aml.
- Cyfryngau ar sgrin – os dim ond unwaith y mae angen darllen y wybodaeth ac os nad oes angen ei hastudio, gellir ei dangos ar sgrin. Er enghraifft, os oeddech am weld amserau trenau, gallech wneud hyn drwy edrych ar wefan gan ddefnyddio sgrin.
- Sain – gallwch ddefnyddio lleferydd i roi gwybodaeth. Er enghraifft, gallech adael neges drwy ddefnyddio post llais ar gyfrifiadur. Gallwch lwytho ffeil sain i lawr o'r Rhyngrwyd i chwaraewr cyfryngau cludadwy fel ffôn symudol, iPod neu chwaraewr MP3.
- Fideo – gallwch ei ddefnyddio i gyfleu gwybodaeth. Er enghraifft, os gwnewch ffilm fideo o araith yn ystod cyfarfod neu gynhadledd, gallwch ei hanfon yn ddigidol at bobl nad oeddynt yn gallu bod yno.
- Amlgyfrwng – mae'n golygu llawer o gyfryngau, nid testun a graffigwaith yn unig, felly ni fyddai llyfr neu gylchgrawn cyffredin yn cael ei ystyried yn amlgyfrwng.

Dyma'r mathau o gyfryngau y gellir eu defnyddio mewn sefyllfa amlgyfrwng:

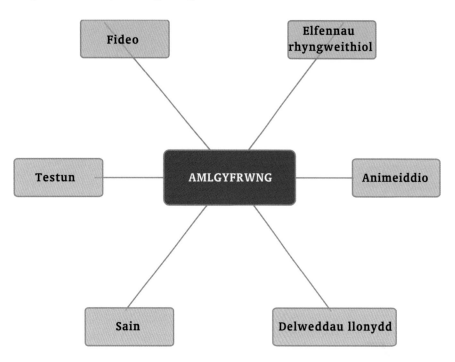

Ffactorau sy'n effeithio ar y dewis o gyfryngau

Mae nifer o ffactorau'n dylanwadu ar y dewis o gyfryngau ac mae'r rhain yn cynnwys:

Natur a chymhlethdod y wybodaeth

Mae rhai mathau o wybodaeth yn hawdd eu deall a gallwch eu darllen yn gyflym. Gellir cyflwyno gwybodaeth o'r math hwn ar y sgrin. Mae rhestri o wybodaeth mewn tablau, fel ffigurau gwerthiant ar gyfer pob mis dros y pum mlynedd diwethaf, yn gymhleth ac yn galw am gryn dipyn o ddadansoddi er mwyn eu deall. Y peth gorau fyddai allbrintio'r wybodaeth hon a'i hastudio wedyn i ganfod tueddiadau, ac ati. Mae modd prosesu gwybodaeth gymhleth ymhellach i gynhyrchu adroddiadau sy'n cynnwys graffiau, casgliadau, ac ati.

Amser i astudio

Os oes angen astudio deunydd am gyfnod hir, mae angen cael copi caled ohono (h.y. ei allbrintio).

Anghenion y sawl sy'n ei derbyn

Nid y sawl sydd wedi gofyn am wybodaeth fydd y person sy'n chwilio amdani ym mhob achos. Yn aml, bydd rheolwr yn gofyn i aelod o'i staff ddod o hyd i wybodaeth ac adrodd yn ôl. Mae'n hanfodol felly fod y person sy'n chwilio am y wybodaeth yn deall pwrpas y wybodaeth a sut y caiff ei defnyddio. Felly rhaid i gyflenwr y wybodaeth gofio am anghenion y sawl sy'n ei derbyn.

Rhychwant oes gwybodaeth

Mae rhai mathau o wybodaeth yn newid bob munud neu hyd yn oed bob eiliad, fel prisiau cyfranddaliadau, prisiau arian cyfred a nwyddau fel olew a nwy. Gall y prisiau newid mewn uwchfarchnadoedd hyd yn oed, wrth drosglwyddo cynnydd ym mhrisiau cyflenwyr i'r cwsmeriaid.

Rhychwant oes byr sydd i rai mathau o wybodaeth ac mae'n bwysig defnyddio cyfrwng ar gyfer y wybodaeth hon sy'n gallu ymateb ar unwaith bron i'r newid mewn gwybodaeth. Gwefannau a systemau ar-lein yw'r ateb gorau ar gyfer gwybodaeth sy'n newid yn gyson.

Ni fydd rhestri stoc sydd wedi'u hargraffu ar bapur ond yn dangos y stoc ar adeg yr allbrint. Mae'n bwysig cynnwys dyddiad ar adroddiadau ac allbrintiau eraill oherwydd, fel arall, ni allech ymddiried yn y wybodaeth sydd ynddynt.

Meddalwedd prosesu geiriau/ cyhoeddi bwrdd gwaith

▼ **Byddwch yn dysgu**

▶ Am yr amrywiaeth o gyfleusterau sydd mewn meddalwedd prosesu geiriau

▶ Am yr amrywiaeth o gyfleusterau sydd mewn meddalwedd cyhoeddi bwrdd gwaith

▶ Am fanteision ac anfanteision cymharol y ddau fath o feddalwedd

Cyflwyniad

Byddwch yn gwybod llawer eisoes am nodweddion meddalwedd prosesu geiriau ond yn yr adran hon byddwch yn dod ar draws rhai o'r nodweddion uwch yn ogystal â'r rhai cyfarwydd. Pan fydd yn rhaid i chi gynhyrchu dogfen, bydd gennych ddewis rhwng defnyddio meddalwedd prosesu geiriau a meddalwedd cyhoeddi bwrdd gwaith. Yn aml, mae modd defnyddio'r ddau fath o feddalwedd i gyflawni'r un tasgau os ydynt yn gymharol syml. Mae'n bwysig gallu dewis y meddalwedd mwyaf priodol i'r dasg, ac er mwyn gwneud hynny rhaid i chi fod yn gyfarwydd â galluoedd meddalwedd cyhoeddi bwrdd gwaith a meddalwedd prosesu geiriau.

Prosesu geiriau

Defnyddir pecynnau prosesu geiriau i gynhyrchu dogfennau sy'n cynnwys testun fel llythyrau, adroddiadau, ac ati, ac i baratoi testun ar gyfer rhaglenni eraill. Er enghraifft, byddai'n bosibl teipio testun mewn ffeil gan ddefnyddio meddalwedd prosesu geiriau a mewnforio'r ffeil wedyn i feddalwedd cyhoeddi bwrdd gwaith.

Cyn dechrau unrhyw ddogfen mae angen i chi ystyried gosodiad/fformat y dudalen sy'n cynnwys y canlynol:

Ar ôl mewnbynnu'r testun, gallwch ei fformatio er mwyn rhoi strwythur a phwyslais iddo. Gellir fformatio testun drwy newid nodweddion y ffont. Dyma'r nodweddion ar gyfer fformatio testun:

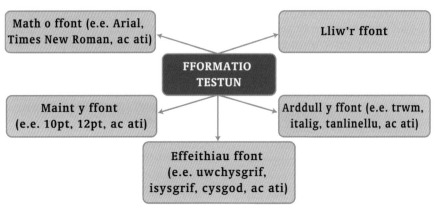

Fformatio paragraffau/blociau o destun

Mae modd fformatio blociau o destun neu baragraffau mewn nifer o ffyrdd:

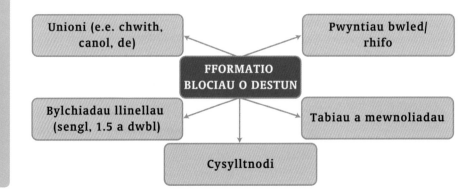

▶ **GEIRIAU ALLWEDDOL**

Pennyn – testun a roddir ar ben tudalen mewn dogfen

Pwynt bwled – bloc neu baragraff o destun sydd â symbol o'i flaen i dynnu sylw at y rhan honno'r testun

Troedyn – testun a roddir ar waelod tudalen mewn dogfen

Nodweddion ychwanegol meddalwedd prosesu geiriau

Mae nifer o nodweddion uwch mewn meddalwedd prosesu geiriau y gallwch eu defnyddio:

- **Templedi** – cânt eu defnyddio i bennu strwythur dogfen, gan gynnwys ffontiau, gosodiad y dudalen, fformatio ac arddulliau.
- **Postgyfuno** – cyfuno rhestr o enwau a chyfeiriadau â llythyr safonol fel bod cyfres o lythyrau'n cael ei chynhyrchu a phob llythyr wedi'i gyfeirio at berson gwahanol. Gallwch ddefnyddio'r meddalwedd prosesu geiriau i greu'r rhestr o ddata ar gyfer postgyfuno neu gallwch ei mewnforio o gronfa ddata neu daenlen.

- **Mynegeio** – gall geiriau gael eu hamlygu fel bod modd eu defnyddio i ffurfio mynegai. Mae'r meddalwedd prosesu geiriau'n cadw cofnod o'r geiriau ynghyd â'u rhif tudalen, a phan gaiff gyfarwyddyd i wneud hynny, bydd yn creu'r mynegai.
- **Macros** – defnyddir y rhain i gofnodi cyfres o drawiadau bysell fel bod modd, er enghraifft, ychwanegu'ch enw a'ch cyfeiriad ar ben y dudalen dim ond drwy bwyso un fysell neu glicio ar y llygoden.
- **Thesawrws** – mae hwn yn caniatáu i chi ddewis gair a bydd y prosesydd geiriau'n rhestru cyfystyron (h.y. geiriau sydd ag ystyr tebyg). Mae hyn yn ddefnyddiol ar gyfer ysgrifennu creadigol lle nad ydych am ailadrodd gair.

- **Gwirydd sillafu** – mae gan feddalwedd prosesu geiriau eiriadur ac wrth i eiriau gael eu teipio cânt eu gwirio yn ei erbyn. Fel rheol mae cyfleuster i ychwanegu geiriau, sy'n bwysig os ydych yn defnyddio termau arbenigol.
- **Gwirydd gramadeg** – caiff ei ddefnyddio i wirio'r gramadeg mewn brawddeg a thynnu sylw at broblemau a chynnig dewisiadau eraill.

Mae rhestr o'r rheiny a fydd yn derbyn y llythyr postgyfuno yn cael ei chyrchu neu ei chreu. Sylwch ar enwau'r meysydd ar ben pob colofn o ddata.

Mae llythyr yn cael ei ysgrifennu sy'n cynnwys y meysydd ar gyfer y wybodaeth newidiol. Mae rhan o'r llythyr isod.

```
<<Enw _Cyntaf>> <<Cyfenw>>
<<Stryd>>
<<Tref>>
<<Cod _Post>>


Annwyl <<Enw_Cyntaf>>

Fel y gwyddoch, byddwch yn sefyll eich arholiadau diwedd blwyddyn cyn hir.
```

Ceri Jones
3 Stryd y Parc
Caerfyrddin
SA17 6TT

Annwyl Ceri

Fel y gwyddoch, byddwch yn sefyll eich arholiadau diwedd blwyddyn cyn hir. Yn achos y rhai ohonoch sydd ym mlwyddyn 11, arholiadau TGAU fydd y rhain. Byddwn yn cynnal clwb adolygu ar ddydd Llun a dydd Mercher rhwng 4 p.m. a 6 p.m. Bydd gwahanol aelodau staff wrth law i helpu i ateb eich cwestiynau wrth adolygu. Dylech fanteisio ar y cyfle hwn gan ei fod ar gael yn rhad ac am ddim.

Bydd cyfarfod ddydd Mercher 3ydd Mai am 4 p.m. yn y neuadd i bawb sy'n awyddus i dderbyn y cynnig hwn.

Pob hwyl wrth adolygu a phob lwc.

Nawr caiff y wybodaeth newidiol ei mewnosod er mwyn cyflawni'r postgyfuno.

Meddalwedd prosesu geiriau/cyhoeddi bwrdd gwaith (parhad)

Meddalwedd cyhoeddi bwrdd gwaith (*DTP*)

Defnyddir meddalwedd cyhoeddi bwrdd gwaith (*DTP: Desktop Publishing*) i gynhyrchu dogfennau sy'n cynnwys mwy na thestun yn unig. Er enghraifft, gall y dogfennau gynnwys arlunwaith fel ffotograffau, diagramau, clipluniau, cartwnau a graffiau, yn ogystal â thestun.

Defnyddir meddalwedd gwahanol i baratoi'r rhan fwyaf o'r eitemau hyn a chânt eu mewnforio wedyn i'r meddalwedd *DTP*. Felly mae angen i feddalwedd *DTP* allu ymdrin â llawer o wahanol fathau o ffeiliau. Er enghraifft, byddai angen i feddalwedd *DTP* allu derbyn y canlynol:

- graffigau (e.e. clipluniau, ffotograffau, ac ati) o becyn lluniadu neu graffeg
- delweddau o sganiwr
- ffilmiau o gamera fideo digidol
- delweddau llonydd o gamera digidol
- testun o brosesydd geiriau.

Y gwahaniaethau rhwng meddalwedd DTP gartref a meddalwedd prosesu geiriau

Os oes angen i'r defnyddiwr cartref gynhyrchu dogfen syml, fel hysbyseb neu gylchlythyr syml, mae'n debyg y bydd yn dewis defnyddio'r meddalwedd y mae'n fwyaf cyfarwydd ag ef. Meddalwedd prosesu geiriau fydd hwnnw yn ôl pob tebyg, gan y bydd yn deall y rhan fwyaf ohono eisoes. Mae llawer o nodweddion mewn meddalwedd prosesu geiriau y byddech yn eu gweld hefyd mewn meddalwedd *DTP* fel:

- colofnau o'r math sydd mewn papurau newydd/cylchgronau
- y gallu i ychwanegu llinellau fertigol rhwng colofnau
- y gallu i greu mynegai
- defnyddio templedi.

Nodweddion meddalwedd DTP proffesiynol

Defnyddir meddalwedd *DTP* proffesiynol gan gwmnïau cyhoeddi mawr i gynhyrchu dyluniadau cymhleth ar gyfer cylchgronau, catalogau, papurau newydd, llyfrau, ac ati. Er bod meddalwedd *DTP* proffesiynol yn cael ei ddefnyddio i ddylunio cyhoeddiadau, yn yr un modd â phecynnau *DTP* cartref, bydd defnyddwyr y pecyn proffesiynol yn defnyddio'u dyluniadau eu hun ac ni fyddant am gyfaddawdu fel y mae'n rhaid gwneud wrth ddefnyddio'r meddalwedd *DTP* gartref.

Dyma rai o'r gwahaniaethau rhwng meddalwedd *DTP* proffesiynol a meddalwedd *DTP* gartref:

- Dewisiadau teiposod lefel broffesiynol – fel cernio, lle y gallwch wneud mân newidiadau yn y bylchiad rhwng nodau.
- Ategion – gallwch brynu estyniadau i'r meddalwedd i'w defnyddio ar gyfer diwydiant penodol. Er enghraifft, gallwch brynu ategyn yn unswydd at gynhyrchu papurau newydd.
- Y gallu i raglennu'r meddalwedd *DTP* – yn yr un ffordd ag y gallwch adeiladu rhaglen gan ddefnyddio cronfa ddata yn elfen ganolog, mae modd rhaglennu rhai pecynnau *DTP*. Er enghraifft, mae gan gwmnïau papur newydd dîm o raglenwyr sy'n rhaglennu swyddogaethau ychwanegol i mewn i'r meddalwedd *DTP*.
- Crymu testun ar hyd llinell.
- Fformat ffeil mwy safonol – mae hyn yn ei gwneud yn haws i argraffwyr ddefnyddio'r ffeiliau'n syth heb eu newid.

Nodweddion uwch meddalwedd prosesu geiriau/*DTP*

Mae llawer o nodweddion uwch mewn meddalwedd prosesu geiriau/*DTP*, a dyma rai enghreifftiau:

Dalennau arddull neu ddalennau diwyg rhaeadrol

Mae dalennau arddull yn gwahanu'r cynnwys (testun, delweddau, ac ati) oddi wrth y ffordd y mae'r cynnwys yn cael ei gyflwyno (ffont, maint y ffont, lliwiau ffontiau, borderi, lleoliad, ac ati). Felly os bydd angen newid ffont ar gyfer pennawd ym mhob rhan o'r ddogfen, er enghraifft, gellir gwneud hynny yn y ddalen arddull. Gan fod y fformatio ar gyfer yr holl dudalennau eraill wedi'i seilio ar y ddalen arddull, mae'r newidiadau'n cael eu gwneud yn awtomatig ar gyfer yr holl dudalennau, sleidiau, sgriniau, ac ati, yn y ddogfen gyfan. Gall hyn arbed llawer iawn o amser oherwydd, os nad oedd dalennau arddull, byddai'n rhaid chwilio am benawdau ar bob tudalen ac wedyn newid y ffont â llaw. Yn achos gwe-awduro, yr enw a roddir yn aml ar ddalennau arddull yw dalennau diwyg rhaeadrol.

Templedi

Mae templedi'n ddogfennau sydd wedi'u dylunio ymlaen llaw y gallwn eu defnyddio i greu llyfrynnau, posteri, papurau arholiad, hysbysebion, prosbectysau, ac ati. Dogfennau sydd wedi'u cwblhau'n rhannol ydynt, sy'n cynnwys testun dalfan a graffigau dalfan i ddangos eu lleoliad ar y dudalen.

Gallwch roi'ch testun a'ch graffigau eich hun yn lle'r testun a'r graffigau dalfan, felly mae'r templed yn hawdd ei ddefnyddio ac yn ddelfrydol i staff sy'n dechrau defnyddio *DTP* ac sydd heb arfer â dylunio dogfennau *DTP*. Y brif fantais wrth ddefnyddio templedi yw nad oes rhaid i chi ddechrau o'r dechrau a gorfod meddwl am ddyluniad y dudalen yn ogystal â'r cynnwys. Wrth ddefnyddio templed, dim ond y cynnwys y mae'n rhaid i chi ei ystyried.

Drwy ddefnyddio templedi gallwch ddylunio hysbysebion, llyfrynnau, catalogau, adroddiadau, ac ati.

Un anfantais wrth ddefnyddio templedi yw y gall eich dyluniad chi ymddangos yn debyg i ddyluniad pawb arall sydd wedi defnyddio'r un templed. Wrth gwrs, gallwch greu'ch templed eich hun ond mae hyn yn cymryd amser ac mae'n debyg y bydd angen rhai sgiliau dylunio arnoch.

Manteision cyhoeddi bwrdd gwaith

Dyma rai o fanteision defnyddio meddalwedd cyhoeddi bwrdd gwaith i baratoi llyfrau, cylchgronau, hysbysebion, posteri a thaflenni, o gymharu â defnyddio meddalwedd prosesu geiriau'n unig:

- Mwy o reolaeth dros osodiad y dudalen – mae pecynnau *DTP* yn fwy hyblyg o ran y gallu i fformatio testun a'i drefnu ar y dudalen.
- Yn well wrth integreiddio ffeiliau o raglenni eraill – fel rheol ni ddefnyddir pecynnau *DTP* i greu testun a graffigwaith. Yn lle hynny, maen nhw'n dwyn ynghyd ffeiliau sydd wedi cael eu creu mewn pecynnau eraill ac yn dod â'r elfennau at ei gilydd ar y sgrin.
- Gallwch roi testun a graffigwaith mewn blychau – mae hyn yn caniatáu i chi symud y blychau sy'n cynnwys y testun a'r graffigwaith a'u lleoli ar y sgrin. Er bod blychau testun mewn meddalwedd prosesu geiriau, ni allwch eu lleoli'n fanwl gywir na'u cylchdroi fel y gallwch wneud wrth ddefnyddio pecynnau *DTP*.
- Gallwch gynhyrchu ffeiliau y gall cwmni argraffu proffesiynol eu defnyddio'n syth – gellir defnyddio meddalwedd *DTP* i gynhyrchu'r allbwn mewn ffordd benodol gan ddefnyddio fformat ffeil penodol fel bod modd ei anfon i gwmni argraffu proffesiynol i'w argraffu.
- Gallwch beri i'r testun lifo o gwmpas siapiau afreolaidd.
- Gallwch leoli pob llythyren mewn testun yn fwy trachywir.

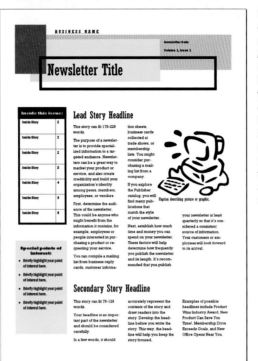

Un o'r nifer mawr o dempledi ym meddalwedd *DTP* Microsoft Publisher. Os bydd y defnyddiwr yn fodlon ar y dyluniad, yr unig beth y bydd angen iddo ei wneud yw newid y cynnwys (penawdau, testun, arlunwaith, ac ati) drwy roi ei rai ei hun.

Mae meddalwedd *DTP* yn defnyddio ffeiliau sydd wedi cael eu creu gan ddefnyddio dyfeisiau neu becynnau meddalwedd gwahanol.

Cynhyrchu graffigau â meddalwedd lluniadu/graffeg

Lluniau llonydd o gamera fideo digidol

Sganio delweddau wedi'u digido

Creu testun gan ddefnyddio meddalwedd prosesu geiriau

Meddalwedd *DTP*

Delweddau o gamera digidol

Meddalwedd *DTP* yw'r unig ddewis os ydych am ddylunio a chynhyrchu dogfen aml-dudalen fel taflen neu gylchgrawn sydd â llawer o elfennau dylunio trawiadol.

Meddalwedd cyflwyno

Cyflwyniad

Bydd y rhan fwyaf ohonoch wedi defnyddio meddalwedd cyflwyno ar gyfer eich cyrsiau astudio yng Nghyfnodau Allweddol 3 a 4 a byddwch wedi gweld eich athro neu athrawes yn dangos deunydd drwy ddefnyddio meddalwedd cyflwyno. Yn y topig hwn byddwch yn dysgu am y prif swyddogaethau yn ogystal â manteision ac anfanteision meddalwedd cyflwyno.

Meddalwedd cyflwyno

Gallwch ddefnyddio meddalwedd cyflwyno i wneud mwy na dim ond dangos cyfres o sleidiau. Mae modd defnyddio meddalwedd cyflwyno i adeiladu rhaglen amlgyfrwng megis prawf dewis lluosog neu fath arall o brawf a gaiff ei farcio gan gyfrifiadur. Wrth ddelio â phroblem o'r math hwn byddech yn defnyddio'r nodwedd mewn meddalwedd cyflwyno sy'n eich galluogi i greu hypergyswllt rhwng y sleidiau. Ar ôl gwneud hyn ni fydd yn rhaid dangos y sleidiau mewn un drefn benodol yn unig. Mae llawer o nodweddion eraill mewn meddalwedd cyflwyno ac mae'r diagram isod yn dangos y rhain.

Creu sioe

Cyfres o sleidiau yw sioe sy'n cael ei threfnu drwy ddefnyddio meddalwedd cyflwyno. Gall dylunydd y cyflwyniad bennu ym mha ffordd ac am ba hyd y bydd y sleidiau'n ymddangos. Er enghraifft, gall y sleidiau ymddangos wrth i'r cyflwynydd glicio ar y llygoden neu gellir eu hamseru fel bod y sleidiau'n symud ymlaen o un i un yn awtomatig. Mae rhai sioeau sleidiau sydd heb gyflwynydd hyd yn oed: mae'n debyg eich bod chi wedi gweld sioeau sleidiau o'r fath yn cael eu defnyddio mewn siopau i gyflwyno nwyddau: caiff y sioe sleidiau ei

'dolennu' fel y bydd yn ailddechrau'n syth ar ôl gorffen. Fel rheol bydd rhyw fath o sylwebaeth sy'n cael ei chadw ar ffurf ffeil sain gyda'r cyflwyniad.

Gallwch hefyd gynnwys elfen o ryngweithio mewn sioeau sleidiau, fel bod y defnyddiwr yn gallu pennu ym mha drefn y bydd y sleidiau'n ymddangos. Gellir defnyddio meddalwedd cyflwyno i greu cwisiau hefyd.

Trawsnewidiadau wedi'u hanimeiddio

Mae'r symudiad rhwng un sleid a'r nesaf yn cael ei alw'n drawsnewidiad sleid. Mae nifer o wahanol drawsnewidiadau sleid animeiddiedig ar gael. Er mwyn gwneud eich trawsnewidiadau'n fwy diddorol, gallwch:

- newid y ffordd y mae'r sleid yn ymddangos ar y sgrin
- newid pa mor gyflym y mae'r sleid yn ymddangos
- peri i'r cyfrifiadur wneud sŵn yn ystod y trawsnewidiad.

Ond byddwch yn ofalus wrth ddefnyddio animeiddiadau. Gall defnydd gormodol ohonynt wneud i'ch cyflwyniad edrych yn amaturaidd.

Allforio ffeiliau

Ystyr allforio ffeiliau yw fformatio'r data mewn rhyw ffordd fel bod modd i raglen arall eu defnyddio. Felly bydd dau fath gwahanol o feddalwedd yn gallu rhannu'r un data. Un enghraifft o hyn yw allforio ffeil ddelwedd wedi'i chreu gan feddalwedd golygu ffotograffau fel ei bod mewn fformat sy'n addas i'w ddefnyddio ar dudalen we.

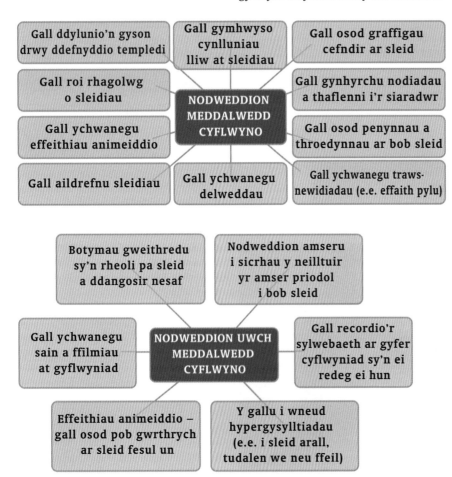

NODWEDDION MEDDALWEDD CYFLWYNO
- Gall ddylunio'n gyson drwy ddefnyddio templedi
- Gall gymhwyso cynlluniau lliw at sleidiau
- Gall osod graffigau cefndir ar sleid
- Gall roi rhagolwg o sleidiau
- Gall gynhyrchu nodiadau a thaflenni i'r siaradwr
- Gall ychwanegu effeithiau animeiddio
- Gall osod penynnau a throedynnau ar bob sleid
- Gall aildrefnu sleidiau
- Gall ychwanegu delweddau
- Gall ychwanegu traws-newidiadau (e.e. effaith pylu)

NODWEDDION UWCH MEDDALWEDD CYFLWYNO
- Botymau gweithredu sy'n rheoli pa sleid a ddangosir nesaf
- Nodweddion amseru i sicrhau y neilltuir yr amser priodol i bob sleid
- Gall ychwanegu sain a ffilmiau at gyflwyniad
- Gall recordio'r sylwebaeth ar gyfer cyflwyniad sy'n ei redeg ei hun
- Effeithiau animeiddio – gall osod pob gwrthrych ar sleid fesul un
- Y gallu i wneud hypergysylltiadau (e.e. i sleid arall, tudalen we neu ffeil)

Mewnforio ffeiliau

Ystyr mewnforio yw'r gallu sydd gan un darn o feddalwedd i ddarllen a defnyddio'r data sydd wedi'u cynhyrchu gan ddarn arall o feddalwedd. Er enghraifft, wrth bostgyfuno gan ddefnyddio meddalwedd prosesu geiriau, gallwch ddefnyddio meddalwedd taenlen neu feddalwedd cronfa ddata i gynhyrchu'r ffynhonnell data sy'n rhoi rhestr o wybodaeth newidiol. Gellir mewnforio'r ffeiliau i'r meddalwedd prosesu geiriau. Enghraifft arall yw defnyddiwr yn mewnforio ei lyfr cyfeiriadau e-bost i'r fersiwn diweddaraf o Microsoft Outlook.

Pan fyddwch yn creu cyflwyniad sy'n cynnwys seiniau, delweddau neu ffilmiau, rhaid bod yn ofalus wrth allforio'r ffeil. Os byddwch yn allforio ffeil y cyflwyniad yn unig, ni fydd yn bosibl cyrchu'r ffeiliau eraill fel seiniau, delweddau neu ffilmiau gan y bydd y cyswllt iddynt yn cael ei golli. Mae'n hollbwysig felly i chi allforio'r holl ffeiliau a ddefnyddir gan y cyflwyniad yn ogystal â ffeil y cyflwyniad ei hun.

Technegau cywasgu data

Os defnyddir delweddau ar wefan neu mewn cyflwyniad, gall gymryd amser i'w llwytho, felly y peth gorau yw defnyddio delweddau wedi'u cywasgu. Drwy gywasgu ffeiliau bydd maint y ffeil yn llai ac felly bydd yn bosibl ei llwytho a'i chopïo'n gyflymach i gyfryngau eraill. Os ydych chi'n bwriadu darparu'r cyflwyniad fel ffeil i'w llwytho i lawr o wefan, bydd defnyddwyr yn gallu ei lwytho i fyny (h.y. ei gadw ar y gweinydd) ac i lawr yn gyflymach.

Mae ffeiliau sain, megis y rhai sy'n cynnwys lleferydd neu gerddoriaeth, yn fawr iawn a byddant yn cael eu cadw fel arfer mewn fformat MP3, sy'n cywasgu'r

ffeil ac yn gwneud y ffeil yn haws ei thrin.

Mae ffeiliau fideo/ffilm yn fwy na ffeiliau sain hyd yn oed, felly mae angen eu cywasgu. Pan gaiff ffeil ei chywasgu:

- gellir storio mwy o ffeiliau yn y cyfrwng storio (e.e. *DVD*, cerdyn cof, disg caled, cof pin, ac ati)
- gellir ei llwytho i fyny i'w rhoi ar ddudalen we yn llawer cyflymach
- gall pobl eraill ei llwytho i lawr o ddudalen we yn llawer cyflymach
- gallwch ei llwytho'n gyflymach pan fyddwch yn defnyddio meddalwedd i'w gwylio neu ei golygu
- gellir ei throsglwyddo'n gyflymach fel atodiad e-bost.

Mae meddalwedd cywasgu ffeiliau fel WinZip ar gael sy'n lleihau maint ffeiliau. Sipio yw'r enw a roddir ar y broses hon. Mae ffeil sip yn ffeil archif a gall gynnwys un neu ragor o ffeiliau. Byddwch wedi dod ar draws ffeiliau sip wrth lwytho ffeiliau i lawr o'r Rhyngrwyd. Cânt eu sipio i leihau maint y ffeil a'r amser llwytho i lawr. Cyn gallu defnyddio ffeil sip, mae angen ei dadsipio ac mae hyn yn cael ei wneud yn awtomatig pan gliciwch ar y ffeil sip.

Mae'r diagramau canlynol yn dangos sut y mae cywasgu'n lleihau maint ffeiliau.

Delwedd didfap
1280 × 960 o bicseli

Maint y ffeil:
3150 KB (3.5 MB)

Cywasgu

Delwedd JPEG
1280 × 960 o bicseli

Maint y ffeil:
292 KB

Cadwch eich sleidiau'n syml fel hon. Yn aml bydd pobl yn cynnwys gormod o wybodaeth.

Manteision ac anfanteision meddalwedd cyflwyno

Mae gan feddalwedd cyflwyno nifer o fanteision ac anfanteision sy'n cael eu crynhoi isod.

Manteision

- Mae defnyddio meddalwedd cyflwyno'n gwneud i'r cyflwynydd ymddangos yn fwy proffesiynol.
- Mae'n cymell y cyflwynydd i grynhoi beth sydd ganddo i'w ddweud o fewn nifer o bwyntiau bwled.
- Gall y cyflwynydd allbrintio'r sleidiau fel bod gwybodaeth ar gael i'r gynulleidfa i'w hystyried wedyn.
- Gall y cyflwynydd ddefnyddio holl allu amlgyfrwng y meddalwedd yn ei gyflwyniad.
- Gellir storio cyflwyniadau a'u trosglwyddo i bobl nad oeddent yn gallu mynychu'r cyflwyniad.
- Gellir dangos cyflwyniadau drwy ddefnyddio taflunydd, bwrdd gwyn, set deledu, neu sgrin cyfrifiadur neu liniadur, felly mae sawl cyfrwng ar gael ar gyfer dangos y cyflwyniad.
- Mae'r cyfleuster 'nodiadau cyflwynydd' yn darparu set o nodiadau na all y gynulleidfa ei gweld, rhag ofn na fydd y cyflwynydd yn siŵr beth i'w ddweud nesaf.

Anfanteision

- Mae ffeiliau ar gyfer cyflwyniadau sy'n cynnwys fideo yn fawr iawn ac mae angen llawer o gof a lle storio i'w rhedeg yn llwyddiannus.
- Gall y gynulleidfa flino ar weld yr holl effeithiau arbennig y bydd pobl yn tueddu i'w rhoi yn eu cyflwyniadau.
- Gall gymryd llawer o amser i baratoi cyflwyniadau da.
- Gall gymryd mwy o amser i gyflwyno'r wybodaeth nag i'w chasglu yn y lle cyntaf. Mae hyn yn golygu y gall y wybodaeth fod yn anghywir weithiau.
- Weithiau bydd yr effeithiau sain a'r animeiddio a ddefnyddir mewn cyflwyniadau yn blino'r gynulleidfa.

Meddalwedd cronfa ddata

Cyflwyniad

Mae meddalwedd cronfa ddata'n caniatáu i ddata gael eu mewnbynnu a'u storio mewn ffordd strwythuredig, sy'n hwyluso adalw'r data.

Mae systemau rheoli cronfeydd data'n cadw'r data ar wahân i'r rhaglenni eu hun, felly ar ôl creu'r data gallwch eu cyrchu drwy ddefnyddio meddalwedd gwahanol. Mae hyn yn bwysig oherwydd pan fydd busnes neu gorff yn ehangu, gall benderfynu defnyddio meddalwedd gwahanol i reoli ei gronfeydd data ac ni fydd am fewnbynnu'r holl ddata eto.

Cronfeydd data perthynol yw'r enw ar y cronfeydd data a ddefnyddir gan gyrff a busnesau. Caiff y data eu storio mewn llawer o dablau gwahanol ac mae cysylltiadau o'r enw perthnasoedd rhwng y tablau.

Beth yw cronfa ddata?

Mae cronfa ddata'n gasgliad trefnedig o ddata neu wybodaeth. Gallwch weld o'r diffiniad hwn nad oes rhaid storio'r data ar gyfrifiadur. Mae'r rhan fwyaf o'r casgliadau mawr o ddata wedi'u rhoi ar gyfrifiadur bellach a phrif fantais defnyddio cronfa ddata gyfrifiadurol yw ei bod yn fwy hyblyg ar gyfer trefnu, arddangos ac argraffu a'i bod yn gyflymach o lawer nag unrhyw system bapur draddodiadol.

Gellir rhannu cronfeydd data cyfrifiadurol yn ddau fath: y gronfa ddata ffeiliau fflat sy'n addas ar gyfer ychydig o gymwysiadau'n unig, a'r gronfa ddata berthynol sy'n llawer mwy cynhwysfawr a hyblyg.

▼ Byddwch yn dysgu

▶ Am ystyr y term cronfa ddata

▶ Am fanteision cronfeydd data o'u cymharu â systemau storio eraill

▶ Am anfanteision cronfeydd data o'u cymharu â systemau storio eraill

▶ Am fewnforio/allforio data i mewn ac allan o gronfeydd data

▶ Beth yw ymholiadau

▶ Beth yw adroddiadau

⇨ GEIRIAU ALLWEDDOL

Cronfa ddata berthynol – cronfa ddata lle y caiff y data eu cadw mewn tablau sydd â pherthnasoedd rhyngddynt. Defnyddir y meddalwedd i drefnu a storio'r data yn ogystal ag i echdynnu a thrin y data

Perthynas – y ffordd y mae tablau'n perthyn i'w gilydd; gallant fod yn dablau un-i-un, un-i-lawer neu lawer-i-lawer

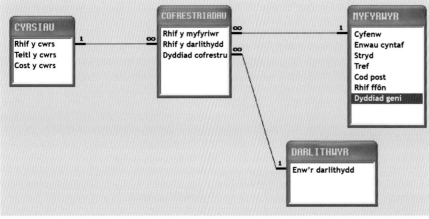

Dyma sut y caiff data eu storio mewn cronfa ddata berthynol. Mae pedwar tabl yn y gronfa ddata hon (a welir ar ffurf blychau) ac mae'r cysylltiadau (perthnasoedd yw'r enw cywir arnynt) wedi'u dangos fel llinellau rhwng y tablau.

Manteision cronfeydd data o'u cymharu â systemau storio eraill

Prif fanteision cronfa ddata gyfrifiadurol yw:

- Dim ond unwaith y mae'n rhaid i chi fewnbynnu'r data. Gall yr holl raglenni eraill ddefnyddio'r casgliad canolog hwn o ddata.
- Mae'r ffeiliau/tablau wedi'u cysylltu, felly os newidir y data mewn un rhaglen, caiff y gronfa ddata ei diweddaru'n awtomatig ar gyfer rhaglenni eraill.
- Os oes angen newid strwythur y gronfa ddata oherwydd newidiadau yn y sefydliad neu fusnes, gellir gwneud hyn yn hawdd. Byddai hyn yn anodd iawn gyda system bapur draddodiadol gan y byddai'n gofyn am lawer o waith.

Mae cronfeydd data cyfrifiadurol yn cymryd lle systemau storio ar bapur.

- Gellir cyrchu'r wybodaeth yn gyflym iawn, fel nad oes angen aros yn hir i gael y wybodaeth sydd ei hangen arnoch.
- Gellir llunio meini prawf chwilio cymhleth, a gellir cadw'r rhain a'u defnyddio eto neu eu haddasu hyd yn oed.
- Mae pawb yn defnyddio'r un data, sy'n sicrhau bod y data'n gyson.
- Gellir cyflawni gwiriadau dilysu ar y data wrth eu mewnbynnu, gan ddiogelu cyfanrwydd (*integrity*) y gronfa ddata.

Mae ychydig o anfanteision:

- Os bydd y gweinydd ffeiliau sy'n cynnwys y gronfa ddata'n torri, ni fydd modd defnyddio'r un o'r rhaglenni sy'n defnyddio'r data.
- Mae angen ystyried diogelwch yn ofalus, gan fod yr holl ddata wedi'u storio'n ganolog bellach.
- Bydd angen hyfforddi defnyddwyr y system yn dda a gall hyn fod yn ddrud.

Mewnforio/allforio

Efallai y bydd wedi cymryd blynyddoedd i gasglu a chreu'r data sydd mewn cronfa ddata ac mae'n nwydd sy'n werthfawr iawn i'r corff. Mae meddalwedd cronfa ddata a meddalwedd arall a ddefnyddir i drin y data yn gallu newid dros y blynyddoedd. Mae'n bwysig felly fod modd mewnforio ac allforio'r data'n rhwydd rhwng gwahanol fathau o feddalwedd. Er enghraifft, rhaid gallu mewnforio enwau a chyfeiriadau o gronfa ddata cwsmeriaid i feddalwedd prosesu geiriau ar gyfer postgyfuno. Weithiau, caiff data eu trosglwyddo rhwng uwchfarchnad a'i chyflenwyr ac, er mwyn gwneud hyn, rhaid bod y meddalwedd a ddefnyddir gan y ddau'n gallu deall yr un set o ddata.

Ymholiadau

Yr unig bwrpas i storio data mewn cronfa ddata yw ei gwneud yn hawdd chwilio er mwyn echdynnu data sy'n ateb maen prawf penodol, er enghraifft, pobl dros 65 oed, menywod yn yr adran gynhyrchu sydd heb gael hyfforddiant iechyd a diogelwch, ac ati.

Un ffordd o chwilio am y data mewn cronfa ddata yw defnyddio gorchmynion wedi'u hysgrifennu mewn iaith o'r enw Iaith Ymholiadau Strwythuredig (*SQL: structured query language*). Mae *SQL* yn cynnwys nifer bach o orchmynion ac, fel gorchmynion ieithoedd rhaglennu, rhaid eu llunio'n ofalus a gall hyn achosi rhwystredigaeth i ddefnyddwyr dibrofiad.

Pe bai gennym gronfa ddata sy'n cynnwys cofnodion gweithwyr, efallai y byddem am gael rhestr o weithwyr yn yr adran gynhyrchu sy'n ennill £25000 neu fwy y flwyddyn. Gallem wneud hyn drwy ddefnyddio'r gyfres ganlynol o orchmynion *SQL*.

DEWIS/SELECT ENW_GWEITHIWR
BLE/WHERE ADRAN = 'CYNHYRCHU'
A/AND CYFLOG >=25000

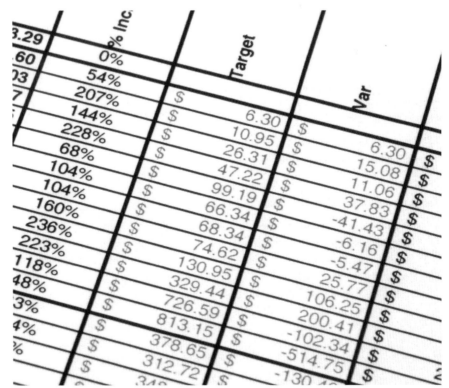

Ymholi drwy esiampl (QBE: query by example)

Mae ymholi drwy esiampl yn ffordd syml o wneud ymholiadau heb orfod meddwl am y ffordd y mae'r gosodiadau wedi'u llunio, fel y byddech wrth ddefnyddio *SQL*. Yn lle hynny, rydych chi'n defnyddio dull syml o ddewis y colofnau yr ydych am eu harddangos a gallwch hefyd bennu amodau a gorchmynion syml ar gyfer chwilio. Yn syml, mae'n caniatáu i ddefnyddwyr newydd neu ddibrofiad gyrchu grym y gronfa ddata berthynol heb orfod pryderu am gystrawen *SQL*.

Adroddiadau

Allbrint o'r canlyniadau o gronfa ddata yw adroddiad. Fel rheol fe gynhyrchir adroddiad ar bapur drwy argraffu'r canlyniadau ond gellir cynhyrchu adroddiad ar y sgrin hefyd. Os yw'r adroddiad yn fanwl iawn, gall fod yn well ei argraffu a mynd ag ef i ffwrdd i'w astudio.

Gall y defnyddiwr ddefnyddio adroddiadau i reoli pa wybodaeth sy'n cael ei hallbynnu a ble: ar bapur neu ar y sgrin.

Allbrintiau o wybodaeth yw adroddiadau, a chan fod llawer ohonynt yn gymhleth mae angen mynd â nhw i ffwrdd i'w hastudio. Mae'r adroddiad hwn yn cymharu gwerthiant gwirioneddol â'r targedau.

Meddalwedd gwe-awduro

Cyflwyniad

Meddalwedd gwe-awduro yw'r enw a roddwn ar y meddalwedd a ddefnyddir i greu gwefannau.

Yn yr adran hon byddwch yn dysgu am y meddalwedd y gallwch ei ddefnyddio i greu gwefannau ac am y rhannau o wefannau y defnyddir y meddalwedd i'w creu. Byddwch yn dysgu am y gwahanol fathau o feddalwedd gwe-awduro sy'n cael eu defnyddio, gan gynnwys meddalwedd arbenigol.

Meddalwedd gwe-awduro

Er mwyn datblygu gwefan, mae angen meddalwedd gwe-awduro. Nid oes rhaid iddo fod yn feddalwedd arbenigol, gan fod llawer o raglenni cyffredin y gallech eu defnyddio os nad yw'r wefan yn rhy gymhleth.

Ymhlith y mathau o feddalwedd generig y gellid eu defnyddio i ddatblygu gwefannau y mae:

- Meddalwedd prosesu geiriau (e.e. Microsoft Word)
- Meddalwedd cyhoeddi bwrdd gwaith (e.e. Microsoft Publisher).

Mae gan feddalwedd gwe-awduro lawer mwy o swyddogaethau ac mae'n fwy anodd ei ddefnyddio ond mae'r cynnyrch terfynol yn fwy proffesiynol. Mae'n cynnwys rhaglenni fel:

- Microsoft FrontPage
- Adobe Dreamweaver.

Er mwyn datblygu gwefannau, bydd angen meddalwedd ychwanegol:

- Meddalwedd prosesu geiriau – mae'n haws gairbrosesu darnau o destun drwy ddefnyddio meddalwedd prosesu geiriau.
- Meddalwedd sganio – efallai y bydd angen digido hen ffotograffau fel bod modd eu rhoi ar dudalen we. Gellid sganio darnau hir o destun ac wedyn eu hadnabod drwy ddefnyddio meddalwedd adnabod nodau gweledol (ANG).
- Meddalwedd golygu ffotograffau/ delweddau – efallai na fydd y delweddau sydd wedi cael eu casglu yn ffitio ar y dudalen we ac y bydd

angen eu golygu. Gellir newid y cyferbynnedd a'r disgleirdeb hefyd.

- Meddalwedd porwr – mae angen ei ddefnyddio i weld sut y bydd y dudalen we/gwefan yn edrych ar y sgrin. Fel rheol defnyddir mwy nag un porwr i sicrhau bod y dudalen we yn edrych yn dda ym mhob un.

Nodweddion gwefannau

Gellir datblygu gwefannau syml drwy ddefnyddio rhaglenni fel Word neu Publisher ond i gael gwefan well, y peth gorau yw defnyddio meddalwedd gwe-awduro arbenigol.

Mae'n debyg eich bod chi wedi creu'ch gwefan eich hun gan ddefnyddio rhaglen addas yng Nghyfnod Allweddol 3 neu 4.

Nodweddion dylunio syml meddalwedd gwe-awduro

- Y gallu i ychwanegu a fformatio testun.
- Yn union fel meddalwedd prosesu geiriau, gellir ychwanegu testun a'i fformatio gan ddefnyddio penawdau ac is-benawdau o wahanol faint, ac ati.
- Ychwanegu tablau i helpu i osod testun a delweddau.
- Y gallu i fewnforio data o raglenni eraill.
- Y gallu i ychwanegu hypergysylltiadau at dudalennau gwe eraill.
- Y gallu i ddefnyddio angorau i gysylltu gwahanol adrannau ar yr un dudalen we.
- Y gallu i ychwanegu cyswllt 'postio-at' (*mailto*). Mae hyn yn caniatáu i ymwelydd â gwefan anfon neges e-bost drwy agor rhaglen e-bost y defnyddiwr.
- Y gallu i gael rhagolwg o'r wefan mewn gwahanol borwyr er mwyn rhoi prawf arni.

Hypergysylltiadau

Defnyddir hypergysylltiadau i neidio o un lle i'r llall. Drwy ddefnyddio hypergysylltiadau gallwch:

- symud o un lle i'r llall ar yr un dudalen we neu sleid
- symud i dudalen arall ar yr un wefan neu sleid

- symud i wefan neu sleid hollol wahanol.

Gall hypergysylltiadau fod ar ffurf testun neu ar ffurf graffigwaith:

Hypergysylltiadau testun – geiriau ar wefan sydd mewn glas ac wedi'u tanlinellu. Pan gliciwch arnynt cewch eich symud i le gwahanol.

Hypergysylltiadau graffigwaith – graffigau (darluniau, ffotograffau, ac ati) y cliciwch arnynt i symud i le gwahanol. Maent yn edrych yr un fath â graffigau cyffredin ond wrth i'r cyrchwr symud drostynt maent yn troi'n llaw sy'n pwyntio fel rheol.

Mae hypergysylltiadau ar gael hefyd yn y meddalwedd cyflwyno PowerPoint. Defnyddir botymau gweithredu i lywio rhwng gwahanol sleidiau a hefyd rhwng ffeiliau sydd wedi'u storio yn y gyriant disg caled neu ar dudalennau gwe ar y Rhyngrwyd. Gellir defnyddio hypergysylltiadau i greu cyflwyniadau rhyngweithiol lle y gall y defnyddiwr benderfynu pa sleid a fydd yn ymddangos nesaf yn hytrach na'u gwylio mewn dilyniant penodol.

Fformatio

Mae meddalwedd gwe-awduro yn gallu fformatio testun mewn ffordd debyg i feddalwedd prosesu geiriau neu *DTP*. Drwy ddefnyddio meddalwedd gwe-awduro gallwch:

- newid ffontiau (ffont a maint y ffont)
- cynhyrchu rhestri â phwyntiau bwled
- creu colofnau o destun
- creu tablau
- ychwanegu borderi a graddliwio.

Fframiau

Defnyddir fframiau i rannu ffenestr yn adrannau. Drwy ddefnyddio fframiau gallwch ddangos dwy neu ragor o dudalennau gwe yr un pryd. Nid oes rhaid i chi gael tudalennau gwe cyfan mewn ffrâm oherwydd gallwch ddefnyddio rhan o bob tudalen yn unig ym mhob ffrâm.

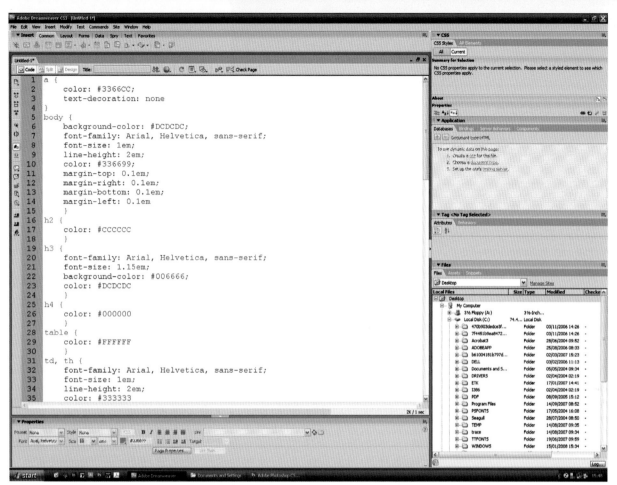

Mae'r sgrin hon yn dangos y cod *HTML* a ddefnyddir i greu gwefan. Yn ffodus, mae'r meddalwedd gwe-awduro yn eich arbed rhag gorfod delio â'r manylion cymhleth hyn, felly nid oes rhaid i chi wybod dim am *HTML* i greu gwefan.

Ni ddefnyddir fframiau gyda phob gwefan gan eu bod yn tueddu i ddrysu'r defnyddiwr, gan mai dim ond y ffrâm weithredol a gaiff ei hargraffu pan geisiwch argraffu'r cyfan.

Iaith Farcio Hyperdestun (HTML: HyperText Markup Language)

Mae iaith farcio hyperdestun (*HTML*) yn gyfres o gyfarwyddiadau a ddefnyddir i fformatio ac arddangos testun a delweddau ar y We Fyd-eang. Mae'n cael ei defnyddio i bennu strwythur a gosodiad tudalennau gwe a gwefannau.

HTML yw'r cyfarwyddiadau i'r porwr ynghylch sut i gyflwyno'r cynnwys ar y dudalen we i'r defnyddiwr. Mae *HTML* yn gymhleth ac yn galw am lawer o ymdrech i'w deall a'r peth gorau yw ei gadael i ddylunwyr gwe proffesiynol sy'n ei defnyddio drwy'r amser.

Mae'n well gan y rhan fwyaf o bobl ddefnyddio rhaglen gwe-awduro sy'n llawer mwy cyfeillgar. Yn y pen draw, bydd unrhyw wefan a grëwch yn cael ei throi'n god *HTML* ond bydd y meddalwedd gwe-awduro yn gwneud hyn yn awtomatig.

Nodweddion uwch meddalwedd gwe-awduro

Dalennau diwyg rhaeadrol

Mae'n anodd cadw cysondeb rhwng y naill dudalen we a'r llall ond mae defnyddio dalennau diwyg rhaeadrol yn eich helpu i wneud hyn. Yn lle cymhwyso fformatio penodol at bob bloc o destun, gallwch gymhwyso dalen diwyg rhaeadrol ato. Drwy wneud hyn, bydd gan y bloc o destun yr un ffont, maint ffont a lliw ag sydd wedi'u diffinio yn y ddalen diwyg rhaeadrol. Gallwch arbed llawer iawn o amser drwy ddefnyddio'r dalennau hyn wrth lunio gwefannau.

Mae'r dalennau hyn yn ffordd o wahanu'r cynnwys oddi wrth y cyflwyniad (e.e. maint ffont, lleoliad, lliwiau, ac ati).

Y gallu i greu tudalen we drwy ddefnyddio fframiau

Drwy ddefnyddio fframiau i greu tudalen we gallwch gael nifer o dudalennau gwe o fewn un ffenestr porwr. Fel hyn gall y defnyddiwr ddewis cyswllt mewn un ffrâm sy'n llwytho cynnwys i ffrâm arall, gan alluogi'r defnyddiwr i aros yn yr un ffenestr porwr.

Y gallu i greu ffurflen a'i defnyddio i gasglu data

Gallwch greu ffurflenni sy'n eich galluogi i gasglu data oddi wrth ddefnyddiwr. Er enghraifft, gallech gasglu manylion enw a chyfeiriad ar gyfer rhywun sy'n gofyn am fwy o wybodaeth am gynnyrch. Gallech hefyd ofyn i'r defnyddiwr lofnodi llyfr ymwelwyr ac ysgrifennu ei sylwadau ar dudalen adborth.

Y gallu i edrych ar y cod HTML

Pan ddefnyddiwch feddalwedd gwe-awduro i ddatblygu gwefan, y tu ôl i'r llenni mae'r rhaglen yn creu cyfres o godau *HTML*, sef y cyfarwyddiadau sy'n egluro sut yr ydych am drefnu'r wefan.

Mae'n well gan rai datblygwyr gwefannau newid y codau *HTML* gan fod hynny'n rhoi mwy o hyblygrwydd iddynt na defnyddio'r pecyn dylunio gwefan ar ei ben ei hun.

GEIRIAU ALLWEDDOL

Rhynglunio (*Tweening*) – wrth lenwi'r bwlch rhwng graffigau, mae'r meddalwedd animeiddio'n creu'r holl fframiau sydd rhwng dwy ffrâm, gan greu symudiad llyfn

Defnyddio animeiddio

Mae llawer o wefannau'n defnyddio animeiddio ond fel rheol caiff yr animeiddiadau eu cynhyrchu gan raglen graffeg neu animeiddio arbenigol a'u mewnforio wedyn i'r wefan. Un rhaglen y gallech fod wedi dod ar ei thraws yw Flash.

Mae Flash yn eich galluogi i wneud y canlynol:

- cynhyrchu graffeg amlgyfrwng ar y we
- creu ffilmiau rhyngweithiol ar y we.

Mae'n debyg eich bod chi wedi clywed am Flash. Bydd llawer o wefannau'n ei defnyddio i greu effeithiau trawiadol. Mae Flash yn cynnig y manteision hyn:

- gellir llwytho delweddau Flash yn gyflym iawn
- gallwch greu delweddau rhyngweithiol animeiddiedig
- nid oes rhaid i chi wybod dim am raglennu er mwyn gallu ei ddefnyddio.

Rhaid i chi sicrhau bod unrhyw effeithiau animeiddio arbennig a ddefnyddiwch yn rhai y gall bron bawb eu gwylio. Er mwyn gwylio ffilmiau Flash, mae angen Macromedia Shockwave Player. Yn ffodus,

fe'i rhoddir gyda'r rhan fwyaf o systemau gweithredu a meddalwedd porwr fel AOL, Internet Explorer, ac ati.

Mae'n hawdd cynhyrchu animeiddiadau gyda Flash. Cyn i chi ddechrau, mae angen i chi ddeall sut y mae animeiddio'n cael ei wneud. Yr animeiddio symlaf yw lle'r ydych chi'n tynnu llun, yn ei ddileu ac yna'n tynnu'r un llun yn gyflym mewn safle ychydig yn wahanol. Caiff y broses ei hailadrodd nes bod y llun wedi symud i'r lleoliad sydd ei eisiau.

Os bydd y newid rhwng un llun a'r llall yn digwydd yn araf, bydd y llygad dynol yn sylwi ar y gwahanol luniau. Os caiff y llun ei symud 24 o weithiau yr eiliad, bydd y llygad dynol yn cael ei dwyllo i gredu bod y llun yn symud yn barhaus.

Dyma'r camau y mae'n rhaid i chi eu cymryd i symud pêl goch ar draws y sgrin:

1. Tynnu llun y bêl goch
2. Ei ddileu
3. Tynnu llun o'r bêl goch ychydig i'r dde
4. Ei ddileu
5. Tynnu llun o'r bêl goch ychydig yn bellach i'r dde, ac yn y blaen.

Bydd yn ymddangos bod y bêl yn symud (os bydd y broses yn ddigon cyflym). Pan fydd y rhan fwyaf o bobl yn

meddwl am animeiddiadau, byddant yn meddwl am gartwnau ac yn enwedig am gartwnau Disney. Mae'r cartwnau hyn yn animeiddiadau ffrâm wrth ffrâm sy'n golygu eu bod yn cynnwys miloedd o fframiau ar wahân, a phob un ohonynt ychydig yn wahanol i'r un flaenorol.

Defnyddio meddalwedd animeiddio i greu animeiddiad syml

Er mwyn creu animeiddiad, rhaid i chi gael pwynt cychwyn a phwynt gorffen. Gan eu bod mor bwysig, gelwir y rhain yn fframiau allweddol. Rhoddir yr enw fframiau allweddol ar fframiau sy'n dal cynnwys newydd hefyd. Yn hen animeiddiadau Disney roedd pob ffrâm yn dal cynnwys gwahanol fel arfer, felly roedd llawer o fframiau allweddol.

Gallech greu llawer o wahanol fframiau allweddol â meddalwedd animeiddio ond byddai'n waith llafurus iawn. Os ydych yn meddwl y gallwch gynhyrchu animeiddiadau tebyg i rai Disney, fe gewch eich siomi.

Mae dwy broblem fawr yn gysylltiedig ag animeiddio ffrâm wrth ffrâm:

- mae'n gofyn am lawer o amser ac ymdrech
- mae'n cynhyrchu ffeiliau mawr iawn a gall gymryd llawer o amser i lwytho'r rhain ar wefan.

Mae rhynglunio (*tweening*) yn cynnig ffordd arall o gynhyrchu animeiddiadau sylfaenol. Yn syml, ar ôl cael gwybod beth yw'r fframiau cychwyn a gorffen, bydd y cyfrifiadur yn llenwi'r fframiau sydd rhyngddynt. Dim ond animeiddiadau syml y gellir eu gwneud drwy lenwi'r bwlch. Er enghraifft, gallech gynhyrchu siâp sy'n symud yn rhwydd ar hyd llwybrau gwahanol ar draws y sgrin.

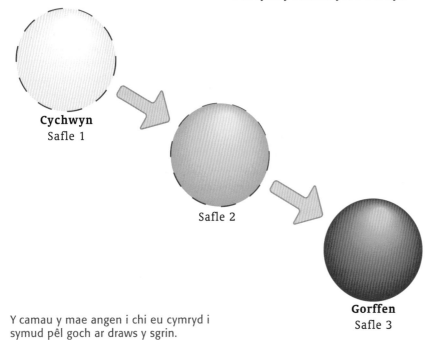

Cychwyn
Safle 1

Safle 2

Gorffen
Safle 3

Y camau y mae angen i chi eu cymryd i symud pêl goch ar draws y sgrin.

Cwestiynau a Gweithgareddau

▶ Gweithgaredd 1

Mae macros ar gael fel nodwedd uwch mewn llawer math o feddalwedd. Gan ddefnyddio llawlyfrau meddalwedd neu ddewislenni cymorth ar-lein i'ch helpu, dysgwch sut i ysgrifennu macro ar gyfer tasg sy'n peri diflastod i chi pan fyddwch yn defnyddio'ch meddalwedd taenlen neu brosesu geiriau.

Cynhyrchwch set o gyfarwyddiadau hawdd eu deall y gallech ei rhoi i ffrind sy'n gorfod cyflawni'r un dasg.

▶ Gweithgaredd 2

Ar gyfer y gweithgaredd hwn gofynnir i chi ymchwilio i'r templedi sydd ar gael yn y pecynnau prosesu geiriau a *DTP* yr ydych yn gyfarwydd â nhw.

Gofynnir i chi gynhyrchu adroddiad wedyn sy'n amlinellu'ch casgliadau.

▶ Gweithgaredd 3

Gan ddefnyddio meddalwedd prosesu geiriau, cynhyrchwch dempled ar gyfer dogfen i gwmni gwyliau. Byddai'r cwmni gwyliau'n hoffi defnyddio'r templed hwn i ateb pobl sydd wedi dweud eu bod yn anfodlon ar eu gwyliau. Bydd angen addasu'r templed yn ôl y cwynion sydd ganddynt, felly mae angen cryn dipyn o le i roi'r wybodaeth newidiol i mewn.

Ar ôl cwblhau'r templed bydd angen i chi baratoi canllaw byr i ddefnyddwyr i egluro sut i ddefnyddio'r templed.

▶ Cwestiynau 1 | tt. 138–141

1 Beth yw macros a pham y maent yn ddefnyddiol? (3 marc)

2 Defnyddir meddalwedd *DTP* i gynhyrchu catalog cynhyrchion i gwmni peirianneg.
   (a) Trafodwch y ffactorau y gallai'r cwmni eu hystyried i benderfynu a ddylid defnyddio meddalwedd *DTP* gartref neu feddalwedd *DTP* proffesiynol. (4 marc)
   (b) (i) Heblaw am y cyfrifiadur ei hun, disgrifiwch **ddwy** eitem arall o galedwedd y dylai'r cwmni eu prynu, gan roi rhesymau. (2 farc)
       (ii) Enwch **ddwy** eitem arall o feddalwedd y byddai'r cwmni'n debygol o'u defnyddio ar y cyd â'r meddalwedd *DTP*. Peidiwch â rhoi enwau brandiau. (2 farc)

3 Mae awdur yn ysgrifennu llyfr gwyddoniaeth ar gyfer cwrs TGAU. Mae dyluniad y llyfr yn gymhleth a defnyddir ffontiau gwahanol ar gyfer penawdau, is-benawdau, ac ati. Mae llawer o feintiau ffont gwahanol hefyd. Mae cyhoeddwr y llyfr wedi awgrymu y dylai'r awdur ddefnyddio dalen arddull.
   (a) Eglurwch beth yw dalen arddull ac egluro, gan roi enghraifft, sut y byddai'r ddalen arddull o gymorth i'r awdur. (3 marc)
   (b) Mae'r cyhoeddwr wedi awgrymu hefyd y byddai macros yn gallu arbed amser i'r awdur. Eglurwch yn ofalus beth yw macro a rhowch enghraifft o sut y gallai'r awdur ddefnyddio macro i arbed amser. (4 marc)

4 Mae gweinyddwr mewn ysbyty yn defnyddio meddalwedd prosesu geiriau i anfon llythyrau at gleifion. Eglurwch sut y gellid defnyddio postgyfuno i arbed amser i'r gweinyddwr. (5 marc)

5 Cymharwch a chyferbynnwch y nodweddion mewn meddalwedd cyhoeddi bwrdd gwaith a meddalwedd prosesu geiriau, gan egluro sut y gallai defnyddiwr ddewis rhyngddynt. (6 marc)

6 Eglurwch yn ofalus y gwahaniaeth rhwng dalen arddull a thempled. (3 marc)

7 Rhowch **dri** rheswm i egluro pam y gallai meddalwedd cyhoeddi bwrdd gwaith fod yn well na meddalwedd prosesu geiriau ar gyfer cynhyrchu taflen i gwmni. (3 marc)

Cwestiynau 2   tt. 136–137

1 (a) Gellir defnyddio amrywiaeth o gyfryngau i gyfleu gwybodaeth.
Enwch **dri** math o gyfrwng y gellid eu defnyddio i hyrwyddo grŵp pop newydd. (3 marc)

(b) Mae modd arddangos gwybodaeth mewn sawl fformat gwahanol.
Disgrifiwch **ddau** fformat ar gyfer gwybodaeth ac ar gyfer y ddau rhowch enghraifft o sefyllfa lle y byddai'r fformat hwnnw'n briodol. (2 farc)

(c) Eglurwch, gan roi enghraifft addas, pam y mae'n rhaid ystyried natur y gynulleidfa bob tro wrth roi gwybodaeth iddi. (1 marc)

2 Mae cwmni ceir yn hyrwyddo car newydd ac mae angen iddo ddefnyddio TGCh i wneud y gwaith hyrwyddo hwnnw. Mae'n bwriadu defnyddio nifer o gyfryngau gwahanol. Enwch **dri** math o gyfrwng y gellid eu defnyddio ac eglurwch pam y byddai pob un ohonynt yn addas. (3 marc)

 Cwestiynau 3   tt. 142–143

1 Mae athrawes gwyddoniaeth mewn ysgol yn defnyddio meddalwedd cyflwyno yn ei gwersi.

(a) Eglurwch sut y bydd defnyddio templedi'n ei helpu i gynhyrchu set o sleidiau ar dopig penodol yn gyflymach. (3 marc)

(b) Disgrifiwch **ddwy** nodwedd yn y meddalwedd cyflwyno a fydd yn gwneud ei chyflwyniad yn fwy diddorol. (2 farc)

(c) Gofynnwyd i'r athrawes gynhyrchu cyflwyniad rhyngweithiol ar gyfer cyfarfod rhieni. Disgrifiwch **ddwy** nodwedd y dylid eu cynnwys yn y cyflwyniad rhyngweithiol hwn. (2 farc)

2 (a) Fel llawer math o feddalwedd, mae angen cael cyfleuster mewn meddalwedd cyflwyno i alluogi'r defnyddiwr i fewnforio ac allforio ffeiliau.
Gan ddefnyddio enghreifftiau addas, diffiniwch bob un o'r termau hyn, gan sicrhau eich bod yn gwahaniaethu rhyngddynt yn glir. (5 marc)

(b) Defnyddir technegau cywasgu data yn aml i drin ffeiliau sy'n gysylltiedig â meddalwedd cyflwyno. Eglurwch beth yw cywasgu data a pham y caiff ei ddefnyddio yn yr achos hwn. (3 marc)

 Cwestiynau 4   tt. 144–145

1 Mae uwchfarchnad yn defnyddio cronfa ddata sy'n cynnwys manylion yr holl nwyddau a'u prisiau.

(a) (i) Eglurwch ystyr y gair ymholiad. (1 marc)
(ii) Disgrifiwch **un** ymholiad y gallai'r siop ei gyflawni ar y data sydd yn y gronfa ddata. (2 farc)

(b) Yn aml mae angen mewnforio neu allforio'r data sydd mewn cronfa ddata.

Rhowch ddisgrifiad clir o sefyllfa yn yr uwchfarchnad lle y byddai hyn yn debygol o ddigwydd. (2 farc)

(c) (i) Eglurwch ystyr y term adroddiad. (1 marc)
(ii) Disgrifiwch **ddwy** sefyllfa mewn uwchfarchnad lle y byddai angen cael adroddiad, ac ar gyfer pob un ohonynt eglurwch beth y byddai'r adroddiad yn ei gynnwys. (2 farc)

 Cwestiynau 5   tt. 146–148

1 Mae llawer o wefannau'n rhyngweithiol gan eu bod yn caniatáu i ddefnyddwyr benderfynu beth y maent am ei wneud nesaf.
Gellir troi cyflwyniadau'n rhyngweithiol hefyd drwy ddefnyddio hypergysylltiadau.

(a) Eglurwch ystyr y term hypergyswllt a rhowch enghraifft o sut y gellid defnyddio hypergyswllt mewn cyflwyniad. (2 farc)

(b) Heblaw am hypergysylltiadau, disgrifiwch **ddwy** nodwedd ryngweithiol sydd mewn gwefannau. (4 marc)

2 Bydd dylunwyr gwe yn defnyddio pecynnau gwe-awduro i ddylunio ac adeiladu gwefannau i'w cleientiaid. Ar wahân i fformatio testun a graffigau, eglurwch **dair** o nodweddion rhaglen gwe-awduro. (3 marc)

Cymorth gyda'r arholiad

Enghraifft 1

1 Mae swyddfa ysgol yn defnyddio meddalwedd prosesu geiriau a *DTP* i gynhyrchu dogfennau fel llythyrau, adroddiadau, posteri, newyddlenni, ac ati. Diffiniwch bob un o'r swyddogaethau canlynol sydd gan y meddalwedd a rhowch enghraifft briodol o sut y gallai'r ysgol ddefnyddio pob un ohonynt.

(a) templedi

(b) dalennau arddull

(c) postgyfuno. (6 marc)

Ateb myfyriwr 1

1 (a) Mae templedi'n ddogfennau sydd wedi cael eu dylunio ymlaen llaw y gallwch eu defnyddio i gynhyrchu taflenni, newyddlenni, rhestri prisiau ac ati. Gallwch roi'ch testun eich hun yn lle'r testun sydd ynddynt yn barod. Mae'r graffigau a'r holl nodweddion dylunio ynddynt yn barod.

(b) Mae gan bawb ei arddull ei hun wrth ysgrifennu dogfen. Felly mae dalennau arddull yn caniatáu i chi ysgrifennu'ch dogfen yn eich arddull eich hun.

(c) Mae postgyfuno'n golygu cyfuno rhestr o enwau a chyfeiriadau â llythyr safonol fel bod cyfres o lythyrau tebyg yn cael ei chynhyrchu, a phob un wedi'i gyfeirio at berson gwahanol.

Sylwadau'r arholwr

1 (a) Mae hwn yn ateb rhesymol ac mae'r myfyriwr wedi nodi'n glir fod gan dempled destun dalfan. Ond er ei fod wedi dweud yn gywir fod graffigau a nodweddion dylunio'n bresennol, nid yw wedi dweud bod modd i'r defnyddiwr newid y graffigau a'r nodweddion dylunio hyn. Nid yw'r myfyriwr wedi crybwyll enghraifft o ddefnyddio templedi ar gyfer tasg mewn ysgol chwaith.

(b) Mae'r ateb hwn yn hollol anghywir, ac mae'n ymddangos bod y myfyriwr wedi dyfalu.

(c) Yma mae'r myfyriwr wedi rhoi diffiniad clir a rhesymegol o'r gair postgyfuno. Er hynny, mae wedi methu rhoi esboniad pellach neu enghraifft yng nghyd-destun ysgol.

Rhaid i fyfyrwyr sicrhau eu bod yn ateb pob rhan o'r cwestiwn, gan ei bod yn hawdd iawn gadael rhan allan. Mae'n amlwg o'r diffiniad ei fod yn llwyr ddeall beth yw postgyfuno ac y byddai wedi bod yn hawdd iddo roi ateb yng nghyd-destun ysgol.

Oherwydd y diffyg enghreifftiau a'r ffaith bod un o'r atebion yn hollol anghywir, yr ystod marciau sy'n berthnasol i'r ateb hwn yw 0-2 o farciau (gweler ateb yr Arholwr). Mae rhai o'r atebion yn eithaf da ac mae'r ateb cyfan yn haeddu marc ym mhen uchaf yr ystod marciau. Mae'r mynegiant eglur a'r gramadeg, y sillafu a'r atalnodi da hefyd yn cyfiawnhau rhoi marc uwch yn yr ystod marciau.

(2 farc allan o 6)

Cymorth gyda'r arholiad (parhad)

Ateb myfyriwr 2

1 (a) Yn hytrach na chreu dyluniad o'r dechrau, gallwch ddefnyddio dyluniad sydd wedi'i greu'n barod. Yr enw ar y dyluniadau hyn yw templedi ac mae ganddynt nodweddion dalfan (llinellau grid, blychau, testun ffug) ar gyfer yr elfennau allweddol – testun a graffigau. Gall staff yr ysgol ychwanegu eu testun a'u graffigau eu hun a dewis y ffurfdeipiau priodol heb orfod meddwl am y dyluniad.

   (b) Mae dalennau arddull yn caniatáu i'r sawl sy'n creu'r ddogfen ei chadw'n gyson. Maent hefyd yn caniatáu i rywun wneud newidiadau cyflym i benawdau neu is-benawdau, ffontiau a meintiau ffont, a fformatio fel teip trwm neu italig, drwy'r ddogfen gyfan. Felly os yw ysgrifennydd yr ysgol am newid yr holl benawdau fel eu bod mewn ffont gwahanol, mae modd gwneud hyn ar unwaith, drwy wneud y newid yn y ddalen arddull.

   (c) Os oes angen i ysgrifennydd yr ysgol anfon yr un llythyr at yr holl rieni, gall greu llythyr safonol. Byddai'n bosibl cael lleoedd gwag yn y llythyr hwn i'w llenwi gyda gwybodaeth o gronfa ddata'r ysgol sy'n cynnwys enwau a chyfeiriadau'r rhieni, er mwyn anfon llythyr unigol at bob person. Byddai hyn yn arbed llawer o amser a gwaith.

Sylwadau'r arholwr

1 (a) Mae ateb y myfyriwr yn berffaith bron, gan ei fod wedi diffinio'n glir beth yw templed a sut y gall yr ysgol ei ddefnyddio. Mae'r myfyriwr hefyd wedi crybwyll mantais i'r staff o ddefnyddio templedi.

   (b) Yma mae'r myfyriwr wedi egluro sut y caiff y ddalen arddull ei defnyddio i gadw cysondeb rhwng y tudalennau mewn dogfen. Er hynny, nid yw wedi egluro beth yn union yw dalen arddull. Yn hytrach, mae wedi egluro sut y gellir ei defnyddio. Rhaid i fyfyrwyr edrych yn ofalus iawn ar eiriad y cwestiwn. Mae'r enghraifft a roddodd y myfyriwr yn dda iawn.

   (c) Unwaith eto mae'r myfyriwr wedi rhoi enghraifft yn hytrach nag egluro beth yw union ystyr y term. Mae'n iawn i chi roi enghraifft fel hyn ar yr amod eich bod chi'n diffinio'r term hefyd. Mae'r enghraifft a roddwyd yma yn un dda. **(4 farc allan o 6)**

Ateb yr arholwr

1 (a) Dylai ymgeiswyr ddiffinio'r swyddogaeth a rhoi un enghraifft sy'n berthnasol i'r ysgol.

   Mae templedi'n ddogfennau sydd wedi'u dylunio ymlaen llaw y gallwn eu defnyddio i greu llyfrynnau, posteri, papurau arholiad, hysbysebion, prosbectysau ysgol, ac ati.

   Maent yn cynnwys testun a graffigau dalfan a gallwch roi'ch testun a'ch graffigau eich hun yn eu lle. Mae hyn yn eu gwneud yn hawdd eu defnyddio ac maent yn ddelfrydol i staff gweinyddol yr ysgol sydd newydd ddechrau defnyddio meddalwedd *DTP* oherwydd y gallant gynhyrchu dogfennau proffesiynol.

   (b) Mae dalennau arddull yn caniatáu i chi bennu'r fformatio mewn dogfen fel y gallwch sicrhau cysondeb. Mae hyn yn golygu hefyd mai'r cwbl y mae angen i chi ei wneud i newid y fformatio yw newid y fformatio yn y ddalen arddull, yn lle gorfod mynd drwy'r ddogfen gyfan yn newid fformat eitemau unigol. Bydd hyn yn rhoi gwedd safonol i ddogfennau fel prosbectws yr ysgol o dudalen i dudalen ac o adran i adran. Bydd hefyd yn arbed amser i staff gweinyddol yr ysgol gan na fydd yn rhaid iddynt boeni am y fformatio ar ôl creu'r ddalen arddull.

   (c) Mae postgyfuno'n golygu cymryd rhestr o ddata, er enghraifft, o gronfa ddata sy'n cynnwys enwau a chyfeiriadau, a'i chyfuno â llythyr safonol fel bod cyfres o lythyrau'n cael ei chynhyrchu, a phob un wedi'i gyfeirio at berson gwahanol. Gallai ysgol ddefnyddio hyn i anfon llythyrau at rieni ynghylch cyfarfodydd rhieni, teithiau ysgol, triwantiaeth, ac ati.

5–6 marc

Mae'r ymgeiswyr yn rhoi ateb clir a rhesymegol sy'n rhoi diffiniad llawn a chywir o swyddogaeth y meddalwedd ac enghraifft o sut y gellid ei ddefnyddio. Maent yn defnyddio termau priodol a sillafu, atalnodi a gramadeg cywir.

3–4 marc

Mae'r ymgeiswyr yn diffinio dau o'r termau ac yn egluro sut y gellid eu defnyddio, ond nid yw'r enghreifftiau a roddir yn glir. Mae ychydig o wallau sillafu, atalnodi a gramadeg.

0–2 farc

Mae'r ymgeiswyr yn rhoi diffiniad byr o un o'r termau'n unig ac yn methu rhoi enghreifftiau synhwyrol a pherthnasol yng nghyd-destun ysgol. Nid yw'r ateb yn glir, ac mae llawer o wallau sillafu, atalnodi a gramadeg.

Enghraifft 2

2 Mae canolfan croeso yn penderfynu cynhyrchu cyflwyniad sy'n ei redeg ei hun i ddangos yr holl atyniadau lleol.

  (a) Diffiniwch y **ddwy** swyddogaeth ganlynol yn y meddalwedd cyflwyno, ac eglurwch, gan ddefnyddio enghraifft briodol, sut y byddai'n bosibl defnyddio'r ddwy swyddogaeth yn y sefyllfa hon.

    (i) Templedi

    (ii) Trawsnewidiadau wedi'u hanimeiddio. (4 marc)

  (b) Mae'r ganolfan croeso yn penderfynu hefyd y bydd yn rhoi llawer o'r wybodaeth hon ar wefan fel bod modd ei chyrchu dros y Rhyngrwyd o unrhyw gyfrifiadur.

    Er mwyn cynhyrchu'r wefan, defnyddir meddalwedd gwe-awduro.

    Enwch **dair** o swyddogaethau meddalwedd gwe-awduro ac, ar gyfer pob swyddogaeth, eglurwch sut y gellir defnyddio'r swyddogaeth yn y sefyllfa hon. (6 marc)

Ateb myfyriwr 1

2 (a) (i) Mae templedi'n ddyluniadau y gallwch roi'ch gwaith eich hun ynddynt. Mae hyn yn golygu nad oes rhaid i chi ddechrau o'r dechrau, felly mae'n arbed amser i chi.

    (ii) Mae trawsnewidiadau wedi'u hanimeiddio'n drawsnewidiadau sy'n symud yn eithaf tebyg i gartŵn. Maent yn gwneud y cyflwyniad yn hwyl i'w wylio gan y gynulleidfa a gallant ei wneud yn fwy bywiog.

  (b) Hypergysylltiadau – maent yn gadael i chi neidio o un rhan o dudalen we i ran arall. Mae hyn yn gwneud y wefan yn rhyngweithiol.

    Graffigau – gallwch roi lluniau, mapiau a ffotograffau o'r ardal leol a'i hatyniadau ar y wefan.

    Testun – gallwch ddisgrifio'r atyniadau i gyd a dweud pa rai sy'n werth eu gweld.

Sylwadau'r arholwr

2 (a) (i) Nid yw'r diffiniad yn hollol glir. Mae'r ail frawddeg yn ennill un marc yn unig gan nad yw wedi rhoi enghraifft.

    (ii) Mae'r myfyriwr wedi deall y gair animeiddio ond nid yw'n gwybod sut y mae'n berthnasol yng nghyd-destun meddalwedd cyflwyno. Dim marciau am hyn.

  (b) Mae hypergysylltiadau'n caniatáu i chi wneud mwy na neidio i wahanol rannau o'r un dudalen we yn unig. Gallech neidio i dudalen we ar wefan wahanol. Nid yw wedi rhoi enghraifft, felly mae'n ennill un marc yn unig.

    Mae graffigau'n nodwedd o'r cynnwys, nid ydynt yn un o swyddogaethau meddalwedd gwe-awduro, felly dim marciau am y rhan hon.

    Cynnwys yw testun ac nid swyddogaeth mewn meddalwedd gwe-awduro, felly dim marciau am hyn. **(2 farc allan o 10)**

Cymorth gyda'r arholiad (parhad)

Ateb myfyriwr 2

2 (a) (i) Mae templedi'n gadael i chi bennu'r fformatio ar gyfer gwefan aml-dudalen. Er enghraifft, gallwch bennu'r ffont a maint y ffont ar gyfer yr holl wahanol benawdau ac is-benawdau ar gyfer y tudalennau gwe. Felly os penderfynwch eu newid, y cwbl y mae'n rhaid i chi ei wneud yw eu newid yn y templed.

(ii) Trawsnewidiadau wedi'u hanimeiddio yw'r ffordd y mae un sleid yn cymryd lle un arall mewn sioe sleidiau. Er enghraifft, gall y sleid ymddangos o ochr chwith neu ochr dde'r dudalen, neu o ben neu waelod y dudalen. Mae hefyd yn bosibl animeiddio'r pwyntiau bwled wrth iddynt ymddangos ar y sleid. Mae'r animeiddiadau'n gwneud y sioe sleidiau'n fwy diddorol a byddant yn dal sylw ymwelwyr pan fyddant yn y swyddfa.

(b) Dalennau diwyg rhaeadrol. Mae'n bwysig cadw cysondeb rhwng y naill dudalen we a'r llall. Yn lle cymhwyso'r fformatio at bob bloc o destun, gallwch bennu'r holl fformatio mewn dalen arddull. Mae dalennau arddull yn gwahanu'r cynnwys oddi wrth y fformatio. Os oes angen i chi newid rhywbeth fel ffont, dim ond yn y ddalen arddull y mae angen ei newid.

Hypergysylltiadau. Mae hypergysylltiadau'n gadael i chi greu cyswllt â thudalennau gwe eraill, a allai fod ar yr un wefan neu ar wefan wahanol. Pan fydd defnyddiwr yn clicio ar yr hypergyswllt, bydd yn mynd yn awtomatig i'r dudalen we newydd. Er enghraifft, gallai'r wefan gynnwys hypergyswllt ar gyfer oriel gelf fel bod modd i ddefnyddwyr weld beth yw'r oriau agor a ble yn union y mae'r oriel.

Cyswllt postio-at. Mae cyswllt postio-at yn caniatáu i'r defnyddiwr anfon neges e-bost at berchennog y wefan. Er enghraifft, os nad yw cyswllt yn gweithio'n iawn, gall y defnyddiwr roi gwybod i'r ganolfan croeso fel y gall ei drwsio.

Sylwadau'r arholwr

2 (a) (i) Mae'r myfyriwr yn cymysgu rhwng dalennau arddull a thempledi ac mae wedi rhoi diffiniad o ddalen arddull. Cofiwch mai dalennau arddull sy'n pennu'r arddull (h.y. fformatio'r ddogfen) tra bo templed yn ddogfen gyfan lle y gallwch newid y testun, graffigau, ac ati.
Dim marciau am y rhan hon.

(ii) Dyma ddiffiniad clir o'r term trawsnewidiadau wedi'u hanimeiddio ac mae wedi rhoi enghraifft dda o'r defnydd ohonynt, felly dau farc am hyn.

(b) Mae hwn yn ddiffiniad clir o swyddogaeth dalennau diwyg rhaeadrol gydag enghraifft dda.
Rhoddwyd esboniad clir o swyddogaethau hypergysylltiadau a chysylltau postio-at ac mae'r myfyriwr wedi egluro'n ofalus sut y gellid defnyddio'r swyddogaethau yn y meddalwedd gwe-awduro.
Marciau llawn am hyn. **(8 marc allan o 10)**

Ateb yr arholwr

2 (a) (i) Un marc am y diffiniad ac un marc am yr enghraifft.
Mae templedi'n ddogfennau wedi'u rhannol baratoi sy'n cynnwys testun a graffigau dalfan y gallwch roi'ch rhai eich hun yn eu lle fel nad ydych yn gorfod dechrau o'r dechrau.
Un enghraifft fyddai cael sleid sy'n cynnwys logo'r ganolfan croeso, graffigyn, lliw cefndir penodol a rhywfaint o destun, y gellir eu newid yn gyflym pan fo angen cynhyrchu sleid newydd.

(ii) Un marc am y diffiniad ac un marc am yr enghraifft.
Mae trawsnewidiadau wedi'u hanimeiddio'n golygu'r ffordd y gall sleidiau ymddangos ar y sgrin neu'r ffordd y mae elfennau unigol fel testun neu graffigau'n ymddangos ar y sgrin. Er enghraifft, gallai'r sleidiau ar gyfer gwahanol atyniadau ymddangos o wahanol gyfeiriadau er mwyn gwneud y sioe sleidiau'n fwy effeithiol.

(b) Un marc am y swyddogaeth ac un marc am egluro sut y gellid ei defnyddio ar wefan canolfan croeso x 3.
Y gallu i ychwanegu hypergysylltiadau i ddudalennau gwe eraill.
Y gallu i ddefnyddio angorau i gysylltu â gwahanol adrannau ar yr un dudalen we.
Y gallu i ddefnyddio cysylltau postio-at i anfon negeseuon e-bost i'r ganolfan croeso.
Mannau poeth. Graffigau neu rannau o fapiau y gallwch glicio arnynt sy'n gweithio fel hypergysylltiadau.
Chwilio am allweddeiriau. Mae hyn yn eich galluogi i chwilio'r wefan am eiriau neu ymadroddion penodol.
Defnyddio dewislenni tynnu lawr i wneud dewisiadau.
Defnyddio botymau rhyngweithiol.

Mapiau meddwl cryno

Pethau i'w hystyried wrth gyflwyno gwybodaeth

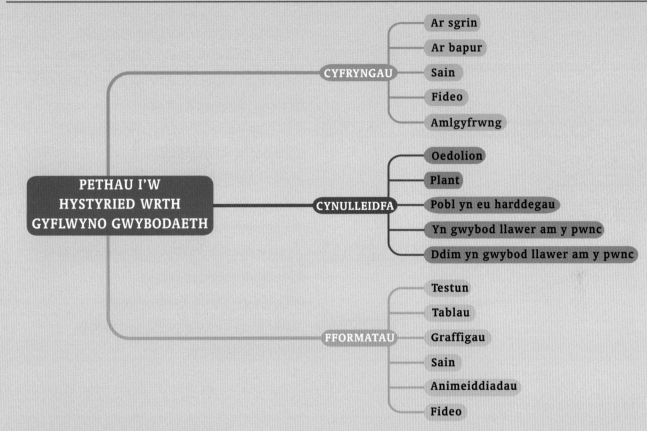

Meddalwedd prosesu geiriau

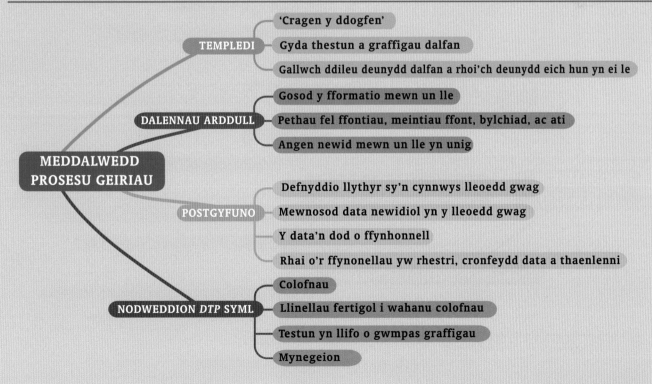

Meddalwedd *DTP*

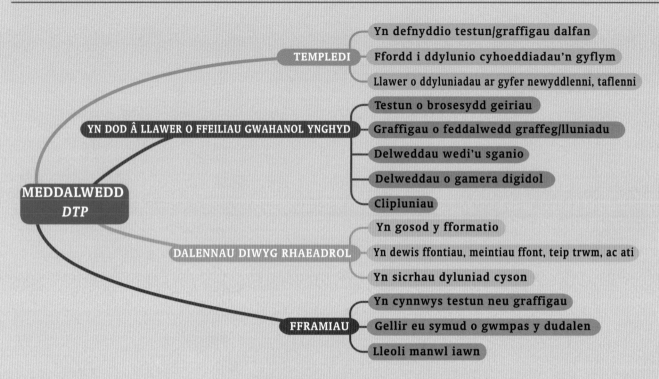

MEDDALWEDD DTP

TEMPLEDI
- Yn defnyddio testun/graffigau dalfan
- Ffordd i ddylunio cyhoeddiadau'n gyflym
- Llawer o ddyluniadau ar gyfer newyddlenni, taflenni

YN DOD Â LLAWER O FFEILIAU GWAHANOL YNGHYD
- Testun o brosesydd geiriau
- Graffigau o feddalwedd graffeg/lluniadu
- Delweddau wedi'u sganio
- Delweddau o gamera digidol
- Clipluniau

DALENNAU DIWYG RHAEADROL
- Yn gosod y fformatio
- Yn dewis ffontiau, meintiau ffont, teip trwm, ac ati
- Yn sicrhau dyluniad cyson

FFRAMIAU
- Yn cynnwys testun neu graffigau
- Gellir eu symud o gwmpas y dudalen
- Lleoli manwl iawn

Meddalwedd cyflwyno

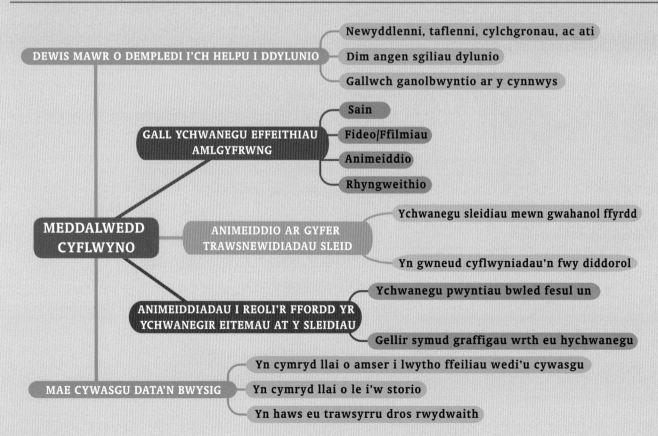

MEDDALWEDD CYFLWYNO

DEWIS MAWR O DEMPLEDI I'CH HELPU I DDYLUNIO
- Newyddlenni, taflenni, cylchgronau, ac ati
- Dim angen sgiliau dylunio
- Gallwch ganolbwyntio ar y cynnwys

GALL YCHWANEGU EFFEITHIAU AMLGYFRWNG
- Sain
- Fideo/Ffilmiau
- Animeiddio
- Rhyngweithio

ANIMEIDDIO AR GYFER TRAWSNEWIDIADAU SLEID
- Ychwanegu sleidiau mewn gwahanol ffyrdd
- Yn gwneud cyflwyniadau'n fwy diddorol

ANIMEIDDIADAU I REOLI'R FFORDD YR YCHWANEGIR EITEMAU AT Y SLEIDIAU
- Ychwanegu pwyntiau bwled fesul un
- Gellir symud graffigau wrth eu hychwanegu

MAE CYWASGU DATA'N BWYSIG
- Yn cymryd llai o amser i lwytho ffeiliau wedi'u cywasgu
- Yn cymryd llai o le i'w storio
- Yn haws eu trawsyrru dros rwydwaith

Cronfeydd data

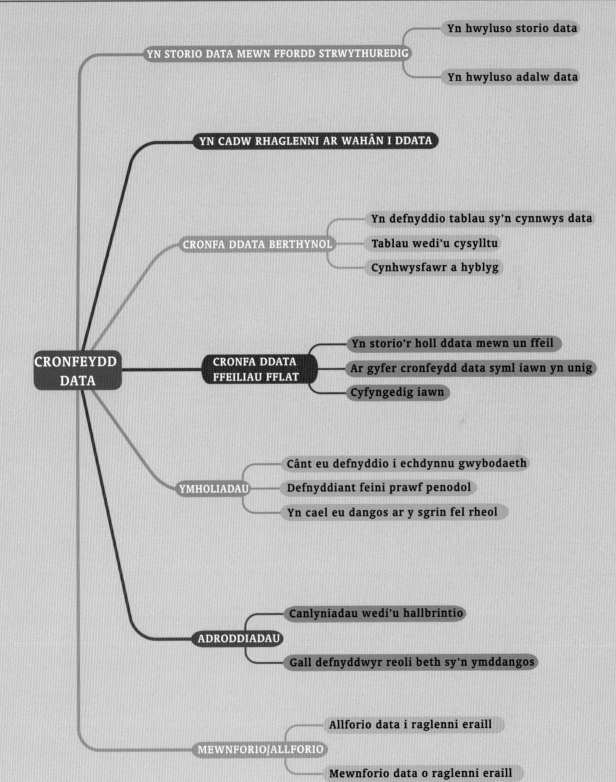

CRONFEYDD DATA

YN STORIO DATA MEWN FFORDD STRWYTHUREDIG
- Yn hwyluso storio data
- Yn hwyluso adalw data

YN CADW RHAGLENNI AR WAHÂN I DDATA

CRONFA DDATA BERTHYNOL
- Yn defnyddio tablau sy'n cynnwys data
- Tablau wedi'u cysylltu
- Cynhwysfawr a hyblyg

CRONFA DDATA FFEILIAU FFLAT
- Yn storio'r holl ddata mewn un ffeil
- Ar gyfer cronfeydd data syml iawn yn unig
- Cyfyngedig iawn

YMHOLIADAU
- Cânt eu defnyddio i echdynnu gwybodaeth
- Defnyddiant feini prawf penodol
- Yn cael eu dangos ar y sgrin fel rheol

ADRODDIADAU
- Canlyniadau wedi'u hallbrintio
- Gall defnyddwyr reoli beth sy'n ymddangos

MEWNFORIO/ALLFORIO
- Allforio data i raglenni eraill
- Mewnforio data o raglenni eraill

Nodweddion meddalwedd gwe-awduro

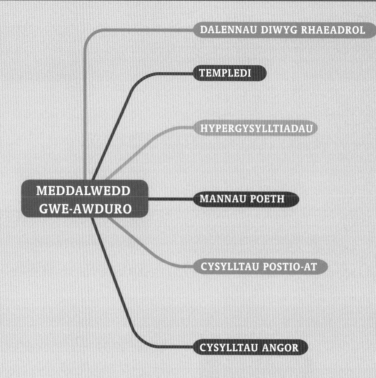

TOPIG 8: Rhwydweithiau

Y dyddiau hyn mae'r rhan fwyaf o gyfrifiaduron wedi'u cysylltu â rhwydwaith. Os cysylltwch eich cyfrifiadur personol gartref â'r Rhyngrwyd, bydd eich cyfrifiadur yn dod yn rhan o'r rhwydwaith.

Os defnyddir cyfrifiadur ar ei ben ei hun heb unrhyw gysylltiad (drwy wifren neu'n ddiwifr) â rhwydwaith (gan gynnwys y Rhyngrwyd), mae'n cael ei alw'n gyfrifiadur arunig.

Y gallu i drosglwyddo data yw'r fantais bwysicaf wrth ddefnyddio rhwydwaith a dyna pam y mae rhwydweithiau'n cael eu defnyddio mewn cyrff a busnesau o bob maint fel banciau, ysgolion, ysbytai a siopau yn ogystal â chartrefi.

Yn y topig hwn byddwch yn dysgu am y gwahaniaethau rhwng cyfrifiaduron ar rwydwaith a chyfrifiaduron arunig ac am Rwydweithiau Ardal Leol a Rhwydweithiau Ardal Eang a ffyrdd o ddefnyddio'r Rhyngrwyd, mewnrwydi ac allrwydi.

▼ Y cysyniadau allweddol sy'n cael sylw yn y topig hwn yw:

▶ Elfennau sylfaenol rhwydwaith TGCh: cydrannau'r rhwydwaith

▶ Rhwydweithiau a chyfrifiaduron arunig

▶ Rhwydweithiau Ardal Leol (RhAL) a Rhwydweithiau Ardal Eang (RhAE)

▶ Y Rhyngrwyd, mewnrwydi ac allrwydi

CYNNWYS

Uned IT1 Systemau Gwybodaeth

Elfennau sylfaenol rhwydwaith TGCh: cydrannau'r rhwydwaith

▼ Byddwch yn dysgu

▶ Am ddyfeisiau cyfathrebu

▶ Am feddalwedd rhwydweithio

▶ Am gyfryngau trosglwyddo data

▶ Am safonau a gweithdrefnau

Cyflwyniad

Mae rhwydwaith sylfaenol yn gasgliad o gyfrifiaduron a dyfeisiau caledwedd eraill fel argraffyddion a sganwyr sydd wedi'u cysylltu â'i gilydd fel eu bod yn gallu cyfathrebu â'i gilydd.

Elfennau sylfaenol rhwydwaith TGCh

Mae pedair elfen sylfaenol mewn rhwydwaith TGCh yn ogystal â'r cyfrifiaduron eu hun:

- dyfeisiau cyfathrebu
- meddalwedd rhwydweithio
- cyfryngau trosglwyddo data
- safonau a gweithdrefnau.

Dyfeisiau cyfathrebu

Dyfeisiau cyfathrebu yw'r darnau caledwedd hynny sydd eu hangen i droi cyfrifiaduron arunig yn gyfrifiaduron mewn rhwydwaith.

Cerdyn rhyngwyneb rhwydwaith (NIC: network interface card)

Er mwyn gallu cysylltu cyfrifiadur â rhwydwaith, rhaid gosod cerdyn rhyngwyneb rhwydwaith ynddo. Bydd un o'r rhain yn y rhan fwyaf o gyfrifiaduron

modern yn barod pan fyddwch yn eu prynu. Y cwbl yw cerdyn rhyngwyneb rhwydwaith yw cerdyn sy'n cynnwys cylchedau ynghyd â soced. Y soced sy'n eich galluogi i gysylltu'r cyfrifiadur â'r ceblau. Caiff y cerdyn ei slotio i'r mamfwrdd (y prif fwrdd cylchedau) yn y cyfrifiadur. Pwrpas y cerdyn rhyngwyneb rhwydwaith yw trawsnewid data o'r ffurf y maent wedi'u storio ynddi i ffurf y gellir ei thrawsyrru drwy gyfryngau'r rhwydwaith (e.e. cebl metel, cebl ffibr optegol neu aer).

Yn syml, mae cerdyn rhyngwyneb rhwydwaith:

- yn paratoi data i'w hanfon dros y rhwydwaith
- yn anfon y data
- yn rheoli llif y data o derfynell y cyfrifiadur i'r cyfrwng trawsyrru.

Y soced ar y cerdyn rhyngwyneb rhwydwaith yw'r cysylltiad â'r cyfrwng trawsyrru.

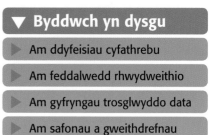

Cerdyn rhyngwyneb rhwydwaith.

Both

Dyfais syml yw both a ddefnyddir i uno cyfrifiaduron mewn rhwydwaith fel y gallant rannu ffeiliau a chysylltiad â'r Rhyngrwyd.

⬐ GEIRIAU ALLWEDDOL

Cyfrwng trawsyrru – y defnydd sy'n creu'r cysylltiad rhwng y cyfrifiaduron mewn rhwydwaith (e.e. aer yn achos dyfeisiau diwifr, gwifren fetel, ffibr optegol)

Meddalwedd rhwydweithio – meddalwedd systemau yw hwn sy'n caniatáu i gyfrifiaduron weithio fel rhwydwaith ar ôl eu cysylltu â'i gilydd

Rhwydwaith – grŵp o gyfrifiaduron sy'n gallu cyfathrebu â'i gilydd

Rhwydwaith syml sy'n defnyddio both.

Switshis (switshis rhwydwaith)

Mae switshis yn debyg i fothau gan eu bod yn cael eu defnyddio i uno nifer o gyfrifiaduron â'i gilydd mewn rhwydwaith. Er hynny, mae switshis yn fwy deallus gan eu bod yn gallu archwilio pecynnau o ddata er mwyn eu hanfon ymlaen i'r lle priodol. Gan fod switsh yn anfon pecyn o ddata i'r cyfrifiadur sydd i fod i'w dderbyn, mae'n lleihau maint y data sydd ar y rhwydwaith ac felly'n cyflymu'r rhwydwaith.

Llwybryddion

Dyfeisiau caledwedd yw llwybryddion sy'n uno nifer o rwydweithiau gwifrog neu ddiwifr.

Mae'r rhan fwyaf o lwybryddion yn gyfuniad o galedwedd a meddalwedd sydd yn aml yn gweithio fel pyrth fel bod modd defnyddio un cysylltiad i gysylltu rhwydweithiau bach o gyfrifiaduron cartref â'r Rhyngrwyd.

Llwybrydd diwifr.

Meddalwedd rhwydweithio

Rhaid cael meddalwedd mewn rhwydweithiau i ddweud wrth y dyfeisiau sydd wedi'u cysylltu sut i gyfathrebu â'i gilydd.

Meddalwedd systemau gweithredu rhwydwaith

Gallwch redeg rhwydweithiau bach drwy ddefnyddio meddalwedd Windows cyffredin ond, ar gyfer rhwydweithiau cleient/gweinydd mwy, rhaid cael meddalwedd arbenigol i redeg systemau gweithredu rhwydwaith.

Mae systemau gweithredu rhwydwaith yn fwy cymhleth gan fod angen iddynt gydgysylltu gweithgareddau'r holl gyfrifiaduron a dyfeisiau eraill sydd wedi'u cysylltu â'r rhwydwaith.

Rhai enghreifftiau o feddalwedd systemau gweithredu rhwydwaith yw:

- UNIX
- Linux
- Novell Netware – mae hon yn system weithredu boblogaidd iawn ar gyfer rhwydweithiau cleient/gweinydd.

Meddalwedd rheoli rhwydwaith

Pe byddech yn rheolwr rhwydwaith a oedd yn gyfrifol am rwydwaith sy'n cynnwys rhai cannoedd o gyfrifiaduron, byddai angen cymorth arnoch i ofalu amdanynt i gyd er mwyn cynnal y rhwydwaith.

Yn ffodus, mae meddalwedd ar gael o'r enw meddalwedd rheoli rhwydwaith a fydd yn eich helpu i wneud hyn.

Rhai o'r tasgau y byddai'r meddalwedd rheoli rhwydwaith yn eich helpu i'w cyflawni yw:

- Sicrhau bod meddalwedd yr holl gyfrifiaduron yn gyfoes a bod y clytiau diogelwch diweddaraf wedi'u gosod, fel na all neb hacio i mewn i'r rhwydwaith.
- Cadw golwg ar y meddalwedd sy'n cael ei redeg ar bob cyfrifiadur a sicrhau bod trwyddedau ar gyfer yr holl feddalwedd sy'n cael ei ddefnyddio.
- Cadw'r holl feddalwedd rhaglenni'n gyfoes.
- Darparu cyfleusterau rheoli o bell fel bod staff y ddesg gymorth yn gallu datrys problemau defnyddwyr drwy weld beth yn union sydd ar eu sgrin.
- Gwirio bod y lled band yn cael ei ddefnyddio'n gywir.
- Darganfod a yw defnyddiwr wedi gosod meddalwedd didrwydded heb ganiatâd ar gyfrifiadur ar y rhwydwaith.
- Ar gyfer cyfrifiadur penodol ar y rhwydwaith, gwirio cyflymder y prosesydd a'r cof sy'n cael ei ddefnyddio i helpu i ddod o hyd i gyfrifiaduron y mae angen eu huwchraddio.

Cyfryngau trosglwyddo data

Cyfryngau trosglwyddo data yw'r defnyddiau y mae data'n mynd drwyddynt rhwng y naill gyfrifiadur a'r llall mewn rhwydwaith. Yn achos rhwydweithiau bach, syml, gwifren yw hyn fel rheol, ond mae llawer o rwydweithiau'n ddiwifr erbyn hyn. Mae gwifrau'n ychwanegu'n sylweddol at gost rhwydweithiau, yn enwedig y gost o'u gosod.

Y prif fathau o gyfryngau trosglwyddo data yw:

- gwifrau metel
- cebl ffibr optegol
- diwifr.

Gwifrau metel

Mae gwifrau metel yn gallu trosglwyddo data'n gyflym ond rhaid eu gosod a gall

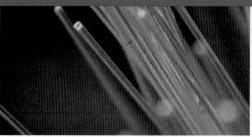

Cebl ffibr optegol.

y gwaith hwn fod yn ddrud. Mae tri math gwahanol o wifren.

Pâr dirdro diorchudd (unshielded)

Y prif nodweddion yw:

- gwifrau tenau wedi'u dirdroi er mwyn helpu i ddileu ymyriant
- yn haws eu gosod gan fod y gwifrau'n denau
- yn addas ar gyfer rhwydweithiau bach yn unig.

Pâr dirdro â gorchudd (shielded)

Y prif nodweddion yw:

- gwifrau wedi'u dirdroi
- brêd copr am y gwifrau sy'n gwarchod y signalau data rhag ymyriant/llygredd o'r tu allan
- yn ddrutach na gwifrau pâr dirdro diorchudd
- cyflymderau trawsyrru uwch na gwifrau pâr dirdro diorchudd.

Ceblau anfetel

Mae goleuni'n teithio'n gyflymach na thrydan, felly dyma pam y defnyddir pylsiau o oleuni mewn llawer o rwydweithiau i gario data.

Cebl ffibr optegol

Mewn ceblau ffibr optegol, mae'r data a drosglwyddir yn cael eu hamgodio ar ffurf pylsiau o oleuni drwy ffibrau gwydr tenau iawn. Defnyddir sypynnau o ffibrau i gario'r data i'r rhwydwaith ac ohono.

Prif fanteision ceblau ffibr optegol yw:

- cyflymder – mae'r data'n teithio'n gyflymach o lawer
- eu bod yn fach – gall symiau anferth o ddata deithio drwy gebl bach iawn
- dim ymyriant trydanol – nid yw ymyriant yn effeithio arnynt fel y mae ar wifrau metel.

Y brif anfantais yw:

- cost – mae'r dyfeisiau sydd eu hangen i gysylltu'r cebl, a'r cebl ei hun, yn ddrutach.

Elfennau sylfaenol rhwydwaith TGCh: cydrannau'r rhwydwaith (parhad)

Dim ceblau o gwbl

Mae llawer o gyfrifiaduron bellach yn gallu cysylltu â'r Rhyngrwyd neu gyfathrebu â chyfrifiaduron eraill mewn rhwydwaith ardal leol (RhAL) yn ddiwifr. Wrth gyfathrebu'n ddiwifr, y cyfrwng trosglwyddo data yw'r aer y mae'r tonnau radio'n mynd drwyddo.

Rhwydweithiau diwifr

Mae rhwydweithiau diwifr yn galluogi pobl i gysylltu â'r Rhyngrwyd neu â RhAL yn ddiwifr. Drwy wneud hynny gallant weithio lle bynnag y gallant gael signal radio ar gyfer eu rhwydwaith.

Mae llawer o bobl, yn enwedig pobl sy'n teithio cryn dipyn, eisiau mynediad cyson i'r Rhyngrwyd. Gellir cael mynediad i'r Rhyngrwyd yn ddiwifr mewn llawer o fannau cyhoeddus drwy ddefnyddio gliniadur neu ddyfeisiau cludadwy eraill fel ffôn symudol neu *PDA*.

Mannau poeth yw'r enw a roddir ar y mannau hyn lle y gallwch gael mynediad i'r Rhyngrwyd drwy ddefnyddio Wi-Fi.

Er mwyn sefydlu rhwydwaith Wi-Fi bach byddai angen:

- cysylltiad band llydan â'r Rhyngrwyd
- llwybrydd
- cyfrifiaduron sy'n gallu defnyddio Wi-Fi (mae addasydd diwifr wedi'i osod yn y rhan fwyaf o gyfrifiaduron). Gallwch brynu addasyddion diwifr ar gyfer cyfrifiaduron hŷn.

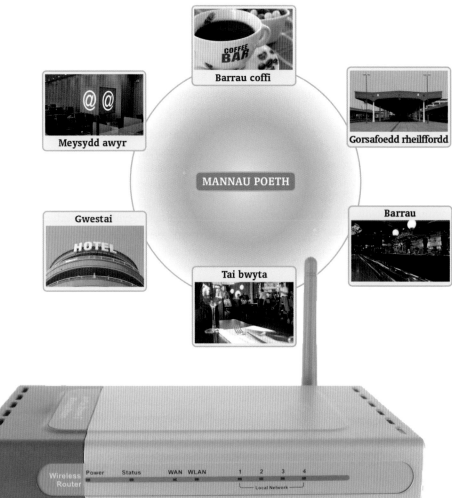

Defnyddir llwybrydd diwifr i sefydlu rhwydwaith diwifr bach yn y cartref neu mewn swyddfa.

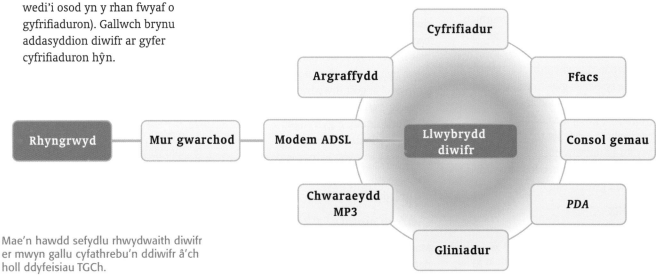

Mae'n hawdd sefydlu rhwydwaith diwifr er mwyn gallu cyfathrebu'n ddiwifr â'ch holl ddyfeisiau TGCh.

Man poeth – ardal lle'r ydych chi'n gallu cael mynediad i'r Rhyngrwyd yn ddiwifr

Wi-Fi – nod masnach ar gyfer ardystio nwyddau sy'n cyrraedd safonau penodol ar gyfer trawsyrru data dros rwydweithiau diwifr

Sut y mae Wi-Fi yn gweithio

1. Caiff y llwybrydd ei gysylltu â'r Rhyngrwyd drwy ddefnyddio cysylltiad band llydan cyflym iawn.
2. Mae'r llwybrydd yn derbyn data o'r Rhyngrwyd.
3. Mae'n trawsyrru data fel signal radio gan ddefnyddio antena.
4. Mae addasydd diwifr y cyfrifiadur yn codi'r signal ac yn troi'r signal radio'n ddata y gall y cyfrifiadur eu deall.

Wrth anfon data, mae'r prosesau uchod yn gweithio'r ffordd arall.

Manteision Wi-Fi:

- gall rhwydweithiau ardal leol rhad gael eu gosod heb geblau
- mae'n rhoi rhyddid i bobl weithio lle bynnag y gellir derbyn signal
- mae'n ddelfrydol ar gyfer rhwydweithiau mewn hen adeiladau rhestredig lle na fyddai'n bosibl cael caniatâd i osod ceblau
- set fyd-eang o safonau – gallwch ddefnyddio Wi-Fi ar hyd a lled y byd.

Anfanteision Wi-Fi:

- mae'n defnyddio llawer o drydan – sy'n golygu bod batrïau gliniaduron yn dadwefru'n gyflym
- mae'n bosibl bod problemau iechyd yn gysylltiedig â defnyddio Wi-Fi
- gall fod problemau diogelwch, hyd yn oed pan ddefnyddir amgryptio
- mae gan rwydweithiau cartref gyrhaeddiad cyfyngedig iawn (e.e. 150 troedfedd)
- gall ymyriant fod yn broblem os bydd signalau rhwydweithiau diwifr yn gorgyffwrdd.

Safonau a gweithdrefnau rhwydwaith

Er mwyn i ddyfeisiau gyfathrebu â'i gilydd mewn rhwydwaith rhaid gosod safonau penodol. Mae'n bwysig gosod safonau oherwydd fel arall gallai un ddyfais anfon data i ddyfais arall ar ffurf nad yw'r ddyfais arall yn ei deall.

Bydd gwneuthurwyr dyfeisiau a gaiff eu cysylltu â rhwydweithiau'n cytuno ar y safonau hyn fel bod y dyfeisiau'n gallu cydweithio. Er mwyn i rwydwaith weithio'n iawn, rhaid mabwysiadu gweithdrefnau penodol a sicrhau bod yr holl ddefnyddwyr yn ymwybodol ohonynt. Heb gael gweithdrefnau priodol:

- gallai diogelwch y rhwydwaith gael ei beryglu
- gallai'r rhwydwaith redeg yn araf
- gallai defnyddwyr fynd yn groes i'r ddeddfwriaeth (e.e. Deddf Gwarchod Data, Deddf Camddefnyddio Cyfrifiaduron)
- gellid colli gwaith
- gallai gweithredoedd fod yn anghyfleus i ddefnyddwyr eraill neu godi eu gwrychyn
- gallai gweithredoedd fod yn ddrud i'r corff gan y byddai angen i staff dreulio amser yn datrys problemau.

Arwydd parth Wi-Fi.

Mae llawer o ddefnyddwyr am gysylltu eu cyfrifiadur â'r Rhyngrwyd heb orfod defnyddio gwifrau. Maen nhw am gysylltu â'r Rhyngrwyd lle bynnag y maen nhw.

Rhwydweithiau a chyfrifiaduron arunig

▼ Byddwch yn dysgu

▶ Am nodweddion rhwydweithiau a chyfrifiaduron arunig

▶ Am fanteision ac anfanteision cymharol rhwydweithiau

Cyflwyniad

Yn yr adran hon byddwn yn edrych ar nodweddion rhwydweithiau a chyfrifiaduron arunig ac yn ystyried manteision ac anfanteision cymharol rhwydweithiau. Byddwch yn gweld bod y manteision yn fwy niferus o lawer na'r anfanteision.

Nodweddion rhwydweithiau a chyfrifiaduron arunig

Os caiff cyfrifiadur ei ddefnyddio ar ei ben ei hun heb unrhyw gysylltiad â chyfrifiaduron eraill, dywedir ei fod yn cael ei ddefnyddio mewn amgylchedd arunig. Os bydd angen trosglwyddo data i adran arall, rhaid eu hallbrintio ar bapur neu eu copïo i ddisg er mwyn i rywun eu trosglwyddo i berson arall i'w mewnbynnu i'w system gyfrifiadurol. Mae gwybodaeth yn llifo drwy'r amser mewn cyrff, felly mae cael dull haws a chyflymach o gyfnewid gwybodaeth yn syniad da, a gellir gwneud hyn

drwy ddefnyddio ceblau i gysylltu'r cyfrifiaduron â'i gilydd. Rhwydwaith cyfrifiadurol yw'r enw a roddir ar grŵp o gyfrifiaduron sydd wedi'u cysylltu â'i gilydd fel hyn.

Manteision amgylchedd arunig

Amgylchedd arunig yw un lle y mae pob cyfrifiadur yn cael ei osod a'i ddefnyddio ar wahân. Bydd angen i bob cyfrifiadur gael copi o'r system weithredu a'r rhaglenni a ddefnyddir. Yn ogystal, byddant yn defnyddio set ddata unigol ac, os bydd angen trosglwyddo data o un cyfrifiadur i gyfrifiadur arall, bydd angen gwneud hynny â llaw.

Mae gan beiriannau arunig rai manteision:

- Caledwedd a meddalwedd rhatach – mae'r gwifrau, cardiau rhwydwaith a meddalwedd sydd eu hangen i redeg rhwydwaith yn ddrud, felly mae peiriannau

arunig yn ddewis rhatach.
- Angen llai o wybodaeth am TG – mae angen mwy o wybodaeth am TG i redeg rhwydwaith yn llwyddiannus a gallai hyn olygu cyflogi rheolwr/gweinyddwr rhwydwaith.
- Firysau'n llai o broblem – bydd heintiadau firws yn llai o broblem mewn peiriannau arunig oni bai fod data a rhaglenni'n cael eu trosglwyddo o un cyfrifiadur i gyfrifiadur arall.
- Yn llai dibynnol ar galedwedd – mewn rhai mathau o rwydwaith, os na ellir defnyddio'r gweinydd ffeiliau oherwydd problem dechnegol, bydd hyn yn effeithio ar y rhwydwaith cyfan.

Anfanteision defnyddio cyfrifiaduron arunig

- Rhaid trosglwyddo ffeiliau rhwng cyfrifiaduron weithiau – yn aml bydd defnyddwyr yn cydweithio ar broject a bydd angen iddynt drosglwyddo data rhwng un cyfrifiadur a chyfrifiadur arall gan ddefnyddio cyfryngau cludadwy fel cryno ddisgiau neu gofion pin. Mae defnyddio cryno ddisgiau i wneud hyn yn gwastraffu amser.
- Mae'n anodd cadw data'n gyfoes – os yw dau berson yn gweithio ar yr un set o ddata, rhaid gofalu na fydd dau fersiwn gwahanol yn cael eu cynhyrchu oherwydd gallai hynny achosi dryswch. Wrth ddefnyddio rhwydwaith, dim ond un set o ddata a gynhyrchir, felly ni fydd dryswch o'r fath.
- Mae'n anos gosod meddalwedd – wrth ddefnyddio cyfrifiaduron arunig, rhaid gosod meddalwedd ar bob cyfrifiadur ond, wrth ddefnyddio rhwydwaith, gosodir y meddalwedd ar un cyfrifiadur yn unig, gan arbed amser.

Mae cyfrifiaduron sydd wedi'u cysylltu â'i gilydd fel eu bod yn gallu cyfathrebu â chyfrifiaduron eraill yn cael eu galw'n rhwydweithiau.

- Mae'n anos diweddaru meddalwedd – rhaid i chi ddiweddaru'r meddalwedd ar bob cyfrifiadur.
- Rhaid i bob defnyddiwr gadw copïau wrth gefn – rhaid i chi allu dibynnu ar ddefnyddiwr pob cyfrifiadur i wneud ei gopïau ei hun o'i ddata.

Manteision ac anfanteision cymharol rhwydweithiau

Mae manteision rhwydweithio cyfrifiaduron yn llawer mwy niferus na'r anfanteision. Rhai o'r manteision yw:

Y gallu i rannu ffeiliau – nid oes angen copïo ffeiliau gan fod modd cyrchu'r holl ffeiliau o'r holl gyfrifiaduron sydd ar y rhwydwaith os bydd angen.

Y gallu i rannu adnoddau caledwedd – nid oes angen cael argraffydd ar gyfer pob cyfrifiadur oherwydd gellir rhannu pob dyfais galedwedd (e.e. argraffydd, sganiwr, plotydd, ac ati).

Y gallu i rannu meddalwedd – gellir rhannu meddalwedd, fel bod pawb yn defnyddio'r un fersiwn. Oherwydd hyn mae'n haws o lawer cynnal a diweddaru meddalwedd.

Costau meddalwedd is – mae'n rhatach prynu un fersiwn rhwydwaith gyda thrwydded ar gyfer hyn a hyn o ddefnyddwyr na phrynu copïau unigol ar gyfer pob cyfrifiadur. Mae hyn yn arbed amser hefyd gan mai un copi'n unig y mae angen ei osod ar y gweinydd.

Gwell diogelwch – mae'n haws i reolwyr rhwydwaith reoli mynediad o gyfrifiaduron i'r Rhyngrwyd. Mae'n haws o lawer sicrhau bod unrhyw ddeunydd o'r Rhyngrwyd yn cael ei wirio gan y meddalwedd gwirio firysau diweddaraf.

Yn haws gweithredu polisïau ar ddefnydd derbyniol – drwy ganoli meddalwedd rhaglenni, mae'r broses o weithredu polisïau meddalwedd mewn corff yn symlach. Mae polisïau meddalwedd yn pennu pa feddalwedd y cewch ei osod ar gyfrifiaduron a sut y cewch ei ddefnyddio.

Yn haws gwneud copïau wrth gefn – bydd y dasg o wneud copïau wrth gefn o ffeiliau'n cael ei chyflawni gan reolwr y rhwydwaith yn hytrach na'r defnyddwyr unigol. Mae hyn yn golygu bod y broses o wneud copïau wrth gefn yn cael ei chymryd o ddifrif a bod defnyddwyr yn llai tebygol o golli data.

Cyfathrebu gwell – mae yna gyfleusterau e-bost ar rwydweithiau sy'n gwella cyfathrebu rhwng gweithwyr.

Cymorth a chynnal a chadw canolog – dim ond ar y gweinydd y mae angen gosod diweddariadau o feddalwedd. Gall rheolwyr rhwydwaith a staff cymorth weld beth y mae'r defnyddwyr yn edrych arno ar eu sgrin, felly mae modd eu helpu os yw tasg yn achosi problemau iddynt.

Rhai o'r anfanteision yw:

Mae angen gwybodaeth dechnegol – mae angen mwy o wybodaeth am TG i redeg rhwydwaith felly rhaid cael staff arbenigol fel rheol.

Colli mynediad os bydd gweinydd ffeiliau'n methu – os bydd y gweinydd ffeiliau'n methu, gall y rhwydwaith cyfan fethu, ac ni fydd y defnyddwyr yn gallu cyrchu ffeiliau a data.

Cost – er y bydd rhwydwaith yn arbed arian dros gyfnod o amser, mae cost gychwynnol y cyfarpar a'r hyfforddiant angenrheidiol yn uchel.

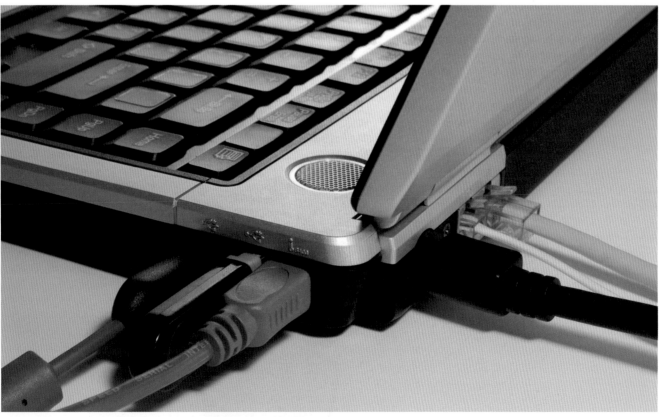

Pan gysylltwch gyfrifiadur arunig â'r Rhyngrwyd drwy ddefnyddio gwifrau (neu'n ddiwifr), bydd eich cyfrifiadur yn dod yn rhan o rwydwaith. Mae'r gliniadur hwn wedi'i gysylltu drwy gebl ond mae gan lawer o liniaduron gysylltiad diwifr.

RhAL a RhAE

Cyflwyniad

Gellir dosbarthu rhwydweithiau yn ôl yr ardal ddaearyddol y maent yn ei chwmpasu a hefyd yn ôl a ydynt yn defnyddio cyfarpar neu wasanaethau telathrebu sy'n eiddo i drydydd parti.

Yn yr adran hon byddwn yn edrych ar ddau fath gwahanol o rwydwaith o'r enw RhAL a RhAE.

Rhwydweithiau TGCh ar gyfer graddfeydd daearyddol a dibenion gwahanol

Gallwn rannu rhwydweithiau TGCh yn ddau fath:

- Rhwydweithiau ardal leol (RhAL/ *LAN: Local Area Network*)
- Rhwydweithiau ardal eang (RhAE/*WAN: Wide Area Network*)

Mae'r ardaloedd daearyddol sy'n cael eu cwmpasu gan y ddau fath o rwydwaith yn wahanol gan fod RhAL yn gyfyngedig i un adeilad neu safle a RhAE wedi'i rannu dros nifer o safleoedd, a'r rheini mewn gwledydd gwahanol hyd yn oed.

RhAL

Prif nodweddion RhAL yw:

- Wedi'i gyfyngu i un adeilad neu safle – mae'r caledwedd a'r cyfarpar cyfathrebu o fewn un adeilad neu safle.
- Perchenogaeth ar y cyfarpar cyfathrebu – mae'r corff ei hun yn berchen ar yr holl gyfarpar cyfathrebu (fel gwifrau, ac ati) sy'n cysylltu'r terfynellau.

RhAE

Prif nodweddion RhAE yw:

- Mae'r caledwedd wedi'i wasgaru ar draws ardal eang – mae dyfeisiau (cyfrifiaduron, terfynellau pwynt talu, storio, ac ati) wedi'u gwasgaru ar draws ardal eang. Mae'r dyfeisiau mewn nifer o adeiladau a safleoedd.
- Defnyddir cyfarpar telathrebu trydydd parti – mae'r caledwedd mewn RhAE wedi'i leoli ar lawer o safleoedd, a all fod mewn gwledydd gwahanol. Mae angen cyfarpar cyfathrebu radio, lloeren a ffôn, sy'n cael eu cyflenwi gan drydydd parti (e.e. BT). Mae'r corff sy'n cynnal y RhAE yn gorfod talu rhent i gyflenwr telathrebu am y gwasanaethau hyn.

▼ **Byddwch yn dysgu**

▶ Am sut y caiff rhwydweithiau eu dosbarthu yn ôl yr ardal ddaearyddol a gwmpasant

▶ Am rwydweithiau ardal leol (RhAL)

▶ Am rwydweithiau ardal eang (RhAE)

➡ **GEIRIAU ALLWEDDOL**

RhAE (rhwydwaith ardal eang) – rhwydwaith lle y mae'r caledwedd wedi'i wasgaru ar draws ardal eang a lle nad yw'r corff yn berchen ar rai neu'r cwbl o'r cyfarpar telathrebu a ddefnyddir

RhAL (rhwydwaith ardal leol) – rhwydwaith lle y mae'r caledwedd a gysylltwyd wedi'i gyfyngu i un swyddfa neu safle a lle y mae'r holl wifrau a dyfeisiau eraill sydd eu hangen ar gyfer y RhAL yn eiddo i'r corff

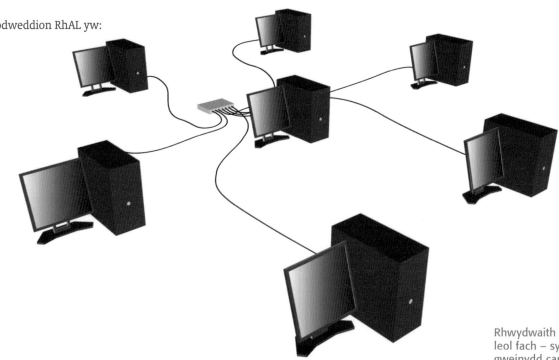

Rhwydwaith ardal leol fach – sylwch ar y gweinydd canolog.

Y Rhyngrwyd, mewnrwydi ac allrwydi

Cyflwyniad

Yn yr adran hon byddwn yn edrych ar fathau o rwydwaith sy'n defnyddio technoleg y Rhyngrwyd ac ar y Rhyngrwyd ei hun. Byddwn yn edrych hefyd ar y gwahaniaeth rhwng dau derm sy'n cael eu defnyddio'n aml, y Rhyngrwyd a'r We Fyd-eang.

Y gwahaniaethau rhwng y Rhyngrwyd a'r We Fyd-eang

Nid yr un peth yw'r Rhyngrwyd a'r We Fyd-eang. Edrychwch yn ofalus ar y gwahaniaethau rhwng y diffiniadau canlynol:

Y Rhyngrwyd – mae'r Rhyngrwyd yn grŵp anferth o rwydweithiau sydd wedi'u huno â'i gilydd. Mae pob un o'r rhwydweithiau hyn yn cynnwys llawer o rwydweithiau llai. Mae hyn yn golygu mai caledwedd yw'r Rhyngrwyd.

Y We Fyd-eang – mae'r We Fyd-eang, neu'r We, yn ddull o gyrchu gwybodaeth sydd ar y Rhyngrwyd. Mae'n fodel rhannu gwybodaeth sydd wedi'i adeiladu ar ben y Rhyngrwyd. Mae'r We Fyd-eang yn defnyddio *HTTP*, un o'r ieithoedd a ddefnyddir dros y Rhyngrwyd, i drosglwyddo gwybodaeth. Mae'r We Fyd-eang yn defnyddio meddalwedd porwr i gyrchu dogfennau o'r enw tudalennau gwe. Mae'r Rhyngrwyd yn darparu gwasanaethau eraill yn ogystal â chyrchu tudalennau gwe.

Mae'r Rhyngrwyd yn cynnig y canlynol:

- cyfleusterau e-bost
- negeseua sydyn
- grwpiau newyddion Usenet
- protocol trosglwyddo ffeiliau (*FTP*), sef ffordd o gyfnewid ffeiliau rhwng gwahanol gyfrifiaduron sydd wedi'u cysylltu â'r Rhyngrwyd
- rhwydweithio cymar wrth gymar (*P2P: peer-to-peer*), sy'n caniatáu i chi gyfnewid ffeiliau (ffeiliau MP3 fel rheol) â defnyddwyr eraill.

Mae pob un o'r gwasanaethau uchod yn gofyn am ddefnyddio protocolau gwahanol i'r protocol sydd ei angen ar gyfer y We Fyd-eang.

Felly, y Rhyngrwyd yw'r rhwydwaith ei hun tra bo'r We Fyd-eang yn ffordd o gyrchu tudalennau gwe drwy ddefnyddio'r Rhyngrwyd. Mae'n bwysig cofio nad yw'r We Fyd-eang ond yn un o'r cyfleusterau sydd wedi'u seilio ar y Rhyngrwyd.

Mewnrwydi

Rhwydwaith preifat yw mewnrwyd sy'n defnyddio'r un dechnoleg ag a ddefnyddir gan y Rhyngrwyd i anfon negeseuon o gwmpas y rhwydwaith. Caiff mewnrwydi eu defnyddio'n

⇨ GEIRIAU ALLWEDDOL

Allrwyd – mae allrwydi'n fewnrwydi sydd wedi'u hagor i grwpiau dethol o ddefnyddwyr y tu allan i'r cwmni fel cwsmeriaid, cyflenwyr, ac ati

Mewnrwyd –rhwydwaith mewnol preifat sy'n caniatáu i weithwyr corff gyrchu adnoddau gwybodaeth o fewn y corff

bennaf i rannu gwybodaeth o fewn corff ac i rannu adnoddau.

Defnyddir y cysyniad o gleient a gweinydd ar gyfer y cyfrifiaduron sy'n rhan o fewnrwyd ynghyd â'r un protocolau (*HTTP, FTP* ac e-bost) ag a ddefnyddir gan y Rhyngrwyd.

Prif nodwedd mewnrwyd yw mai dim ond gweithwyr y corff a gaiff ei defnyddio.

Cofiwch nad oes rhaid i fewnrwyd gael ei chyfyngu i un safle a'i bod yn bosibl i ddefnyddwyr mewnrwydi gael mynediad i'r Rhyngrwyd.

Allrwydi

Dim ond gweithwyr y corff a gaiff ddefnyddio mewnrwyd, ond mae'r wybodaeth ar allrwyd ar gael i gwsmeriaid, cyflenwyr a phartneriaid eraill, yn ogystal â gweithwyr y corff. Nid yw allrwydi'n hygyrch i'r cyhoedd a defnyddir enwau defnyddwyr a chyfrineiriau i sicrhau na all y cyhoedd eu cyrchu. Gan nad yw'r bobl sydd angen gweld y wybodaeth yn rhannu'r un safle, rhaid anfon y data drwy linellau cyfathrebu sy'n eiddo i drydydd parti. Gellir anfon data drwy'r Rhyngrwyd neu gellir eu hanfon drwy linellau cyfathrebu preifat drutach sy'n cynnig gwell diogelwch a pherfformiad.

Os defnyddir y Rhyngrwyd i anfon y data mewn allrwyd, rhaid rhoi'r mesurau gwarchod canlynol ar waith:

- pyrth
- muriau gwarchod
- amgryptio
- dilysu defnyddwyr.

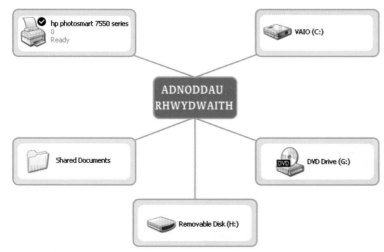

Rhai o'r adnoddau y gallwch eu rhannu ar rwydwaith.

Y Rhyngrwyd

Diffiniad

Y ffordd orau i ddisgrifio'r Rhyngrwyd yw ei galw'n rhwydwaith o rwydweithiau sy'n galluogi pobl i gyfnewid a rhannu data. Nid yw'r Rhyngwyd yn cael ei gweinyddu gan un unigolyn neu lywodraeth a dyma'r atyniad i lawer o bobl. Er bod problemau megis firysau a phornograffi, i'r rhan fwyaf o bobl mae'r manteision o allu cyrraedd pobl eraill ym mhob rhan o'r byd a chyfnewid syniadau a gwybodaeth yn fwy o lawer na'r anfanteision.

Manteision a datblygiadau

Mae'r Rhyngrwyd yn gwneud defnydd helaeth o nodweddion amlgyfrwng a rhyngweithiol. Drwy ddefnyddio nodweddion amlgyfrwng gallwch weld geiriau ysgrifenedig a chyrchu lluniau, cerddoriaeth ac effeithiau sain. Drwy nodweddion rhyngweithiol gall y defnyddiwr ddewis beth y mae am ei weld drwy glicio â'r llygoden. Bydd y cyfrifiadur yn 'gofyn' cwestiynau i ddefnyddwyr y gallant eu hateb wedyn.

Dyma rai o fanteision y Rhyngrwyd:

- mwy o ddulliau cyfathrebu rhad fel e-bost, negeseuon testun, ystafelloedd sgwrsio, fideo-gynadledda, gwasanaethau gwe-gam, ac ati
- gwasanaethau fideo fel rhaglenni teledu, fideos cerddoriaeth, fideos hyfforddi, fideos wedi'u cynhyrchu gan ddefnyddwyr (e.e. YouTube), hysbysebion fideo, ac ati
- y gallu i wrando ar bron bob gorsaf radio drwy'r byd
- y gallu i anfon a derbyn ffeiliau
- y gallu i redeg/llwytho i lawr gemau a rhaglenni addysgol
- y gallu i chwilio am wybodaeth ar gyfer projectau ysgol a busnes

- y cyfle i gyfathrebu â phobl ym mhob rhan o'r byd
- y cyfle i rannu adnoddau a syniadau â phobl sydd â diddordebau tebyg
- y cyfle i siopa ar-lein drwy'r byd heb adael eich cyfrifiadur.

Anfanteision y Rhyngrwyd

Mae'r Rhyngrwyd yn dod â manteision mawr, ond mae pris i'w dalu am y rhain gan fod nifer o anfanteision hefyd. Mae llawer o'r anfanteision hyn yn codi gan nad oes rheolaeth dros y deunydd sy'n cael ei roi ar y Rhyngrwyd. Rhai o anfanteision y Rhyngrwyd yw:

- Y gallu i gyrchu deunydd amhriodol – mae'n hawdd iawn i blant ddod ar draws gwybodaeth neu ddelweddau amhriodol drwy ddamwain wrth chwilio ar y Rhyngrwyd. Gallai deunydd o'r fath gynnwys delweddau pornograffig neu luniau o drais neu greulondeb.
- Plant yn meithrin perthynas amhriodol â dieithriaid – mae llawer o baedoffilyddion yn defnyddio ystafelloedd sgwrsio i feithrin perthynas â phlant.
- Seiberfwlio – defnyddio'r Rhyngrwyd neu ffonau symudol i fygwth neu godi ofn ar rywun arall.
- Pwysau hysbysebu – mae'r llif cyson o ddeunydd hysbysebu drwy e-bost, ac ati, yn annog pobl i gymryd credyd neu brynu nwyddau nad oes arnynt eu hangen neu eu heisiau mewn gwirionedd.

Rhwydwaith byd-eang yw'r Rhyngrwyd.

- Problemau iechyd – mae defnydd helaeth o'r Rhyngrwyd yn gofyn i chi symud a chlicio'r llygoden yn aml, a gall hyn arwain at rai problemau iechyd fel anaf straen ailadroddus (*RSI*). Bydd defnyddwyr y Rhyngrwyd yn aml yn eistedd yn llipa yn eu cadeiriau a gall hyn arwain at boen cefn. Gall diffyg ymarfer arwain at ordewdra.
- Colli preifatrwydd – bydd defnyddwyr y Rhyngrwyd yn colli preifatrwydd gan fod eu harferion wrth grwydro'r we yn cael eu cofnodi a'u negeseuon e-bost eu storio.
- Mynd yn gaeth i fetio – mae nifer mawr o wefannau betio ar-lein, sy'n haws o lawer na betio traddodiadol gan nad oes rhaid i chi fynd o'r tŷ.
- Gwybodaeth wallus neu anghywir – mae llawer o wefannau ar y Rhyngrwyd sy'n mynd ati'n fwriadol i'ch camarwain. Gall rhywun sefydlu gwefan ar y Rhyngrwyd a rhoi ei wybodaeth ei hun ar y wefan a allai fod yn anghywir. Dim ond gwefannau dibynadwy y dylech eu defnyddio i gasglu gwybodaeth.

Cyfathrebu

Mae'r Rhyngrwyd yn cynnig llawer o ffyrdd gwahanol o gyfathrebu. Er enghraifft:

- Negeseua sydyn – lle y gallwch deipio negeseuon i mewn a chael atebion mewn amser real bron.
- Gwasanaethau gwe-gam – lle y gallwch weld a chlywed y bobl yr ydych chi'n sgwrsio â nhw.
- Galwadau ffôn rhad – gallwch wneud galwadau ffôn rhad dros y Rhyngrwyd i unrhyw ran o'r byd gan ddefnyddio gwasanaeth o'r enw protocol llais dros y Rhyngrwyd (*VOIP: voice over Internet protocol*).
- Ystafelloedd sgwrsio – gallwch sgwrsio â'ch ffrindiau ac aelodau o'ch teulu neu bobl sydd â diddordebau tebyg i chi.
- Negeseuon testun – gallwch ddefnyddio'r Rhyngrwyd i anfon a derbyn negeseuon testun o ffonau (symudol a llinell tir).

Gwasanaethau e-bost

Neges electronig yw neges e-bost sy'n cael ei hanfon o un ddyfais gyfathrebu (cyfrifiadur, ffôn, ffôn symudol neu *PDA*) i un arall. Mae dewis mawr o wasanaethau e-bost ar gael a byddwn yn edrych ar y rhain yn yr adran nesaf.

Chwilio

Mae'r cyfleuster chwilio'n caniatáu i chi ddod o hyd i neges e-bost gan ddefnyddio allweddeiriau yn y teitl neu gallwch chwilio am yr holl negeseuon e-bost sydd wedi cael eu hanfon i gyfeiriad e-bost penodol neu eu derbyn oddi wrtho.

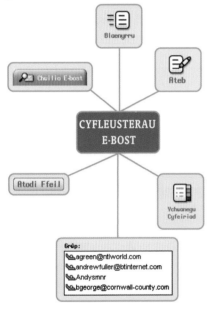

Mae llawer o gyfleusterau e-bost ar gael. Dyma rai sy'n arbed amser.

Ateb

Mae hyn yn caniatáu i chi ddarllen neges e-bost ac wedyn ysgrifennu'r ateb heb orfod mewnbynnu'r cyfeiriad e-bost. Gan fod modd anfon y neges e-bost wreiddiol at y derbynnydd yn ogystal â'ch ateb, gall arbed amser gan ei fod yn gwybod beth yw byrdwn eich neges.

Blaenyrru

Os anfonir neges e-bost atoch a chithau'n meddwl y dylai pobl eraill ei gweld, gallwch ei blaenyrru. Er enghraifft, gallai e-bost sydd wedi cael ei hanfon atoch gan eich pennaeth gael ei blaenyrru at bawb sy'n cydweithio â chi mewn tîm.

Llyfr cyfeiriadau

Mae'r llyfr cyfeiriadau'n cynnwys enwau a chyfeiriadau e-bost yr holl bobl yr ydych yn debygol o anfon negeseuon e-bost atynt. Yn lle gorfod teipio'r cyfeiriad wrth ysgrifennu neges e-bost, y cwbl y mae'n rhaid i chi ei wneud yw clicio ar y cyfeiriad neu'r cyfeiriadau e-bost yn y llyfr cyfeiriadau.

Gallwch beri i'r meddalwedd e-bost roi enwau pobl yn eich llyfr cyfeiriadau'n awtomatig os ydych wedi anfon negeseuon e-bost at eich gilydd.

Mae'r sgrinlun ar y dudalen nesaf yn dangos llyfr cyfeiriadau. Yn lle teipio cyfeiriad e-bost derbynwyr y negeseuon a gwneud camgymeriad efallai, gallwch glicio ar eu cyfeiriad er mwyn anfon y

neges atynt. Sylwch ar y cyfleuster ar gyfer creu grwpiau.

Grwpiau

Mae grwpiau'n rhestri o bobl ynghyd â'u cyfeiriadau e-bost. Defnyddir y rhain pan fydd angen dosbarthu copi o neges e-bost i bobl sydd mewn grŵp penodol. Er enghraifft, os oeddech yn gweithio fel aelod o dîm ac angen anfon yr un neges e-bost at bob aelod o'r tîm, byddech yn creu grŵp. Bob tro y byddai angen anfon neges e-bost at aelodau'r grŵp, byddech yn anfon un neges e-bost ac yn arbed cryn dipyn o amser.

Atodiadau ffeil

Gallwch atodi ffeiliau i negeseuon e-bost. Er enghraifft, gallech atodi ffeil sy'n cynnwys ffotograff ohonoch o gamera digidol, cliplun, llun yr ydych wedi'i sganio, dogfen hir, ac ati. Yn syml, os gallwch storio rhywbeth ar ffurf ffeil, gallwch ei atodi i neges e-bost.

Mae modd i chi atodi mwy nag un ffeil i neges e-bost, felly os oeddech am anfon chwe ffotograff, gallech eu hatodi a'u hanfon i gyd yr un pryd.

Cyn i chi atodi ffeil rhaid i chi ysgrifennu esboniad yn y neges e-bost yn gyntaf ynghylch pwrpas eich e-hebiaeth a rhoi ychydig o wybodaeth hefyd am y ffeiliau yr ydych yn eu hanfon (beth yw eu pwrpas, beth yw fformat y ffeiliau, ac ati).

Ar ôl ysgrifennu'r esboniad yn y neges e-bost, rydych yn clicio ar y botwm atodi ffeil ac yn dewis y ffeil yr ydych am ei hanfon. Bydd blwch yn ymddangos i ganiatáu i chi ddewis y gyriant, y ffolder ac, yn olaf, y ffeil yr ydych am ei hanfon.

Os ydych am anfon mwy nag un ffeil, ewch drwy'r broses atodi ffeil eto. Fel arfer, os oes mwy nag un ffeil i'w hanfon, caiff y ffeiliau eu cywasgu er mwyn cymryd llai o amser i'w hanfon.

Blychau post llais

Cewch anfon negeseuon llais drwy ddefnyddio rhwydwaith cyfathrebu. Caiff y negeseuon eu troi'n ffurf ddigidol y gellir ei storio yn yr un ffordd â negeseuon e-bost. Pan fydd y defnyddiwr yn mewngofnodi i'r system, caiff ei hysbysu bod post llais ar ei gyfer a gall wrando ar y neges.

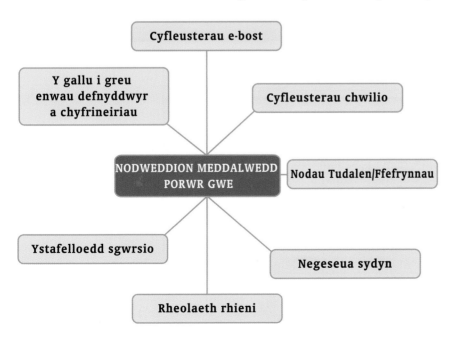

Y Rhyngrwyd, mewnrwydi ac allrwydi (parhad)

Rhannu data a syniadau

Mae'r Rhyngrwyd yn caniatáu i bobl gydweithio, hyd yn oed os ydynt yn bell oddi wrth ei gilydd, gan ei bod yn hawdd rhannu gwaith drwy drosglwyddo ffeiliau neu atodi ffeil i neges e-bost. Drwy ddefnyddio'r Rhyngrwyd, mae bellach yn bosibl i bobl ym mhob rhan o'r byd rannu data a syniadau. Er enghraifft, gall meddygon gynnal sesiynau fideo-gynadledda i ddysgu am dechnegau llawfeddygol newydd.

Cyrchu gwybodaeth

Heb adael eich cartref gallwch gyrchu gwybodaeth o lyfrgelloedd mwyaf y byd. Gallwch weld geiriaduron, gwyddoniaduron, atlasau, thesawrysau, papurau ymchwil, amserlenni, ac ati. Yn gyffredinol, os yw rhywbeth wedi'i gyhoeddi, mae'n debyg y byddwch yn dod o hyd iddo ar y Rhyngrwyd.

Manteision e-bost

- Dim oedi – caiff e-bost ei anfon ar unwaith a gallwch gael ateb cyn gynted ag y bydd y derbynnydd yn edrych yn ei flwch e-bost.
- Dim angen nodweddion ffurfiol y llythyr. Mae neges e-bost i fod yn gyflym, syml a chryno. Nid oes angen i chi boeni am ambell gamgymeriad sillafu neu deipio.
- Mae'n hawdd i chi atodi copi o neges yr anfonwr i'ch ateb fel nad oes rhaid iddo chwilio am y neges wreiddiol.
- Os anghofiwn am y caledwedd a'r meddalwedd a fydd gan y defnyddiwr yn barod yn ôl pob tebyg, gellir anfon neges e-bost am ddim bron.
- Gallwch gyrchu e-bost drwy ddefnyddio nifer mawr o ddyfeisiau, yn amrywio o ffonau symudol i setiau teledu.
- Yn fwy cyfeillgar i'r amgylchedd gan fod llai o egni'n cael ei ddefnyddio wrth anfon y neges o'r ffynhonnell i'r gyrchfan.

Anfanteision e-bost

- Nid pawb sydd â chyfleusterau e-bost, felly defnyddir y post arferol o hyd.
- Gallai beri i ddefnyddwyr fod yn fwy diofal yn eu hagwedd at fusnes ac efallai na fyddant yn sylweddoli y gall rhywbeth a ddywedant eu clymu'n gyfreithiol yn yr un modd â phe bai wedi'i ysgrifennu mewn dogfen fwy ffurfiol fel llythyr neu gontract.
- Mae post sothach yn broblem, er bod meddalwedd ar gael sy'n hidlo post sothach allan o'ch e-hebiaeth bwysig.
- Mae pryderon ynghylch diogelwch.
- Rhaid i bobl edrych yn eu blychau e-bost yn rheolaidd er mwyn i'r system weithio.
- Gellir cael firysau mewn negeseuon e-bost, yn enwedig os yw ffeiliau wedi'u hatodi.
- Nid yw e-bost yn ddiogel a gellir rhyng-gipio negeseuon a'u darllen.

GEIRIAU ALLWEDDOL

Atodiad ffeil – ffeil sydd wedi'i hatodi i neges e-bost

Drwy ddefnyddio e-bost. gallwch greu llyfr cyfeiriadau a ffurfio grwpiau o bobl y mae angen anfon yr un negeseuon atynt.

Protocol trosglwyddo ffeiliau (*FTP: file transfer protocol*)

Mae'r protocol trosi ffeiliau, neu *FTP*, yn ddull (protocol) o gyfnewid ffeiliau dros y Rhyngrwyd. Mae'r ffordd y mae *FTP* yn trosglwyddo ffeiliau yn debyg i'r ffordd y mae tudalennau gwe'n cael eu trosglwyddo o'r gweinydd ffeiliau i borwr gwe'r defnyddiwr pan fydd yn defnyddio'r Rhyngrwyd i edrych ar wybodaeth.

Mae'r protocol trosi ffeiliau'n trawsyrru ffeiliau o bob math: rhaglenni cyfrifiadurol, ffeiliau testun, graffigau, ac ati, drwy broses sy'n casglu'r data'n becynnau. Anfonir pecyn o ddata a phan gaiff ei dderbyn mae'r system derbyn yn gwirio'r pecyn i sicrhau nad yw unrhyw wallau wedi cael eu cyflwyno wrth ei drawsyrru. Wedyn anfonir neges yn ôl i'r system anfon i roi gwybod iddi fod y pecyn yn iawn a'i bod yn barod i dderbyn y pecyn data nesaf.

Grwpiau newyddion

Mae grŵp newyddion yn fan lle y caiff data eu storio ar ffurf negeseuon oddi wrth wahanol ddefnyddwyr mewn gwahanol leoliadau. Fel rheol mae grŵp newyddion yn grŵp trafod lle y gall pobl bostio negeseuon neu atebion i negeseuon ar bynciau o bob math. Yn syml, os oes pwnc yr ydych yn hoff o'i drafod, mae'n debyg bod grŵp newyddion sy'n ymdrin â'r pwnc hwnnw.

Mae gwe-logiau wedi cymryd lle grwpiau newyddion at rai dibenion.

Ystafelloedd sgwrsio

Mewn ystafelloedd sgwrsio gall defnyddwyr gynnal sgyrsiau ar-lein â phobl eraill mewn amser real. Fel arfer maen nhw'n un o'r nifer mawr o gyfleusterau sy'n cael eu darparu gan ddarparwyr gwasanaethau Rhyngrwyd a hefyd gan wefannau rhwydweithio cymdeithasol fel MySpace.

Mae rhai ystafelloedd sgwrsio'n cynnig mwy na thestun yn unig, gan eu bod yn gallu darparu cyfathrebu ar ffurf sain a fideo sy'n gofyn am ddefnyddio microffon, seinyddion a gwe-gam, fel y gall pobl weld a chlywed ei gilydd.

Defnyddir gwe-gamau'n aml ar y cyd ag ystafelloedd sgwrsio.

Siopa ar-lein

Bydd y rhan fwyaf o bobl yn siopa am rai pethau ar-lein bellach, hyd yn oed os nad yw hynny ond am ychydig o eitemau fel llyfrau, cryno ddisgiau neu ffeiliau cerddoriaeth i'w llwytho i lawr. Mae llawer o fanteision i siopa ar-lein a nifer o anfanteision. Buom yn edrych yn fanwl ar siopa ar-lein ar dudalennau 65 a 121.

Defnyddio cronfeydd data ar-lein i gyrchu gwybodaeth

Pan fyddwch yn chwilio am wyliau neu daith awyren, neu hyd yn oed wrth siopa ar-lein, byddwch fel rheol yn cyrchu gwybodaeth o gronfa ddata ar-lein. Caiff cronfeydd data ar-lein eu defnyddio gan gwmnïau i storio manylion eu gwasanaethau neu nwyddau. Er enghraifft, wrth archebu taith awyren, caiff y dyddiadau eu mewnbynnu a chaiff y gronfa ddata ei holi i echdynnu'r wybodaeth.

Dewis peiriant chwilio

Un ffordd y gallwch ddod o hyd i wybodaeth ar y Rhyngrwyd yw drwy ddefnyddio peiriant chwilio. Cyfleuster ar y Rhyngrwyd yw peiriant chwilio a fydd yn chwilio am wefannau ar y Rhyngrwyd sy'n cynnwys y geiriau yr ydych yn eu pennu fel geiriau chwilio. Bydd yn rhoi canlyniadau i chi ar ffurf cysylltau i'r gwefannau hynny sy'n cynnwys y geiriau yr ydych yn chwilio amdanynt.

Mae'n bwysig cofio nad chwilio'r Rhyngrwyd ei hun a wnaiff peiriannau chwilio. Yn hytrach, chwiliant gronfeydd data o wybodaeth am y Rhyngrwyd. Bydd pob peiriant chwilio'n edrych mewn cronfa ddata wahanol a dyna pam y bydd pob un ohonynt yn cael canlyniadau gwahanol ar sail yr un geiriau chwilio. Mae gwahaniaeth mawr rhwng peiriannau chwilio o ran eu manylder. Mae llawer o wahaniaethau eraill. Un ohonynt yw pa mor soffistigedig ydyw wrth chwilio cronfa ddata.

Gallwch ddefnyddio peiriant chwilio i chwilio am y canlynol:
- tudalennau gwe
- delweddau
- mathau eraill o ffeiliau.

Mae nifer o beiriannau chwilio ar gael ac mae bob amser yn werth edrych ar bob un i weld y gwahaniaethau sydd rhyngddynt. Er hynny, bydd y rhan fwyaf o bobl yn defnyddio un yn unig ac yn dod i arfer ag ef.

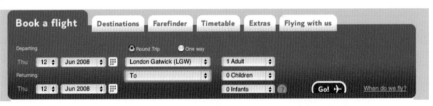

Pan fyddwch yn mewnbynnu manylion i wefan wrth chwilio am daith awyren, mewn gwirionedd rydych yn gosod meini prawf ar gyfer chwilio cronfa ddata ar-lein o deithiau awyren.

Cwestiynau

▶ Cwestiynau 1 t. 166

1 Mae chwe gweithiwr ym mhrif swyddfa cwmni cynllunio gerddi. Mae gan bob un o'r gweithwyr system gyfrifiadurol arunig ac argraffydd. Comisiynodd cyfarwyddwr y cwmni arolwg busnes a ddangosodd y byddai'n fwy effeithlon i'r chwe chyfrifiadur personol gael eu gwneud yn rhwydwaith. Nodwch **dair** mantais y byddai'r cwmni'n eu cael drwy rwydweithio ei systemau cyfrifiadurol. (3 marc)

2 Mewn meddygfa leol defnyddir nifer o systemau cyfrifiadurol arunig i reoli cofnodion cleifion, apwyntiadau, cyflogau staff a'r holl gyfrifon ariannol. Mae rheolwr y feddygfa'n ystyried eu troi'n rhwydwaith ardal leol.

Cymharwch fanteision defnyddio cyfrifiaduron arunig â manteision defnyddio rhwydwaith ardal leol. (6 marc)

3 Enwch **dair** dyfais y gellir rhannu eu hadnoddau drwy ddefnyddio rhwydwaith. (3 marc)

4 Mae corff wedi penderfynu bod angen iddo gael rhwydwaith.
Gan roi enghreifftiau priodol, heblaw am rannu dyfeisiau caledwedd ac anfon a derbyn e-bost, disgrifiwch **dair** mantais rhwydweithio i'r corff. (3 marc)

▶ Cwestiynau 2 t. 166

1 Nodwch **ddau** wahaniaeth rhwng rhwydwaith ardal leol (RhAL) a rhwydwaith ardal eang (RhAE). (2 farc)

2 Mae'r rhan fwyaf o ysgolion yn defnyddio cyfrifiaduron mewn rhwydwaith i greu RhAL yn hytrach na defnyddio cyfrifiaduron arunig.
   (a) Eglurwch y gwahaniaeth rhwng cyfrifiaduron mewn RhAL a chyfrifiaduron arunig. (2 farc)
   (b) Disgrifiwch **ddwy** fantais i'r myfyrwyr o ddefnyddio RhAL yn hytrach na chyfrifiaduron arunig. (2 farc)
   (c) Disgrifiwch **ddwy** anfantais i'r myfyrwyr o ddefnyddio RhAL yn hytrach na chyfrifiaduron arunig. (2 farc)

▶ Cwestiynau 3 tt. 167–171

1 Mae mewnrwydi ac allrwydi'n rhwydweithiau poblogaidd iawn bellach ar gyfer cyrff bach a mawr.
   (a) Rhowch **ddwy** o nodweddion mewnrwydi. (2 farc)
   (b) Rhowch **ddwy** o nodweddion allrwydi. (2 farc)

2 (a) Mae mewnrwydi'n boblogaidd iawn mewn sefydliadau fel ysgolion. Gan roi enghreifftiau priodol, disgrifiwch sut y mae mewnrwyd yn ddefnyddiol mewn ysgol. (4 marc)
   (b) Mae'r rhan fwyaf o ysgolion yn caniatáu mynediad cyfyngedig i'r Rhyngrwyd i'r myfyrwyr. Gan roi enghreifftiau priodol, eglurwch sut y mae'r Rhyngrwyd yn ddefnyddiol i fyfyrwyr mewn ysgolion a cholegau. (6 marc)

3 Eglurwch beth yw peiriant chwilio a sut y mae'n ddefnyddiol i rywun sy'n defnyddio'r Rhyngrwyd i ddod o hyd i wybodaeth fel amserau trenau neu awyrennau. (3 marc)

4 Nid oes rheolaeth ar y Rhyngrwyd, ac mae hyn yn achosi nifer o broblemau cymdeithasol, yn enwedig i rieni sydd â phlant ifanc y mae'n hawdd iawn creu argraff arnynt. Trafodwch y problemau y mae'r Rhyngrwyd yn eu hachosi. Yn eich trafodaeth dylech gynnwys ystafelloedd sgwrsio, e-bost a defnydd priodol o beiriannau chwilio. (6 marc)

5 Mae athrawes ysgol gynradd sydd â gwybodaeth dda am TGCh wedi penderfynu creu mewnrwyd i'r ysgol.
   (a) Eglurwch yn ofalus beth yw mewnrwyd. (2 farc)
   (b) Nodwch **un fantais** i'r staff addysgu o gael mewnrwyd. (1 marc)
   (c) Nodwch **un fantais** i'r staff gweinyddu o gael mewnrwyd. (1 marc)
   (ch) Nodwch **un fantais** i'r myfyrwyr o gael mewnrwyd. (1 marc)

6 Mae datblygwr meddalwedd yn gweithio fel aelod o dîm o ddeg datblygwr sy'n datblygu meddalwedd newydd i gwmni benthyca arian ar-lein. Mae aelodau'r tîm yn gweithio mewn gwahanol rannau o'r wlad. Mae angen i'r datblygwyr gadw mewn cysylltiad â'i gilydd ac mae angen iddynt drosglwyddo gwaith (rhaglenni, dyluniadau sgrin, ac ati, gan mwyaf) i'w gilydd.
   (a) Eglurwch **dair** mantais i'r datblygwyr o gysylltu â'i gilydd drwy e-bost yn hytrach na'r post. (6 marc)
   (b) Disgrifiwch **ddau** gyfleuster mewn meddalwedd e-bost a fydd yn ei gwneud yn haws o lawer iddynt weithio fel tîm. (4 marc)

Cymorth gyda'r arholiad

Enghraifft 1

1 (a) **Eglurwch ystyr y term mewnrwyd. (2 farc)**
  (b) **Eglurwch ystyr y term allrwyd. (2 farc))**

Ateb myfyriwr 1

1 (a) Mae mewnrwyd yn rhwydwaith mewnol a gallwch ei defnyddio i anfon data mewnol. Gallai data mewnol gynnwys post mewnol a gwybodaeth am y corff.
  (b) Mae allrwyd yn rhwydwaith allanol a gallwch ei defnyddio i anfon data allanol.

Sylwadau'r arholwr

1 Mae rhan (a) yn gywir ynghylch y rhwydwaith mewnol ond mae angen i'r ail ran fod yn fwy penodol er mwyn ennill yr ail farc. Roedd angen iddo ddweud, er enghraifft, ei bod '...ar gyfer anfon data mewnol fel negeseuon e-bost'.
Yn rhan (b), y prif bwynt y dylid ei wneud yw bod angen rhannu data â rhai pobl nad ydynt yn perthyn i'r corff. Nid yw'r ateb hwn yn ddigon penodol i ennill unrhyw farciau. **(1 marc allan o 4)**

Atebion yr arholwr

1 (a) Un marc am ddweud beth yw hi ac un marc am y ffordd y gellir ei defnyddio.
  Mae mewnrwyd yn rhwydwaith mewnol y gall holl weithwyr corff ei ddefnyddio i anfon e-bost mewnol, rhannu dyddiaduron, rhannu data, ac ati.
  (b) Un marc am ddweud beth yw hi ac un marc am y ffordd y gellir ei defnyddio.
  Mae allrwyd yn rhwydwaith preifat allanol sydd ar gael i'r gweithwyr mewn corff a'u partneriaid masnach fel y gallant rannu gwybodaeth am archebion a thaliadau.

Ateb myfyriwr 2

1 (a) Mae mewnrwyd yn defnyddio'r un dechnoleg â'r Rhyngrwyd ond yn ei defnyddio'n fewnol o fewn corff i rannu data fel e-bost mewnol, cyfarwyddiaduron ffôn mewnol, polisïau iechyd a diogelwch a gwybodaeth arall am weithrediadau mewnol y corff.
  (b) Mae allrwyd hefyd yn defnyddio technoleg y Rhyngrwyd a chaiff ei defnyddio i ganiatáu i bartneriaid masnach fel cwsmeriaid a chyflenwyr, sydd y tu allan i'r corff, gyrchu data penodol. Er mwyn cael mynediad i'r allrwyd, bydd rhywun sydd y tu allan i'r corff yn gorfod cael y caniatâd perthnasol a bydd angen enw defnyddiwr a chyfrinair arno.

Sylwadau'r arholwr

1 Mae rhan (a) yn ateb da. Dylai fod wedi dweud mai rhwydwaith yw hi – mae bob amser yn well cymryd arnoch eich bod yn egluro i rywun sydd â gwybodaeth elfennol yn unig. Er hynny, mae'r rhan hon yn haeddu'r ddau farc.
Mae rhan (b) yn ateb da ond roedd angen crybwyll ei bod yn rhwydwaith a'i bod yn rhwydwaith preifat ac mai dim ond pobl sydd wedi'u hawdurdodi a gaiff fynediad iddi.
Er hynny, mae'n werth dau farc.
(4 marc allan o 4)

Enghraifft 2

2 **Mae 12 o weithwyr mewn cwmni cynllunio ceginau ac mae gan bob un ei gyfrifiadur arunig ynghyd ag argraffydd chwistrell. Mae meddalwedd *CAD* a mathau eraill o feddalwedd boblogaidd wedi'u storio ar bob un o'r cyfrifiaduron ac mae'r defnyddwyr yn storio eu ffeiliau ar eu cyfrifiaduron eu hun.**
Mae perchennog y cwmni wedi awgrymu y gallai fod yn well rhwydweithio'r cyfrifiaduron hyn.
Trafodwch y manteision posibl i'r cwmni o rwydweithio'r cyfrifiaduron. (6 marc)

Cymorth gyda'r arholiad (parhad)

Ateb myfyriwr 1

2 Mae'n haws o lawer i'r staff rannu ffeiliau dros rwydwaith gan fod modd cyrchu'r holl ffeiliau o unrhyw un o'r cyfrifiaduron ar y rhwydwaith. Oherwydd hyn gall nifer o bobl weithio ar yr un cynllun yr un pryd. Hefyd gall y staff anfon negeseuon e-bost at ei gilydd, a byddant yn cael mynediad i'r Rhyngrwyd yn ogystal, a bydd hynny'n eu galluogi i wneud pob math o bethau.

Bydd diogelwch yn well gan nad oes angen gwneud copïau wrth gefn gan y bydd rhywun arall yn gwneud hynny drosoch.

Os nad yw'r pennaeth yn bresennol, gallwch ddefnyddio'r Rhyngrwyd i lwytho gemau i lawr neu siopa.

Sylwadau'r arholwr

2 Mae'r ddwy frawddeg gyntaf yn cyfeirio at y gallu i rannu ffeiliau a chydweithredu. Mae'r drydedd frawddeg sy'n ymwneud ag e-bost yn gywir, ond mae cyfeiriad annelwig at 'pob math o bethau'. Rhaid i'r myfyriwr egluro'n fanwl beth y mae'n ei olygu yma. Mae'r cyfeiriad at ddiogelwch wedi'i eirio'n wael. Mae'n debyg ei fod yn golygu dweud y byddai rheolwr y rhwydwaith yn gwneud copïau wrth gefn o'r data a gâi eu cadw'n ganolog ar y rhwydwaith. Nid yw'r frawddeg olaf am y pethau y gall y staff eu gwneud pan nad yw'r pennaeth yn bresennol yn fantais. Rhaid i'r myfyriwr sicrhau mai dim ond manteision i'r cwmni y mae'n eu rhoi.

Mae'n debyg mai dim ond dwy fantais wahanol sydd wedi'u disgrifio yma. Er hynny, dim ond un o'r manteision sydd wedi'i disgrifio'n helaeth.

Ar sail y wybodaeth am fandiau marcio ar ddiwedd ateb yr Arholwr, gwelwch fod yr ateb hwn yn werth tri marc.
(3 marc allan o 6)

Ateb yr arholwr

2 Gallai'r myfyrwyr gynnwys y canlynol:
Mae'n haws o lawer iddynt weithio ar y cyd
Nid oes angen i chi dreulio amser yn gosod yr un meddalwedd ar nifer o beiriannau
Mae'n haws diweddaru meddalwedd yn ganolog na gorfod gosod diweddariadau ar bob peiriant
Ni fyddai angen i staff ddefnyddio cyfryngau cludadwy i gyfnewid ffeiliau rhwng peiriannau a bydd hyn yn arbed amser
Bydd rheolwyr rhwydwaith yn gwneud copïau wrth gefn o ddata'n ganolog
Mae'n haws i dechnegydd weld a oes angen unrhyw uwchraddiadau oherwydd gall weld hyn o un man canolog
Gellir rhannu dyfeisiau caledwedd fel argraffyddion a phlotyddion
Mae fersiynau rhwydwaith o feddalwedd yn rhatach yn aml na phrynu nifer o gopïau i gyfrifiaduron arunig.

Ateb myfyriwr 2

2 Gall yr holl ddefnyddwyr rannu adnoddau caledwedd fel argraffyddion laser, plotyddion, sganwyr, peiriannau ffacs, ac ati, ac oherwydd hyn bydd yn bosibl prynu llai o eitemau caledwedd ond byddant o ansawdd uwch. Bydd gwasanaeth cymorth a chynnal a chadw canolog. Er enghraifft, os bydd angen gosod uwchraddiadau newydd, dim ond ar y gweinydd ffeiliau y bydd angen eu gosod, yn lle diweddaru'r holl beiriannau arunig. Bydd gwell cyfathrebu rhwng y defnyddwyr. Mae pob rhwydwaith yn gallu defnyddio post electronig, a bydd hyn yn gyflym ac yn arbed papur. Mae fersiynau rhwydwaith o becynnau meddalwedd ar gael, a bydd yn rhatach prynu'r rhain na chopïau unigol i beiriannau arunig. Gellir rhannu ffeiliau data ymysg yr holl ddefnyddwyr heb fod angen eu dyblygu. O ganlyniad i hyn, ni fydd yn rhaid iddynt gopio ffeiliau i gyfryngau symudadwy fel cryno ddisgiau neu gofion pin i drosglwyddo'r ffeiliau rhwng cyfrifiaduron. Bydd mynediad i'r Rhyngrwyd wedi'i ddarparu hefyd, felly bydd modd anfon negeseuon ac atodiadau ffeil megis cynlluniau yn uniongyrchol at gleientiaid i gael eu sylwadau.

Sylwadau'r arholwr

2 Mae'r ateb hwn yn dda iawn. Nid yn unig y mae'n cynnwys tair mantais glir a pherthnasol, mae hefyd wedi'i ysgrifennu'n dda, gyda gramadeg a sillafu cywir. Defnyddiwyd y termau cywir lle'r oeddent yn berthnasol, ac mae'r drafodaeth i gyd yn drefnus. Dyma'r math o ateb a roddir gan ymgeisydd cryf iawn sy'n dangos ei fod yn deall y topig yn dda.

Drwy edrych ar y bandiau marcio ar ddiwedd ateb yr Arholwr, gwelwch fod yr ateb hwn yn werth rhwng pump a chwech o farciau.

Gan fod yr Arholwr o'r farn bod hwn yn ateb da iawn, rhoddir marciau llawn. **(6 marc allan o 6)**

5–6 marc

Mae'r ymgeiswyr yn rhoi ateb clir a rhesymegol sy'n rhoi disgrifiad ac esboniad llawn a chywir o dair mantais wahanol o leiaf. Maent yn defnyddio termau priodol a sillafu, atalnodi a gramadeg cywir.

3–4 marc

Mae'r ymgeiswyr yn egluro rhai manteision, ond nid yw'r atebion yn glir. Mae ychydig o wallau o ran sillafu, atalnodi a gramadeg.

0–2 farc

Mae'r ymgeiswyr yn rhoi rhestr o hyd at dair mantais neu'n rhoi esboniad byr o un neu ddwy. Nid yw'r ateb yn glir, ac mae llawer o wallau sillafu, atalnodi a gramadeg.

Mapiau meddwl cryno

Elfennau sylfaenol rhwydwaith TGCh: cydrannau'r rhwydwaith

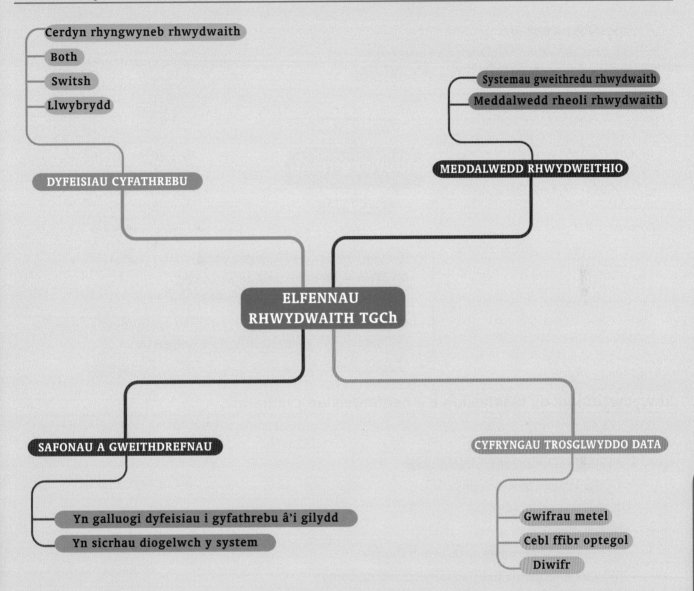

Cerdyn rhyngwyneb rhwydwaith

Both

Switsh

Llwybrydd

DYFEISIAU CYFATHREBU

Systemau gweithredu rhwydwaith

Meddalwedd rheoli rhwydwaith

MEDDALWEDD RHWYDWEITHIO

ELFENNAU RHWYDWAITH TGCh

SAFONAU A GWEITHDREFNAU

Yn galluogi dyfeisiau i gyfathrebu â'i gilydd

Yn sicrhau diogelwch y system

CYFRYNGAU TROSGLWYDDO DATA

Gwifrau metel

Cebl ffibr optegol

Diwifr

Mapiau meddwl cryno (parhad)

Mewnrwydi ac allrwydi

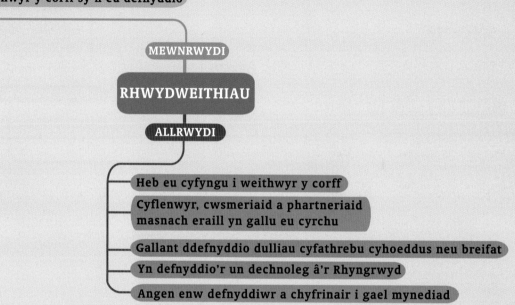

Rhwydwaith preifat

Yn defnyddio'r un dechnoleg â'r Rhyngrwyd

Dim ond gweithwyr y corff sy'n eu defnyddio

MEWNRWYDI

RHWYDWEITHIAU

ALLRWYDI

Heb eu cyfyngu i weithwyr y corff

Cyflenwyr, cwsmeriaid a phartneriaid masnach eraill yn gallu eu cyrchu

Gallant ddefnyddio dulliau cyfathrebu cyhoeddus neu breifat

Yn defnyddio'r un dechnoleg â'r Rhyngrwyd

Angen enw defnyddiwr a chyfrinair i gael mynediad

Rhwydweithiau: eu manteision a'u hanfanteision cymharol

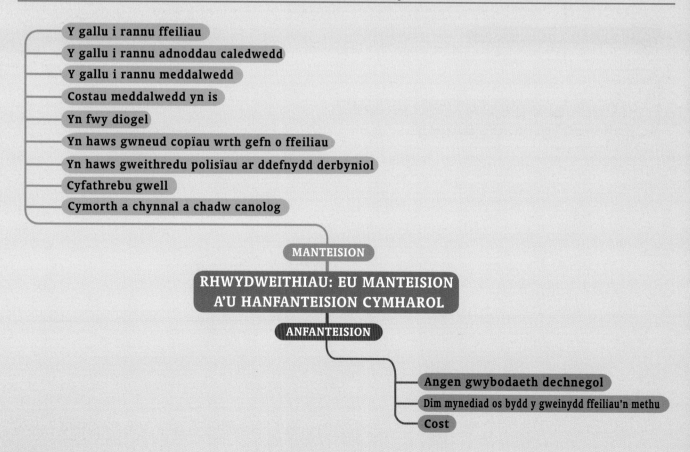

Y gallu i rannu ffeiliau

Y gallu i rannu adnoddau caledwedd

Y gallu i rannu meddalwedd

Costau meddalwedd yn is

Yn fwy diogel

Yn haws gwneud copïau wrth gefn o ffeiliau

Yn haws gweithredu polisïau ar ddefnydd derbyniol

Cyfathrebu gwell

Cymorth a chynnal a chadw canolog

MANTEISION

RHWYDWEITHIAU: EU MANTEISION A'U HANFANTEISION CYMHAROL

ANFANTEISION

Angen gwybodaeth dechnegol

Dim mynediad os bydd y gweinydd ffeiliau'n methu

Cost

Mae systemau TGCh yn cael eu dylunio ar gyfer pobl a chânt eu defnyddio gan bobl at ddiben penodol. Yn y topig hwn byddwn yn ystyried nodweddion defnyddwyr a sut y mae angen i systemau TGCh gymryd y nodweddion hyn i ystyriaeth. Byddwn hefyd yn edrych ar y ffordd y mae defnyddwyr yn rhyngweithio â systemau TGCh a phwysigrwydd hynny wrth ddarparu systemau a ddylai gyfathrebu'n effeithiol â defnyddwyr. Byddwn yn ystyried gwahanol fathau o ryngwynebau defnyddwyr a'u manteision ac anfanteision cymharol.

▼ Y cysyniadau allweddol sy'n cael sylw yn y topig hwn yw:

▶ Yr angen i gael deialog effeithiol rhwng pobl a pheiriannau

▶ Dylunio rhyngwynebau sy'n darparu cyfathrebu effeithiol ar gyfer defnyddwyr

▶ Yr angen i ddylunio rhyngwynebau cyfrifiadur-dyn ar gyfer cyfrifiaduron sy'n cymryd i ystyriaeth y dasg, profiad defnyddwyr, dewisiadau defnyddwyr ac adnoddau

CYNNWYS

Gofynion rhyngwynebau cyfrifiadur-dyn

Byddwch yn dysgu

▶ Am yr angen i gael deialog effeithiol rhwng pobl a pheiriannau

▶ Am yr angen i ddylunio rhyngwynebau sy'n darparu cyfathrebu effeithiol ar gyfer defnyddwyr

▶ Am yr angen i ddylunio rhyngwynebau cyfrifiadur-dyn ar gyfer cyfrifiaduron sy'n cymryd i ystyriaeth y dasg, profiad defnyddwyr, dewisiadau defnyddwyr ac adnoddau

▶ Am nodweddion cyffredinol y rhyngwyneb cyfrifiadur-dyn

Cyflwyniad

Rhaid i bobl ryngweithio â systemau TGCh ac mae angen gwneud hyn yn y ffordd fwyaf effeithiol, gan gymryd i ystyriaeth nodweddion y defnyddwyr. Mae angen cael deialog effeithiol rhwng pobl a pheiriannau. Y rhyngwyneb mwyaf cyffredin yw un lle y mae'r defnyddiwr yn defnyddio rhyngwyneb defnyddiwr graffigol (RhDG/*GUI: graphical user interface*) i roi cyfarwyddiadau a gwneud dewisiadau gan ddefnyddio'r llygoden. Yn yr adran hon byddwn yn edrych ar y gwahanol fathau o ryngwyneb defnyddiwr a sut y gellir dylunio rhyngwynebau defnyddiwr fel eu bod yn darparu cyfathrebu effeithiol rhwng y systemau TGCh a defnyddwyr.

Yr angen i gael deialog effeithiol rhwng pobl a pheiriannau

Wrth ddefnyddio unrhyw ddyfais TGCh, mae angen cael deialog rhwng y peiriant a'r person sy'n ei ddefnyddio. Mae angen i'r defnyddiwr allu rhoi cyfarwyddiadau i'r ddyfais i ddweud wrthi beth i'w wneud ac mae angen i'r ddyfais ddweud wrth y defnyddiwr beth i'w wneud neu, os oes problem, beth yw'r broblem honno.

Rhyngwyneb cyfrifiadur-dyn sy'n galluogi'r defnyddiwr i ddweud wrth y cyfrifiadur beth i'w wneud ac, ar yr un pryd, gall y cyfrifiadur ryngweithio â'r person sy'n ei ddefnyddio drwy roi ymateb iddo. Mae rhyngwynebau o'r fath yn bwysig gan eu bod yn penderfynu pa mor hawdd fydd defnyddio'r system TGCh i gyflawni tasg benodol.

Y rhyngwyneb safonol i berson sy'n mewnbynnu data i gyfrifiadur yw'r bysellfwrdd, ac mae'r cyfrifiadur yn rhoi ei ymateb ar y sgrin. Nid dyma'r unig fath o ryngwyneb cyfrifiadur-dyn, er ei bod yn deg dweud mai hwn yw'r un mwyaf cyffredin. Mae llawer o systemau eraill sy'n defnyddio TGCh ac yn gofyn am ddefnyddio math arall o ryngwyneb. Mae sgriniau rheoli prosesau, setiau teledu digidol, ffonau symudol, gemau cyfrifiadur, rheolyddion llywio ar awyrennau hedfan-drwy-wifren, a systemau gwybodaeth y gall y cyhoedd eu defnyddio, i gyd yn defnyddio rhyngwynebau defnyddiwr arloesol.

Dylunio rhyngwynebau sy'n darparu cyfathrebu effeithiol ar gyfer defnyddwyr

Os ydych yn chwarae gêm sy'n efelychu gyrru car rasio Fformiwla Un o gwmpas y trac, byddech am i'r gêm fod mor realistig ag sy'n bosibl. Gellid dangos yr olygfa o sedd y gyrrwr ar sgrin cyfrifiadur, yn ogystal â'r offerynnau a dangosyddion. Mae hyn yn gwneud y gêm yn fwy realistig. Y peth a allai eich siomi wrth chwarae'r gêm yw'r rhyngwyneb cyfrifiadur-dyn. Y rhyngwyneb gwaethaf fyddai un lle y byddech yn defnyddio bysellau'r cyrchwr a bysellau eraill i lywio'r car, newid gêr, cyflymu ac yn y blaen. Rhyngwyneb gwell na hwnnw fyddai un lle y byddech yn defnyddio ffon reoli, er na fyddai hyn yn ddelfrydol gan fod llyw, ffon newid gêr a phedalau troed ar geir fel arfer. Gallwch brynu'r rhain i wneud y rhyngwyneb mor debyg ag sy'n bosibl i'r peth go-iawn.

Rhaid dylunio'r rhyngwyneb i alluogi'r defnyddiwr i gyfathrebu'n effeithiol â'r ddyfais a hefyd i alluogi'r ddyfais i gyfathrebu â'r defnyddiwr.

Yr angen i ddylunio rhyngwynebau cyfrifiadur-dyn sy'n cymryd i ystyriaeth y dasg, profiad defnyddwyr, dewisiadau defnyddwyr ac adnoddau

Wrth gynllunio rhyngwyneb cyfrifiadur-dyn, mae angen ystyried y canlynol:

- y dasg
- profiad y defnyddiwr
- dewisiadau defnyddiwr
- adnoddau.

Defnyddir dyfeisiau mewnbynnu sydd wedi'u dylunio'n arbennig i chwarae gemau, yn hytrach na'r llygoden a bysellfwrdd traddodiadol.

Y dasg

Mae tasgau gwahanol yn gofyn am ddefnyddio rhyngwynebau cyfrifiadur-dyn gwahanol. Er enghraifft, bydd rhywun sy'n defnyddio gweithfan *CAD* fel arfer wedi gorfod dilyn cyrsiau hyfforddi ar ddefnyddio'r meddalwedd. Bydd yn defnyddio'r meddalwedd bob dydd, felly bydd angen cynhyrchu'r diagramau a'r cynlluniau mor gyflym â phosibl. Bydd am weld cymaint o fanylion ag y bo modd ar y sgrin, felly nid yw o bwys os bydd y sgrin yn llawn – bydd wedi arfer â hynny.

Byddai angen rhyngwyneb syml iawn ar gyfer meddalwedd sy'n addysgu disgybl ysgol gynradd am eiriau. Byddai'n rhaid i'r rhyngwyneb fod yn eglur a hawdd ei ddeall. Wrth chwarae gemau, byddai'n rhaid i'r rhyngwyneb fod yn realistig, felly mewn gêm sy'n efelychu car rasio byddech yn disgwyl cael llyw yn hytrach na ffon reoli.

Profiad y defnyddiwr

Bydd defnyddiwr profiadol iawn am gwblhau'r tasgau o fewn cyfnod mor fyr â phosibl. Bydd am ddefnyddio cyn lleied o drawiadau bysell ag y bo modd i gyflawni'r dasg. Ni fydd dechreuwyr yn pryderu cymaint am yr amser y mae tasg yn ei gymryd, felly y peth pwysicaf yw darparu rhyngwyneb hawdd ei ddefnyddio a fydd yn eu galluogi i gwblhau'r dasg.

Dewisiadau defnyddiwr

Efallai y bydd yn well gan ddefnyddwyr profiadol roi gorchmynion ar y bysellfwrdd os yw hynny'n gyflymach na thynnu dewislenni i lawr neu glicio ar eiconau. Mae'r rhan fwyaf o fathau o feddalwedd yn cynnig gwahanol ffyrdd o'u defnyddio, fel eu bod yn bodloni anghenion y dechreuwr yn ogystal â'r defnyddiwr profiadol. Er enghraifft, ym meddalwedd Microsoft Office, gallwch ddefnyddio eiconau a dewislenni tynnu lawr a rhoi gorchmynion drwy ddefnyddio'r bysellfwrdd i wneud yr un peth. Mae'r defnyddiwr yn rhydd wedyn i ddewis pa un sydd orau ganddo.

Adnoddau

Mae rhyngwynebau soffistigedig yn gofyn am fwy o rym prosesu a chof, a gall hyn fod yn broblem wrth ddefnyddio cyfrifiaduron hŷn. Mae rhai dyfeisiau mewnbynnu biometrig arbenigol yn gymhleth iawn ac felly'n ddrud. Gall rhai mathau o feddalwedd, fel meddalwedd adnabod lleferydd, fod yn ddrud.

Nodweddion cyffredinol rhyngwyneb cyfrifiadur-dyn

Caiff rhyngwyneb cyfrifiadur-dyn ei ddarparu gan galedwedd a meddalwedd ar y cyd. Os yw'r meddalwedd yn defnyddio mewnbwn o fysellfwrdd yn unig, dyluniad y meddalwedd ei hun a fydd yn penderfynu pa mor hawdd yw defnyddio'r rhyngwyneb.

Dyma restr o bethau y dylid eu hystyried wrth ddylunio rhyngwyneb cyfrifiadur-dyn:

Defnyddio dulliau mewnbynnu priodol

- lleihau'r defnydd o'r bysellfwrdd er mwyn osgoi *RSI*
- defnyddio bysellfwrdd ergonomig
- defnyddio llygoden â dyluniad ergonomig i leihau'r tebygolrwydd o gael *RSI*
- lleihau i'r eithaf nifer y symudiadau llygoden sydd eu hangen i gyflawni tasg.

Defnyddio lliw

- mae lliwiau pastel yn fwy dymunol, felly peidiwch â chreu rhyngwynebau â lliwiau llachar oni bai mai plant ifanc a fydd yn eu defnyddio gan mwyaf
- defnyddiwch liwiau priodol ar gyfer y testun a'r cefndir, a digon o gyferbynnedd rhyngddynt
- peidiwch â defnyddio rhai lliwiau fel coch a gwyrdd gan fod rhai pobl sy'n ddall i liwiau'n methu gwahaniaethu rhyngddynt
- mae lliwiau'n gallu gwneud pethau'n haws eu dysgu.

Defnyddir eiconau (lluniau bach) gyda'r rhan fwyaf o ryngwynebau defnyddiwr graffigol.

Cysondeb

- dylai tudalennau tebyg fod yn gyson er mwyn hwyluso dysgu'r system
- dylai fod gan ddarnau tebyg o feddalwedd yn yr un gyfres ryngwyneb cyfrifiadur-dyn tebyg gan fod hyn yn gwneud dysgu'n haws
- dylid gosod gwrthrychau (botymau, dewislenni, eiconau, ac ati) yn yr un lle, gan fod defnyddwyr yn disgwyl eu gweld yn yr un man, er bod y meddalwedd yn wahanol.

Defnyddio lluniau/eiconau

- mae plant ifanc yn ei chael hi'n haws dysgu drwy luniau na thrwy eiriau
- maen nhw'n helpu plant i wneud y dewis cywir
- maen nhw'n gwneud y rhyngwyneb yn haws ei ddysgu.

Defnyddio testun

- defnyddiwch ffont darllenadwy
- defnyddiwch faint ffont priodol
- os yw'r rhyngwyneb ar gyfer plant ifanc yn benodol, peidiwch â defnyddio iaith na fyddant yn ei deall, a defnyddiwch frawddegau byr
- peidiwch â rhoi gormod i'w gofio i ddefnyddwyr.

Sain

- ychwanegwch sain i wneud y rhyngwyneb yn fwy diddorol
- sicrhewch y gellir diffodd y sain
- mae sain yn hanfodol i ddefnyddwyr rhannol ddall.

Mathau o ryngwynebau cyfrifiadur-dyn

▼ Byddwch yn dysgu

▶ Am yr angen i ddarparu dull o gyfathrebu â'r cyfrifiadur i'r defnyddiwr

▶ Am y gwahanol fathau o ryngwyneb

▶ Am fanteision ac anfanteision cymharol pob math o ryngwyneb

▶ Am brif nodweddion rhyngwyneb defnyddiwr graffigol

Cyflwyniad

Rhaid i feddalwedd gyfathrebu â'r defnyddiwr mewn rhyw ffordd er mwyn bod yn effeithiol. Mae'n bwysig i'r caledwedd a'r meddalwedd ganiatáu rhyngweithio o'r fath yn y ffordd hawsaf a mwyaf effeithlon i'r defnyddiwr.

Mae tri phrif fath o ryngwyneb:

- Rhyngwyneb llinell orchymyn neu orchymyn-yriad lle y teipiwch gyfres o orchmynion i mewn. Mae rhyngwyneb o'r math hwn yn anodd iawn ei ddefnyddio.
- Rhyngwyneb dewis-yriad sy'n cynnig rhestr o bethau i'w gwneud. Rhaid i chi ddewis un ohonynt drwy deipio rhif neu lythyren. Mae hwn yn hawdd ei ddefnyddio ond yn gyfyngedig o ran y mathau o bethau y gallwch eu gwneud gyda nhw.
- Rhyngwyneb defnyddiwr graffigol (RhDG) sy'n hawdd iawn ei ddefnyddio ac yn cynnwys yr holl nodweddion fel ffenestri, eiconau, dewislenni, pwyntyddion, ac ati.

Mae mathau eraill o ryngwyneb hefyd fel rhyngwynebau iaith naturiol a rhyngwynebau ffurflen-yriad.

Rhyngwynebau llinell orchymyn/gorchymyn-yriad

Mae rhyngwynebau llinell orchymyn yn rhyngwynebau lle y teipiwch orchmynion i mewn gan ddefnyddio iaith benodol (sy'n eithaf tebyg i iaith rhaglennu) er mwyn cael y cyfrifiadur i wneud rhywbeth.

Roedd yn rhaid i'r gorchmynion fod yn fanwl ac wedi'u geirio'n gywir er mwyn i'r cyfrifiadur eu deall. Roedd hyn yn anfantais gan ei bod yn

> List Rhif Staff, Cyfenw
> For Swydd = "Cynhyrchu"

Pan gaiff gorchmynion eu mewnbynnu fel hyn, defnyddir rhyngwyneb cyffredin.

anodd i bobl ddibrofiad eu defnyddio. Manteision rhyngwyneb llinell orchymyn:

- Cyflymach – gallwch gyflawni rhai tasgau'n gyflymach drwy deipio llinell orchymyn yn hytrach na defnyddio llygoden a holl nodweddion Windows.

Anfanteision rhyngwyneb llinell orchymyn:

- Anodd iawn i ddechreuwyr ei ddefnyddio – rhaid i chi ddysgu strwythur y gorchmynion (y gystrawen).
- Rhaid i chi gofio cyfarwyddiadau – mae'n anodd cofio'r cyfarwyddiadau/gorchmynion sydd eu hangen i gyflawni tasg benodol.

Rhyngwynebau defnyddiwr graffigol (RhDG)

Mae rhyngwynebau defnyddiwr graffigol (RhDG) yn boblogaidd iawn gan eu bod yn hawdd eu defnyddio. Yn lle teipio gorchmynion i mewn, rydych yn eu mewnbynnu drwy bwyntio a chlicio ar wrthrychau ar y sgrin. Mae Microsoft Windows a Macintosh OS yn enghreifftiau o ryngwynebau defnyddiwr graffigol.

Rhai o brif nodweddion RhDG yw:

- Ffenestri – mae'r sgrin wedi'i rhannu'n feysydd o'r enw ffenestri.

Mae ffenestri'n ddefnyddiol os oes angen i chi weithio ar sawl tasg.

- Eiconau – lluniau bach yw'r rhain a ddefnyddir i gynrychioli gorchmynion, ffeiliau neu ffenestri. Drwy symud y pwyntydd a chlicio, gallwch roi gorchymyn neu agor ffenestr. Hefyd gallwch osod unrhyw eicon mewn unrhyw le ar eich bwrdd gwaith.
- Dewislenni – mae dewislenni'n caniatáu i ddefnyddiwr ddewis pethau o restr. Gall dewislenni fod ar ffurf naidlenni neu gwymplenni fel nad ydynt yn cymryd lle ar y bwrdd gwaith pan nad ydynt yn cael eu defnyddio.
- Pwyntyddion – y pwyntydd yw'r saeth fach sy'n ymddangos wrth ddefnyddio Windows. Bydd y pwyntydd yn newid ei siâp mewn gwahanol raglenni. Bydd yn troi'n siâp 'I' wrth ddefnyddio meddalwedd prosesu geiriau. Gallwch ddefnyddio llygoden i symud y pwyntydd o gwmpas y sgrin. Gellir defnyddio dyfeisiau mewnbynnu eraill i symud y pwyntydd fel pen golau, pad cyffwrdd a ffon reoli.
- Bwrdd gwaith – dyma ran weithio'r RhDG a dyma lle y mae'r holl eiconau.

Rhyngwyneb defnyddiwr graffigol yw Windows.

- Llusgo a gollwng – mae hyn yn caniatáu i chi ddewis gwrthrychau (eiconau, ffolderi, ffeiliau, ac ati) a'u llusgo fel eich bod yn gallu eu trin mewn rhyw ffordd, er enghraifft, drwy eu llusgo i'r bin ailgylchu i'w gwaredu, rhoi ffeil mewn ffolder, copïo ffeil i ffolder, ac yn y blaen.
- Barrau tasgau – maent yn dangos y rhaglenni sy'n agored. Mae'r cyfleuster hwn yn ddefnyddiol wrth weithio ar nifer o raglenni gyda'i gilydd.

Pwysig – er bod y rhan fwyaf o'r gwahanol fathau o feddalwedd systemau'n defnyddio RhDG, gellir ei ddefnyddio gydag unrhyw feddalwedd. Er enghraifft, mae'r rhan fwyaf o feddalwedd rhaglenni'n defnyddio RhDG. Enghreifftiau eraill o ddyfeisiau sy'n defnyddio RhDG yw ffonau symudol a systemau llywio lloeren.

Manteision RhDG:

- Does dim angen defnyddio iaith – yn y gorffennol byddai'n rhaid i chi deipio cyfarwyddiadau penodol i mewn i gyfathrebu â'r cyfrifiadur.
- Defnyddir eiconau – gall dechreuwyr ddewis rhaglenni ac ati drwy bwyntio a dwbl-glicio.
- Mae defnyddio llygoden yn haws – mae'n well gan y rhan fwyaf o ddefnyddwyr bwyntio a chlicio gyda llygoden na defnyddio'r bysellfwrdd.

Anfanteision RhDG:

- Mae angen mwy o gof – mae RhDG soffistigedig yn gofyn am lawer o gof, felly mae'n bosibl y bydd angen uwchraddio cyfrifiaduron hŷn neu brynu rhai newydd.
- Mae angen mwy o rym prosesu – mae angen prosesyddion cyflymach a mwy pwerus i redeg y mathau diweddaraf o RhDG. Gallai hyn olygu bod angen uwchraddio'r prosesydd neu brynu cyfrifiadur newydd.

YN YR ARHOLIAD

Cofiwch ddefnyddio'r geiriau technegol yn eich atebion. Arholiad Uwch Gyfrannol yw hwn a rhaid i chi beidio â rhoi atebion cyffredinol – defnyddiwch y Geiriau Allweddol yn gywir.

Rhyngwynebau dewis-yriad

Yma caiff y defnyddiwr restr o ddewisiadau a rhaid iddo deipio i mewn lythyren neu rif ei ddewis.

Manteision:

- Rhyngwyneb syml sy'n hawdd iawn ei ddefnyddio.

Anfanteision:

- Dim ond os nad oes llawer o eitemau ar y ddewislen y mae'n addas.

Rhyngwyneb dewis-yriad.

Rhyngwynebau ffurflen-yriad

Defnyddir rhyngwynebau ffurflen-yriad i gasglu gwybodaeth oddi wrth ddefnyddiwr fesul cam. Y defnyddiwr sy'n rhoi'r wybodaeth hon drwy ei theipio i mewn i ffurflen. Mae profion dilysu'n sicrhau mai dim ond data dilys a gaiff eu mewnbynnu i'r ffurflen gan y cwsmer a bod yr holl feysydd pwysig wedi'u llenwi.

Ffurflen bwcio gwyliau ar-lein yw'r ffurflen isod. Sylwch ar y sêr coch sydd wrth ymyl rhai o'r meysydd. Mae'r meysydd hyn yn cynnwys gwiriadau presenoldeb, sy'n golygu bod yn rhaid i'r defnyddiwr fewnbynnu data ar gyfer y meysydd hyn er mwyn symud ymlaen i'r cam nesaf.

Rhyngwynebau iaith naturiol

Mae rhyngwyneb o'r math hwn yn caniatáu i'r defnyddiwr ddefnyddio iaith ysgrifenedig neu lafar naturiol i ryngweithio (e.e. Cymraeg) yn hytrach nag iaith a gorchmynion cyfrifiadurol. Un fantais yw ei bod yn hawdd ei ddysgu gan ei fod yn defnyddio geiriau sy'n gyfarwydd i ni i gyd ac yn hawdd eu cofio.

Y brif anfantais yw bod iaith naturiol mor amwys ar brydiau fel bod yn rhaid cyfyngu'r iaith i eiriau penodol.

YN YR ARHOLIAD

Nid yw rhyngwynebau iaith naturiol yn defnyddio system adnabod llais bob amser – yn aml rhaid i chi deipio ymadroddion fel y byddech wrth ddefnyddio iaith bob dydd er mwyn echdynnu gwybodaeth o system TGCh.

Enghraifft o ryngwyneb ffurflen-yriad.

Rhyngwynebau llais

Mae rhyngwynebau llais yn dod yn fwy poblogaidd gan mai'r llais yw'r brif ffordd y mae pobl yn cyfathrebu â'i gilydd. Mae systemau lleferydd yn cynnwys dwy ran yn aml – y rhan lle y mae'r system yn adnabod beth yr ydych yn ei ddweud a'r rhan sy'n rhoi cyfarwyddiadau neu wybodaeth i chi.

Systemau adnabod llais/lleferydd

Mae systemau adnabod llais/lleferydd yn caniatáu i chi fewnbynnu data drwy ficroffon yn uniongyrchol i gyfrifiadur. Yn syml, rydych chi'n arddweud y data wrth y cyfrifiadur. Yr unig adnoddau sydd eu hangen heblaw am gyfrifiadur yw microffon a meddalwedd adnabod llais.

Mae system adnabod llais yn ddelfrydol ar gyfer mewnbynnu data i feddalwedd prosesu geiriau neu i strwythur fel cronfa ddata gan bobl fel cyfreithwyr, meddygon, ac ati, sy'n defnyddio systemau TGCh fel rhan o'u gwaith yn unig. Gellir defnyddio system adnabod llais hefyd i arddweud llythyrau, ac ati, ac anfon negeseuon e-bost yn ogystal â mewnbynnu gorchmynion i'r system weithredu.

Mae meddalwedd adnabod llais yn troi'r llais yn destun.

Rhai o fanteision system adnabod llais yw:

- Mae'n gyflymach na theipio (hyd at 160 o eiriau y funud, sy'n dair gwaith yn fwy na'r cyflymder teipio cyfartalog).
- Cywirdeb o 99% – ar yr amod eich bod wedi treulio amser yn dysgu'r cyfrifiadur am eich llais.
- Yn rhad – mae microffon mewn llawer o gyfrifiaduron yn barod, felly

Llechen pen.

yr unig gost yw cost y meddalwedd.

Rhai o anfanteision system adnabod llais yw:

- Mae angen amser i ddod i arfer ag ef – gallai dechreuwyr deimlo'n rhwystredig wrth ei ddefnyddio.
- Nid yw'n fanwl gywir ar y dechrau – efallai y bydd angen i chi hyfforddi'r system i adnabod eich llais. Mae hyn yn cael ei wneud drwy fewnbynnu data ac wedyn cywiro'r camgymeriadau y mae'r system wedi'u gwneud.
- Gwallau oherwydd sŵn cefndir – ychydig o bobl sy'n gweithio mewn swyddfa ar eu pennau eu hun. Fel arfer bydd llawer o sŵn cefndir (siarad, ffonau'n canu, ac ati). Gall hyn achosi gwallau wrth i'r system geisio dehongli'r seiniau hyn.
- Nid yw'n gweithio gyda phob math o feddalwedd cronfeydd data.

Synthesis lleferydd

Mae system synthesis lleferydd yn galluogi cyfrifiadur i ddarllen testun sydd wedi'i deipio i mewn, neu gellir ei defnyddio i roi rhyw fath o ymateb, er enghraifft, y cyfarwyddiadau a roddir gan system llywio lloeren.

Dyfeisiau graffigol

Gall fod yn anodd defnyddio bysellfwrdd neu lygoden, yn enwedig os ydych am dynnu diagram bras neu am wneud sylwadau ar ddyluniad sydd ar y sgrin. Mae'r llechen pen (*pen tablet*) a ddangosir yma'n gweithio yn yr un ffordd ag y byddai person wrth ddefnyddio ysgrifbin a phapur. Defnyddir padiau graffeg yn aml gyda gweithfannau *CAD* neu fathau eraill o feddalwedd dylunio i fewnbynnu siapiau, patrymau, llinellau, ac ati, yn hytrach na defnyddio dewislenni ar y sgrin. Y brif fantais yw bod modd defnyddio'r sgrin gyfan i weithio ar y dyluniad ac nad yw dewislenni, barrau offer, ac ati, yn cymryd lle arni.

Dyfeisiau chwarae gemau

Mae nifer o ddyfeisiau mewnbynnu a ddefnyddir i chwarae gemau sy'n gwella rhyngwyneb cyfrifiadur-dyn drwy ei wneud yn fwy realistig. Dyma ychydig ohonynt:

Gallwch reoli gemau â ffon reoli. Mae hon yn ddiwifr ac mae llawer o fotymau gwahanol arni y gall y meddalwedd gemau eu rhaglennu.

Mae'n haws chwarae'r gêm â rheolydd gemau diwifr yn hytrach na defnyddio llygoden a bysellfwrdd neu ffon reoli.

Llyw ar gyfer gêm efelychu rasys ceir.

Mae pedalau cydiwr, brêc a chyflymydd realistig yn gwella'r rhyngwyneb cyfrifiadur-dyn.

Bydd ffon newid gêr yn gwneud y rhyngwyneb yn fwy realistig byth.

Dyfeisiau allbynnu

Mae nifer o ddyfeisiau allbynnu hefyd sy'n gwneud gemau'n fwy realistig:

Sgriniau plasma mawr i wneud y gêm yn fwy realistig drwy ddangos y gwir faint.

Mae seinyddion sain amgylchynol yn gwneud llawer o gemau'n fwy realistig.

Mae clustffon ar gyfer chwarae gemau'n ddyfais fewnbynnu sy'n cynnwys microffon i roi gorchmynion a ffonau clust i glywed y sain realistig.

Sgriniau sensitif i gyffyrddiad

Mae sgriniau sensitif i gyffyrddiad yn caniatáu i bobl wneud dewisiadau drwy gyffwrdd â sgrin. Cânt eu defnyddio fel dyfeisiau mewnbynnu i brynu tocynnau trên neu fel pwyntiau gwybodaeth mewn canolfannau croeso, orielau celf ac amgueddfeydd. Gellir eu defnyddio hefyd i roi gwybodaeth am wasanaethau sydd ar gael gan fanciau a chymdeithasau adeiladu. Mae ffonau symudol yn eu defnyddio, yn ogystal â systemau llywio lloeren.

Prif fantais y sgrin gyffwrdd fel dyfais fewnbynnu yw bod bron bawb yn gallu ei defnyddio. Gan eu bod yn haws eu defnyddio na bysellfwrdd, defnyddir sgriniau sensitif i gyffyrddiad yn aml fel rhan o'r terfynellau pwynt talu mewn gorsafoedd petrol ac mewn tai bwyta fel McDonalds.

Mae gan lawer o ffonau symudol sgrin gyffwrdd.

Mae'r system rheoli prosesau hon yn defnyddio sgrin gyffwrdd ar gyfer y rhyngwyneb cyfrifiadur-dyn.

Systemau llywio lloeren.

Dyfeisiau biometrig

Mae llawer o systemau TGCh sy'n gallu adnabod unigolyn ar sail priodweddau biolegol penodol, er enghraifft:

- patrwm y pibellau gwaed ar y retina yng nghefn y llygad
- olion bysedd
- olion dwylo
- llais
- wyneb.

Gall system gyfrifiadurol ddefnyddio unrhyw un o'r rhain i adnabod rhywun. Mae'n rhyngwyneb cyfrifiadur-dyn delfrydol ar gyfer cyfrifiadur gan nad oes rhaid i neb wybod sut i deipio ac nad oes dim i'w gofio fel cerdyn sgubo.

Defnyddir dyfeisiau biometrig ar gyfer:

- systemau cofrestru mewn ysgolion a cholegau
- cofnodi gweithwyr wrth iddynt gyrraedd a gadael y gweithle
- cyfyngu mynediad i gyfrifiaduron i staff sydd wedi'u hawdurdodi'n unig.

Cymwysiadau posibl yn y dyfodol yw:

- rheoli pasbortau
- rheoli mynediad i glybiau/barrau.

Pwynt gwybodaeth.

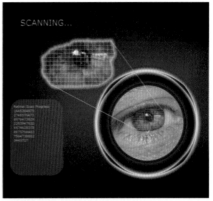

Defnyddir system adnabod iris i adnabod pobl drwy gymharu patrwm y pibellau gwaed yng nghefn y llygad, sy'n unigryw i bob unigolyn.

Gellir defnyddio systemau adnabod olion bysedd i gyrchu ystafelloedd neu gyfrifiaduron ac i gofrestru mewn ysgolion a cholegau.

Cwestiynau

Cwestiynau 1 tt. 178–181

1 Math o system weithredu yw UNIX ac mae'n defnyddio RhDG yn ogystal â rhyngwyneb llinell orchymyn.

  (a) Eglurwch ystyr y term system weithredu. (2 farc)

  (b) Am beth y mae'r byrfodd RhDG yn sefyll? (1 marc)

  (c) Eglurwch yn fyr **un** gwahaniaeth rhwng RhDG a rhyngwyneb llinell orchymyn. (1 marc)

  (ch) Fel rheol mae'n well gan ddechreuwyr ddefnyddio RhDG, tra gallai fod yn well gan ddefnyddiwr profiadol ddefnyddio rhyngwyneb llinell orchymyn. Nodwch **un** rheswm dros hyn. (1 marc)

2 Er mwyn i ddefnyddwyr ryngweithio â chyfrifiaduron, rhaid cael rhyngwyneb. Gall rhyngwyneb fod yn anodd neu'n hawdd ei ddefnyddio a'r rhyngwyneb mwyaf poblogaidd yw'r rhyngwyneb defnyddiwr graffigol (RhDG).

Nodwch **dair** o nodweddion RhDG ac ar gyfer pob **un** disgrifiwch yn fyr sut y mae'n gwella'r cyfathrebu rhwng y defnyddiwr a'r cyfrifiadur. (6 marc)

3 Mae dylunydd gwefannau'n datblygu gwefan ar gyfer pobl sydd wedi ymddeol.

Nodwch, gan roi rhesymau, **dri** pheth y byddai angen iddo eu hystyried wrth ddylunio rhyngwyneb cyfrifiadur-dyn ar gyfer y defnyddwyr hyn. (3 marc)

Cwestiynau 2 tt. 182–183

1 Mae systemau adnabod lleferydd yn fwy cywir ac yn haws eu defnyddio nag yn y gorffennol.

  (a) Nodwch **ddwy** fantais i ddefnyddiwr o ddefnyddio system adnabod lleferydd. (2 farc)

  (b) Disgrifiwch **ddwy** ffordd wahanol bosibl o ddefnyddio system adnabod lleferydd. (2 farc)

  (c) Weithiau nid yw systemau adnabod lleferydd yn hollol gywir. Nodwch **ddau** reswm posibl i egluro hyn. (2 farc)

2 Gwelir sgriniau cyffwrdd yn aml mewn canolfannau croeso. Nodwch **un** fantais defnyddio sgrin gyffwrdd fel dyfais fewnbynnu i'w defnyddio gan y cyhoedd. (1 marc)

3 Byddai angen rhyngwyneb cyfrifiadur-dyn gwahanol ar gyfer pob un o'r defnyddwyr canlynol:

  (i) plentyn ifanc yn yr ysgol gynradd

  (ii) oedolyn sy'n rhannol ddall

  (iii) rhywun sy'n gweithio ar gynlluniau a lluniadau cymhleth a gynhyrchir drwy ddefnyddio *CAD*.

Ar gyfer pob un o'r defnyddwyr hyn, disgrifiwch nodweddion y rhyngwyneb cyfrifiadur-dyn sydd ei angen a rhowch resymau dros eu cynnwys. (6 marc)

Cymorth gyda'r arholiad

Enghraifft 1

1 Mae nifer cynyddol o gyfrifiaduron cartref yn cael eu defnyddio gan blant ifanc i'w helpu i ddysgu.

(a) Trafodwch bwysigrwydd cael rhyngwyneb cyfrifiadur-dyn sy'n addas ar gyfer plant ifanc. Yn eich trafodaeth mae angen i chi gyfeirio at enghreifftiau priodol a thrafod y caledwedd a meddalwedd a fydd yn gwella'r rhyngwyneb i'r defnyddwyr hyn. (6 marc)

(b) Mae rhai'n pryderu y gallai defnydd cyson o TGCh gan blant ifanc arwain at nifer o broblemau iechyd. Enwch **un** broblem iechyd o'r fath ac awgrymwch sut y gallai defnyddio rhyngwyneb cyfrifiadur-dyn helpu i'w hatal. (2 farc)

Ateb myfyriwr 1

1 (a) Defnyddio fersiwn mawr o lygoden fel dyfais fewnbynnu fel bod plant ifanc yn gallu ei defnyddio.

Mae angen i eiconau a mannau poeth ar luniau fod yn fawr, oherwydd nid yw plant ifanc yn gallu symud y llygoden at y lle cywir mor hawdd ag y mae oedolion.

Defnyddio digon o liw, gan fod plant ifanc yn hoffi gweld llawer o liwiau.

Sicrhau nad yw'r eiconau, y lluniau a'r testun yn rhy agos at ei gilydd ar y sgrin.

(b) Anaf straen ailadroddus (RSI) wedi'i achosi drwy glicio a symud y llygoden drosodd a throsodd. Er mwyn datrys y broblem hon, dylent gael llygoden ergonomig sydd wedi'i dylunio'n arbennig i atal RSI.

Sylwadau'r arholwr

1 (a) Dim marciau am yr ateb cyntaf gan ei fod wedi enwi'r ddyfais yn unig heb roi unrhyw fanylion i egluro pam yn union y mae plant ifanc yn ei chael yn haws defnyddio llygoden fwy.

Mae'r ail ateb yn well, gan ei fod yn nodi'r ffaith nad yw plant mor ddeheuig ag oedolion.

Dim marciau am y trydydd ateb, gan nad yw wedi egluro'n iawn fanteision defnyddio lliw ar gyfer plant ifanc.

Mae'r pedwerydd ateb yn ennill un marc.

Nid yw'r myfyriwr wedi rhoi ateb ar ffurf trafodaeth i'r cwestiwn hwn. Ni ddylai fod wedi rhoi ateb o'r math hwn ar ffurf cyfres o bwyntiau.

(b) Mae hwn yn ateb da sy'n ennill dau farc. **(5 marc allan o 8)**

Ateb myfyriwr 2

1 (a) Nid yw plant ifanc yn hoff iawn o ddarllen, felly mae'n well defnyddio cyn lleied o destun ag sy'n bosibl, a gallwch wneud hyn drwy ddefnyddio lluniau, sain, animeiddio ac yn y blaen. Dylech ddewis y ffont yn ofalus fel ei fod yn hawdd ei ddarllen, ac mae angen i faint y ffont fod yn fawr. Dylech osod unrhyw destun lliw ar ben lliw cefndir addas er mwyn cael mwy o gyferbynnedd, ond dylech osgoi rhai cyfuniadau o liwiau.

Fel arfer bydd plant ifanc yn ei chael yn haws defnyddio llygoden na bysellfwrdd. Dylech osgoi mewnbynnu ar fysellfwrdd oherwydd y goblygiadau o ran RSI yn y dyfodol. Dylai pob cynllun sgrin fod yn glir a dylai fod cysondeb rhwng y sgriniau fel ei bod yn haws dysgu a defnyddio'r meddalwedd. Os oes modd, dylid defnyddio rhyngwyneb defnyddiwr graffigol, sy'n cynnwys lluniau ac eiconau yn hytrach na dewislenni a gorchmynion.

(b) Dylai plant ifanc ddefnyddio llygoden ergonomig gyda mat llygoden sy'n cynnwys cynhaliwr arddwrn. Y gobaith yw y bydd hyn yn datrys problem anaf straen ailadroddus yn y dyfodol. Mae RSI yn gyflwr poenus sy'n deillio o symud llygoden yn ailadroddus neu ddefnyddio bysellfwrdd am gyfnodau hir..

Sylwadau'r arholwr

1 (a) Mae hwn yn ateb da iawn yn yr arddull trafod cywir. Mae gan yr ateb drefn resymegol ac mae'r ffactorau cysylltiedig wedi'u henwi, gan ddangos yn glir sut y gall y rhyngwyneb fod o gymorth. Mae'n anodd gweld unrhyw wendid yn yr ateb hwn felly mae'n cael marciau llawn.

(b) Yn yr ateb hwn mae'r myfyriwr wedi nodi problem iechyd yn glir, wedi egluro sut mae'n cael ei hachosi, ac wedi cynnig ateb posibl. Unwaith eto, mae'r rhan hon o'r ateb yn haeddu marciau llawn. **(8 marc allan o 8)**

Cymorth gyda'r arholiad (parhad)

Ateb yr arholwr

1 (a) Ni roddir marciau am enwi ffactorau neu nodweddion.
Rhoddir dau farc am ddwy nodwedd/ffactor gysylltiedig.
Defnyddio dulliau mewnbynnu priodol
- llai o ddefnydd o'r bysellfwrdd er mwyn osgoi *RSI*
- defnyddio llygoden sydd â dyluniad ergonomig er mwyn lleihau'r tebygolrwydd o gael *RSI*

Defnyddio lliw
- defnyddio lliw addas ar gyfer y testun a'r cefndir gyda digon o gyferbynnedd
- osgoi defnyddio lliwiau fel coch a gwyrdd gan fod rhai pobl sy'n ddall i liwiau'n methu gwahaniaethu rhyngddynt
- gall lliwiau wneud pethau'n haws eu dysgu

Cysondeb
- dylid cael cysondeb rhwng tudalennau tebyg, gan fod hyn yn hwyluso dysgu'r system
- dylai fod gan ddarnau tebyg o feddalwedd yn yr un gyfres ryngwyneb cyfrifiadur-dyn tebyg gan fod hyn yn gwneud dysgu'n haws

Defnyddio lluniau/eiconau
- mae plant ifanc yn ei chael hi'n haws dysgu drwy luniau na thrwy eiriau
- maen nhw'n helpu plant i wneud y dewis cywir
- mae'r rhyngwyneb yn haws ei ddysgu.

Defnyddio testun
- defnyddio ffont sy'n hawdd ei ddarllen
- defnyddio maint ffont priodol
- peidio â defnyddio iaith na fydd plant ifanc yn ei deall
- defnyddio brawddegau byr
- peidio â rhoi gormod i'w gofio iddynt

Sain
- ychwanegu sain i wneud y rhyngwyneb yn fwy diddorol
- caniatáu diffodd y sain os yw'n tynnu sylw'r plant
- mae sain yn hanfodol ar gyfer defnyddwyr rhannol ddall

(b) Dim marciau am enwi'r broblem yn unig (e.e. *RSI*).
Un marc am ddisgrifiad llawn o'r broblem iechyd a beth sy'n ei hachosi ac un marc am egluro dull o'i hatal.
RSI/poen cefn – yn cael eu hachosi drwy eistedd am gyfnodau hir wrth weithfan sydd wedi'i ddylunio'n wael. Cael ateb drwy ddal y corff yn gywir, defnyddio cadair gymwysadwy, llygoden/bysellfwrdd ergonomig, cynhaliwr arddwrn, ac ati.
Straen ar y llygaid wedi'i achosi drwy dreulio gormod o amser yn gweithio ar y cyfrifiadur neu mewn golau gwael. Sicrhau nad oes unrhyw lacharedd ar y sgrin. Sicrhau goleuo addas.
Mae problemau iechyd eraill fel gordewdra a ffitiau epileptig yn atebion derbyniol.

Enghraifft 2

2 Pan gaiff meddalwedd ei ddatblygu, cymerir gofal wrth benderfynu pa ryngwyneb cyfrifiadur-dyn i'w ddefnyddio. Y tri phrif fath o ryngwyneb cyfrifiadur-dyn yw:
Rhyngwyneb defnyddiwr graffigol (RhDG)
Rhyngwyneb dewis-yriad
Rhyngwyneb llinell orchymyn/gorchymyn-yriad
(a) Disgrifiwch ddwy nodwedd ar gyfer pob un o'r mathau hyn o ryngwyneb. (6 marc)
(b) Eglurwch sut y gallai datblygwr y meddalwedd benderfynu ar ryngwyneb cyfrifiadur-dyn addas. (4 marc)

Ateb myfyriwr 1

2 (a) Mae rhyngwyneb defnyddiwr graffigol yn defnyddio rhyngwyneb graffigol ac mae hyn yn ei wneud yn haws ei ddefnyddio. Mae RhDG yn defnyddio WIMP.
Mae rhyngwyneb dewis-yriad yn rhyngwyneb sy'n defnyddio dewislenni. Gall y defnyddiwr wneud dewisiadau drwy ddefnyddio'r ddewislen.
Gyda rhyngwynebau gorchymyn-yriad mae'r defnyddiwr yn rhoi gorchmynion ac mae'r meddalwedd yn eu dilyn.
(b) Gallai ddarganfod oedran y defnyddwyr i sicrhau bod y rhyngwyneb cyfrifiadur-dyn yn addas. Gallai weld a yw'r rhyngwyneb yn addas drwy ei roi iddynt i'w ddefnyddio.

Sylwadau'r arholwr

2 (a) Yn yr ateb am y RhDG, mae'r myfyriwr wedi rhoi ateb y byddai bron unrhyw un wedi gallu ei ddyfalu. Ni roddir marciau am grybwyll WIMP gan nad oes esboniad o'i ystyr. Mae'r atebion eraill i'r rhan hon o'r cwestiwn yr un mor wael gan ei fod yn dyfalu heb ddangos ei fod yn deall yn iawn. Dim marciau o gwbl am y rhan hon o'r cwestiwn.
(b) Dim ond un marc a roddir yma am yr ateb cyntaf.
(1 marc allan o 10)

Ateb myfyriwr 2

2 (a) RhDG

Mae'n defnyddio'r llygoden fel y brif ddyfais fewnbynnu.

Mae'n defnyddio botymau, cwymplenni, ffenestri a barrau offer sy'n ei gwneud yn haws i ddechreuwyr ei ddefnyddio.

Rhyngwyneb dewis-yriad

Mae'n cyflwyno dewisiadau ar ffurf rhestr y dewiswch ohoni drwy glicio ar yr eitem ar y ddewislen.

Os defnyddir sgrin gyffwrdd, dangosir y dewisiadau yn y dewislenni ar y sgrin ac mae'r defnyddiwr yn dewis un ohonynt drwy bwyso'r sgrin.

Rhyngwyneb gorchymyn-yriad

Caiff gorchmynion eu teipio ar y bysellfwrdd i wneud dewisiadau.

Rhaid i'r defnyddiwr gofio'r gorchmynion.

(b) Dylid ystyried oedran y defnyddiwr nodweddiadol. Byddai'n amhriodol i blant ifanc iawn ddefnyddio bysellfwrdd.

Dylid ystyried y dasg. Wrth ddylunio gêm byddai angen cael rhyngwyneb realistig.

Profiad y defnyddiwr. Bydd defnyddiwr profiadol am wneud pethau'n gyflymach ac ni fydd yn poeni am orfod cofio gorchmynion.

Sylwadau'r arholwr

2 (a) Rhoddir dwy nodwedd yr un ar gyfer y RhDG a'r rhyngwyneb dewis-yriad, felly rhoddir pedwar marc am y rhan hon. Dim ond rhan gyntaf yr ateb am ryngwyneb gorchymyn-yriad sy'n ennill marc. Nid yw'r ail ran am y defnyddiwr yn gorfod cofio gorchmynion yn nodwedd o'r rhyngwyneb ond, yn hytrach, yn anfantais, felly dim ond un marc a roddir am y rhan hon.

(b) Mae'r tri ateb cyntaf yn dda. Mae'r 'sut' a'r rheswm yn glir.

Dim ond tri esboniad sydd wedi'u rhoi felly dim ond tri marc am hyn. **(8 marc allan o 10)**

Ateb yr arholwr

2 (a) Rhaid i'r atebion gyfeirio at nodweddion y rhyngwyneb ac nid at fantais neu anfantais y rhyngwyneb yn unig.

Un marc am esboniad o'r nodwedd hyd at uchafswm o 6 marc.

RhDG

Mae'n defnyddio ffenestri, eiconau, dewislenni, pwyntyddion, ac ati

Mae'n defnyddio llygoden yn hytrach na bysellfwrdd

Rydych chi'n pwyntio ac yn clicio ar wrthrychau ar y sgrin, megis eiconau, lluniau, testun, ac ati.

Rhyngwyneb dewis-yriad

Mae'n rhoi rhestr o eitemau i ddewis ohonynt

Rydych chi'n dewis drwy deipio llythyren neu rif i mewn

Gallwch ddewis hefyd drwy glicio ar eitem yn y rhestr

Gall ddefnyddio sgrin sensitif i gyffyrddiad hefyd

Rhyngwyneb llinell orchymyn/gorchymyn-yriad

Caiff gorchmynion eu teipio i mewn

Mae'n defnyddio bysellfwrdd fel dyfais fewnbynnu

Rhaid mewnbynnu'r gorchmynion yn gywir

(b) Un marc yr un am bedwar pwynt hollol wahanol fel:

Tasg – byddai meddalwedd *CAL* i addysgu plant ysgol gynradd yn defnyddio RhDG gyda llygoden yn hytrach na bysellfwrdd.

Profiad y defnyddiwr – mae defnyddwyr profiadol am orffen y gwaith mor gyflym â phosibl, tra bo'n well gan ddechreuwyr gael mwy o arweiniad.

Dewisiadau defnyddiwr – os oes modd dylid rhoi dewis i'r defnyddiwr. Er enghraifft, gallai'r un eitem o feddalwedd gynnig ffyrdd gwahanol o gyflawni'r dasg.

Adnoddau – mae angen i'r rhyngwyneb fod ar gael am bris y mae'r defnyddiwr yn gallu ei fforddio.

Mapiau meddwl cryno

Mathau o ryngwynebau cyfrifiadur-dyn

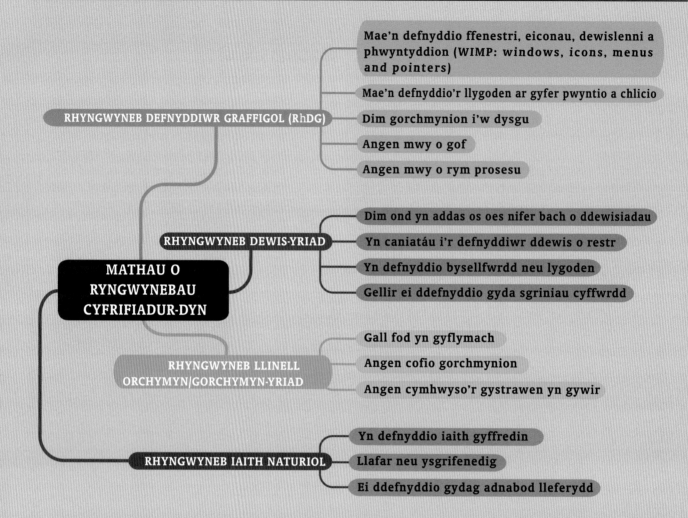

MATHAU O RYNGWYNEBAU CYFRIFIADUR-DYN

RHYNGWYNEB DEFNYDDIWR GRAFFIGOL (RhDG)
- Mae'n defnyddio ffenestri, eiconau, dewislenni a phwyntyddion (WIMP: windows, icons, menus and pointers)
- Mae'n defnyddio'r llygoden ar gyfer pwyntio a chlicio
- Dim gorchmynion i'w dysgu
- Angen mwy o gof
- Angen mwy o rym prosesu

RHYNGWYNEB DEWIS-YRIAD
- Dim ond yn addas os oes nifer bach o ddewisiadau
- Yn caniatáu i'r defnyddiwr ddewis o restr
- Yn defnyddio bysellfwrdd neu lygoden
- Gellir ei ddefnyddio gyda sgriniau cyffwrdd

RHYNGWYNEB LLINELL ORCHYMYN/GORCHYMYN-YRIAD
- Gall fod yn gyflymach
- Angen cofio gorchmynion
- Angen cymhwyso'r gystrawen yn gywir

RHYNGWYNEB IAITH NATURIOL
- Yn defnyddio iaith gyffredin
- Llafar neu ysgrifenedig
- Ei ddefnyddio gydag adnabod lleferydd

Bydd angen i chi ddeall y problemau iechyd a diogelwch sy'n gysylltiedig ar hyn o bryd â gweithio gyda systemau TGCh, sut y caiff problemau iechyd eu hachosi a sut y gellir lleihau'r risgiau drwy fabwysiadu arferion gweithio cywir neu ddefnyddio cyfarpar sydd wedi'i ddylunio'n briodol.

Gall cyfarpar a gwasanaethau TGCh gael eu camddefnyddio mewn nifer o ffyrdd a byddwch yn dysgu am y rhain. Byddwch yn dysgu am ddefnydd derbyniol o gyfarpar a gwasanaethau TGCh a'r gwahaniaeth rhwng camymarfer a throseddu.

Byddwch yn dysgu am y cyfrifoldebau sydd gan gyflogwyr wrth gyflwyno caledwedd a meddalwedd newydd yn y gweithle.

▼ Y cysyniadau allweddol sy'n cael sylw yn y topig hwn yw:

▶ Deall y materion iechyd a diogelwch sy'n gysylltiedig â TGCh

▶ Deall y problemau iechyd a beth y gellir ei wneud i'w lleddfu

▶ Deall yr angen am ddeddfwriaeth iechyd a diogelwch

▶ Deall natur y camddefnydd o gyfarpar a gwasanaethau TGCh

▶ Deall y ddeddfwriaeth sy'n ymwneud â defnyddio cyfrifiaduron

CYNNWYS

Materion iechyd a diogelwch sy'n gysylltiedig â TGCh

▼ Byddwch yn dysgu

▶ Am yr angen am ddeddfwriaeth iechyd a diogelwch

▶ Am sut i gymhwyso'r ddeddfwriaeth iechyd a diogelwch

▶ Am y pethau y gallwch eu gwneud i atal problemau iechyd wrth ddefnyddio TGCh

Cyflwyniad

Mae defnyddio cyfarpar cyfrifiadurol yn alwedigaeth ddiogel ond mae yna nifer o broblemau iechyd a all effeithio ar ddefnyddwyr. Yn yr adran hon byddwn yn ystyried beth yw'r problemau iechyd hyn a sut y gellir eu hatal.

Y problemau iechyd

Y prif broblemau iechyd a allai godi wrth weithio gyda systemau TGCh yw:

- Poen cefn
- Anaf straen ailadroddus (*RSI*)
- Straen llygaid
- Straen meddwl (*stress*)
- Pelydriad amledd arbennig o isel (*ELF*).

Poen cefn

Achos pennaf poen yn y cefn yw dal y corff yn anghywir wrth eistedd. Os byddwch yn eistedd yn llipa mewn cadair wrth ddefnyddio'r cyfrifiadur, gall arwain at broblemau cefn. Mae eistedd yn gam wrth ddesg yn achos arall.

Er mwyn ceisio atal problemau cefn:

- Defnyddiwch gadair gymwysadwy. (Sylwch fod hyn yn ofyniad cyfreithiol mewn gweithleoedd ond mae angen i chi sicrhau bod y gadair yr ydych yn ei defnyddio gartref yn un gymwysadwy hefyd.)
- Cymhwyswch y gadair fel ei bod yn addas i'ch taldra. Defnyddiwch stôl droed i gynnal eich traed os oes angen.
- Eisteddwch â'ch cefn yn syth yn y gadair a'ch traed yn wastad ar y llawr.
- Sicrhewch fod y sgrin wedi'i gosod o'ch blaen ac ar ogwydd priodol.

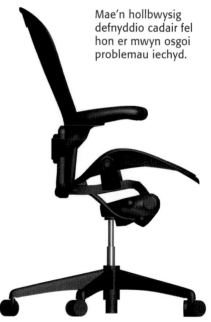

Mae'n hollbwysig defnyddio cadair fel hon er mwyn osgoi problemau iechyd.

Anaf straen ailadroddus (RSI: repetitive strain injury)

Mae anaf straen ailadroddus (*RSI*) yn achosi poenau yn y dwylo, yr arddyrnau, y breichiau a'r gwddf. Fel arfer ni fydd y symptomau'n para'n hir ond gallant fod yn barhaol ac arwain at anabledd yn y pen draw.

Gellir atal *RSI* drwy ddefnyddio gweithfan sydd wedi'i ddylunio'n dda a dilyn arferion gweithio da.

Er mwyn ceisio atal *RSI*:

- cymhwyswch eich cadair fel ei bod yn y safle cywir i chi eistedd ynddi
- sicrhewch fod gennych ddigon o le i weithio'n gyfforddus
- defnyddiwch ddaliwr dogfen
- defnyddiwch fysellfwrdd/llygoden ergonomig
- defnyddiwch gynhaliwr arddwrn
- cadwch eich arddyrnau'n syth wrth deipio
- gosodwch y llygoden fel y gallwch ei defnyddio gan gadw'ch arddwrn yn syth
- dysgwch sut i deipio'n iawn – mae teipio â dau fys yn llawer mwy tebygol o achosi *RSI*.

Os eisteddwch yn llipa yn eich cadair, gallwch gael poen cefn.

© Randy Glasbergen
www.glasbergen.com

GLASBERGEN

'Mae'n gynhaliwr ffêr ergonomig i'ch helpu i fod yn fwy cynhyrchiol.'

YN YR ARHOLIAD

Er mwyn bod yn sicr, mae bob amser yn well rhoi mwy o wybodaeth mewn ateb nag y credwch fod ei hangen. Er enghraifft, os gofynnir i chi enwi problem iechyd, peidiwch â rhoi un gair yn ateb (oni bai bod y cwestiwn yn dweud bod ateb un gair yn dderbyniol). Ysgrifennwch frawddeg fer fel 'mae eistedd yn llipa yn y gadair wrth bori'r Rhyngrwyd yn achosi poen cefn'.

Straen llygaid

Mae straen llygaid yn peri golwg aneglur a chur pen. Mae defnyddio'r sgrin am gyfnodau hir, llacharedd ar y sgrin, baw ar y sgrin a gweithio heb yr amodau goleuo gorau yn ei achosi.

Er mwyn ceisio atal straen llygaid:

- cadwch y sgrin yn lân fel ei bod yn hawdd gweld beth sydd arni
- defnyddiwch oleuo priodol (tiwbiau fflwroleuol gyda thryledwyr) a chysgodlenni i osgoi llacharedd a all achosi cur pen
- cymerwch seibiant yn rheolaidd i roi cyfle i'ch llygaid orffwys
- cymerwch brawf golwg yn rheolaidd (Sylwer: os ydych yn defnyddio sgrin yn eich gwaith, mae'n ofynnol dan y gyfraith i'ch cyflogwr dalu am brofion golwg rheolaidd ac am sbectol os oes ei hangen.)
- gofalwch nad ydych yn eistedd yn rhy agos at y sgrin, er mwyn osgoi peryglon pelydriad.

Straen meddwl

Mae defnyddio systemau TGCh yn gallu achosi straen meddwl, yn enwedig pan fydd pethau'n mynd o chwith.

Mae cyfrifoldeb ar y bobl sy'n cynhyrchu systemau TGCh (e.e. gwefannau, cronfeydd data, systemau archebu ar-lein, ac ati) i sicrhau eu bod yn hawdd eu defnyddio.

Gall straen godi oherwydd:

- cyflymder gwaith (e.e. gormod i'w wneud o fewn yr amser sydd ar gael)
- pryder ynghylch defnyddio technoleg newydd – gall pobl hŷn deimlo na allant ymdopi
- meddalwedd sy'n achosi rhwystredigaeth wrth ei ddefnyddio gan nad yw wedi'i ddylunio'n iawn
- colli gwaith, problemau oherwydd firysau a phroblemau technegol.

Gellir lleihau straen yn y ffyrdd canlynol:

- rheoli'r baich gwaith yn dda
- hyfforddi staff i ddefnyddio systemau a meddalwedd newydd
- darparu desgiau cymorth fel nad yw defnyddwyr yn poeni sut i wneud pethau
- dylunio meddalwedd yn gywir fel nad yw'n achosi rhwystredigaeth i ddefnyddwyr
- defnyddio meddalwedd gwrthfirysau, muriau gwarchod, ac ati, sy'n helpu i atal colli neu lygru data.

Un peth cyffredin sy'n achosi straen meddwl yw cael gormod o waith i'w wneud yn yr amser sydd ar gael.

Pelydriad amledd arbennig o isel (ELF: extra low frequency radiation)

Mae pelydriad amledd arbennig o isel (ELF) yn cael ei ryddhau gan bob dyfais electronig gan gynnwys cyfrifiaduron a chyfarpar cyfrifiadurol. Mae rhai ymchwilwyr o'r farn y gallai meysydd o'r fath gyfrannu at achosi cyflyrau fel lewcemia, blinder neu ludded cyffredinol. Nid yw gwyddonwyr eraill yn sicr a ydynt yn beryglus ai peidio. Gellir lleihau pelydriad ELF drwy gynnwys sgrinio gofalus yn nyluniad y cyfrifiadur, gliniadur, ffôn symudol neu ddyfais drydanol arall a thrwy gadw cryfder unrhyw signalau'n isel.

Mae straen sy'n ganlyniad i faich gwaith afresymol yn broblem i lawer o weithwyr.

Cymhwyso'r rheoliadau iechyd a diogelwch presennol

▼ Byddwch yn dysgu

► Sut y mae Deddf Iechyd a Diogelwch yn y Gwaith 1974 yn sicrhau amodau a dulliau gweithio diogel

► Sut y mae Rheoliadau Iechyd a Diogelwch (Cyfarpar Sgrin Arddangos) 1992 yn rheoli dyluniad y cyfarpar TGCh y gellir ei ddefnyddio yn y gweithle

Cyflwyniad

Oherwydd y problemau a nodwyd yn yr adran flaenorol, cafodd y rheoliadau iechyd a diogelwch eu cymhwyso at ddefnyddio cyfarpar TGCh yn y gweithle. Enw'r ddeddf sy'n ymwneud â defnyddio cyfarpar TGCh yw Deddf Iechyd a Diogelwch yn y Gwaith 1974.

Deddfwriaeth iechyd a diogelwch

O dan Ddeddf Iechyd a Diogelwch yn y Gwaith 1974, mae dyletswydd ar gyflogwyr i leihau'r risgiau i weithwyr yn y gweithle. Rhaid i weithwyr gael lle diogel i weithio a system waith ddiogel.

Mae Deddf Iechyd a Diogelwch yn y Gwaith 1974 yn eithaf cyffredinol ac mae rheoliadau mwy penodol ynghylch defnyddio cyfarpar cyfrifiadurol yn Rheoliadau Iechyd a Diogelwch (Cyfarpar Sgrin Arddangos) 1992.

Daeth yn ofynnol o dan y rheoliadau i gyflogwyr gymryd camau penodol i sicrhau iechyd a diogelwch gweithwyr sy'n defnyddio cyfarpar TGCh.

Yr Awdurdod Gweithredol Iechyd a Diogelwch (HSE: Health and Safety Executive) yw adran y llywodraeth sy'n gyfrifol am iechyd a diogelwch yn y gweithle. Rhan o'i waith yw hyrwyddo arfer da ym maes iechyd a diogelwch yn y gwaith a chaiff llawer o daflenni eu cynhyrchu ganddo (ar-lein ac ar bapur) i'r perwyl hwn.

Mae rheoliadau iechyd a diogelwch yn cwmpasu sgriniau cyfrifiaduron.

Sgriniau cyfrifiaduron

Dylai sgriniau cyfrifiaduron:

- fod yn rhai y gallwch eu gogwyddo a'u troi
- bod ar uchder sy'n addas i'r defnyddiwr
- dangos delwedd sefydlog heb unrhyw gryndod
- bod â rheolyddion disgleirdeb a chyferbynnedd
- bod heb adlewyrchiadau
- bod o faint addas ar gyfer y rhaglen sy'n cael ei rhedeg (e.e. mae cynllunio drwy gymorth cyfrifiadur (CAD) yn gofyn am sgrin fawr gan fod cymaint yn cael ei ddangos ar y sgrin yr un pryd).

Hyfforddiant priodol

Dylai gweithwyr gael eu hyfforddi fel eu bod:

- yn gwybod sut i gymhwyso'r sgrin (h.y. newid y disgleirdeb a'r cyferbynnedd)
- yn deall yr angen i gymryd seibiant yn rheolaidd
- yn gallu cymhwyso maint y testun ac elfennau eraill ar y sgrin fel bod modd eu darllen yn hawdd
- yn deall pa mor bwysig yw cadw'r sgrin yn lân.

Cadeiriau

Mae pobl yn tueddu i eistedd yn llipa yn y gadair wrth ddefnyddio cyfrifiadur, yn enwedig wrth bori'r Rhyngrwyd. Dylech osgoi hyn gan y bydd eistedd yn llipa am gyfnodau hir bron yn sicr o arwain at broblemau cefn yn y dyfodol. Dylai cadeiriau:

- fod yn rhai y gellir newid eu huchder fel bod modd rhoi'r traed yn wastad ar y llawr. Os nad yw hyn yn bosibl gan fod rhywun yn fyr, dylid darparu stôl droed
- bod â chefn iddynt sy'n cynnal cefn y corff yn iawn (h.y. dylai fod yn bosibl cymhwyso eu huchder a'u gogwydd)
- bod â phum troed ar gastorau i'w gwneud yn sefydlog a sicrhau ei bod hi'n hawdd symud y gadair yn nes at y ddesg ac yn bellach oddi wrthi.

Desgiau neu weithfannau

Dylai desgiau neu weithfannau:

- fod yn ddigon mawr i ddal cyfarpar cyfrifiadurol a gwaith papur
- bod ag arwyneb mat i leihau llacharedd

GEIRIAU ALLWEDDOL

Anaf straen ailadroddus (RSI) – cyflwr cyhyrol poenus sy'n cael ei achosi drwy ddefnyddio cyhyrau penodol yn ailadroddus yn yr un ffordd

Ergonomeg – gwyddor gymhwysol sy'n ymwneud â dylunio a threfnu pethau y mae pobl yn eu defnyddio fel bod y bobl a'r pethau'n rhyngweithio yn y ffordd fwyaf effeithlon a diogel

YN YR ARHOLIAD

Rheoliadau Iechyd a Diogelwch (Cyfarpar Sgrin Arddangos) 1992 yw'r rheoliadau sy'n cyfeirio at ddefnyddio cyfarpar TGCh. Cyfeiriwch at y rhain os byddwch yn sôn yn benodol am gyfarpar TGCh.

Bysellfyrddau

Mae'r dyluniad bysellfwrdd yr ydym yn gyfarwydd ag ef yn deillio o ddyluniad y teipiadur. Pe bai bysellfwrdd yn cael ei ddylunio heddiw, o safbwynt ergonomig, ni fyddai'r bysellau yn cael eu trefnu fel hyn.

Bu sawl ymgais i osod y bysellau mewn trefn wahanol ond mae wedi bod yn anodd perswadio defnyddwyr i'w mabwysiadu.

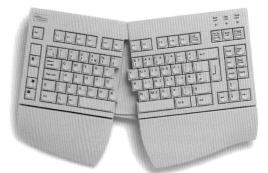

> ### ▶ Gweithgaredd: Iechyd a diogelwch wrth y gweithfan
>
> **Mae'r diagram isod yn dangos defnyddiwr yn eistedd wrth weithfan. Mae'r defnyddiwr hwn wedi mabwysiadu arferion da.**
>
> **Labelwch y diagram, gan ddangos cymaint o enghreifftiau o arferion da ag y gallwch. Dylech chwilio am 7 o leiaf.**

© 1998 Randy Glasbergen.

Nid yw'r bysellfwrdd hwn wedi torri. Mae'n un o nifer mawr o ddyluniadau ergonomig.

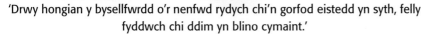

'Drwy hongian y bysellfwrdd o'r nenfwd rydych chi'n gorfod eistedd yn syth, felly fyddwch chi ddim yn blino cymaint.'

Pe bai'r bysellfwrdd QWERTY yn cael ei drefnu'n ergonomig, byddai'r bysellau wedi'u trefnu fel hyn. Drwy ddefnyddio'r trefniant hwn, nid oes rhaid symud y bysedd mor bell wrth daro bysellau ac mae hyn yn helpu i leihau *RSI*.

Gwefannau ar gyfer ymchwil

Yr Awdurdod Gweithredol Iechyd a Diogelwch yw adran y llywodraeth sy'n gyfrifol am ddeddfwriaeth iechyd a diogelwch. Cyfeiriad ei wefan yw: *http://hse.gov.uk*

Mae gwefan Cyngres yr Undebau Llafur yn cynnig cyngor defnyddiol ar anaf straen ailadroddus: *http://www.tuc. org.uk/h_and_s/tuc-7697-f0.cfm%20*

Canllawiau iechyd a diogelwch yn ymwneud â meddalwedd newydd

▼ Byddwch yn dysgu

▶ Am y problemau meddalwedd a all beri straen i ddefnyddwyr

▶ Sut y gellir dylunio meddalwedd fel nad yw'n peri straen i ddefnyddwyr

 Gallwch ddefnyddio llwybrau byr i gychwyn rhaglenni mor gyflym â phosibl.

Cyflwyniad

Mae'r canllawiau iechyd a diogelwch yn cwmpasu dylunio a chyflwyno meddalwedd newydd gan fod hyn yn achosi straen meddwl yn aml ymysg gweithwyr. Anaml y bydd gweithwyr yn cymryd rhan yn y broses o ddylunio meddalwedd, er y byddant yn ei ddefnyddio am gyfnodau hir bob dydd. Os bydd meddalwedd wedi'i ddylunio'n wael neu'n achosi rhwystredigaeth wrth ei ddefnyddio, bydd yn peri straen i'r gweithwyr. Yn yr adran hon byddwn yn ystyried beth y gellir ei wneud i leihau'r problemau.

Lleihau straen wrth ddefnyddio meddalwedd

Gellir dylunio meddalwedd yn ergonomig fel ei bod yn haws ei ddefnyddio ac yn achosi llai o straen.

Gall dylunwyr meddalwedd leihau'r straen y mae meddalwedd yn ei achosi drwy sicrhau:

- nad oes namau mewn meddalwedd sy'n peri i'r cyfrifiadur rewi neu chwalu, gan arwain weithiau at golli gwaith y defnyddiwr
- bod ffontiau a meintiau ffont wedi'u dewis yn ofalus i wneud y testun yn haws ei ddarllen
- bod gwybodaeth yn cael ei dangos mewn trefn resymegol ar y sgrin – bydd eitemau pwysig ym mhen uchaf y sgrin ar y chwith
- bod modd defnyddio'r meddalwedd yn reddfol, a'i fod yn gweithio fel y byddai defnyddwyr yn disgwyl iddo weithio
- bod sgriniau cymorth yn dweud wrth y defnyddiwr beth i'w wneud mewn ffordd ddealladwy ac nad ydynt yn achosi mwy o rwystredigaeth
- bod defnydd o'r bysellfwrdd yn cael ei leihau cymaint â phosibl i leihau'r tebygolrwydd o gael *RSI*
- bod modd diffodd neu osgoi unrhyw gerddoriaeth neu animeiddiadau
- bod llwybrau byr ar gael lle bynnag y bo modd i leihau'r angen i glicio'r llygoden.

Sut y gwyddoch eich bod dan straen?

Gall ychydig bach o bwysau fod yn dda i chi, ond os bydd y pwysau'n mynd yn ormod, gallech deimlo straen. Byddwch yn gwybod eich bod dan straen os ydych:

- yn ysmygu neu'n yfed yn ormodol
- yn brysio ac yn rhuthro o le i le
- yn gwneud nifer o dasgau ar unwaith
- yn mynd heb seibiant ac yn mynd â gwaith adref gyda chi
- heb lawer o amser i wneud ymarfer corff ac ymlacio
- yn cysgu'n wael.

Os bydd rhywun dan straen am gyfnod hir, gall effeithio ar ei iechyd corfforol neu feddyliol a dylai cyflogwyr wneud popeth o fewn eu gallu i geisio lleihau'r straen ar weithwyr.

Y pum prif ffactor sy'n achosi straen ym maes TGCh

Gallwch deimlo'n rhwystredig iawn weithiau wrth ddefnyddio cyfrifiadur. Mewn arolwg nodwyd mai'r pum prif ffactor a oedd yn achosi straen oedd:

1. Rhaglenni'n araf ac yn chwalu
2. Sbam, sgamiau a gormod o e-bost
3. Hysbysebion naid
4. Firysau
5. Colli neu ddileu ffeiliau

Dylai sgriniau cymorth fel hon fod yn hawdd eu defnyddio a datrys problemau'r defnyddwyr mor fuan â phosibl.

Dylid profi meddalwedd yn drwyadl i sicrhau nad oes namau ynddo.

Pethau eraill y gellir eu gwneud i leihau straen wrth ddefnyddio meddalwedd

Mae pethau eraill heblaw am ddylunio meddalwedd yn gywir a fydd o gymorth i leihau straen wrth ddefnyddio systemau TGCh. Ymhlith y rhain y mae:

- darparu desg cymorth i helpu defnyddwyr i ddatrys problemau
- hyfforddi defnyddwyr yn drwyadl yn yr holl systemau TGCh y maent yn eu defnyddio
- trefniadau i gofnodi problemau wrth iddynt godi fel bod modd eu datrys.

Sut y gellir dylunio meddalwedd fel na fydd yn peri straen i ddefnyddwyr

Mae dylunio meddalwedd yn golygu mwy na chael y meddalwedd i gyflawni tasgau. Wrth dddylunio'r meddalwedd, mae'n bwysig iawn cofio y bydd pobl yn ei ddefnyddio o ddydd i ddydd. Dyma rai o'r pethau y dylid eu hystyried:

- Sicrhau bod trefn y deunydd ar bob sgrin yn rhesymegol a bod yr eitemau pwysig yn dod yn gyntaf bob tro.
- Sicrhau bod meddalwedd yn cael ei brofi'n drwyadl fel na fydd yn chwalu.
- Dylai defnyddwyr roi prawf ar y meddalwedd er mwyn datrys unrhyw broblemau y deuant ar eu traws.
- Ceisio lleihau'r nifer o weithiau y mae angen symud y llygoden i wneud dewisiadau er mwyn arbed amser i ddefnyddwyr a lleihau *RSI*. Defnyddio cwymplenni lle y bo modd.
- Cadw cysondeb rhwng un sgrin a'r llall, fel y bydd yn haws dysgu defnyddio'r meddalwedd.
- Rhoi eitemau fel botymau, dewislenni, ac ati, ar y sgrin lle y byddai defnyddwyr yn disgwyl eu gweld.
- Dylid defnyddio iaith syml mewn sgriniau cymorth. Dylai dechreuwyr roi prawf arnynt.

Mae methu deall beth sy'n digwydd yn achosi straen.

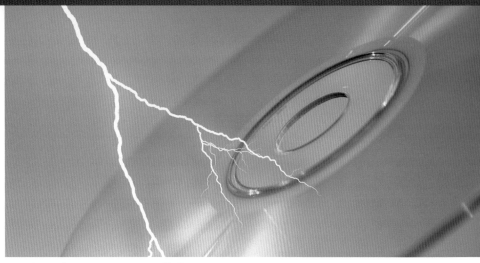

Un o brif achosion straen yw colli data.

Sgwrsio â pheiriannydd defnyddioldeb

Peiriannydd defnyddioldeb (*usability*) yw Amy Hawkes a'i gwaith yw datrys problemau mewn meddalwedd sy'n codi gwrychyn defnyddwyr. Mae'n ailysgrifennu negeseuon dryslyd, yn dileu cysylltau nad ydynt yn gweithio, ac yn symleiddio dewislenni.

Fel yr eglura Amy: 'Fy ngwaith i yw gwneud gwaith y defnyddwyr yn haws a lleihau straen. Er enghraifft, ni ddylen nhw orfod cymryd chwe cham i wneud rhywbeth y gallen nhw ei wneud mewn tri.'

Ychwanega: 'Fel rhan o'r hyfforddiant ar gyfer fy swydd roedd yn rhaid i mi ddeall sut mae pobl yn dysgu a chofio. Fe ges i fy hyfforddi hefyd i ddeall cynlluniau sgriniau a seicoleg lliwiau.'

Er mwyn gwneud defnyddwyr yn fwy effeithlon, bydd Amy yn eu gwylio i weld beth y maent yn debygol o wneud nesaf ar ôl cwblhau tasg.

Yna bydd Amy yn gwylio defnyddwyr go iawn i weld a yw hi wedi llwyddo. Meddai Amy: 'Fe fydda i'n gwneud hyn drwy wneud prototeip papur o'r dyluniad. Wedyn fe fydda i'n defnyddio meddalwedd graffeg i greu model sy'n dangos sut y bydd y sgriniau, eiconau a dewislenni'n edrych.'

Dywed Amy: 'Wedyn fe fydda i'n gofyn i'r defnyddiwr ddangos yr eiconau sydd eu hangen arno i wneud y gwaith ar y darn o bapur. Ar ôl gweld pa eicon y mae'n ei ddefnyddio, galla i roi darn arall o bapur iddo'n gyflym. Fel hyn galla i gael amcan o sut y bydda i'n dylunio'r datrysiad.'

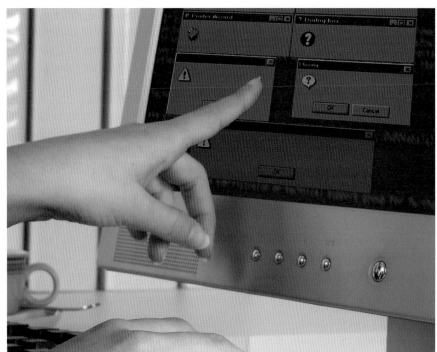

Defnydd derbyniol o gyfarpar a gwasanaethau TGCh

Cyflwyniad

Mae gan ddefnyddwyr cyfarpar a gwasanaethau TGCh gyfrifoldeb tuag at bobl eraill. Ystyr hynny yw na ddylent wneud dim i achosi niwed neu ofid neu anghyfleustra i rywun arall. Yn y gweithle, bydd y rhan fwyaf o gyrff yn nodi'n glir beth y gallwch a beth na allwch ei wneud ar gyfrifiaduron y corff. Er enghraifft, ni fydd cyrff yn caniatáu i ddefnyddwyr lwytho eu meddalwedd eu hun ar eu cyfrifiaduron gan y gallai hynny arwain at gyflwyno firysau, a byddai'r corff yn atebol am dorri unrhyw hawlfraint.

Yn yr adran hon byddwn yn edrych ar y cyfrifoldebau.

Cyfrifoldebau'r defnyddiwr

Mae gan ddefnyddwyr cyfleusterau TGCh amrywiaeth o gyfrifoldebau moesol, moesegol a chyfreithiol. Gan fod y corff yn gyfrifol am weithredoedd ei weithwyr pan fyddant yn y gwaith, mae'n bwysig bod pob aelod staff yn ymwybodol o natur y cyfrifoldebau hyn. Gellir dal corff yn gyfrifol am weithredoedd anghyfreithlon ei weithwyr hyd yn oed os nad yw'n gwybod amdanynt. Ond os gellir profi bod y corff wedi cymryd camau digonol, mae'n bosibl na chaiff ei erlyn.

Defnydd priodol o gyfarpar TGCh

Dyma rai o'r rheolau sy'n ymwneud â defnyddio cyfarpar TGCh. Dylai defnyddwyr:

- roi gwybod am gyfarpar sydd wedi torri ac nid gadael i bobl eraill wneud hynny
- peidio â storio gemau neu feddalwedd arall sydd heb ei awdurdodi ar gyfrifiaduron
- gwneud copïau wrth gefn o'u gwaith os ydynt yn gweithio ar gyfrifiaduron arunig
- peidio â newid gosodiadau caledwedd a meddalwedd.

Defnydd priodol o rwydweithiau

Dyma rai o'r rheolau sy'n ymwneud â defnyddio rhwydweithiau. Dylai defnyddwyr:

- beidio â defnyddio rhwydweithiau'r corff i anfon negeseuon ac atodiadau e-bost amhriodol
- allgofnodi o'r system os byddant yn gadael y gweithfan
- peidio â datgelu manylion cwsmeriaid neu fanylion cyfrinachol i bobl eraill
- peidio â llwytho eu rhaglenni eu hun ar y rhwydwaith
- newid eu cyfrineiriau'n rheolaidd
- peidio â datgelu eu cyfrineiriau i bobl eraill
- peidio ag ysgrifennu eu cyfrineiriau lle y mae pobl eraill yn debygol o ddod o hyd iddynt.

Defnydd priodol o'r Rhyngrwyd

Dyma rai o'r rheolau sy'n ymwneud â defnyddio'r Rhyngrwyd. Ni ddylai defnyddwyr:

- lwytho gemau neu ffeiliau cerddoriaeth neu fideo i lawr a'u storio ar gyfrifiaduron y corff
- agor ffeiliau sydd wedi'u hatodi os nad yw'r ffynhonnell yn hysbys
- defnyddio'r Rhyngrwyd i lwytho rhaglenni i lawr heb ganiatâd
- defnyddio'r Rhyngrwyd i gyrchu deunydd amhriodol
- camddefnyddio'r Rhyngrwyd at ddibenion fel hacio, lledaenu firysau, ac ati
- defnyddio'r Rhyngrwyd i dorri hawlfraint (e.e. defnyddio gwefannau rhannu ffeiliau i rannu cerddoriaeth).

Defnydd amhriodol o TGCh

Mae llawer o bobl yn defnyddio TGCh ac nid yw pob un ohonynt yn ei defnyddio at bwrpas da. Dyma rai o'r pethau amhriodol i'w hosgoi yn y gwaith neu mewn ysgol neu goleg:

- difrodi caledwedd neu feddalwedd yn fwriadol
- defnyddio TGCh i gyflawni twyll
- blacmelio
- llwytho delweddau pornograffig/ ffiaidd i lawr
- anfon negeseuon e-bost ffiaidd at bobl eraill
- sgwrsio mewn ystafelloedd sgwrsio yn y gwaith
- dwyn data'r cwmni
- newid data'r cwmni'n fwriadol
- peidio ag allgofnodi o rwydwaith wrth fynd i gymryd seibiant
- defnyddio'r rhwydwaith i gael gwybodaeth i ffrind (e.e. darganfod ble y mae cyn-bartner yn byw, faint o arian sydd gan rywun yn ei gyfrif, ac ati)
- datgelu cyfrineiriau i bobl eraill
- defnyddio'r Rhyngrwyd i gyflawni tasgau personol, fel siopa am fwyd
- hacio i mewn i gyfrifiadur rhywun arall
- colli diod dros y bysellfwrdd
- peidio â thacluso gweithfan cyn i rywun arall ei ddefnyddio.

Y gwahaniaeth rhwng camymarfer a throseddu

Mae llawer o wahanol fathau o weithgareddau y gallai defnyddwyr dynol eu gwneud neu beidio â'u gwneud sy'n bygwth systemau TGCh. Mae camymarfer (*malpractice*) yn golygu defnydd amhriodol neu ddiofal neu gamymddwyn. Mae troseddu'n golygu'r holl weithredoedd hynny sy'n groes i'r gyfraith. Mae'n gorgyffwrdd i ryw raddau ag ystyr y gair camymarfer, gan fod hwnnw hefyd yn gallu cynnwys gweithredoedd anghyfreithlon yn ôl y diffiniad manwl ohono mewn geiriadur. Ond ar gyfer yr arholiad, mae angen i chi nodi'r gwahaniaeth rhyngddynt, sef nad yw camymarfer yn groes i'r gyfraith, ond bod troseddu'n golygu torri'r gyfraith.

Enghreifftiau o gamymarfer

Rhai enghreifftiau o gamymarfer yw:

- dileu data'n ddamweiniol
- peidio â gwneud copïau wrth gefn
- peidio â sganio am firysau'n rheolaidd
- copïo hen fersiwn o ddata ar ben y fersiwn diweddaraf
- gadael i eraill ddefnyddio'ch cyfrinair
- peidio ag allgofnodi o'r rhwydwaith ar ôl gorffen ei ddefnyddio.

Enghreifftiau o droseddu

Rhai enghreifftiau o droseddu yw:

- hacio
- lledaenu firysau'n fwriadol
- copïo data/meddalwedd yn anghyfreithlon
- dwyn caledwedd.

Polisi ar ddefnydd derbyniol

Mae camddefnyddio cyfleusterau TGCh mewn corff neu fusnes gan y staff eu hun yn gallu arwain at nifer o fygythiadau. Er enghraifft, drwy lwytho cerddoriaeth i lawr ar gyfrifiaduron y cwmni, gellid cyflwyno firysau.

Er mwyn atal eu staff eu hun rhag camddefnyddio systemau TGCh y corff, mae llawer o gyrff wedi cyflwyno polisi ar ddefnydd derbyniol. Mae polisi o'r fath yn egluro i'r holl weithwyr neu ddefnyddwyr beth yw defnydd derbyniol ac annerbyniol. Fel arfer bydd y polisi'n nodi'r camau disgyblu i'w cymryd os camddefnyddir y systemau TGCh.

Mae polisi ar ddefnydd derbyniol yn diogelu'r corff a'r unigolion drwy osod canllawiau pendant ynghylch beth yw defnydd a chamddefnydd. Rhaid bod yn hollol ddiamwys ynghylch sut y gellir defnyddio'r systemau TGCh. Mae chwe phrif faes mewn polisi nodweddiadol ar ddefnydd derbyniol o TG:

1 Rhagymadrodd – mae'n rhoi gwybodaeth gyffredinol am y corff a hefyd yn nodi'r prif resymau dros gael y polisi ar ddefnydd derbyniol o TG.

2 Defnydd cyffredinol o gyfrifiaduron – rhoddir gwybodaeth yma am ddefnydd cyffredinol fel gwybodaeth iechyd a diogelwch, cyngor ynghylch cadw gweithfannau'n lân, bwyta ac yfed ger cyfarpar cyfrifiadurol, ac ati.

3 Defnyddio rhwydweithiau a'r Rhyngrwyd – gwybodaeth am warchod y rhwydweithiau: cyfrineiriau ac enwau defnyddwyr, mewngofnodi ac allgofnodi, rhybuddion am fynd i wefannau sy'n annymunol neu heb gysylltiad â gwaith. Rhybuddion am lwytho ffeiliau i lawr o wefannau a chyflawni tasgau sydd heb gysylltiad â gwaith.

4 E-bost – sicrhau bod negeseuon e-bost mewnol ac allanol yn briodol. Rhybuddion ynghylch agor e-bost o ffynonellau anhysbys a allai gynnwys firysau.

5 Diogelwch – disgrifiad o'r Ddeddf Gwarchod Data os yw data personol yn cael eu prosesu. Manylion am fynediad a mynediad heb awdurdod. Mesurau gwarchod y mae'n rhaid eu dilyn.

6 Hyfforddiant – rhaid cynnig hyfforddiant fel bod yr holl staff yn deall pob agwedd ar y polisi. Bydd angen iddynt wybod am y ddeddfwriaeth sy'n ymwneud â defnyddio TGCh hefyd.

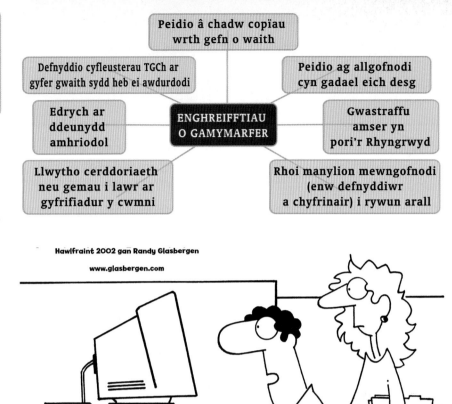

ENGHREIFFTIAU O GAMYMARFER

- Peidio â chadw copïau wrth gefn o waith
- Defnyddio cyfleusterau TGCh ar gyfer gwaith sydd heb ei awdurdodi
- Peidio ag allgofnodi cyn gadael eich desg
- Edrych ar ddeunydd amhriodol
- Gwastraffu amser yn pori'r Rhyngrwyd
- Llwytho cerddoriaeth neu gemau i lawr ar gyfrifiadur y cwmni
- Rhoi manylion mewngofnodi (enw defnyddiwr a chyfrinair) i rywun arall

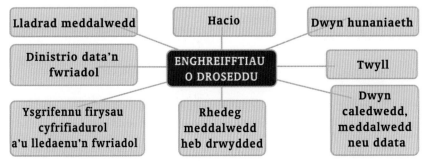

Hawlfraint 2002 gan Randy Glasbergen
www.glasbergen.com

GLASBERGEN

'Dydyn ni ddim yn poeni llawer am warchod gwybodaeth. Rydyn ni'n gobeithio y bydd cwmnïau eraill yn dwyn ein syniadau ac yn dod mor aflwyddiannus â ni.'

ENGHREIFFTIAU O DROSEDDU

- Lladrad meddalwedd
- Hacio
- Dwyn hunaniaeth
- Dinistrio data'n fwriadol
- Twyll
- Ysgrifennu firysau cyfrifiadurol a'u lledaenu'n fwriadol
- Rhedeg meddalwedd heb drwydded
- Dwyn caledwedd, meddalwedd neu ddata

Topig 10 Materion cymdeithasol

197

Deddfwriaeth: data personol a Deddf Gwarchod Data 1998

Cyflwyniad

Wrth i systemau TGCh ddatblygu, roedd yn rhaid i'r Senedd wneud deddfau newydd er mwyn gwarchod yr unigolyn rhag camddefnydd o ddata personol a oedd yn ymwneud ag ef. Roedd angen gwneud deddfau newydd hefyd i ddelio â mathau eraill o gamddefnydd megis ysgrifennu a lledaenu firysau, cyrchu adnoddau cyfrifiadurol yn anghyfreithlon (h.y. hacio), ac ati.

Deddf Gwarchod Data 1998

Mae'r defnydd o TGCh ar raddfa eang wedi'i gwneud yn haws prosesu a throsglwyddo data ac, er mwyn gwarchod yr unigolyn rhag camddefnydd o ddata, mae deddf wedi cael ei phasio o'r enw Deddf Gwarchod Data 1998.

Un rheswm arall dros basio'r Ddeddf oedd bod yr holl Aelod-wladwriaethau yn yr Ardal Economaidd Ewropeaidd (*EEA: European Economic Area*) wedi pasio deddfau gwarchod data, felly roedd yn rhaid i'r Deyrnas Unedig eu cael hefyd. Byddai hyn yn caniatáu trosglwyddo data personol yn ddi-rwystr rhwng un Aelod-wladwriaeth ac un arall. Mae hyn yn hollbwysig wrth gynnal busnes.

Mae Deddf Gwarchod Data 1998 yn ymwneud â chamddefnyddio data personol, drwy ddefnyddio systemau TGCh neu fel arall. Mae'r Ddeddf yn rhoi hawliau i'r unigolyn i ddod o hyd i'r wybodaeth amdano sydd wedi'i storio a gweld a yw'n gywir. Os yw'r wybodaeth yn anghywir, gall fynnu iddi gael ei chywiro a gall hawlio iawndal os yw wedi dioddef colled oherwydd y wybodaeth anghywir hon.

Pa ddata sy'n cael eu hystyried yn ddata personol?

Mae Deddf Gwarchod Data 1998 yn cyfeirio at ddata personol. Data personol yw:

- data am berson y gellir ei adnabod
- sy'n fyw
- ac sy'n ymwneud yn benodol â'r person hwnnw.

Rhaid iddi fod yn bosibl adnabod testun y data ar sail y wybodaeth. Fel arfer byddai hyn yn golygu bod yr enw a'r cyfeiriad yn rhan o'r data neu gallai olygu bod modd adnabod y person ar sail data eraill a roddwyd. Byddai data sy'n ymwneud yn neilltuol â pherson penodol yn cynnwys:

- hanes meddygol
- hanes credyd
- cymwysterau
- credoau crefyddol
- cofnodion troseddol.

Defnyddir symbol clo clap/arwyddbost i dynnu sylw unigolion at y ffaith bod gwybodaeth bersonol amdanynt yn cael ei chasglu. Mae'r symbol yn eu cyfeirio at ffynonellau a fydd yn egluro sut y defnyddir y wybodaeth amdanynt.

Y data personol sy'n cael eu cadw

Mae data personol yn neilltuol o bwysig i bobl sy'n ceisio gwerthu rhywbeth i chi. Yn gyffredinol, gellir rhannu'r data marchnata hyn yn fathau data gwahanol fel a ganlyn: data demograffig (ym mhle'r ydych yn byw) a data ffordd o fyw (beth yw'ch diddordebau, ar beth yr ydych yn gwario'ch arian, ac ati).

Mae pobl marchnata eisiau gwybod

mwy am ein bywyd personol er mwyn targedu hysbysebion a deunydd hyrwyddo.

Mae manylion cerdyn credyd yn fanylion personol a rhaid eu gwarchod.

Welcome – bizybank – Windows Internet Explorer

https://www.bizybank.com — Identified by VeriSign — Live Search

Welcome - bizybank — Page ▾ Tools ▾

Os gwelwch lun clo (🔒) ar far cyfeiriad y porwr gwe, dylech weld hefyd fod cyfeiriad y wefan yn dechrau â *HTTPS* yn hytrach na *HTTP*. Os felly, mae'r dudalen yn defnyddio haen socedi diogel (*SSL: secure socket layer*) sy'n atal trydydd parti rhag gweld y wybodaeth amdanoch wrth iddi gael ei throsglwyddo.

Mae'r Ddeddf Gwarchod Data yn cydbwyso hawliau unigolion ag anghenion cyrff.

Yr Wyth Egwyddor Gwarchod Data

Mae Deddf Gwarchod Data 1998 yn cynnwys yr wyth egwyddor ganlynol:

1 Rhaid prosesu data personol yn deg ac yn gyfreithlon.
2 Rhaid cael data personol at un neu ragor o ddibenion penodol a chyfreithlon yn unig, ac ni cheir eu prosesu wedyn mewn unrhyw ffordd sy'n anghydnaws â'r diben hwnnw neu'r dibenion hynny.
3 Rhaid i ddata personol fod yn ddigonol, yn berthnasol ac nid yn ormodol mewn perthynas â'r diben neu ddibenion y maent yn cael eu prosesu ar eu cyfer.
4 Rhaid i ddata personol fod yn gywir a chael eu diweddaru lle y bo angen.
5 Ni cheir cadw data personol sydd wedi'u prosesu at unrhyw ddiben neu ddibenion yn hwy nag sydd raid at y diben hwnnw neu'r dibenion hynny.
6 Rhaid prosesu data personol yn unol â hawliau testunau data o dan y Ddeddf hon.
7 Rhaid cymryd camau technegol a threfniadaethol priodol rhag prosesu data personol yn anghyfreithlon neu heb ganiatâd a rhag colli neu ddinistrio data personol, neu eu difrodi, drwy ddamwain.
8 Rhaid peidio â throsglwyddo data personol i wlad neu diriogaeth y tu allan i'r Ardal Economaidd Ewropeaidd (*EEA*) oni bai bod y wlad neu'r diriogaeth honno'n sicrhau lefel ddigonol o ddiogelwch ar gyfer hawliau a rhyddid testunau data mewn perthynas â phrosesu data personol.

Prosesu data personol

Mae'r Ddeddf Gwarchod Data yn cyfeirio at brosesu data personol. Gall prosesu olygu:

- cael data (h.y. casglu data)
- cofnodi data
- cyflawni unrhyw weithrediad neu set o weithrediadau ar ddata.

Crynodeb o'r wyth Egwyddor Gwarchod Data

Mae'r wyth Egwyddor Gwarchod Data yn mynnu:

1 bod data'n cael eu prosesu'n deg ac yn gyfreithlon
2 bod data'n cael eu prosesu at ddibenion cyfyngedig
3 bod data'n ddigonol, yn berthnasol ac nid yn ormodol
4 bod data'n gywir
5 nad yw data'n chael eu cadw'n hwy nag sydd raid
6 bod data'n cael eu prosesu'n unol â hawliau'r testunau data
7 bod data'n ddiogel
8 nad yw data'n cael eu trosglwyddo i wledydd y tu allan i'r Undeb Ewropeaidd heb eu gwarchod yn ddigonol.

Mae cwmnïau ffonau symudol yn cadw cofnodion o'r holl alwadau.

Information Commissioner's Office

Swyddfa'r Comisiynydd Gwybodaeth yw awdurdod annibynnol y Deyrnas Unedig a sefydlwyd i hyrwyddo mynediad at wybodaeth swyddogol a gwarchod gwybodaeth bersonol.

Ni ddylai data personol gael eu trosglwyddo i wlad y tu allan i'r *EEA* os nad yw'r data wedi'u gwarchod.

Deddfwriaeth: gweithredu Deddf Gwarchod Data 1998

Cyflwyniad

Defnyddir Deddf Gwarchod Data 1998 i warchod data personol rhag cael eu camddefnyddio. Er mwyn gwneud hyn, rhaid dilyn gweithdrefnau penodol.

Hysbysu

Hysbysu yw'r broses o roi gwybod i Swyddfa'r Comisiynydd Gwybodaeth fod corff yn storio ac yn prosesu data personol. Bydd y person yn y corff sy'n gyfrifol am brosesu'r data (h.y. y rheolydd data) yn rhoi manylion penodol i'r Comisiynydd Gwybodaeth fel:

- Rhif cofrestru'r cwmni (rhif unigryw a roddir i bob cwmni/corff).
- Enw a chyfeiriad y rheolydd data.
- Y mathau o ddata sy'n cael eu cadw (e.e. manylion meddygol, manylion ariannol, manylion cyflogaeth, ac ati).
- Disgrifiad cyffredinol o'r rhesymau dros storio'r data personol (casglu dyledion, ymchwil, ymchwiliad troseddol, ac ati).
- Disgrifiad o'r testunau data y mae'r data'n ymwneud â nhw (e.e. disgyblion, cleifion, cwsmeriaid, ac ati).
- Rhestri o gyrff eraill y bydd y data'n cael eu trosglwyddo iddynt (e.e. yr heddlu, Cyllid a Thollau Ei Mawrhydi, prifysgolion). Derbynwyr yw'r rhain.
- A fydd y wybodaeth yn cael ei throsglwyddo i wledydd eraill y tu allan i'r Ardal Economaidd Ewropeaidd?

Pan welwch y llun canlynol o glo clap wrth ymyl ffurflen yr ydych yn ei llenwi, naill ai ar y cyfrifiadur neu fel arall, gwyddoch fod data personol yn cael eu casglu.

Gellir hysbysu:

- drwy'r post gan ddefnyddio ffurflen arbennig
- dros y Rhyngrwyd
- drwy ffonio Swyddfa'r Comisiynydd Gwybodaeth.

Ar ôl rhoi'r manylion hyn, byddant yn cael eu rhoi ar gofrestr a fydd ar gael i'r cyhoedd. Bydd hyn yn caniatáu i'r cyhoedd gael gwybod am gyrff sy'n prosesu eu data personol.

Mae'n drosedd i gorff brosesu data personol heb roi hysbysiad.

Eithriadau rhag hysbysu

Mae rhai eithriadau rhag hysbysu o dan y Ddeddf Gwarchod Data. Mae hyn yn golygu nad oes gan destunau data hawl i weld y data, mynnu bod data'n cael eu newid, na hawlio iawndal. Mae data wedi'u heithrio:

1 Os ydynt yn cael eu cadw mewn perthynas â materion personol, teuluol neu ddomestig neu at ddiben adloniadol.

2 Os ydynt yn cael eu defnyddio i baratoi testun dogfennau. Yr enw a roddir ar hyn yn aml yw'r 'eithriad prosesu geiriau'. Byddai hyn yn cynnwys geirda ar gyfer swyddi, prifysgolion, ac ati, sydd wedi'i storio ar gyfrifiadur.

3 Os ydynt yn cael eu defnyddio i gyfrifo cyflogau a phensiynau, neu i gadw cyfrifon neu gadw cofnodion prynu a gwerthu at ddibenion cyfrifyddol yn unig.

4 Os ydynt yn cael eu cadw er mwyn diogelwch y wlad.

5 Os ydynt yn cael eu defnyddio ar gyfer rhestri postio, ar yr amod mai dim ond enwau a chyfeiriadau sy'n cael eu storio ac y gofynnir i'r unigolion a ydynt yn fodlon i'r defnyddiwr gadw data personol amdanynt.

▼ Byddwch yn dysgu

▶ Sut y mae corff yn hysbysu'r ffaith ei fod yn prosesu data personol

▶ Am yr eithriadau rhag hysbysu

▶ Sut y gall rhywrai sy'n destunau data wneud cais i weld data personol sy'n cael eu cadw amdanynt

▶ Sut y gellir cywiro camgymeriadau mewn data personol

▶ Am yr eithriadau rhag rhoi mynediad i destunau data

Mynediad ar gyfer testunau data

O dan y Ddeddf Gwarchod Data, gall testunau data (h.y. y bobl y mae'r wybodaeth bersonol yn ymwneud â nhw) ofyn am weld y wybodaeth sy'n cael ei chadw amdanynt. I wneud hynny, rhaid iddynt ysgrifennu at y corff sy'n prosesu'r data. Mae ffi o hyd at £10 yn daladwy i'r corff ond, os mai asiantaeth archwilio credyd ydyw, y ffi yw £2. Rhaid cael ateb gan y corff o fewn 40 diwrnod, neu o fewn 7 diwrnod os yw'r corff yn asiantaeth archwilio credyd.

Pwrpas caniatáu mynediad i destunau data yw eu galluogi i weld gwybodaeth bersonol i sicrhau ei bod yn gywir. Mae llawer o benderfyniadau, megis a ddylid rhoi benthyg arian, a ydych yn addas ar gyfer swydd, pa driniaeth feddygol a gewch, ac ati, yn cael eu seilio ar y wybodaeth hon, felly mae'n bwysig iawn nad oes unrhyw wallau ynddi.

▶ GEIRIAU ALLWEDDOL

Comisiynydd Gwybodaeth – y person sy'n gyfrifol am Swyddfa'r Comisiynydd Gwybodaeth ac am weinyddu Deddf Gwarchod Data 1998

Hysbysu – y broses o roi gwybod i Swyddfa'r Comisiynydd Data fod data personol yn cael eu prosesu

Testun data – y person y mae'r wybodaeth bersonol yn ymwneud ag ef

Beth fydd yn digwydd os yw'r data personol yn anghywir?

Holl bwrpas y Ddeddf Gwarchod Data yw caniatáu i destun y data gael mynediad fel y gall wirio'r data sy'n cael eu storio amdano. Os bydd testun y data'n darganfod bod gwybodaeth amdano'n anghywir:

- mae ganddo hawl i gael iawndal am golled ariannol neu anaf sydd wedi cael ei achosi gan y data anghywir
- mae ganddo hawl i gael cywiro'r data neu hyd yn oed eu dileu.

Eithriadau rhag rhoi mynediad i destunau data

Oni bai bod data'n perthyn i un o'r categorïau y mae cyrff wedi'u heithrio rhag eu hysbysu, rhaid rhoi gwybod am ddata personol sy'n cael eu storio. Drwy hysbysu data, bydd testunau data'n gallu gweld y wybodaeth bersonol amdanynt, ond mae rhai eithriadau.

Oherwydd yr eithriadau hyn, os yw'r data personol sy'n cael eu storio a'u prosesu'n perthyn i un (neu ragor) o'r categorïau canlynol, gellir gwrthod caniatâd i destun y data weld y data personol. Rhai mathau o ddata y gellid gwrthod caniatáu i destun data eu gweld yw:

- data sy'n cael eu defnyddio i atal neu ganfod troseddau
- data sy'n cael eu defnyddio ar gyfer arestio neu erlyn troseddwyr
- data sy'n cael eu defnyddio ar gyfer asesu neu gasglu trethi neu ddollau.

Cydsyniad i brosesu gwybodaeth bersonol a'i throsglwyddo i bobl eraill

Gallwch roi caniatâd i adael i'ch manylion personol gael eu prosesu a'u trosglwyddo i gyrff eraill.

Ar ôl dychwelyd o'ch gwyliau, mae'n bosibl y bydd rhywun yn gofyn i chi lenwi holiadur i roi adborth i'r cwmni gwyliau am y gwyliau a gawsoch. Ar yr olwg gyntaf, gallech feddwl mai unig bwrpas y ffurflen hon yw casglu gwybodaeth am eich barn am y gwyliau, ond bydd rhai cwestiynau am bethau sydd heb gysylltiad â'r gwyliau, megis y dyddiad y daw yswiriant eich tŷ neu gar i ben. Mae gwybodaeth bersonol yn werthfawr, yn enwedig os ydych wedi cydsynio iddi gael ei throsglwyddo i bobl eraill.

Y Comisiynydd Gwybodaeth

Y Comisiynydd Gwybodaeth yw'r person sy'n gyfrifol am Swyddfa'r Comisiynydd Gwybodaeth, sef awdurdod annibynnol y DU a sefydlwyd i hyrwyddo mynediad at wybodaeth swyddogol ac i warchod gwybodaeth bersonol. Rhai o ddyletswyddau'r Comisiynydd Gwybodaeth yw:

- bod yn gyfrifol am weinyddu dwy Ddeddf: Deddf Gwarchod Data 1998 a Deddf Rhyddid Gwybodaeth 2000
- hyrwyddo dulliau da o drin gwybodaeth
- ymchwilio i gwynion
- darparu canllawiau
- dwyn achosion cyfreithiol, os oes rhaid.

Deddf Rhyddid Gwybodaeth 2000

Mae'r Comisiynydd Gwybodaeth yn gyfrifol am weithredu Deddf arall o'r enw Deddf Rhyddid Gwybodaeth 2000. Mae'r Ddeddf hon yn rhoi hawl i weld gwybodaeth sy'n cael ei chadw gan awdurdodau cyhoeddus. Drwy ddefnyddio'r Ddeddf hon, gall unigolyn gyrchu gwybodaeth fel e-hebiaeth, cofnodion cyfarfodydd, adroddiadau ymchwil, ac ati, sy'n cael eu cadw gan awdurdodau lleol. Yn aml, mae'r wybodaeth hon yn ymwneud â'r canlynol:

- sut y mae awdurdodau cyhoeddus yn cyflawni eu dyletswyddau
- sut y maent yn gwneud eu penderfyniadau
- sut y maent yn gwario arian cyhoeddus.

Mae awdurdodau cyhoeddus yn cynnwys:

- llywodraeth ganolog ac adrannau'r llywodraeth
- awdurdodau lleol
- ysbytai, meddygfeydd, deintyddfeydd, ac ati
- ysgolion, colegau a phrifysgolion
- yr heddlu a'r gwasanaeth carchardai.

Yn wahanol i'r Ddeddf Gwarchod Data, nid yw'r Ddeddf Rhyddid Gwybodaeth wedi'i chyfyngu i wybodaeth bersonol. Mae'n ymwneud â phob math o wybodaeth, heblaw am wybodaeth sy'n dod o dan yr eithriadau canlynol:

- gallai'r wybodaeth beryglu ymdrechion i atal neu ddarganfod troseddau
- byddai cyhoeddi'r wybodaeth yn gwneud mwy o niwed i'r cyhoedd na pheidio â chyhoeddi'r wybodaeth.

YN YR ARHOLIAD

Er bod y Comisiynydd Gwybodaeth yn gyfrifol am y Ddeddf Rhyddid Gwybodaeth a'r Ddeddf Gwarchod Data, peidiwch â chymysgu rhyngddynt wrth ateb cwestiynau. Yn syml, nid yw'r Ddeddf Rhyddid Gwybodaeth yn ymwneud â gwybodaeth bersonol. Yn hytrach, mae'n canolbwyntio ar wybodaeth am awdurdodau cyhoeddus.

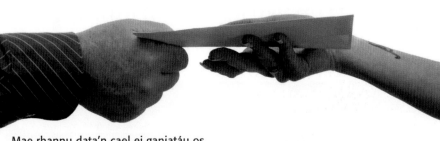

Mae rhannu data'n cael ei ganiatáu os yw testun y data wedi cytuno i hyn.

Topig 10 Materion cymdeithasol

Deddfwriaeth: Deddf Camddefnyddio Cyfrifiaduron 1990

Cyflwyniad

Roedd yn rhaid llunio Deddfau eraill i ymdrin â'r camddefnydd a ddechreuodd achosi problemau wedi i systemau TGCh ddod yn fwy cyffredin.

Deddf Camddefnyddio Cyfrifiaduron 1990

Pwrpas Deddf Camddefnyddio Cyfrifiaduron 1990 oedd mynd i'r afael â'r gwahanol ffyrdd yr oedd cyfrifiaduron yn cael eu camddefnyddio wrth iddynt ddod yn fwyfwy poblogaidd. Mae'r rhain yn droseddau o dan y Ddeddf:

- gosod neu drosglwyddo firysau yn fwriadol er mwyn achosi difrod i raglenni a data mewn system gyfrifiadurol
- defnyddio cyfrifiadur sy'n eiddo i'r corff i wneud gwaith sydd heb ei awdurdodi
- hacio i mewn i system gyfrifiadurol rhywun arall gyda'r bwriad o weld neu newid y wybodaeth
- defnyddio cyfrifiaduron i gyflawni twyll.

Problemau wrth geisio erlyn o dan Ddeddf Camddefnyddio Cyfrifiaduron 1990

Er mwyn erlyn rhywun o dan Ddeddf Camddefnyddio Cyfrifiaduron 1990, byddai angen i'r heddlu brofi ei fod wedi camddefnyddio cyfrifiadur yn fwriadol, hynny yw, ei fod yn gwybod beth yr oedd yn ei wneud ac yn gwybod nad oedd hynny'n iawn.

Mae'n anodd iawn profi bwriad o'r fath. Er enghraifft, dywedwch

fod firws ar eich cof pin eich hun gartref a'ch bod chi'n mynd â'r gyriant i'r gwaith ac yn ei roi mewn cyfrifiadur, gan drosglwyddo'r firws i'r cyfrifiadur hwnnw. Gallech wneud hyn yn hawdd iawn heb sylweddoli, a byddai'n anodd iawn dangos eich

bod wedi gwneud hyn yn fwriadol.

Mae rhai cyrff na fyddent am i eraill (yn enwedig y cyfryngau) wybod nad yw eu systemau'n ddiogel, felly ni chaiff llawer o achosion eu cofnodi a'u cosbi.

Mae lledaenu firysau cyfrifiadurol yn anghyfreithlon.

Rhaid diogelu rhag hacwyr drwy ddefnyddio muriau gwarchod.

Troseddau o dan Ddeddf Camddefnyddio Cyfrifiaduron 1990

Mae tair adran sy'n diffinio'r tair trosedd o dan y Ddeddf.

Dyma grynodeb o'r tair adran:

Adran 1

Bydd rhywun yn euog o gyflawni trosedd:

(a) os bydd yn peri i gyfrifiadur gyflawni unrhyw swyddogaeth gyda'r bwriad o sicrhau mynediad at unrhyw raglen neu ddata sy'n cael eu cadw mewn unrhyw gyfrifiadur;

(b) os yw'r mynediad y mae'n bwriadu ei sicrhau heb ei awdurdodi

(c) os yw'n gwybod ar y pryd ei fod heb ei awdurdodi.

Y ddedfryd fwyaf am gyflawni trosedd o dan yr adran hon yw chwe mis yn y carchar.

Adran 2

Bydd rhywun yn euog o gyflawni trosedd o dan Adran 2 o'r Ddeddf os bydd yn cyflawni trosedd o dan Adran 1 o'r Ddeddf gyda'r bwriad o gyflawni troseddau pellach fel blacmel, dwyn neu unrhyw drosedd arall sydd â chosb o bum mlynedd o leiaf yn y carchar. Bydd hefyd yn euog os bydd yn peri i rywun arall gyflawni'r drosedd bellach hon.

Y ddedfryd fwyaf am gyflawni trosedd o dan yr adran hon yw pum mlynedd yn y carchar.

Adran 3

Bydd rhywun yn euog o gyflawni trosedd o dan yr adran hon o'r Ddeddf os bydd yn cyflawni unrhyw weithred sy'n achosi newid sydd heb ei awdurdodi yng nghynnwys unrhyw gyfrifiadur gan wybod ar y pryd fod y newid heb ei awdurdodi ac os oedd ganddo'r bwriad angenrheidiol. Y bwriad angenrheidiol yw bwriad i achosi newid a thrwy wneud hynny:

(a) amharu ar weithrediad unrhyw gyfrifiadur;

(b) atal neu lesteirio mynediad at unrhyw raglen neu ddata;

(c) amharu ar weithrediad unrhyw raglen neu ddibynadwyedd unrhyw ddata.

Y ddedfryd fwyaf am gyflawni trosedd o dan yr adran hon yw pum mlynedd yn y carchar.

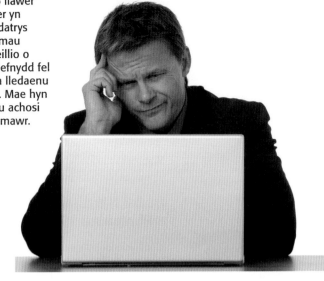

Gall defnyddwyr dreulio llawer o amser yn ceisio datrys problemau sy'n deillio o gamddefnydd fel hacio a lledaenu firysau. Mae hyn yn gallu achosi straen mawr.

Mae hacio'n drosedd o dan Ddeddf Camddefnyddio Cyfrifiaduron 1990.

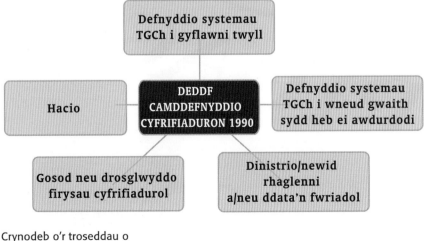

Crynodeb o'r troseddau o dan Ddeddf Camddefnyddio Cyfrifiaduron 1990.

Deddfwriaeth: Deddf Hawlfraint, Dyluniadau a Phatentau 1988

▼ **Byddwch yn dysgu**

▶ Am Ddeddf Hawlfraint, Dyluniadau a Phatentau 1988

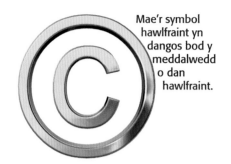

Mae'r symbol hawlfraint yn dangos bod y meddalwedd o dan hawlfraint.

Cyflwyniad

Mae llawer o bobl yn gwneud bywoliaeth drwy ysgrifennu meddalwedd a llawlyfrau i'w defnyddio gan bobl eraill. Mae gwaith y bobl hyn yn cael ei warchod, yn yr un modd ag y mae gwaith awdur nofelau poblogaidd yn cael ei warchod.

Hawlfraint a thrwyddedu

Mae'r problemau canlynol yn gysylltiedig â meddalwedd cyfrifiadurol:

- mae'n hawdd iawn ei gopïo
- mae'n hawdd iawn trosglwyddo ffeiliau dros y Rhyngrwyd
- nid yw pobl yn ystyried bod copïo meddalwedd yr un fath â dwyn nwyddau o uwchfarchnad.

Mae'r problemau canlynol yn gysylltiedig â meddalwedd wedi'i gopïo:

- nid oes hawl i gymorth technegol
- ni ellir cael uwchraddiadau
- gallai'r meddalwedd fod yn anghyflawn
- efallai bod firysau ynddo.

Mae copïo meddalwedd yn anghyfreithlon yn cael ei alw'n lladrad meddalwedd.

Deddf Hawlfraint, Dyluniadau a Phatentau 1988

Mae'r Ddeddf hon yn ei gwneud yn drosedd i gopïo neu ddwyn meddalwedd. Yn ogystal â hynny, os byddwch yn copïo meddalwedd yn anghyfreithlon, byddwch yn amddifadu perchennog y meddalwedd o rywfaint o'i incwm/elw a bydd yn gallu eich erlyn.

Mae Deddf Hawlfraint, Dyluniadau a Phatentau 1988 yn caniatáu i berchennog y meddalwedd gopïo'r meddalwedd ac mae hefyd yn caniatáu i rywun arall gopïo'r meddalwedd ar yr amod ei fod wedi cael caniatâd gan y perchennog. Nid rhaglenni yw'r unig bethau sydd wedi'u gwarchod gan y Ddeddf hon; mae cronfeydd data, ffeiliau cyfrifiadurol a llawlyfrau hefyd yn dod o dan y ddeddfwriaeth.

Cofiwch y gallwch gopïo meddalwedd yn gyfreithlon os ydych wedi cael caniatâd y perchennog. Mae hyn yn angenrheidiol er mwyn gwneud copïau wrth gefn o feddalwedd at ddibenion diogelwch.

Mae'r rhain yn droseddau o dan y Ddeddf:

- copïo neu ddosbarthu meddalwedd neu lawlyfrau heb gael caniatâd neu drwydded gan berchennog yr hawlfraint
- prynu meddalwedd sydd dan hawlfraint a'i redeg ar ddau neu ragor o beiriannau yr un pryd, oni bai bod trwydded meddalwedd sy'n caniatáu hynny
- gorfodi gweithwyr i wneud neu ddosbarthu meddalwedd anghyfreithlon i'w ddefnyddio gan y cwmni.

Canlyniadau torri'r gyfraith o dan y Ddeddf hon

Mae troseddau o dan y Ddeddf hon yn cael eu hystyried yn rhai difrifol a rhai o'r canlyniadau posibl yw:

- dirwyon amhenodol a hyd at 10 mlynedd yn y carchar
- gallech golli'ch enw da, gobaith o gael dyrchafiad neu hyd yn oed eich swydd
- gallai perchennog y meddalwedd eich erlyn am iawndal.

Lladrad meddalwedd

Ystyr lladrad meddalwedd yw copïo meddalwedd a data'n anghyfreithlon. Yn union fel meddalwedd, mae gwerth i ddata a byddai llawer o gwmnïau yn hoffi cael gafael ar ddata eu cystadleuwyr. Mae'r Ffederasiwn yn Erbyn Dwyn Meddalwedd (FAST:

Mae lladrad meddalwedd yn golygu gwneud copïau anghyfreithlon ohono.

Lladrata – y broses o gopïo meddalwedd yn anghyfreithlon

Trwydded meddalwedd – dogfen (un ddigidol neu bapur) sy'n nodi'r telerau ar gyfer defnyddio'r meddalwedd – bydd yn cyfeirio at nifer y cyfrifiaduron y cewch redeg y meddalwedd arnynt yr un pryd

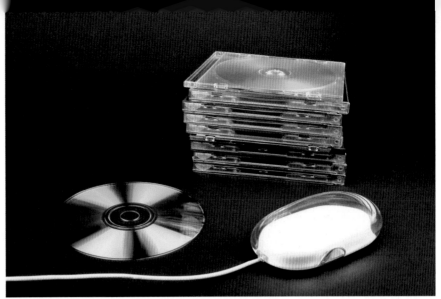

Federation Against Software Theft) wedi amcangyfrif bod tua 27% o'r meddalwedd a ddefnyddir ym Mhrydain yn anghyfreithlon.

Ystyr lladrad meddalwedd yw copïo meddalwedd heb ganiatâd. Mewn llawer o achosion bydd y copïo hwn at ddefnydd personol ond mewn achosion eraill bydd y bobl sy'n gwneud y copïau'n eu gwerthu mewn arwerthiannau cist car, ffeiriau cyfrifiaduron, ac ati. Mae copïo o'r fath yn anghyfreithlon gan ei fod yn amddifadu gwneuthurwr y meddalwedd o'r refeniw y byddai wedi'i gael pe bai wedi gwerthu'r meddalwedd.

Mae yna ffyrdd eraill o dorri'r gyfraith sy'n llai amlwg. Er enghraifft, gallai fod gan gwmni drwydded safle i ddefnyddio meddalwedd ar 20 o gyfrifiaduron ond gallai fod yn defnyddio'r meddalwedd ar fwy o beiriannau na hyn. Mae hyn yn parhau'n anghyfreithlon, a phe bai'r cwmni'n cael ei ddal gallai gael ei siwio gan y gwneuthurwr am golli refeniw, a gallai hyn arwain at ddirwyon a charchar.

Effeithiau camymarfer a throseddu ar systemau gwybodaeth

Gall camymarfer a throseddu achosi pob math o broblemau i gyrff, a dim ond un ohonynt yw colled ariannol. Dyma rai o'r canlyniadau:

- colli eu holl ddata
- eu herlyn o dan Ddeddf Gwarchod Data 1998 am fethu cadw data personol yn ddiogel
- colli arian oherwydd twyll
- data sensitif y cwmni'n mynd i ddwylo cystadleuwyr
- colli cyfleusterau TGCh wrth ddatrys y broblem

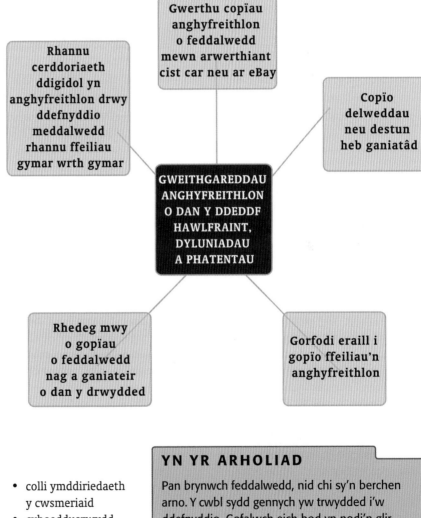

Mae'r Ffederasiwn yn Erbyn Dwyn Meddalwedd (*FAST*) yn gorff sy'n cael ei noddi gan wneuthurwyr meddalwedd i weithredu yn erbyn copïo meddalwedd yn anghyfreithlon.

Gwerthu copïau anghyfreithlon o feddalwedd mewn arwerthiant cist car neu ar eBay

Rhannu cerddoriaeth ddigidol yn anghyfreithlon drwy ddefnyddio meddalwedd rhannu ffeiliau gymar wrth gymar

Copïo delweddau neu destun heb ganiatâd

GWEITHGAREDDAU ANGHYFREITHLON O DAN Y DDEDDF HAWLFRAINT, DYLUNIADAU A PHATENTAU

Rhedeg mwy o gopïau o feddalwedd nag a ganiateir o dan y drwydded

Gorfodi eraill i gopïo ffeiliau'n anghyfreithlon

- colli ymddiriedaeth y cwsmeriaid
- cyhoeddusrwydd gwael yn y wasg
- y posibilrwydd o beryglu bywydau.

YN YR ARHOLIAD

Pan brynwch feddalwedd, nid chi sy'n berchen arno. Y cwbl sydd gennych yw trwydded i'w ddefnyddio. Gofalwch eich bod yn nodi'n glir mewn atebion i gwestiynau arholiad beth y mae trwyddedau safle'n caniatáu i chi ei wneud fel arfer.

Peidiwch byth â dweud mewn ateb nad ydych yn cael copïo meddalwedd – nid yw hyn yn wir.

Astudiaethau achos

▶ Astudiaeth achos 1 | tt. 190–193

Gallai cyfrifiaduron 'wneud plant yn anabl'

Mae plant yn dechrau defnyddio cyfrifiaduron yn gynnar yn eu bywyd a gallai hyn eu rhoi mewn perygl o gael anaf parhaol.

Rhai o'r problemau yw poen yn y gwddf a'r cefn yn ogystal â diffyg teimlad a bysedd coslyd oherwydd *RSI*.

Yng ngeiriau un meddyg sy'n poeni am y broblem: 'dyma'r genhedlaeth gyntaf o blant sydd wedi defnyddio cyfrifiaduron ers eu plentyndod cynnar pan fydd eu cyhyrau a'u hesgyrn yn dal i ddatblygu'.

Cwynodd un plentyn am boen difrifol yn ei wddf a'i gefn a oedd yn gwaethygu ar ôl treulio cyfnodau hir wrth y cyfrifiadur. Meddai'r plentyn: 'does dim gwahaniaeth sut y byddwch chi'n eistedd neu'n gorwedd, allwch chi ddim bod yn gyfforddus'.

1 Mae pennaeth ysgol gynradd wedi gofyn i chi edrych ar y gweithfannau a'r cyfarpar TGCh i weld a oes unrhyw faterion a allai achosi problemau iechyd. Disgrifiwch **bedwar** peth y byddech yn chwilio amdanynt ac ar gyfer pob un rhowch reswm i egluro pam y mae'n bwysig. (4 marc)

2 (a) Am beth y mae'r byrfodd *RSI* yn sefyll? (1 marc)
   (b) Gall cyfrifiaduron achosi *RSI*. Disgrifiwch **ddau** beth y gallai defnyddiwr eu gwneud a allai achosi *RSI* maes o law. (4 marc)

3 Mae Rheoliadau Iechyd a Diogelwch (Cyfarpar Sgrin Arddangos) 1992 yn gymwys i'r gweithle'n unig. Nid ydynt yn gymwys i fyfyrwyr/disgyblion mewn ysgolion a cholegau ond maent yn gymwys i'r staff. Rhowch **un** rheswm i egluro pam nad yw'r rheoliadau'n berthnasol i ddisgyblion/myfyrwyr mewn ysgolion a cholegau. (1 marc)

▶ Astudiaeth achos 2 | tt. 190–195

A yw gweithio mewn swyddfa'n eich gwneud yn sâl?

Gallai gweithio mewn swyddfa eich gwneud yn sâl. Mae'r ffordd yr ydych yn gweithio mewn swyddfa'n effeithio ar eich lles cyffredinol.

Mae poen cefn yn broblem fawr ymysg gweithwyr swyddfa ac mae llawer o bobl yn methu gweithio o'i herwydd ac eraill yn gorfod bod yn absennol oherwydd salwch am gyfnodau hir. Dywed cynghorwyr iechyd a diogelwch eu bod yn synnu at y mathau o gadeiriau sydd gan bobl sy'n gweithio ar gyfrifiaduron. Dywedant y dylai'r gadair eich ffitio fel unigolyn ac y dylai fod yn gymwysadwy, y dylai fod â phum troed ac y dylai symud yn ddi-rwystr.

'Mae anaf straen ailadroddus (*RSI*) yn broblem fawr,' meddai'r cynghorydd diogelwch, ac er mwyn atal y broblem 'mae angen i chi ddefnyddio cynhaliwr i gynnal eich arddwrn a dylai hwn gael ei ddarparu gan y cyflogwr'.

Mae straen llygaid yn digwydd o ganlyniad i dreulio cyfnodau hir yn syllu ar sgrin cyfrifiadur. Mae adlewyrchiadau o ffenestri a goleuadau'n gallu achosi cur pen gan ei bod yn fwy anodd darllen testun.

Mae'r cynnydd mewn lefelau straen meddwl yn peri pryder hefyd, cymaint felly fel mai hon yw'r brif broblem iechyd a diogelwch erbyn hyn.

1 (a) Am beth y mae'r llythrennau *RSI* yn sefyll? (1 marc)
   (b) Nodwch **ddau** beth y gall defnyddiwr eu gwneud er mwyn ei gwneud yn llai tebygol y bydd yn cael *RSI* drwy ddefnyddio cyfarpar TGCh. (2 farc)

2 Mae straen llygaid yn gallu achosi cur pen. Un o achosion posibl straen llygaid yw llacharedd ar y sgrin. Disgrifiwch **ddau** beth y gellir eu gwneud i ddileu llacharedd ar sgriniau cyfrifiaduron. (4 marc)

3 Nodwyd yn yr erthygl fod straen meddwl yn broblem iechyd fawr. Nodwch **un** peth y gall cyflogwr ei wneud i leihau straen ymysg gweithwyr pan fyddant yn gweithio â systemau TGCh. (2 farc)

Disgyblion yn hacio

Mae ysgolion yn wynebu problemau gan fod hacwyr yn yr ysgol yn bylchu muriau gwarchod yr ysgol i gyrchu deunydd gwaharddedig. Maent yn defnyddio meddalwedd a thechnegau arbennig i dorri cyfrineiriau a gwefannau arbennig y gellir eu defnyddio i fynd heibio i'r mur gwarchod i gyrchu data ar y rhwydwaith.

Mewn un ysgol, roedd disgybl wedi llwyddo i hacio i mewn i gyfrif e-bost un athrawes ac wedi anfon neges at ei chariad i ddweud ei bod hi'n gorffen ag ef.

Mae nifer mawr iawn o wefannau y gall hacwyr eu defnyddio i gael gwybodaeth am hacio a dulliau eraill o gael mynediad. Mae athrawon yn ceisio rhwystro disgyblion rhag mynd i wefannau o'r fath ond mae'n anodd gan fod cynifer

ohonynt a mwy'n cael eu creu drwy'r amser.

Dull arall a ddefnyddir gan ddisgyblion i hacio i mewn i systemau TGCh yw sefyll y tu ôl i athro i weld beth y mae'n ei deipio i mewn fel enw defnyddiwr a chyfrinair. Gan fod rhai athrawon mor araf yn mewnbynnu'r manylion hyn, gall disgyblion ddilyn y trawiadau bysell.

Yng ngolwg llawer o ddisgyblion, mae camddefnyddio'r Rhyngrwyd yn her ac yn gêm o ryw fath ond mae'n achosi llawer o broblemau ac yn gwastraffu llawer o amser ac arian.

Mae arbenigwyr diogelwch wedi dweud bod gwir angen addysgu disgyblion ynghylch eu hawliau a'u cyfrifoldebau wrth ddefnyddio'r Rhyngrwyd a bod yn rhaid egluro beth yw'r cosbau am ei chamddefnyddio.

1 Eglurwch yn fyr beth yw pwrpas mur gwarchod. (2 farc)

2 Yr enw a roddir ar gyrchu adnoddau cyfrifiadurol heb ganiatâd yw hacio. Mae llawer o ffyrdd gwahanol y gall haciwr gael mynediad i rwydwaith. Disgrifiwch **ddwy** o'r ffyrdd hyn yn fyr. (2 farc)

3 Mae'n debygol bod ysgol yn cadw gwybodaeth bersonol am ei disgyblion ar y rhwydwaith. Enwch **bum** eitem o wybodaeth bersonol am ddisgybl a fyddai'n cael eu storio. (5 marc)

4 Wedi i ddisgybl gael mynediad i rwydwaith yr ysgol, disgrifiwch **ddau** beth y gallai ei wneud â'r wybodaeth. (2 farc)

5 Dylai fod gan ysgol bolisi ar ddefnydd derbyniol sy'n rheoli'r ffordd y dylid defnyddio

cyfleusterau cyfrifiadurol yr ysgol. Disgrifiwch **ddau** beth a ddylai fod yn y polisi ar ddefnydd derbyniol a fyddai'n helpu i atal y mathau o gamddefnydd sydd wedi cael eu disgrifio yn yr astudiaeth achos. (2 farc)

6 Mae hacio'n anghyfreithlon. Enwch y ddeddf sy'n ymwneud â hacio. (1 marc)

Erlyn pobl o dan Ddeddf Camddefnyddio Cyfrifiaduron 1990

Cafwyd rhai erlyniadau llwyddiannus o dan Ddeddf Camddefnyddio Cyfrifiaduron 1990. Dyma ychydig o'r rhai mwyaf diddorol. Darllenwch y rhain yn ofalus ac wedyn atebwch y cwestiynau sy'n dilyn.

1 Anfonodd person ifanc yn ei arddegau 5 miliwn o negeseuon i weinydd e-bost ei hen gyflogwr gan beri i'r gweinydd e-bost chwalu. Arweiniodd hyn at nacáu gwasanaeth. Plediodd yn euog a chafodd ei ddedfrydu i gyrffyw (*curfew*) am ddau fis.

2 Gwnaeth peiriannydd cyfrifiadurol ddileu ffeiliau cwmni ar ôl anghydfod ynghylch arian a oedd yn ddyledus iddo. Cafwyd ef yn euog a chafodd ddedfryd o 18 mis yn y carchar.

3 Mae dyn a heintiodd filoedd o gyfrifiaduron ym mhob rhan o'r byd â firws a ymledodd yn gyflym wedi cael ei garcharu am ddwy flynedd. Anfonwyd y firws ar ffurf neges e-bost a fyddai, ar ôl ei hagor, yn rhoi firws ar yriant caled y cyfrifiadur. Roedd y neges e-bost yn cael ei hanfon yn awtomatig at bawb yn y llyfr cyfeiriadau e-bost, felly ymledodd y firws yn gyflym. Roedd y firws

yn llygru data ar yriant caled y cyfrifiadur a 'rhewodd' 27,000 o gyfrifiaduron ym mhob rhan o'r byd. Er mwyn peri i'r defnyddiwr agor y neges e-bost, roedd ganddo'r teitl diddorol 'Mae gennych edmygwr cudd'!

4 Cafodd myfyriwr cyfrifiadureg ddedfryd o dair blynedd o driniaeth seiciatrig wedi iddo hacio i mewn i wefannau a chael manylion 23,000 o siopwyr ar y Rhyngrwyd o gwmpas y byd.

Dywedodd y barnwr fod ganddo synnwyr digrifwch gan iddo anfon cyflenwad o Viagra at sefydlydd Microsoft, Bill Gates, ar ôl cael manylion ei gerdyn credyd drwy hacio. Yn sgil ei weithgareddau, daeth asiantiaid yr *FBI* a heddlu Canada i'r pentref bach yng Nghymru lle'r oedd yn byw. Cafodd ei arestio ac atafaelwyd ei gyfrifiadur. Costiodd tua £1.5 miliwn i atal yr holl fanylion cerdyn credyd a rhoi cardiau credyd newydd.

5 Defnyddiodd plismones Gyfrifiadur Cenedlaethol yr Heddlu i gyrchu rhestri etholwyr a chofnodion cofrestru ceir er mwyn dod o hyd i gyfeiriad menyw a oedd yn caru ar y slei â'i chariad. Cafodd ddedfryd o dri mis yn y carchar.

1. Roedd achos 1 yn enghraifft o ymosodiad nacáu gwasanaeth. Eglurwch yn fyr beth y mae hyn yn ei olygu. (2 farc)

2. (a) Eglurwch beth y mae'r term firws cyfrifiadurol yn ei olygu. (2 farc)

   (b) Gall firysau cyfrifiadurol wneud defnyddwyr cyfrifiaduron yn flin mewn nifer o ffyrdd. Disgrifiwch ddwy ffordd y mae firysau'n gwneud defnyddwyr yn flin. (2 farc)

3. Rhowch **un** rheswm i egluro pam na ddylai defnyddwyr systemau TGCh byth agor negeseuon e-bost oddi wrth bobl neu gyrff nad ydynt yn eu hadnabod. (1 marc)

4. Mae Deddf Camddefnyddio Cyfrifiaduron 1990 wedi bod mewn grym am lawer o flynyddoedd ond, er hynny, mae nifer y bobl a gafwyd yn euog o dan y Ddeddf yn gymharol fach. Rhowch **un** rheswm i egluro hynny. (1 marc)

5. Enwch **dair** gweithred gan ddefnyddiwr cyfrifiadur sy'n anghyfreithlon o dan delerau Deddf Camddefnyddio Cyfrifiaduron 1990. (3 marc)

▶ Astudiaeth achos 5 | tt. 204–205

Y Ffederasiwn yn Erbyn Dwyn Meddalwedd (FAST)

FAST yw'r byrfodd am *Federation Against Software Theft*, y Ffederasiwn yn Erbyn Dwyn Meddalwedd.

Mae'r Ffederasiwn yn Erbyn Dwyn Meddalwedd yn gorff sy'n gweithredu yn erbyn lladrad er mwyn gwarchod gwaith cyhoeddwyr meddalwedd. Yn 2006 cyhoeddodd *FAST* gasgliadau ymchwil a oedd yn dangos y byddai 79% o'r rhai a ymatebodd yn rhoi gwybod am rywun yr oeddent yn ei weld yn dwyn o siop ond mai dim ond 19% a fyddai'n rhoi gwybod am gydweithiwr a oedd yn rhannu meddalwedd anghyfreithlon.

Meddai pennaeth *FAST*: 'Yn fy marn i, mae dwyn meddalwedd digidol yn union yr un fath â cherdded allan o PC World a chryno ddisg wedi'i stwffio i fyny dy siwmper – dwyn yw dwyn, ac rydw i'n synnu'n fawr at ddifaterwch cynifer o'r rhai a ymatebodd i'n harolwg. Mae'n ymddangos bod anghysondeb moesol mawr yn hyn o beth.'

Efallai bod pobl yn credu na fyddant yn cael eu dal yn dwyn meddalwedd gan nad oes camerâu neu dditectifs siop yn eu gwylio. Fodd bynnag, mae *FAST* wedi datblygu ffyrdd o ddarganfod o ble y daeth fersiynau o feddalwedd sydd wedi cael eu llwytho i lawr yn anghyfreithlon.

Mae *FAST* wedi amcangyfrif y byddai gostyngiad o 10% mewn lladrad meddalwedd yn arwain at greu 40,000 o swyddi ychwanegol ac yn cyfrannu £6 biliwn at economi gwledydd Prydain.

1. Rhowch ystyr y byrfodd *FAST*. (1 marc)

2. Eglurwch beth y mae lladrad meddalwedd yn ei olygu. (1 marc)

3. Nodwch **un** rheswm dros gredu bod lladrad meddalwedd yn anfoesol. (1 marc)

4. Rhowch enw llawn y corff sy'n helpu i warchod hawliau cynhyrchwyr meddalwedd. (1 marc)

5. Eglurwch beth y mae'r term trwydded meddalwedd yn ei olygu. (2 farc)

6. Eglurwch **ddau** beth y gall corff ei wneud er mwyn atal staff rhag rhoi copïau anghyfreithlon o feddalwedd ar ei gyfrifiaduron. (2 farc)

7. Mae copïo meddalwedd yn anghyfreithlon yn dod o dan ddeddf benodol. Rhowch enw llawn y ddeddf hon. (1 marc)

Cwestiynau

▶ Cwestiynau 1   tt. 190–191

1 Mae defnyddio systemau TGCh wedi cael ei gysylltu â nifer o broblemau iechyd.

  (a) Nodwch **dair** problem iechyd sy'n gysylltiedig â defnyddio systemau TGCh dros gyfnod hir. (3 marc)

  (b) Er mwyn osgoi problemau iechyd sy'n gysylltiedig â chyfrifiaduron, gellir cymryd camau penodol i'w hatal. Disgrifiwch **chwe** cham o'r fath y gallwch eu cymryd i leihau problemau iechyd yr ydych wedi'u henwi yn rhan (a). (6 marc)

2 Mae gweithiwr sy'n treulio llawer o'i amser wrth fysellfwrdd yn teipio archebion i mewn yn gyflym yn pryderu am *RSI*.

  (a) Am beth y mae'r llythrennau *RSI* yn sefyll? (1 marc)

  (b) Enwch **un** o symptomau *RSI*. (1 marc)

  (b) Nodwch **ddau** ragofal y gall y gweithiwr eu cymryd i leihau'r tebygolrwydd o gael *RSI*. (2 farc)

▶ Cwestiynau 2   tt. 192–193

1 Mae rhywun sy'n gweithio mewn adran archebu dros y ffôn yn treulio cyfnodau hir yn mewnbynnu manylion archebion i gyfrifiadur gan ddefnyddio bysellfwrdd. Er mwyn sicrhau iechyd a diogelwch y gweithiwr hwn, nodwch, gan roi rhesymau:

  (a) **Dwy** nodwedd a ddylai fod yn nyluniad y gadair y mae'r gweithiwr yn eistedd arni er mwyn lleihau problemau iechyd. (2 farc)

  (b) **Dwy** nodwedd a ddylai fod gan ddyluniad y sgrin y mae'r gweithiwr yn ei defnyddio er mwyn lleihau problemau iechyd. (2 farc)

2 (a) Rhowch enw'r rheoliadau iechyd a diogelwch sy'n ymwneud â gweithio gyda sgriniau arddangos. (1 marc)

  (b) Mae'r rheoliadau'n pennu camau penodol y mae'n rhaid i gyflogwyr eu cymryd i ddiogelu eu gweithwyr pan fyddant yn gweithio â chyfarpar cyfrifiadurol.

  (i) Enwch **ddwy** o nodweddion hanfodol sgrin arddangos sy'n cael ei defnyddio yn y gweithle. (2 farc)

  (ii) Enwch **ddwy** o nodweddion hanfodol gweithfan sy'n cael ei ddefnyddio yn y gweithle. (2 farc)

▶ Cwestiynau 3   tt. 194–195

1 Mae meddalwedd sydd wedi'i ddylunio'n wael yn gallu achosi straen ymysg gweithwyr. Er enghraifft, gallai'r testun ar y sgrin fod yn rhy fach i'r defnyddiwr ei ddarllen yn iawn.

Disgrifiwch **dair** nodwedd arall yn nyluniad pecyn meddalwedd a allai achosi straen ymysg defnyddwyr. (6 marc)

2 Rydych chi'n dylunio system TGCh i bobl eraill. Disgrifiwch **ddau** beth y gallwch eu gwneud i sicrhau nad yw'r rhyngwyneb defnyddiwr yn achosi rhwystredigaeth i'r defnyddwyr. (2 farc)

3 Mae defnyddio systemau TGCh yn gallu arwain at straen ymysg defnyddwyr. Gallai cyflogwyr gael eu herlyn pe baent yn achosi afiechyd oherwydd arferion gweithio gwael.

Disgrifiwch **un** arfer gweithio a allai arwain at straen wrth weithio â systemau TGCh. (2 farc)

Cwestiynau (parhad)

 Cwestiynau 4   tt. 198–201

1 Y Comisiynydd Gwybodaeth yw'r person sy'n gyfrifol am weithredu Deddf Gwarchod Data 1998.
Rhowch **un** rheswm i egluro pam y mae'r Comisiynydd Gwybodaeth yn annibynnol. (1 marc)

2 O dan delerau Deddf Gwarchod Data 1998, rhaid i gorff roi hysbysiad ei fod yn bwriadu defnyddio data personol.
   (a) Rhowch **un** rheswm i egluro pam y mae'n rhaid rhoi'r hysbysiad hwn. (1 marc)
   (b) Enwch **dair** eitem o wybodaeth y byddai angen i'r rheolydd data eu rhoi fel rhan o'r broses hysbysu. (3 marc)

3 Mae rhywun yn gwneud cais fel testun data i weld gwybodaeth o dan Ddeddf Gwarchod Data 1998.

   (a) Eglurwch ystyr 'gwneud cais fel testun data i weld gwybodaeth'. (1 marc)
   (b) Ni fydd cais gan destun data i weld gwybodaeth yn cael ei ganiatáu bob amser. Disgrifiwch sefyllfa, gan roi enghraifft, lle y gellid gwrthod cais gan destun data i weld gwybodaeth. (2 farc)

4 Yng nghyd-destun Deddf Gwarchod Data 1998, eglurwch ystyr y termau canlynol:
   (a) Y Comisiynydd Gwybodaeth (1 marc)
   (b) Testun data (1 marc)
   (c) Rheolydd data (1 marc)
   (ch) Hysbysiad (1 marc)

Cwestiynau 5   tt. 202–203

1 Enwch y Ddeddf y gall cyrff ei defnyddio i erlyn unrhyw un sy'n cyrchu eu systemau TGCh yn anghyfreithlon. (1 marc)

2 Gan roi enghraifft, eglurwch ba faterion sy'n dod o dan Ddeddf Camddefnyddio Cyfrifiaduron 1990. (2 farc)

3 Mae cyfrineiriau'n un dull a ddefnyddir i atal mynediad i systemau TGCh sydd heb ei awdurdodi. Nodwch **un** ffordd arall o atal mynediad heb ei awdurdodi. (2 farc)

Cwestiynau 6   tt. 198–201

1 Nodwch **dair** ffordd wahanol o gael data personol. (3 marc)

2 Eglurwch yn syml beth y mae cofnodi data yn ei olygu fel arfer. (2 farc)

3 Disgrifiwch **dri** gweithrediad gwahanol y gallwch eu cyflawni ar ddata personol. (3 marc)

4 (a) Enwch y Ddeddf sy'n gwarchod preifatrwydd unigolion y mae eu data personol yn cael eu storio a'u prosesu gan bobl eraill. (1 marc)
   (b) Rhowch **ddau** reswm i egluro pam y cafodd y ddeddfwriaeth hon ei phasio gan y Senedd. (2 farc)

Cymorth gyda'r arholiad

Enghraifft 1

1 Gall problemau iechyd godi gan fod gweithfannau wedi'u dylunio'n wael.

Enwch **dair** o nodweddion gweithfan sydd wedi'i ddylunio'n dda ac, ar gyfer pob nodwedd, enwch y broblem iechyd y gellid ei lleddfu. **(6 marc)**

Ateb myfyriwr 1

1 Sicrhau bod y sedd yn gyfforddus fel bod modd i'r defnyddiwr ymlacio.

Rhoi llenni ar y ffenestri i leihau llacharedd sy'n gallu achosi straen llygaid.

Peidio â gadael ceblau lle y gallai pobl faglu drostynt a chael anaf.

Sicrhau bod arwyneb pŵl ar ddesgiau i leihau llacharedd.

Sylwadau'r arholwr

1 Sylwch fod y cwestiwn yn cyfeirio'n benodol at y gweithfan ac nid at yr ystafell gyfan.

Mae'r ateb am y gadair yn berthnasol ond nid yw'n briodol. Mae soffa'n gyfforddus ac yn galluogi rhywun i ymlacio wrth eistedd ond ni fyddai'n briodol ei defnyddio wrth weithfan.

Mae'r atebion am y llenni a'r ceblau yn cyfeirio at yr ystafell yn hytrach na'r gweithfan, felly dim marciau am y tri ateb cyntaf.

Mae'r ateb olaf yn dderbyniol am y nodwedd ond mae llacharedd yn achosi problem iechyd ac nid yw honno wedi'i chrybwyll (h.y. straen llygaid). Rhaid enwi nodwedd a'r perygl i iechyd y mae'r nodwedd yn ei leihau er mwyn cael dau farc.

(1 marc allan o 6)

Ateb myfyriwr 2

1 Rhaid cael digon o le ar y ddesg i bwyso'ch dwylo a bydd hyn yn lleihau'r tebygolrwydd y caiff y defnyddiwr anaf straen ailadroddus (RSI).

Gallai'r defnyddiwr ddefnyddio llygoden neu fysellfwrdd ergonomig a fydd yn lleihau'r tebygolrwydd o gael RSI.

Dylai'r sgrin fod yn gymwysadwy fel bod llai o straen ar y gwddf.

Dylid defnyddio cadair gymwysadwy gyda phum troed fel bod y defnyddiwr yn dal ei gorff yn gywir: bydd hyn yn lleihau poen cefn yn y dyfodol.

Sylwadau'r arholwr

1 Mae'r myfyriwr hwn wedi enwi nodweddion yn glir a hefyd wedi nodi'n glir y broblem iechyd y bydd y nodwedd yn ei lleddfu. Mae hwn yn ateb perffaith ac yn haeddu marciau llawn. **(6 marc allan o 6)**

Atebion yr arholwr

1 Un marc am enwi'r nodwedd ac un marc am nodi sut y bydd y nodwedd yn lleihau'r perygl i iechyd. Sylwch fod yn rhaid i'r ateb fod yn berthnasol i weithfan.

- Drwy gael digon o le ar y ddesg (1) i bwyso'r dwylo, bydd llai o debygolrwydd o gael RSI (1).
- Drwy ddefnyddio stôl droed (1) os yw'r gweithiwr yn fyr, bydd yn cael llai o boen cefn (1).
- Dylid defnyddio sgrin y mae'n bosibl ei gogwyddo/cymhwyso (1) er mwyn cael llai o straen ar y gwddf (1).
- Dylid defnyddio sgrin sydd ag arwyneb mat (1) er mwyn lleihau straen llygaid oherwydd llacharedd (1).
- Os defnyddir bysellfwrdd ergonomig (1) bydd y gweithiwr yn llai tebygol o gael RSI (1).
- Bydd arwyneb mat ar y ddesg (1) yn lleihau llacharedd ac felly'n lleihau straen llygaid (1).
- Dylid defnyddio cadair gymwysadwy (1) a fydd yn lleihau poen cefn (1).

Cymorth gyda'r arholiad (parhad)

Enghraifft 2

2 Mae angen dylunio meddalwedd fel ei fod yn 'gyfeillgar' er mwyn atal problemau iechyd ymysg defnyddwyr. Er enghraifft, gall y datblygwr meddalwedd ddylunio swyddogaeth meddalwedd sy'n darparu negeseuon clir am wallau fel bod modd i ddefnyddwyr ganfod beth sydd o'i le a chywiro'r broblem, gan leihau straen a rhwystredigaeth.

Nodwch **bedair** swyddogaeth arall y gall datblygwr meddalwedd eu cynnwys yn y meddalwedd a fydd o gymorth i atal straen ymysg defnyddwyr pan fyddant yn defnyddio system TGCh. (8 marc)

Ateb myfyriwr 1

2 Dewis ffont mawr fel bod modd darllen y testun yn rhwydd. Dewis lliw ffont a lliw cefndir sy'n gwneud y testun yn hawdd ei weld.
Darparu cymorth mewn iaith syml fel na fydd y defnyddiwr yn mynd ar goll wrth ddefnyddio'r meddalwedd oherwydd bydd hynny'n gwneud iddo deimlo mwy o straen.
Defnyddio cyfleusterau awtogadw fel y bydd y rhan fwyaf o waith y defnyddiwr yn cael ei gadw os caiff y cyfrifiadur ei ddiffodd drwy gamgymeriad neu os diffoddir y trydan. Bydd hyn yn lleihau'r straen o golli llawer o waith.

Sylwadau'r arholwr

2 Roedd y cwestiwn hwn yn gofyn am swyddogaethau meddalwedd yn hytrach na nodweddion syml. Swyddogaeth meddalwedd yw'r ffordd y mae'n gweithio. Mae'r ddau ateb cyntaf ynghylch ffontiau a lliwiau'n nodweddion syml yn hytrach na swyddogaethau. Nid yw wedi crybwyll y broblem iechyd chwaith a sut y mae'r swyddogaeth yn helpu i atal y broblem iechyd. Dim marciau am y ddau ateb cyntaf. Mae'r ddau ateb nesaf yn well o lawer. Mae'r ddau ateb yn nodi swyddogaeth meddalwedd a hefyd yn enwi'r broblem iechyd a sut y mae'r swyddogaeth yn ei hatal. Felly marciau llawn am y ddau ateb hyn.
(4 marc allan o 8)

Ateb myfyriwr 2

2 Lleihau nifer y pethau y mae defnyddwyr yn gorfod eu teipio i mewn drwy ddefnyddio cwymplenni, fel na fydd y defnyddwyr yn gorfod teipio cymaint; bydd hyn yn lleihau'r tebygolrwydd o gael RSI.
Sicrhau bod y ffurflenni sy'n cael eu defnyddio ar y sgrin yn cyfateb i'r ffurflenni papur a ddefnyddir i ddal y data cyn eu mewnbynnu. Bydd hyn yn lleihau straen a rhwystredigaeth ymysg defnyddwyr.
Negeseuon yn ymddangos ar y sgrin ar ôl cyfnod penodol i ddweud wrth y defnyddiwr ei fod yn bryd iddo gymryd seibiant. Bydd hyn yn lleihau straen llygaid a blinder.
Defnyddio bysellau llwybr byr fel bod defnyddwyr profiadol yn gallu defnyddio bysellau yn hytrach na dewislenni. Bydd hyn yn lleihau straen wrth ddefnyddio'r meddalwedd.

Sylwadau'r arholwr

2 Mae'r holl atebion yn cyfeirio at swyddogaethau'r meddalwedd. Mae pob un o'r swyddogaethau a ddisgrifiwyd yn cyflawni rhywbeth. Hefyd, mae'r ffordd y mae'r swyddogaeth yn helpu i leihau'r perygl i iechyd wedi'i nodi'n glir. Mae'r ateb hwn yn dda iawn.
(8 marc allan o 8)

Atebion yr arholwr

2 Un marc am y swyddogaeth meddalwedd (a rhaid iddi fod yn swyddogaeth ac nid nodwedd syml) ac un marc am y ffordd y mae'r swyddogaeth yn atal y broblem iechyd.

- Negeseuon ar y sgrin ar ôl cyfnod penodol yn dweud wrth y defnyddiwr ei bod yn bryd cymryd seibiant (1) oherwydd bydd hyn yn lleihau straen llygaid a blinder (1).
- Bysellau llwybr byr (1) fel bod defnyddwyr profiadol yn gallu defnyddio bysellau yn hytrach na dewislenni (1) oherwydd bydd hyn yn lleihau straen wrth ddefnyddio'r meddalwedd (1).
- Gwiriadau dilysu addas (1) wrth fewnbynnu i sicrhau na fydd problemau sy'n ganlyniad i brosesu data anghywir yn achosi straen (1).
- Defnyddio cwymplenni (1) yn hytrach na theipio data i mewn gan y bydd hyn yn lleihau'r tebygolrwydd o gael RSI (1).
- Defnyddio sgriniau cymorth (1), a fydd yn lleihau straen os bydd y defnyddwyr yn mynd i drafferthion (1).

Enghraifft 3

3 Byddai clwb iechyd a ffitrwydd yn hoffi cynnig bargeinion arbennig i gyn-aelodau er mwyn eu hannog i ailymuno. Mae'n defnyddio data a gasglodd bum mlynedd yn ôl i benderfynu pa fargeinion arbennig y dylai eu cynnig.
   (a) Eglurwch pam y gallai'r data a gasglwyd bum mlynedd yn ôl fod yn anaddas i benderfynu pa fargeinion i'w cynnig i gyn-aelodau heddiw. (2 farc)
   (b) Eglurwch yr effaith ar y clwb iechyd pe bai'n defnyddio'r data a gasglwyd bum mlynedd yn ôl. (2 farc)

Ateb myfyriwr 1

3 (a) Byddai'r data a gasglwyd bum mlynedd yn ôl wedi dyddio. Er enghraifft, gallai rhywun fod wedi newid cyfeiriad ac felly ni fyddai'n clywed am y cynigion arbennig.
   (b) Byddai'r clwb iechyd yn colli arian a gallai gael ei erlyn.

Sylwadau'r arholwr

3 (a) Mae'r cwestiwn hwn yn un eithaf syml, ond iddo gael ei ddarllen yn ofalus. Mae'r myfyriwr hwn wedi ateb cwestiwn hollol wahanol fel 'beth fydd canlyniadau defnyddio data sydd wedi dyddio?'. Nid yw'r ateb hwn yn ateb y cwestiwn – mae angen iddo gyfeirio at ddefnyddio'r data i wneud penderfyniad. **(0 marc allan o 2)**
   (b) Mae dau farc ar gael yma, felly rhaid nodi dau bwynt o leiaf.
        Ni roddir marciau am ddatganiadau cyffredinol fel 'colli arian', heb roi esboniad.
        Unwaith eto, mae 'cael ei erlyn' yn rhy gyffredinol i ennill marc, heb roi rheswm.
        (0 marc allan o 2)

Ateb myfyriwr 2

3 (a) Ni fyddai'r data'n gywir erbyn hyn. Efallai y bydd eu hamgylchiadau wedi newid a gallent fod wedi cael plant fel nad oes ganddynt ddigon o amser i fynd i glwb iechyd.
   (b) Byddai'r gyfradd ymateb i'r cynnig yn isel ac ni fyddai'n cyfiawnhau'r amser, yr ymdrech na'r gost o anfon llythyrau.

Sylwadau'r arholwr

3 (a) Mae dau farc ar gael yma. Byddech mewn lle gwell i ennill y marciau pe baech yn egluro dau bwynt gwahanol yn hytrach na rhoi disgrifiad llawnach o un pwynt.
        Dylai'r myfyriwr hwn fod wedi rhoi dau bwynt neu ddangos yn fwy eglur bod y ddau bwynt sydd wedi'u gwneud yn hollol wahanol.
        (1 marc allan o 2)
   (b) Unwaith eto, mae dau farc ar gael ac un pwynt sydd wedi'i wneud.
        Mae'r ateb yn gywir ond dylai fod wedi rhoi dau ateb gwahanol. **(1 marc allan o 2)**

Atebion yr arholwr

3 (a) Un marc yr un am ddau o'r canlynol:
        Efallai y bydd amodau'r farchnad wedi newid ar ôl pum mlynedd, e.e. efallai bod mwy o gystadleuaeth.
        Mae chwaeth pobl yn newid, felly mae'n bosibl na fydd yr hyn a oedd yn eu denu bum mlynedd yn ôl yn eu denu heddiw.
        Bydd y bobl yn bum mlynedd yn hŷn, felly mae'n bosibl bod mwy o alwadau ar eu hamser, e.e. plant.
   (b) Un marc yr un am ddau o'r canlynol:
        Gallai wastraffu amser ac arian ar gynnig bargeinion nad oes neb am eu cael.
        Efallai y bydd y pris y mae'n ei gynnig yn anghywir gan fod ei gystadleuwyr yn rhatach, felly bydd yn colli arian.
        Byddai wedi torri Deddf Gwarchod Data 1998 gan ei fod wedi cadw data'n hwy nag yr oedd angen ac wedi prosesu data a oedd wedi dyddio.

Cymorth gyda'r arholiad (parhad)

Enghraifft 4

4 O dan delerau Deddf Gwarchod Data 1998 gall testun data wneud cais am weld data personol sy'n cael eu cadw amdano.

(a) Nodwch **un** rheswm i egluro pam y mae'r Ddeddf Gwarchod Data yn caniatáu i destunau weld data. (2 farc)

(b) Mae testun data yn sylwi bod rhywfaint o'r wybodaeth bersonol amdano'n anghywir. Eglurwch **ddau** beth y gallai testun y data eu gwneud nawr. (2 farc)

Ateb myfyriwr 1

4 (a) Gadael i'r Comisiynydd Gwybodaeth wybod bod data personol yn cael eu prosesu.

(b) Erlyn y cwmni
Gofyn iddo gywiro'r data.

Sylwadau'r arholwr

4 (a) Mae'r myfyriwr wedi cymysgu rhwng dau beth yma ac wedi rhoi diffiniad o'r broses hysbysu. Bydd myfyrwyr yn aml yn cymysgu rhwng termau mewn cwestiynau arholiad.
(0 marc allan o 2)

(b) Dim ond os gellir profi bod testun y data wedi cael colled o ryw fath oherwydd y wybodaeth anghywir y bydd modd erlyn y cwmni. Nid yw'r ateb yn ddigon manwl i ennill marc. Rhoddir marc am yr ail bwynt.
(1 marc allan o 2)

Ateb myfyriwr 2

4 (a) Dim ond testun y data a fyddai'n gwybod a yw'r data'n gywir ai peidio. Er enghraifft, os oedd y wybodaeth yn dweud ei fod mewn dyled fawr er nad oedd mewn dyled, gallai beri i'r wybodaeth gael ei chywiro. Pe na bai hyn yn cael ei wneud, gallai effeithio arno pan fyddai'n gwneud cais am fenthyciadau, cardiau credyd, ac ati.

(b) Gwneud cais am gywiro'r data anghywir.
Siwio'r corff am iawndal, os yw wedi cael colled oherwydd y wybodaeth anghywir. Efallai y bydd wedi methu prynu tŷ gan fod y wybodaeth anghywir yn dweud bod rhoi credyd iddo'n ormod o risg.

Sylwadau'r arholwr

4 (a) Mae'r ddau bwynt yn y ddwy frawddeg gyntaf yn ddigon i ennill dau farc. Mae wedi rhoi'r enghraifft er mwyn egluro, ond mae'n dechrau ateb rhan nesaf y cwestiwn (h.y. rhan (b)). Techneg dda mewn arholiad yw darllen y cwestiwn cyfan cyn ei ateb. Drwy wneud hynny ni fyddwch yn gwastraffu amser yn ateb rhan nesaf y cwestiwn. **(2 farc allan o 2)**

(b) Mae hwn yn ateb da ac yn haeddu marciau llawn.
(2 farc allan o 2)

Atebion yr arholwr

4 (a) Mae angen crybwyll y bydd y person y mae'r data'n cyfeirio ato'n edrych ar y data ac y bydd y data personol yn cael eu harchwilio i sicrhau eu bod yn gywir.
Dau bwynt (un marc yr un):
I ganiatáu i destun data (1) archwilio'r data personol sy'n cael eu cadw amdano (1).
Fel bod y person y mae'r data'n ymwneud ag ef yn gallu gwirio (1) cywirdeb y data personol sy'n cael eu cadw (1).

(b) Un marc yr un am ddau ateb sy'n debyg i'r canlynol:
Gall beri i'r data gael eu newid os ydynt yn anghywir.
Gall beri i'r data gael eu dileu os ydynt yn anghywir.
Gall erlyn y corff os yw wedi cael colled o ganlyniad i benderfyniadau sydd wedi'u gwneud ar sail y wybodaeth anghywir.
Mae ganddo hawl i gael iawndal am golled sydd wedi'i hachosi gan ddata anghywir.

Mapiau meddwl cryno

Yr angen am y ddeddfwriaeth iechyd a diogelwch bresennol

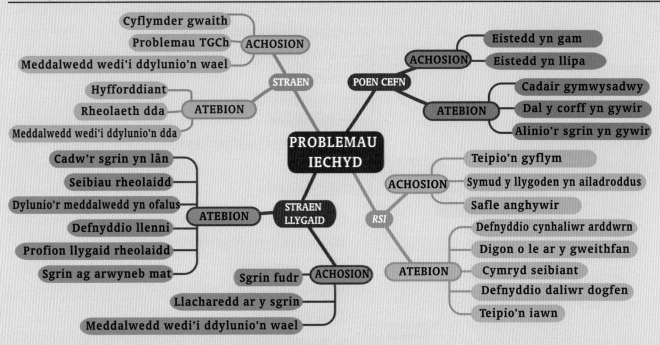

PROBLEMAU IECHYD

STRAEN — ACHOSION:
- Cyflymder gwaith
- Problemau TGCh
- Meddalwedd wedi'i ddylunio'n wael

STRAEN — ATEBION:
- Hyfforddiant
- Rheolaeth dda
- Meddalwedd wedi'i ddylunio'n dda

POEN CEFN — ACHOSION:
- Eistedd yn gam
- Eistedd yn llipa

POEN CEFN — ATEBION:
- Cadair gymwysadwy
- Dal y corff yn gywir
- Alinio'r sgrin yn gywir

STRAEN LLYGAID — ATEBION:
- Cadw'r sgrin yn lân
- Seibiau rheolaidd
- Dylunio'r meddalwedd yn ofalus
- Defnyddio llenni
- Profion llygaid rheolaidd
- Sgrin ag arwyneb mat

STRAEN LLYGAID — ACHOSION:
- Sgrin fudr
- Llacharedd ar y sgrin
- Meddalwedd wedi'i ddylunio'n wael

RSI — ACHOSION:
- Teipio'n gyflym
- Symud y llygoden yn ailadroddus
- Safle anghywir

RSI — ATEBION:
- Defnyddio cynhaliwr arddwrn
- Digon o le ar y gweithfan
- Cymryd seibiant
- Defnyddio daliwr dogfen
- Teipio'n iawn

Cymhwyso'r rheoliadau presennol ar iechyd a diogelwch

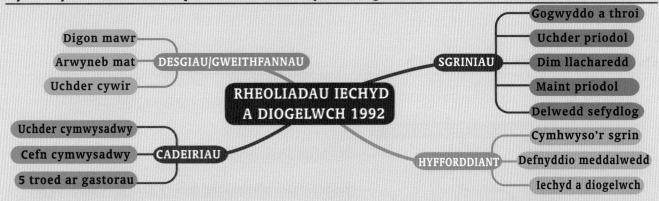

RHEOLIADAU IECHYD A DIOGELWCH 1992

DESGIAU/GWEITHFANNAU:
- Digon mawr
- Arwyneb mat
- Uchder cywir

CADEIRIAU:
- Uchder cymwysadwy
- Cefn cymwysadwy
- 5 troed ar gastorau

SGRINIAU:
- Gogwyddo a throi
- Uchder priodol
- Dim llacharedd
- Maint priodol
- Delwedd sefydlog

HYFFORDDIANT:
- Cymhwyso'r sgrin
- Defnyddio meddalwedd
- Iechyd a diogelwch

Canllawiau iechyd a diogelwch: dylunio a chyflwyno meddalwedd newydd

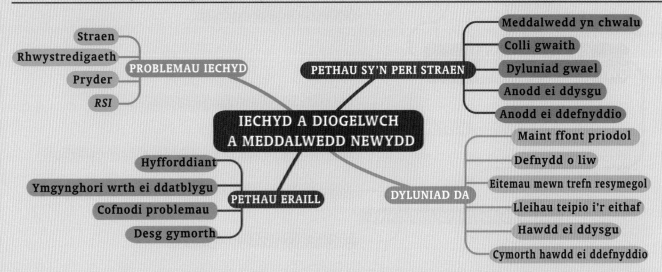

IECHYD A DIOGELWCH A MEDDALWEDD NEWYDD

PROBLEMAU IECHYD:
- Straen
- Rhwystredigaeth
- Pryder
- RSI

PETHAU ERAILL:
- Hyfforddiant
- Ymgynghori wrth ei ddatblygu
- Cofnodi problemau
- Desg gymorth

PETHAU SY'N PERI STRAEN:
- Meddalwedd yn chwalu
- Colli gwaith
- Dyluniad gwael
- Anodd ei ddysgu
- Anodd ei ddefnyddio

DYLUNIAD DA:
- Maint ffont priodol
- Defnydd o liw
- Eitemau mewn trefn resymegol
- Lleihau teipio i'r eithaf
- Hawdd ei ddysgu
- Cymorth hawdd ei ddefnyddio

Y bygythiadau i systemau TGCh

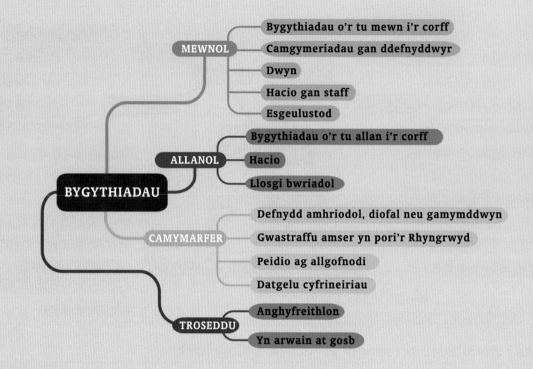

MEWNOL
- Bygythiadau o'r tu mewn i'r corff
- Camgymeriadau gan ddefnyddwyr
- Dwyn
- Hacio gan staff
- Esgeulustod

ALLANOL
- Bygythiadau o'r tu allan i'r corff
- Hacio
- Llosgi bwriadol

BYGYTHIADAU

CAMYMARFER
- Defnydd amhriodol, diofal neu gamymddwyn
- Gwastraffu amser yn pori'r Rhyngrwyd
- Peidio ag allgofnodi
- Datgelu cyfrineiriau

TROSEDDU
- Anghyfreithlon
- Yn arwain at gosb

Dulliau o warchod systemau TGCh

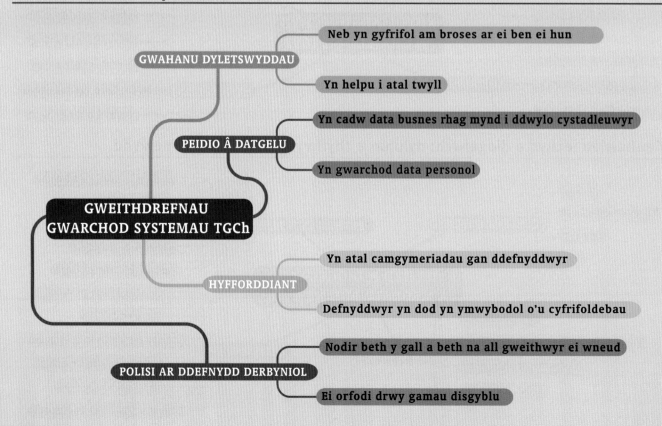

GWAHANU DYLETSWYDDAU
- Neb yn gyfrifol am broses ar ei ben ei hun
- Yn helpu i atal twyll

PEIDIO Â DATGELU
- Yn cadw data busnes rhag mynd i ddwylo cystadleuwyr
- Yn gwarchod data personol

GWEITHDREFNAU GWARCHOD SYSTEMAU TGCh

HYFFORDDIANT
- Yn atal camgymeriadau gan ddefnyddwyr
- Defnyddwyr yn dod yn ymwybodol o'u cyfrifoldebau

POLISI AR DDEFNYDD DERBYNIOL
- Nodir beth y gall a beth na all gweithwyr ei wneud
- Ei orfodi drwy gamau disgyblu

TOPIG 11: Systemau cronfa ddata

Byddwch eisoes wedi darllen y cyflwyniad byr i gronfeydd data yn Nhopig 7: Cyflwyno gwybodaeth, ac wedi dod ar eu traws hefyd yn eich gwaith yng Nghyfnodau Allweddol 3 a 4. Yn y topig hwn byddwch yn dod i wybod mwy am gronfeydd data drwy ddysgu am y ddau ddull gwahanol o storio data: y ffeil fflat a'r gronfa ddata berthynol. Byddwch yn dysgu am fanteision ac anfanteision cymharol y ddau ddull a hefyd yn dysgu am ddiogelu systemau cronfa ddata.

▼ Y cysyniadau allweddol sy'n cael sylw yn y topig hwn yw:

▶ Y diffiniad o gronfa ddata

▶ Meddalwedd cronfa ddata

▶ Systemau ffeiliau fflat

▶ Problemau sy'n gysylltiedig â systemau ffeiliau fflat

▶ Y gwahaniaeth rhwng ffeil fflat a chronfa ddata berthynol

▶ Manteision ac anfanteision cronfa ddata berthynol o'i chymharu â ffeiliau fflat

CYNNWYS

Uned IT1 Systemau Gwybodaeth

Cronfeydd data

Cyflwyniad

Rhaid i bob corff gadw stôr o ddata ac mae angen storio a threfnu'r data hyn fel bod modd eu hadalw'n rhwydd. Mae'r topig hwn yn egluro beth yw cronfa ddata a'r ddwy ffordd bosibl o storio data: ffeil fflat neu gronfa ddata berthynol.

Diffiniad o gronfa ddata

Mae cronfa ddata'n gasgliad mawr o eitemau data a chysylltau rhyngddynt, wedi'i strwythuro yn y fath fodd ag i ganiatáu iddi gael ei chyrchu gan nifer o wahanol raglenni. A bod yn fanwl, y gronfa ddata ei hun yw'r casgliad o gofnodion perthynol, a'r enw a roddwn ar y meddalwedd a ddefnyddir i drin y data yw'r system rheoli cronfeydd data.

Meddalwedd cronfa ddata

Drwy ddefnyddio meddalwedd cronfa ddata gallwch fewnbynnu a storio data mewn ffordd strwythuredig sy'n ei gwneud yn haws eu hadalw.

Mae systemau rheoli cronfeydd data'n cadw'r data ar wahân i'r rhaglenni eu hunain; felly, ar ôl creu'r data, gallwch ddefnyddio gwahanol fathau o feddalwedd i'w cyrchu. Mae hyn yn bwysig oherwydd pan fydd busnes neu gorff yn ehangu, gallai benderfynu defnyddio meddalwedd rheoli cronfeydd data gwahanol ac ni fydd am orfod mewnbynnu'r holl ddata eto.

Yr enw a roddir ar gronfeydd data sy'n cael eu defnyddio gan gyrff a busnesau yw cronfeydd data perthynol, a chaiff y data eu cadw mewn llawer o wahanol dablau sydd â chysylltau o'r enw perthnasoedd rhyngddynt.

Systemau ffeiliau fflat

Mae systemau ffeiliau fflat ar gyfer storio data yn debyg i flwch ffeilio cyfrifiadurol sy'n dal cardiau, a phob un o'r cardiau wedi'i ddefnyddio i storio un cofnod. Ystyr y gair cofnod yw'r holl wybodaeth am gynnyrch, gweithiwr, myfyriwr, archeb, ac ati. Mae eitem o wybodaeth ar gofnod, megis cyfenw, dyddiad geni, rhif cynnyrch neu enw cynnyrch, yn cael ei galw'n faes.

Mae ffeiliau fflat yn cynnwys un tabl o ddata'n unig, felly dim ond ar gyfer systemau syml sy'n storio ac yn adalw data y cânt eu defnyddio, er enghraifft, storio rhestr o enwau, cyfeiriadau, rhifau ffôn, ac ati. Nid yw ffeiliau fflat yn addas ar gyfer cymwysiadau busnes lle y mae angen llawer mwy o hyblygrwydd.

Mae'r ffeil fflat hon wedi'i chreu drwy ddefnyddio meddalwedd taenlen i ddadansoddi'r atebion i holiaduron am ailgylchu. Mae pob rhes yn cynrychioli cofnod (h.y. manylion ailgylchu mewn un cartref) ac mae penawdau'r colofnau (mewn teip trwm) yn cynrychioli enwau'r meysydd, ac mae'r data yn y colofnau o danynt.

Gallwch ddefnyddio meddalwedd cronfa ddata neu daenlen arbenigol i greu ffeiliau fflat syml, sydd yr un fath â chronfeydd data gydag un tabl. Os oes angen dadansoddi'r data yn fanwl, mae'n well defnyddio meddalwedd taenlen.

▼ **Byddwch yn dysgu**

▶ Beth yw cronfa ddata

▶ Am y ddwy ffordd o storio data: defnyddio ffeil fflat neu gronfa ddata berthynol

▶ Am fanteision ac anfanteision defnyddio cronfa ddata o'i chymharu â ffeiliau fflat

▶ Am ddiogelu cronfeydd data

Y problemau sy'n gysylltiedig â systemau ffeiliau fflat

Mae ffeiliau fflat yn storio'r holl ddata mewn un tabl. Anfanteision defnyddio ffeil fflat yw:

- Mae angen cael llawer o ddata dyblyg yn y tabl. Mae amser yn cael ei wastraffu wrth aildeipio'r un data.
- Pan gaiff cofnod ei ddileu, gallai llawer o ddata gael eu dileu er eu bod yn dal yn ddefnyddiol.

Y gwahaniaeth rhwng ffeil fflat a chronfa ddata berthynol

Wrth ddefnyddio cronfa ddata berthynol, nid ydym yn storio'r holl ddata mewn un ffeil neu dabl. Yn lle hynny, caiff y data eu storio mewn nifer o dablau gyda chysylltau rhyngddynt fel bod modd cyfuno'r data sydd yn y gwahanol dablau os oes angen. Er mwyn deall hyn, edrychwch ar yr enghraifft sy'n dilyn.

Mae busnes llogi offer yn llogi offer fel ysgolion, cymysgwyr sment, sgaffaldau, llifiau cadwyn, ac ati, i grefftwyr. Byddai angen storio'r canlynol:

- data am yr offer
- data am y cwsmeriaid
- data am y trefniadau llogi.

Llythyren	Cyfenw	Stryd	Cod post	Nifer_yn_y_tŷ	Math	Gardd	Papur	Poteli	Tuniau	Esgidiau	Bagiau	Compost	Post_sothach
A	Ahmed	18 Rycroft Road	L12 5DR	1	S	S	Y	Y	Y	Y	Y	Y	10
R	Lee	1 Woodend Drive	L35 8RW	4	D	M	Y	Y	Y	N	N	Y	4
W	Johnson	42 Lawson Drive	L12 3SA	2	S	S	Y	Y	Y	N	N	Y	0
D	Gower	12 Coronation Street	L13 8JH	3	T	Y	Y	N	N	N	N	N	9
E	Fodder	124 Inkerman Street	L13 5RT	5	T	Y	N	N	N	N	N	N	12
R	Fowler	109 Pagemoss Lane	L13 4ED	3	S	S	N	N	N	N	N	N	5
V	Green	34 Austin close	L24 8UH	2	D	S	N	N	N	N	N	N	7
K	Power	66 Clough Road	L35 6GH	1	T	Y	Y	Y	Y	N	N	N	7
M	Roth	43 Fort Avenue	L12 7YH	3	S	M	N	N	Y	N	N	N	7
O	Crowther	111 Elmshouse Road	L24 7FT	3	S	M	Y	Y	Y	N	N	N	8
O	Low	93 Aspes Road	L12 6FG	1	T	Y	Y	Y	Y	Y	N	N	11
P	Crowley	98 Forgate Street	L12 6TY	5	T	Y	Y	Y	Y	N	N	N	15
J	Preston	123 Edgehill Road	L12 6TH	6	T	Y	Y	Y	N	N	N	N	2
J	Quirk	12 Leopold Drive	L24 6ER	4	S	M	Y	Y	N	N	N	Y	2
H	Etheridge	13 Cambridge Avenue	L12 5RE	2	S	L	Y	N	Y	N	N	Y	5
E	James	35 Speke Hall Road	L24 5VF	2	S	L	Y	N	Y	N	N	Y	5
W	Jones	49 Abbeyfield Drive	L13 7FR	1	D	M	N	N	N	N	N	Y	5

Cronfa ddata ffeil fflat.

Mae angen tri thabl i storio'r data hyn a gallwn roi'r enwau canlynol arnynt:

> Offer
>
> Cwsmeriaid
>
> Trefniadau llogi

Pe baem yn storio'r data uchod mewn un tabl, drwy ddefnyddio ffeil fflat, byddai problem yn codi. Gan fod holl fanylion yr offer, y cwsmeriaid a'r trefniadau llogi wedi'u storio gyda'i gilydd, ni fyddai unrhyw gofnod o erfyn os nad oedd wedi cael ei logi i gwsmer. Ni fyddai unrhyw gofnod o gwsmer os nad oedd wedi llogi erfyn ar y pryd.

Felly, mae cyfyngiadau wrth ddefnyddio ffeiliau fflat, a dyma pam y caiff data eu storio mewn cronfa ddata berthynol, lle y mae'r data'n cael eu cadw mewn nifer o dablau gyda chysylltau rhyngddynt.

Mae tablau'n cynnwys colofnau a rhesi sydd wedi'u trefnu fel hyn:

- mae'r rhesi ar wahân i'r rhes gyntaf yn dangos y cofnodion sydd yn y gronfa ddata
- mae'r colofnau'n cynnwys meysydd y gronfa ddata
- mae'r rhes gyntaf yn cynnwys enwau'r meysydd

> Mae pob colofn yn cynrychioli maes yn y gronfa ddata

Rhyw	Blwyddyn	Athro/athrawes dosbarth
B	7	Miss Hughes
G	7	Mr Thomas
B	8	Dr Hick
B	7	Mrs Standford
B	7	Miss Taylor
G	8	Mr Smith

> Mae'r rhes hon yn cynnwys y set o feysydd. Mae pob rhes yn gofnod.

Pwysig:
Mae cofnodion yn rhesi bob amser. Mae meysydd yn golofnau bob amser

Manteision cronfa ddata berthynol dros ffeiliau fflat

- Gallwch gyfuno data mewn ffordd fwy hyblyg – os yw'r data wedi'u storio yn y tablau neu os oes modd eu cyfrifo o'r data sydd wedi'u storio, gellir cynhyrchu unrhyw gyfuniad o wybodaeth.
- Dim dyblygu data – mae'r data'n cael eu mewnbynnu a'u storio unwaith yn unig, ni waeth faint o

raglenni sy'n eu defnyddio.

- Cynhelir cyfanrwydd (*integrity*) y data – drwy ddiweddaru'r data mewn un lle, bydd y data'n cael eu diweddaru yn yr holl raglenni sy'n defnyddio'r gronfa ddata.
- Mae'n llawer haws chwilio am wybodaeth benodol – mae cyfleusterau chwilio grymus mewn cronfeydd data perthynol, ond mae cyfleusterau chwilio cyfyngedig mewn ffeiliau fflat.
- Gallwch greu rhaglen sydd wedi'i seilio ar y gronfa ddata – mae meddalwedd cronfeydd data perthynol yn cynnwys iaith rhaglennu arbennig, felly mae'n bosibl creu rhaglen gyfan sydd wedi'i seilio ar y gronfa ddata.

Anfanteision cronfa ddata berthynol o'i chymharu â ffeiliau fflat

- Anodd ei chreu – mae angen cynllunio cronfeydd data perthynol yn ofalus, ac mae angen gwybodaeth arbenigol i ddefnyddio'r meddalwedd.
- Drutach – gallwch ddefnyddio meddalwedd taenlen i greu cronfeydd data syml ar ffurf ffeil fflat, felly mae'n bosibl na fydd angen prynu pecyn meddalwedd arall.
- Anaddas ar gyfer rhestri syml – nid oes angen cael cronfa ddata berthynol ar gyfer storfeydd data sy'n rhestri syml.

Diogelwch cronfeydd data

Mae angen defnyddio system o gyfrineiriau i ddiogelu'r data mewn cronfeydd data rhag cael eu cyrchu heb ganiatâd. Mae'r gweithwyr mewn corff yn cael cyfres o hawliau mynediad sy'n caniatáu iddynt wneud eu gwaith eu hun ond nid gweld na newid data nad ydynt yn berthnasol iddyn nhw. Caiff hawliau mynediad eu pennu drwy hierarchaeth o gyfrineiriau.

Hierarchaeth o gyfrineiriau

Gellir rhoi hawliau mynediad penodol i ddefnyddwyr i'w galluogi i weld y data yn y gronfa ddata. Mae hyn yn golygu nad yw'r adran werthu yn cael cyrchu manylion personél sydd wedi'u storio yn yr un gronfa ddata. Bydd rhai defnyddwyr yn cael hawliau mynediad sy'n eu galluogi i weld y data'n unig

GEIRIAU ALLWEDDOL

Cyfrinair – cyfres o nodau y mae angen eu teipio i mewn cyn cael caniatâd i gyrchu adnoddau TGCh

Hawliau mynediad – cyfyngiadau ar y defnyddiwr fel na all gyrchu ond y ffeiliau hynny y mae arno eu hangen i gyflawni ei swydd. Maent hefyd yn ymdrin â'r hyn y gall ei wneud â'r data ar ôl eu cyrchu

ac nid eu newid. Bydd gweinyddwr y gronfa ddata'n gyfrifol hefyd am ddyrannu hawliau mynediad i bob defnyddiwr.

Mae system hierarchaeth yn rhoi mwy o reolaeth i wahanol bobl neu grwpiau o bobl dros yr hyn y gallant ac na allant ei wneud â'r data sydd yn y cronfeydd data. Po uchaf yw swydd rhywun yn y corff, mwyaf o wybodaeth y bydd ei hangen arno, felly bydd ganddo fwy o hawliau mynediad. Pan fydd defnyddiwr yn teipio ei enw defnyddiwr a'i gyfrinair, caiff hawliau penodol i gyrchu ffeiliau yn y gronfa ddata eu rhoi iddo. Dyma grynodeb o'r mathau o hawliau y gellid eu rhoi:

Mynediad i ffeiliau penodol neu grwpiau penodol o ffeiliau:

- Mynediad i grwpiau penodol o ffeiliau – mae'r hawliau hyn yn caniatáu i ddefnyddwyr gyrchu'r ffeiliau hynny sy'n angenrheidiol ar gyfer eu gwaith.
- Mynediad llawn – mae'n bosibl y bydd angen i rai staff, fel uwch reolwyr, gael hawliau mynediad llawn er mwyn gallu cyrchu'r holl ffeiliau yn y gronfa ddata.

Y gallu i gyflawni gweithrediadau penodol:

- Darllen yn unig – gall y defnyddiwr ddarllen y data ond nid eu newid.
- Darllen ac ysgrifennu – gall y defnyddiwr ddarllen a newid y data.
- Gweithredu – mae'n caniatáu i ddefnyddiwr redeg rhaglen benodol. Gallai hyn atal defnyddwyr rhag copïo ffeiliau drwy ddefnyddio cyfleusterau'r meddalwedd system.

Storio data ar wahân i raglenni

Erbyn hyn mae'r rhan fwyaf o gyrff yn cadw'r data ar wahân i'r rhaglenni sy'n cael eu defnyddio i brosesu'r data. Oherwydd hyn, os bydd y meddalwedd rhaglenni yn cael ei newid, gellir cadw'r data ar eu pen eu hun a'u defnyddio gyda rhaglen arall.

Cwestiynau

▶ **Cwestiynau 1** | tt. 218–219

1 Mae cwmni'n defnyddio system gyfrifiadurol ffeiliau fflat i storio ac adalw gwybodaeth. Mae'r system ffeiliau fflat hon yn peri problemau i'r cwmni. Disgrifiwch **dair** mantais i'r cwmni o ddefnyddio cronfa ddata berthynol yn hytrach na system ffeiliau fflat. (3 marc)

2 Mae'r tabl isod yn cyfeirio at ffeil fflat sy'n cynnwys manylion cwsmeriaid, offer a threfniadau llogi ar gyfer cwmni llogi offer.

Rhif cwsmer	Enw cwsmer	Rhif cyfarpar	Disgrifiad o'r cyfarpar	Dyddiad llogi
1212	Hughes	1099	Llifanydd	09/08/09
1311	Ahmed	1200	Llif gadwyn	09/08/09
1212	Hughes	1987	Sandiwr orbitol	09/08/09
1976	Smith	1211	Cymysgwr sment bach	10/08/09
1976	Smith	1655	Glanhawr ager	10/08/09
1200	Green	1077	Stripiwr papur wal ager	10/08/09
1212	Hughes	1499	Plaen dyfnder	10/08/09

(a) Gan gyfeirio at y data yn y ffeil hon, diffiniwch y **ddau** derm canlynol:
(i) Maes.
(ii) Cofnod. (2 farc)

(b) Mae pob rhes yn y tabl/ffeil yn cynrychioli un eitem o gyfarpar sy'n cael ei llogi.
Gan gyfeirio at y tabl uchod, rhowch **ddau** reswm i egluro pam nad yw'n effeithlon i'r cwmni storio data mewn ffeil fflat fel hyn. (4 marc)

3 Mae meddalwedd taenlen wedi cael ei ddefnyddio i greu'r ffeil fflat ganlynol:

(a) Gan gyfeirio at y tabl isod, eglurwch ystyr y termau:
(i) Maes.
(ii) Cofnod. (2 farc)

(b) Nodwch **un** fantais storio data fel y rhain mewn ffeil fflat. (1 marc)

(c) Mae meddalwedd taenlen wedi cael ei ddefnyddio i greu'r gronfa ddata hon. Rhowch **un** rheswm i egluro pam y gallai meddalwedd taenlen fod yn fwy addas ar gyfer creu cronfeydd data ffeiliau fflat syml na meddalwedd cronfa ddata arbenigol. (2 farc)

4 Bydd y rhan fwyaf o gyrff modern yn defnyddio cronfa ddata berthynol i storio holl ddata'r corff. Eglurwch **ddwy** o nodweddion cronfa ddata berthynol sy'n ei gwneud yn addas i'w defnyddio gan gyrff mawr. (4 marc)

5 Trafodwch sut y mae defnyddio hierarchaeth o gyfrineiriau yn ei gwneud hi'n bosibl i reoli mynediad at y data sy'n cael eu storio gan gorff mewn cronfa ddata berthynol. (5 marc)

6 (a) Eglurwch **ddwy** fantais a **dwy** anfantais defnyddio cronfa ddata berthynol i storio'r data am ddisgyblion mewn ysgol. (4 marc)

(b) Eglurwch sut y gellir defnyddio cyfrineiriau i gyfyngu mynediad at y data am ddisgyblion mewn cronfa ddata o'r fath. (4 marc)

Teitl	Enw Cyntaf	Cyfenw	Stryd	Ardal	Cod Post	Rhif Ffôn
Ms	Amy	Cheung	18 Rycroft Road	West Derby	L12 5DR	(0151)427-2384
Mr	Charles	Clare	1 Woodend Drive	Woolton	L35 8RW	(0151)456-9849
Mrs	Maureen	Criddle	42 Lawson Drive	West Derby	L12 3SA	(0151)755-6899
Mr	Raymond	Cropper	12 Coronation Street	Old Swan	L13 8JH	(0151)478-0371
Mr	Hugh	Davies	124 Inkerman Street	Old Swan	L13 5RT	(0151)478-0098
Miss	Paula	Edwards	109 Pagemoss Lane	Old Swan	L13 4ED	(0151)228-3142
Miss	Irenee	Gant	34 Austin close	Garston	L24 8UH	(0151)475-3351
Mrs	Angela	Gerrard	66 Clough Road	Woolton	L35 6GH	(0151)708-3445
Ms	Fiona	Harper	43 Fort Avenue	West Derby	L12 7YH	(0151)427-8777

Cymorth gyda'r arholiad

Enghraifft 1

1 Mae rheolwr cwmni llogi offer yn bwriadu defnyddio system rheoli cronfa ddata berthynol i'w helpu i gadw golwg ar y busnes. Mae'r gronfa ddata'n storio'r data mewn tri thabl, sef: Offer, Cwsmeriaid a Threfniadau Llogi.

(a) Eglurwch beth yw cronfa ddata berthynol a beth yw ei phrif nodweddion. (5 marc)

(b) Beth yw'r prif fanteision i'r rheolwr hwn o storio'r data mewn cronfa ddata berthynol yn hytrach na chronfa ddata ffeil fflat? (3 marc)

Ateb myfyriwr 1

1 (a) Mae cronfa ddata berthynol yn gronfa ddata sydd â pherthnasoedd o'i mewn. Gan fod perthnasoedd ynddi gallwch gael yr holl ddata allan o'r gronfa ddata mewn unrhyw drefn. Mae cronfeydd data perthynol yn gronfeydd data go iawn ac maent yn bethau da i fusnesau sy'n eu defnyddio'n aml.

(b) Bydd y rheolwr yn gallu cyrchu'r data o lawer o wahanol leoedd. Nid oes angen cymaint o deipio i roi'r data mewn cronfa ddata berthynol oherwydd dim ond mewn un ffeil y mae angen i chi roi'r data.

Bydd y rheolwr yn gallu cael gwybodaeth i ddangos pa offer sydd gan ba gwsmeriaid, er enghraifft.

Sylwadau'r arholwr

1 (a) Byddai'r frawddeg gyntaf wedi gallu dod i feddwl unrhyw un sy'n defnyddio'r term 'cronfa ddata berthynol', felly dim marciau am hon. I gael y marciau, byddai angen nodi bod y perthnasoedd yn gysylltau sydd wedi'u creu rhwng tablau. Mae'r brawddegau eraill yn aneglur ac mae'n amlwg nad yw'r myfyriwr hwn yn gwybod fawr ddim am gronfeydd data o'r fath. Dim marciau am y rhan hon o'r ateb.

(b) Yn y frawddeg gyntaf mae'n ymddangos bod y myfyriwr yn cymysgu rhwng cronfeydd data perthynol a chronfeydd data gwasgaredig. Mae'r ail frawddeg yn nodi un o'r prif fanteision wrth ddefnyddio cronfeydd data perthynol ac felly'n ennill un marc. Nid yw'r drydedd frawddeg yn benodol ac ni roddir marc am hyn. **(1 marc allan o 8)**

Ateb yr arholwr

1 (a) Un marc yr un am bum nodwedd mewn cronfa ddata berthynol fel:

Cronfeydd data nad ydynt yn storio'r holl ddata mewn un tabl.

Maent yn defnyddio nifer o dablau.

Mae'r tablau wedi'u cysylltu â'i gilydd (neu gyfeiriad at berthnasoedd).

Gellir cyfuno data mewn un tabl â data sydd mewn unrhyw un o'r tablau eraill.

Ateb myfyriwr 2

1 (a) Mae cronfa ddata berthynol yn cynnwys casgliad o ddata sydd wedi'u trefnu'n wahanol dablau ac mae pob tabl yn cynnwys set o ddata sy'n berthnasol i'r corff. Byddai tri thabl yn cael eu defnyddio yma: tabl cwsmeriaid, tabl offer a thabl trefniadau llogi. Mae'r data'n cael eu rhoi yn y tablau ar wahân ond mae'r tablau wedi'u cysylltu â'i gilydd, felly mae'n bosibl cyfuno'r wybodaeth o ddata yn yr holl dablau.

(b) Ni fydd yn gorfod teipio cymaint o ddata i mewn oherwydd nid oes cymaint o ddyblygu data ag a fyddai'n digwydd wrth greu ffeil fflat. Pe bai cwsmer yn newid ei gyfeiriad, byddai'r rheolwr, os oedd yn defnyddio ffeil fflat, yn gorfod newid y cyfeiriad ym mhob cofnod cyfredol lle y mae eitem o offer wedi cael ei llogi. Felly, os yw cwsmer wedi llogi pum eitem wahanol o offer, byddai angen newid y cyfeiriad bum gwaith.

Sylwadau'r arholwr

1 (a) Mae tri phwynt gwahanol wedi'u gwneud yma, felly tri marc am hyn.

(b) Mae'r myfyriwr hwn wedi crybwyll dyblygu data a phroses ddiweddaru fwy hwylus ac wedi egluro'r ddau yn dda. Dau farc am hyn. **(5 marc allan o 8)**

Sylwch fod yn rhaid iddynt fod yn nodweddion ac nid yn fanteision.

(b) Un marc yr un am dair mantais hollol wahanol y mae'n rhaid iddynt fod yn berthnasol i'r rhaglen hon. Nid oes angen mewnbynnu holl fanylion y cwsmer pan fydd cwsmer sydd wedi llogi offer o'r blaen yn llogi offer eto.

Os oes angen anfon llythyrau at yr holl gwsmeriaid, ni fydd angen i'r rheolwr fynd drwy'r holl archebion i echdynnu enwau a chyfeiriadau oherwydd gall ddefnyddio'r tabl Cwsmeriaid.

Mae'n haws diweddaru manylion gan mai dim ond unwaith y bydd angen i'r rheolwr newid y data mewn un o'r tablau.

Caiff y data eu storio'n fwy effeithlon, felly bydd yn bosibl gwneud chwiliadau a threfniadau'n gyflymach. Bydd llai o wallau data gan mai dim ond unwaith y caiff y data eu mewnbynnu, felly gall y rheolwr ddibynnu ar y wybodaeth a gynhyrchir.

Cymorth gyda'r arholiad (parhad)

Enghraifft 2

2 Mae ysgol yn defnyddio cronfa ddata berthynol i redeg yr ysgol o ddydd i ddydd.

(a) Ar wahân i'r tabl disgyblion, enwch **ddau** dabl arall sy'n debygol o fod yn rhan o'r system cronfa ddata berthynol hon. **(2 farc)**

(b) Disgrifiwch **ddwy** nodwedd mewn cronfa ddata berthynol na fyddech yn eu cael mewn system ffeiliau fflat. **(2 farc)**

(c) Mae cronfeydd data'n storio'r data ar wahân i'r rhaglen cronfa ddata.
Rhowch **un** rheswm dros hyn. **(1 marc)**

(ch) Mae data am ddisgyblion yn ddata personol sensitif yn aml.

(i) Rhowch enghraifft o ddata personol sensitif y gellid eu storio yn y tabl disgyblion.

(ii) Eglurwch **un** ffordd bosibl o sicrhau preifatrwydd y data sydd yn y tabl hwn. **(2 farc)**

(d) Mae system rheoli'r ysgol, sydd wedi'i seilio ar gronfa ddata berthynol, yn cael ei diogelu gan hierarchaeth o gyfrineiriau. Eglurwch, gan gyfeirio at y system hon, beth y mae hierarchaeth o gyfrineiriau yn ei olygu. **(2 farc)**

Ateb myfyriwr 1

2 (a) Tabl athrawon
Tabl dosbarthiadau

(b) Defnyddio mwy nag un tabl
Cysylltau rhwng tablau

(c) Fel ei bod yn haws storio'r data

(ch) (i) Data iechyd fel afiechydon a meddyginiaethau y mae'r disgybl yn eu cymryd

(ii) Gellir defnyddio cyfrineiriau i sicrhau na fydd data disgyblion yn cael eu cyrchu heb ganiatâd gan fod hyn yn ofynnol o dan delerau Deddf Gwarchod Data 1998

(d) Gellir defnyddio cyfrineiriau i benderfynu pwy fydd yn cael mynediad at y gwahanol fathau o ddata yn y system a beth y gallant ei wneud â'r data yn y system. Er enghraifft, mae rhai defnyddwyr, fel rheolwyr yr ysgol, yn gallu cyrchu'r holl ddata ym mhob un o'r tablau yn y gronfa ddata a'u newid. Dim ond y data hynny sy'n angenrheidiol ar gyfer cyflawni eu swyddi y bydd athrawon yn gallu eu gweld, a dim ond peth gwybodaeth y cânt ei newid.

Ateb myfyriwr 2

2 (a) Tabl athrawon
Tabl myfyrwyr

(b) Perthnasoedd
Tablau

(c) Fel bod modd newid rhaglen y gronfa ddata, a gall ddal i ddefnyddio'r data presennol

(ch) (i) Manylion camymddwyn a chadw disgyblion i mewn ar ôl ysgol

(ii)Drwy roi caniatâd i weld y wybodaeth hon i bobl benodol yn unig sydd angen ei chyrchu
Drwy ddefnyddio cyfrineiriau i atal mynediad heb ei awdurdodi

(d) Mae rhai cyfrineiriau'n fwy pwysig nag eraill. Er enghraifft, byddai cyfrinair pennaeth yr ysgol yn caniatáu iddo weld yr holl ddata, ond mae'n bosibl mai'r unig ddata y byddai athro dosbarth yn cael gweld fyddai data am y disgyblion yn ei ddosbarth ei hun. Mae'r cyfrineiriau hefyd yn gallu pennu beth y gallwch ei wneud â'r data yn y gronfa ddata, er enghraifft, eu copïo, eu newid, eu dileu, ac yn y blaen.

Sylwadau'r arholwr

2 (a) Mae'r ddau dabl yn berthnasol felly, dau farc am hyn.

(b) Mae hyn yn ddigon manwl i ennill marciau llawn.

(c) Nid rheswm yw hwn. Nid yw atebion niwlog fel hwn yn dangos dealltwriaeth, felly dim marc am hyn.

(ch) (i) a (ii) Dau bwynt da, felly dau farc.

(d) Mae hwn yn ateb da ac yn werth dau farc.
(8 marc allan o 9)

Sylwadau'r arholwr

2 (a) Dim ond am dabl athrawon y gellir rhoi marc yma gan fod tabl myfyrwyr yn golygu'r un peth â thabl disgyblion.

(b) Nid yw atebion o un gair yn dderbyniol ar gyfer cwestiwn sy'n gofyn i'r myfyriwr 'ddisgrifio', felly dim marc am hyn.

(c) Mae'r ateb a roddwyd yn gywir.

(ch) (i) Mae'r ateb hwn yn dderbyniol.

(ii) Mae'r ddau ateb hyn yn gywir.

(d) Mae'r ateb hwn yn egluro'n dda fod modd defnyddio cyfrineiriau i gyfyngu mynediad a rheoli beth y gall defnyddiwr ei wneud â'r data. Dau farc am yr ateb hwn. **(6 marc allan o 9)**

Ateb yr arholwr

2   (a)   Un marc yr un am dabl sy'n berthnasol i system ysgol.
            Tabl pynciau
            Tabl athrawon
            Tabl dosbarthiadau
            Tabl ystafelloedd
            Tabl ffrydiau

    (b)   Un marc yr un am ddwy nodwedd a rhaid cynnwys disgrifiad ac nid
            enw'n unig.
            Mwy nag un tabl
            Cysylltau a pherthnasoedd rhwng tablau
            Y gallu i raglennu'r gronfa ddata

    (c)   Un marc am reswm fel y rhai canlynol:
            I'ch galluogi i fewnforio neu allforio'r data'n haws
            Fel bod modd gwneud copïau wrth gefn o ddata ar wahân
            I'w gwneud yn hawdd uwchraddio'r meddalwedd heb newid y data

    (ch) (i)   Un marc am wybodaeth fel y canlynol:
                  Tarddiad ethnig
                  Crefydd
                  Manylion meddygol

           (ii)   Un marc am un o'r canlynol:
                  Hyfforddiant priodol fel bod y staff yn deall eu cyfrifoldebau
                  Defnyddio cyfrineiriau
                  Hawliau mynediad (cyrchu)
                  Polisi ar ddefnydd derbyniol

    (d)   Unrhyw ddwy agwedd berthnasol am ddau farc fel:
            Rhoi cyfrineiriau i bobl yn ôl eu swydd
            Cyfrineiriau'n pennu pa ffeiliau y gellir eu cyrchu
            Cyfrineiriau'n pennu beth y gellir ei wneud â'r data ar ôl eu cyrchu
            (e.e. darllen yn unig, darllen/ysgrifennu, ac ati)
            Defnyddio cyfrineiriau i gyfyngu mynediad i raglenni.

Mapiau meddwl cryno

Cronfeydd data

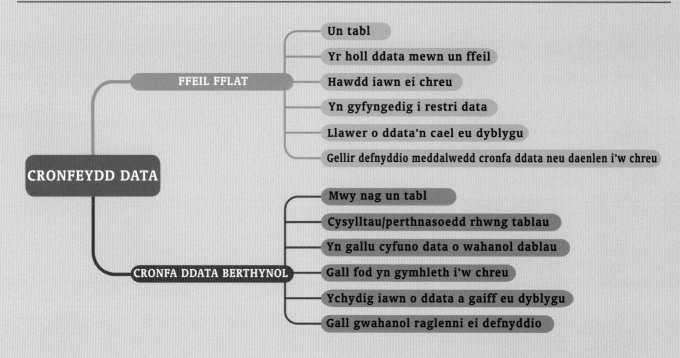

Manteision ac anfanteision cronfa ddata berthynol

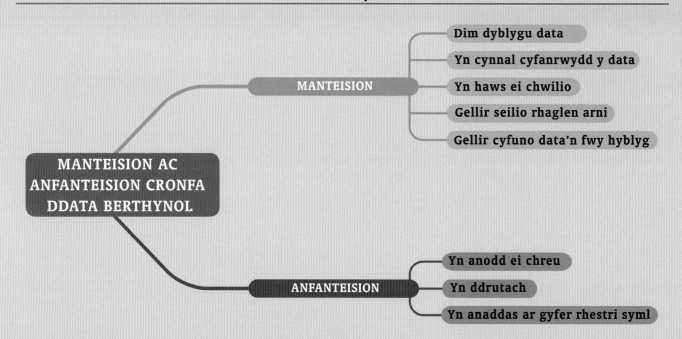

TOPIG 12: Modelu

Cyflwyniad

Yn Adran B o IT1, sy'n cyfrif am 25% o gyfanswm y marciau ar gyfer IT1, bydd yn ofynnol i chi baratoi taenlen ar dopig penodol. Bydd CBAC yn rhoi'r topig i chi ymhell cyn yr arholiad. Wedyn byddwch yn paratoi taenlen ac yn ei hallbrintio i'w defnyddio yn yr arholiad ar gyfer IT1, i ateb cwestiynau yn Adran B ar y papur arholiad. Byddwch yn rhoi copi caled o'r daenlen i mewn yr un pryd â'r papur arholiad ar ôl i chi ei gwblhau.

Yn y topig hwn byddwch yn dysgu am nodweddion a swyddogaethau taenlenni. Bydd angen i chi ddefnyddio rhai ohonynt yn y model y byddwch yn ei greu. Byddwch yn dysgu hefyd am fodelau efelychu'n gyffredinol a'r defnydd sy'n cael ei wneud ohonynt.

▼ Y cysyniadau allweddol sy'n cael sylw yn y topig hwn yw:

▷ Deall nodweddion a swyddogaethau taenlenni

▷ Deall modelau efelychu

CYNNWYS

Uned IT1 Systemau Gwybodaeth

Nodweddion a swyddogaethau taenlenni

Cyflwyniad

Byddwch eisoes yn gyfarwydd â llawer o nodweddion a swyddogaethau meddalwedd taenlen. Yn yr adran hon byddwn yn ailedrych ar rai o hanfodion taenlenni a byddwch hefyd yn dysgu am rai o'r nodweddion eraill sydd ar gael mewn meddalwedd taenlen ac am ffyrdd o'u defnyddio. Nid yw'r adran hon yn delio'n benodol â'r gorchmynion eu hun a sut y maent yn gweithio. Mae'n dangos hanfodion y gorchmynion i chi fel y gallwch droi at lyfrau mwy arbenigol neu ddefnyddio'r wybodaeth cymorth sy'n rhan o'r meddalwedd. Gan fod gofyn i chi ddefnyddio meddalwedd taenlen i lunio datrysiad i broblem, a chan fod yn rhaid i'r broblem honno fod yn eithaf cymhleth, bydd angen i chi ddefnyddio nifer o nodweddion a swyddogaethau na fyddwch wedi'u defnyddio o'r blaen o bosibl.

Hanfodion taenlenni

Er mwyn eich atgoffa, dyma elfennau hanfodol taenlenni.

Cysyniadau hanfodol: rhesi, colofnau, celloedd a chyfeirnodau cell

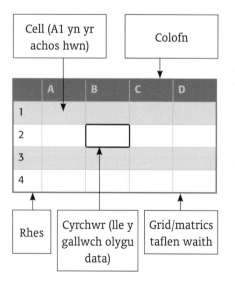

Labeli

Labeli yw'r testun wrth ymyl celloedd sy'n egluro beth sydd yn y gell.

Ni ddylech byth roi gwerth ar daenlen ar ei ben ei hun oherwydd ni fydd y defnyddiwr yn deall beth y mae'n ei gynrychioli.

Fformatau data

Mae fformatau data'n caniatáu i chi gyflwyno'r wybodaeth ar daenlen yn fwy effeithiol.

Fformatio testun

Gallwch wneud testun yn fwy amlwg drwy ei fformatio mewn nifer o ffyrdd:

- Ffont – mae'n newid siapiau llythrennau a rhifau
- Maint ffont – fe'i defnyddir i wneud penawdau, is-benawdau, ac ati, yn fwy amlwg.
- Teip trwm, teip italig, tanlinellu – fe'u defnyddir i dynnu sylw at destun.

Borderi a chylchdroi testun

Drwy ddefnyddio borderi gallwch wneud y canlynol:

- rhoi border o gwmpas celloedd neu grwpiau o gelloedd
- graddliwio celloedd penodol neu grwpiau penodol o gelloedd.

Mae'r gallu i gylchdroi testun yn ddefnyddiol os ydych am gael colofn gul ond bydd pennawd y golofn yn llydan.

Lliwio

Gallwch liwio:

- testun
- borderi
- cefndir celloedd.

> Dylech arbrofi â'r ddewislen hon i weld beth yn union y mae'r meddalwedd taenlen yn gallu ei wneud.

Fformatio rhifau

Byddwch am fformatio rhifau mewn llawer o ffyrdd a dyma rai ohonynt:

- Arian – rhifau yn y fformat arferol ar gyfer arian ac arwydd punt o'u blaen.
- Rhif – gallwch newid nifer y lleoedd degol.
- Dyddiad – gallwch ddewis o blith llawer o fformatau gwahanol ar gyfer dyddiadau.

Fformiwlâu cyffredin/ ffwythiannau safonol

Mae ffwythiant yn gyfrifiad arbenigol y mae'r meddalwedd taenlen wedi'i gofio. Mae llawer o ffwythiannau o'r fath, ac mae rhai ohonynt yn arbenigol iawn.

Rhaid cael hafalnod (=) ar ddechrau ffwythiant a rhaid i'r amrediad o gelloedd y mae'n cyfeirio atynt gael ei roi mewn cromfachau ar ei ôl.

Cyfartaledd (Average)

Er enghraifft, er mwyn darganfod cyfartaledd y rhifau mewn amrediad o gelloedd o A3 i A10 byddech yn defnyddio:

=AVERAGE(A3:A10)

Mwyafswm (Maximum)

Mae =MAX(D3:J3) yn dangos y rhif mwyaf yn yr holl gelloedd rhwng D3 a J3 yn gynhwysol.

Isafswm (Minimum)

Mae =MIN(D3:J3) yn dangos y rhif lleiaf yn yr holl gelloedd o D3 i J3 yn gynhwysol.

Modd (Mode)

Mae =MODE(A3:A15) yn dangos modd (h.y. y rhif mwyaf cyffredin) y celloedd o A3 i A15 yn gynhwysol.

Canolrif (Median)

Mae =MEDIAN(B2:W2) yn dangos canolrif y celloedd o B2 i W2 yn gynhwysol.

Swm (Sum)

Mae =SUM(E3:P3) yn dangos cyfanswm yr holl gelloedd o gelloedd E3 i P3 yn gynhwysol.

CYFRIF (COUNT)

Cymerwch ein bod ni am gyfrif nifer y cofnodion rhifol yn yr amrediad C3 i C30.

Gallwn ddefnyddio =COUNT(C3:C30).

Os oes llinellau gwag neu gofnodion testun o fewn yr amrediad, ni fyddant yn cael eu cyfrif.

CYFRIFA (COUNTA)

Er mwyn cyfrif nifer o eitemau neu enwau pobl, mae angen i ni allu cyfrif cofnodion testun.

I wneud hyn gallwn ddefnyddio =COUNTA(C3:C30).

Mae angen i chi sicrhau nad yw penawdau'n cael eu cynnwys yn yr amrediad gan nad oes angen cyfrif y rhain hefyd. Yma eto, ni chaiff llinellau gwag eu cyfrif.

HAP (RAND)

Weithiau mae angen cynnwys hapelfen mewn model gan fod digwyddiadau cwbl annisgwyl yn gallu digwydd. Mae RAND yn creu haprif sy'n fwy na 0 neu'n hafal iddo ond yn llai nag 1.

Wrth greu model, mae'n fwy buddiol creu haprif sydd rhwng dau werth penodol ac, er mwyn gwneud hyn, gellir defnyddio'r fformiwla ganlynol:

=RAND()*(b-a)+a lle y mae a yn rhif lleiaf a b yn rhif mwyaf.

Felly, i gael haprif rhwng 1 a 10 sy'n gyfanrif byddech yn defnyddio:

=INT(RAND()*(10-1)+1)

Cyfeirnodau cell cymharol ac absoliwt

Mae dwy ffordd bosibl o gyfeirio at gell arall ac mae'n bwysig i chi wybod y gwahaniaeth os ydych am gopïo neu symud celloedd. Mae cyfeirnod absoliwt yn cyfeirio at yr un gell bob tro.

Mae'r math arall o gyfeirnod, cyfeirnod cymharol, yn cyfeirio at gell sy'n nifer penodol o resi a cholofnau i ffwrdd. Pan gaiff y gell bresennol ei chopïo neu ei symud i safle newydd, bydd y gell y cyfeirir ati yn newid ei safle hefyd.

Er mwyn deall y gwahaniaeth byddwn yn edrych ar ddwy enghraifft.

Mae'r enghraifft gyntaf yn dangos cyfeirnodi cymharol lle y mae cell B4 yn cynnwys cyfeirnod cymharol at gell A1. Mae'r cyfeirnod hwn yn dweud wrth y daenlen fod y gell y mae'n cyfeirio ati wedi'i lleoli 3 cell i fyny ac 1 gell i'r chwith o gell B4. Os caiff cell B4 ei chopïo i leoliad arall, E5 er enghraifft, bydd yn dal i gyfeirio at yr un nifer o gelloedd i fyny ac i'r chwith, felly fe fydd yn cyfeirio at gell D2 nawr.

gyfeirio at yr un gell, hyd yn oed pan gaiff y fformiwla sy'n cyfeirio at y gell ei chopïo i leoliad newydd. Felly mae angen i ni sicrhau bod y fformiwla'n cynnwys cyfeirnod cell absoliwt. Er mwyn gwneud hyn rhoddir arwydd doler o flaen llythyren y golofn a rhif y rhes.

Mae cell B6 yn gyfeirnod cell cymharol. I'w droi'n gyfeirnod cell absoliwt byddem yn ychwanegu arwyddion doler fel hyn: B6.

GEIRIAU ALLWEDDOL

Cyfeirnod absoliwt – pan ddefnyddir cell mewn fformiwla a phan gaiff y fformiwla ei chopïo i gyfeiriad newydd, nid yw cyfeiriad y gell yn newid

Cyfeirnod cymharol – pan ddefnyddir cell mewn fformiwla a phan gaiff y fformiwla ei chopïo i gyfeiriad newydd, mae cyfeiriad y gell yn newid i gyd-fynd â safle newydd y fformiwla

Yn achos cyfeirnodi cell absoliwt, os yw cell B4 yn cynnwys cyfeiriad at gell A1, bydd yn dal i gyfeirio at gell A1 os caiff cynnwys cell B4 ei gopïo i safle newydd.

Yn y rhan fwyaf o achosion byddwn am ddefnyddio cyfeirnodau cell cymharol a bydd y daenlen yn cymryd bod y cyfeirnodau cell cyffredin yn gyfeirnodau cell cymharol. Weithiau byddwn am

Cysyniadau uwch ar gyfer modelu taenlen

Cyflwyniad

Mae'r adran hon yn rhoi sylw i rai o'r cysyniadau uwch ar gyfer modelu taenlen. Bydd angen i chi ddefnyddio rhai ohonynt wrth greu'ch model eich hun i'w asesu.

Y cysyniad o lyfr gwaith

Os llwythwch feddalwedd taenlen byddwch yn sylwi bod tab bach fel hwn ar waelod y daflen waith:

\ **Sheet1** / Sheet2 / Sheet3 /

Rydych yn gweld yma fod tair taflen waith y gallwch eu dewis. Yr enw ar gasgliad o daflenni gwaith yw llyfr gwaith ac weithiau bydd yn ddefnyddiol cadw taflenni gwaith gyda'i gilydd. Er enghraifft, gallech ddefnyddio un daflen waith ar gyfer y mewnbwn, un ar gyfer y prosesu ac un arall i gyflwyno'r allbwn.

Mewnbwn / Prosesu / Allbwn /

Gallwch gael mwy na thair taflen waith os dymunwch. Er enghraifft, gallech greu taflen waith i ddangos gwerthiant ym mhedwar chwarter y flwyddyn.

Chwarter 1 / Chwarter 2 / Chwarter 3 / Chwarter 4 /

Tablau am-edrych, VLOOKUP neu HLOOKUP

Swyddogaethau am-edrych

Mae swyddogaethau am-edrych yn ddefnyddiol iawn. Os teipiwch rif i mewn, fel rhif disgybl, rhif GIG neu rif cynnyrch, bydd y daenlen yn chwilio tabl nes iddi ddod o hyd i'r rhif hwn ynghyd â data pwysig eraill. Er enghraifft, os rhoddwyd rhif unigryw i bob cynnyrch gwahanol mewn siop, gallwn storio'r rhif hwn ynghyd â disgrifiad o'r cynnyrch, pris, ac ati, mewn tabl mewn rhan arall o'r daenlen. Os teipiwn rif cynnyrch mewn rhan arall o'r daenlen, bydd y daenlen yn chwilio'r tabl nes dod o hyd i rif y cynnyrch a'r manylion cysylltiedig.

Y ddau fath o swyddogaeth am-edrych

Mae dau fath o swyddogaeth am-edrych: VLOOKUP a HLOOKUP. Rydych chi'n penderfynu pa un i'w ddefnyddio yn ôl y ffordd y mae'r data wedi'u trefnu yn y tabl – yn fertigol (V) neu'n llorweddol (H). Yn y daflen waith isod, mae'r data mewn tabl fertigol gyda phenawdau ar ben y colofnau, felly defnyddir y swyddogaeth VLOOKUP i wneud chwiliadau.

Defnyddir y swyddogaeth HLOOKUP i chwilio am ddata mewn tabl sydd wedi'i drefnu fel hyn:

Lefel	CA3	TGAU	Safon UG	Safon Uwch	Gradd
Cyfradd yr awr	£25.60	£27.50	£29.00	£30.00	£41.00

Y swyddogaeth am-edrych yn cael ei defnyddio i gyrchu gwybodaeth am gynnyrch drwy fewnbynnu cod cynnyrch					
Rhif y Cynnyrch		1023			
Disgrifiad o'r Cynnyrch	Pensiliau HB				
Pris y Cynnyrch		0.04			
Rhif y Cynnyrch	**Disgrifiad o'r Cynnyrch**	**Pris y Cynnyrch**			
1021	Papur A4	£5.45			
1022	Clipiau papur	£0.23			
1023	Pensiliau HB	£0.04			
1024	Pennau coch	£0.28			
1025	Pennau du	£0.28			

Cyfleusterau ar gyfer mewnbynnu data – sbinwyr, blychau rhestr a blychau combo

Y prif ofynion ar gyfer mewnbynnu data i fodel taenlen yw:

- y dylai fod mor hawdd ag y bo modd i'r defnyddiwr
- y bydd yn ei gwneud hi'n llai tebygol y caiff data anghywir eu mewnbynnu.

Heblaw am deipio, gallwch ddefnyddio'r cyfleusterau canlynol i fewnbynnu data:

Sbinwyr – mae'r rhain yn eich galluogi i newid y gwerth mewn cell drwy glicio ar saeth i fyny neu saeth i lawr.

Dyma sbiniwr a ddefnyddir mewn taflen waith i newid nifer y blynyddoedd:.

Blychau rhestr – mae blychau rhestr yn cynnig dewis o ddata i'w mewnbynnu i gell taenlen. Bydd y blwch yn dangos yr holl eitemau yn y rhestr fel arfer ond, os yw'r rhestr yn rhy hir, defnyddir y bar sgrolio i'w gweld.

Blychau combo – mae'r rhain yn eich galluogi i wneud dewis o restr sy'n ymddangos pan gliciwch ar y saeth i'w thynnu i lawr. Gallwch eu defnyddio i fewnbynnu mwy nag un eitem o ddata o dabl o ddata.

Defnyddir blychau combo pan fo nifer penodol o ddewisiadau (e.e. dyddiau'r wythnos, misoedd y flwyddyn, meintiau penodol (S, M, L, XL), lliwiau penodol, ac ati).

Blychau rhesymegol (Cywir neu Anghywir) – blychau ticio yw'r enw a roddir ar y rhain weithiau ac maent yn rhoi ateb Cywir neu Anghywir gan ddibynnu ar a ydynt yn cael eu dewis neu eu clirio. Maent yn ddefnyddiol os nad oes ond dau osodiad posibl fel ymlaen/i ffwrdd neu gywir/anghywir. Dyma un enghraifft, sy'n rhoi cyfle i chi ddewis post cyflym drwy dicio'r blwch.

Angen post cyflym	☑

Blychau dewis – defnyddir y rhain i orfodi'r defnyddiwr i ddewis rhwng sawl opsiwn. Yn y blwch ar y dde mae'r defnyddiwr yn gorfod dewis ei ystod oedran:

Cyfeirnodi 3D

Defnyddir cyfeirnodi 3D pan fyddwch am gyfeirio at yr un gell neu grŵp o gelloedd sydd ar nifer o daflenni gwaith o fewn llyfr gwaith. Er enghraifft, drwy ddefnyddio meddalwedd taenlen Excel gallech greu fformiwla sydd â chyfeirnod 3D fel hwn:

=SUM(Sheet1:Sheet4!A6))

Byddai'r fformiwla uchod yn adio cynnwys yr holl gelloedd A6 yn yr holl daflenni gwaith o daflen waith 1 i daflen waith 4. Byddai hyn yn ddefnyddiol os oedd gennych setiau o ffigurau gwerthu ar gyfer pedair blynedd a phob un ar wahanol daflen waith, a'ch bod yn dymuno creu taflen waith gryno sy'n cymharu'r ffigurau.

Rhestri AwtoLanw (*AutoFill*)

Tybiwch eich bod am deipio dyddiau'r wythnos neu fisoedd y flwyddyn i lawr colofn neu ar draws rhes. Gall Excel ragweld beth yr ydych yn debygol o fod am ei wneud ar sail y gair cyntaf yn unig. Felly, os teipiwch 'Dydd Llun', mae'n fwy na thebyg y byddwch am gael 'Dydd Mawrth' yn y golofn neu'r rhes nesaf ac yn y blaen. Y brif fantais wrth ddefnyddio AwtoLanw yw bod y data sy'n cael eu mewnbynnu'n llai tebygol o gynnwys gwallau na phe byddech yn teipio'r data i mewn eich hun.

Mae llawer o ffyrdd eraill o ddefnyddio meddalwedd taenlen i lenwi data, felly defnyddiwch y cyfleuster cymorth i ddysgu mwy am AwtoLanw.

Macros i gychwyn rheolweithiau awtomataidd

Mae macros yn nodweddion defnyddiol iawn mewn pecynnau meddalwedd oherwydd y gallant arbed llawer o amser. Gallwch ddefnyddio macros i gyfarwyddo'r cyfrifiadur i gyflawni nifer mawr o dasgau drwy bwyso un botwm.

Rheolyddion Ffurflen

Mae'r bar offer 'Rheolyddion Ffurflen' yn cynnwys syniadau i'w gwneud yn haws i'r defnyddiwr ychwanegu data. Mae hefyd yn gwneud mewnbynnu data'n fwy cywir drwy gyfyngu ar y dewisiadau.

Beth yw eich oed?	
Rhwng 16 a 21	◉
Dros 21	

Yn syml, mae macro'n set o orchmynion y gallwch ei hailredeg pryd bynnag y byddwch am gyflawni tasg syml. Er enghraifft, gallech greu macro a fydd yn creu siart cylch o dabl o ddata gwerthu. Yn lle gorfod mynd drwy'r holl gamau i greu'r siart o'r dechrau, gan ddefnyddio'r Dewin, gallwch redeg y macro.

Pan fyddwch yn chwilio am bethau i'w hawtomeiddio drwy ddefnyddio macros, dylech feddwl am yr holl dasgau hynny sy'n cymryd amser ac sy'n ailadroddus.

Mae dwy ffordd o greu macro:

- defnyddio'r recordydd macro
- defnyddio'r Golygydd Visual Basic.

Dim ond y dull cyntaf y byddwn yn ei ystyried yma.

Defnyddio'r recordydd macro yw'r dull hawsaf o gofnodi macros, ond mae'r mathau o bethau y gallwch eu gwneud yn gyfyngedig. Rydych yn defnyddio'r recordydd macro i recordio gorchmynion a dewisiadau drwy glicio'r llygoden. Wedyn gallwch ailredeg y gorchmynion neu ddewisiadau yn y drefn yr oeddent wedi'u gwneud drwy gyrchu'r macro o'r ddewislen. Fel arall, gallwch osod y macro ar far offer.

Mae'r Golygydd Visual Basic yn ddull mwy datblygedig o greu macros grymus na fyddai'n bosibl eu creu drwy ddefnyddio'r recordydd macro.

Pan gaiff macro ei recordio, recordir yr holl gamau, hyd yn oed y rhai anghywir os gwnewch gamgymeriadau. Cyn dechrau creu'r macro, mae angen i chi fod yn eithaf sicr o beth yr ydych yn ceisio ei wneud, felly mae'n werth ymarfer creu'r macro cyn ei recordio. Gallai fod yn ddefnyddiol i chi roi'r holl gamau ar bapur hefyd.

Cadwch eich gwaith bob tro cyn i chi ddechrau creu macro, oherwydd gallwch fynd yn ôl at y fersiwn sydd wedi'i gadw os bydd rhywbeth annisgwyl yn digwydd. Ni allwch ddefnyddio'r gorchmyn Dadwneud wrth greu macro, felly yr unig ddewis a fydd gennych yw rhoi'r gorau i greu'r macro a mynd yn ôl at y fersiwn o'r daflen waith yr oeddech wedi'i gadw o'r blaen.

Yn hytrach na mynd drwy'r gweithdrefnau arferol ar gyfer rhedeg macro, mae'n haws defnyddio botwm arbennig y gallwch ei greu at y pwrpas. Gallwch ddysgu sut i wneud hyn drwy ddarllen y cymorth sy'n dod gyda'r meddalwedd.

Cysyniadau uwch ar gyfer modelu taenlen (parhad)

Technegau dilysu a negeseuon gwall

Rydych wedi dysgu sut i greu profion dilysu a negeseuon gwall yn Nhopig 4 Dilysu a gwireddu/4 ar dudalennau 36-39. Dylech ailedrych ar y tudalennau hynny er mwyn eich atgoffa'ch hun.

Technegau trefnu

Drwy ddefnyddio meddalwedd taenlen, gallwch greu ffeil fflat sy'n cynnwys data. Mae modd trefnu'r data yn y ffeil hon ar sail unrhyw un o'r meysydd.

Mae hidlo'n ddefnyddiol hefyd os ydych yn ceisio gwybodaeth benodol. Dyma hidlydd sy'n cael ei gymhwyso at gronfa ddata o enwau a chyfeiriadau er mwyn echdynnu'r holl enwau a chyfeiriadau yn ardal cod post L12.

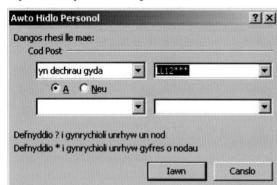

Chwilio am feini prawf penodol

Gallwch ddefnyddio un maes neu nifer o feysydd mewn ffeil fflat i chwilio am gofnod. Er enghraifft, rydym yn chwilio yma am y cofnod ar gyfer y person sydd â'r cyfenw 'Harman'.

Hefyd gallwch ychwanegu gweithredyddion at eich meini prawf chwilio drwy eu dewis o'r tabl canlynol.

Gweithredydd	Ystyr
=	yn hafal i
>	yn fwy na
<	yn llai na
<=	yn llai na neu'n hafal i
>=	yn fwy na neu'n hafal i
<>	nid yw'n hafal i

Ffwythiannau IF sengl

Gelwir y ffwythiant IF yn ffwythiant rhesymegol gan ei fod yn penderfynu gwneud un o ddau beth ar sail y gwerth y mae'n rhoi prawf arno. Mae'r ffwythiant IF yn ddefnyddiol iawn oherwydd y gallwch ei ddefnyddio i roi prawf ar amod ac wedyn ddewis rhwng dwy weithred yn ôl a yw'r amod yn gywir neu'n anghywir.

Mae'r ffwythiant IF yn defnyddio gweithredyddion perthynol. Efallai eich bod chi wedi dod ar draws y rhain yn eich gwersi mathemateg ond mae'n werth edrych arnynt eto.

Gweithredyddion perthynol (=, < >, <>, <=, >=)

Symbol	Ystyr	Enghreifftiau
=	yn hafal i	5 + 5 = 10
>	yn fwy na	5*3 > 2*3
<	yn llai na	-6 < -1 or 100 < 200
<>	nid yw'n hafal i	"Coch" <> "Gwyn" neu 20/4 <> 6*4
<=	yn llai na neu'n hafal i	"Adda" <= "Efa"
>=	yn fwy na neu'n hafal i	400 >= 200

Y gweithredydd mwyaf cyffredin o bell ffordd yw'r hafalnod ond weithiau mae angen cymharu dwy eitem o ddata. Er enghraifft, efallai bod angen i ni gael rhestr o weithwyr sy'n ennill cyflog o fwy na swm penodol fel £20,000.

Gallwch ddefnyddio gweithredyddion hefyd gyda nodau neu linynnau nodau, fel bod modd cymharu un nod ag un arall, a chan fod cod deuaidd (*ASCII*) yn gysylltiedig â phob nod gall y cyfrifiadur ganfod bod A yn dod o flaen B ac yn y blaen. Gallwch wneud prawf hefyd i weld a yw cell benodol yn cynnwys gair penodol. Er enghraifft, gallech wneud prawf i weld IF B6 = "Ydyw".

Mae'r ffwythiant IF wedi'i strwythuro fel hyn:

=IF(Amod,gwerth os yw'n gywir,gwerth os yw'n anghywir)

Gall y gwerth fod naill ai'n rhif neu'n neges. Os yw'r gwerthoedd yn negeseuon, mae angen eu rhoi rhwng dyfynodau (e.e. "Uchel").

Dyma rai enghreifftiau o'r defnydd o ffwythiant IF sengl:

=IF(B3>=50,"Llwyddo","Methu")

Mae'r ffwythiant hwn yn rhoi prawf i weld a yw'r rhif yng nghell B3 yn fwy na 50 neu'n hafal iddo. Os yw'r ateb yn gywir, dangosir Llwyddo ac os yw'r ateb yn anghywir, dangosir Methu.

=IF(A2>=500,A2*0.5,A2)

Mae hwn yn rhoi prawf i weld a yw'r rhif yng nghell A2 yn fwy na 500 neu'n hafal iddo. Os yw'n gywir, caiff y rhif yng nghell A2 ei luosi â 0.5 a dangosir yr ateb (h.y. dangosir 250). Os yw'n anghywir, dangosir y rhif sydd yng nghell A2.

Ffwythiannau IF lluosog

Mae ffwythiannau IF lluosog yn rhoi prawf i weld a yw mwy nag un amod wedi'i fodloni.

Cyfuno amodau ag AND

Os ydych am wneud cyfrifiad neu greu neges dim ond pan fo dau amod yn gywir, gallwch ddefnyddio'r ffwythiant AND().

Edrychwch ar y ffwythiant hwn sy'n cynnwys AND:

=IF(AND(B3="Ydyw",C3="Ydyw", "Llwyddo","Methu")

Sylwch ar y ffordd y mae'r fformiwla hon yn gweithio. Y cromfachau mewnol sy'n cynnwys y ddau amod y rhoddir prawf arnynt. Yn yr achos hwn rydym yn edrych i weld a yw'r ddwy gell yn cynnwys Ydyw. Ar ôl y cromfachau hyn, mae'r neges sydd i'w hargraffu os yw'r amodau rhwng y cromfachau'n gywir wedi cael ei rhoi rhwng dyfynodau (h.y. "Llwyddo"). Ar ôl hyn mae gennym y neges ar gyfer yr amod anghywir (h.y. "Methu").

Cyfuno amodau ag OR

Os ydych am wneud cyfrifiad neu greu neges dim ond pan fo un neu ddau o ddau amod yn gywir, gallwch ddefnyddio'r ffwythiant OR().

Edrychwch ar y ffwythiant hwn sy'n cynnwys OR:

=IF(OR(B3="Ydyw",C3="Ydyw"), "Llwyddo","Methu")

Yn yr enghraifft hon, rhaid i naill ai B3 neu C3 neu'r ddwy gynnwys y testun "Ydyw" er mwyn i'r amod fod yn gywir ac i'r neges "Llwyddo" ymddangos.

Ffwythiant DATE

Gallwn ysgrifennu dyddiad mewn llawer ffordd ond, wrth fewnbynnu dyddiad i daenlen, mae'n well i chi ddefnyddio'r fformat hwn:

14/03/2011 (DD/MM/BBBB)
Yn Excel caiff dyddiadau eu storio ar ffurf rhifau ac mae'r dyddiad

01/01/1900 (h.y. 01 Ionawr 1900) yn cael ei gynrychioli gan y rhif 1. Felly mae'r dyddiad 02/01/1900 yn cael ei gynrychioli gan y rhif 2 ac yn y blaen.

Gan fod dyddiadau'n cael eu cynrychioli fel hyn, gallwch dynnu un dyddiad o un arall i ddarganfod nifer y dyddiau sydd wedi mynd heibio rhwng y ddau.

Yn y daflen waith, y fformiwla yng nghell B4 yw =TODAY() ac mae dyddiad cyffredin yn cael ei roi yn B5. Mae cell B7 yn cynnwys y fformiwla =B4-B5 ond mae angen fformatio'r gell hon i ddangos rhif pan fydd y nifer cywir o ddyddiau'n cael ei ddangos.

Er mwyn gweld dyddiad ar ffurf rhif, rhaid fformatio'r gell i ddangos rhif.

Dyma ddau ffwythiant defnyddiol i roi dyddiad:

=TODAY() – ffwythiant defnyddiol sy'n rhoi'r dyddiad presennol
=NOW() – ffwythiant defnyddiol sy'n rhoi'r dyddiad a'r amser presennol.

Ffwythiant ROUND

Mae'r ffwythiant ROUND yn talgrynnu rhif yn gywir i'r nifer o ddigidau a bennwch. Defnyddir ROUND fel hyn:

=ROUND(rhif,nifer y digidau), lle y mae'r rhif yn rhif yr ydych am ei dalgrynnu a nifer y digidau yn nifer y lleoedd degol.

Dyma rai enghreifftiau:

bydd =ROUND(3.56678,2) yn rhoi'r rhif 3.57
bydd =ROUND(5.43,1) yn rhoi'r rhif 5.4

	A	B	C	D
1	Taenlen i gyfrifo nifer y dyddiau rhwng dau ddyddiad			
2				
3				
4	Dyddiad heddiw	17/03/2011		
5	Eich dyddiad geni	04/07/1996		
6				
7	Rydych wedi byw	5369	Diwrnod	

Modelau efelychu

▼ Byddwch yn dysgu

▶ Am gydrannau model syml

▶ Am gymhwyso modelu

▶ Am fanteision ac anfanteision defnyddio modelau efelychu

▶ Am faterion sy'n gysylltiedig â'r caledwedd a ddefnyddir ar gyfer modelau efelychu

Cyflwyniad

Ystyr modelu yw creu cyfres o hafaliadau mathemategol y gallwch eu defnyddio i ddynwared sefyllfa go iawn. Pan roddir gwerthoedd yn y model neu pan ddefnyddiwn y model mewn rhyw ffordd, dywedir ein bod yn cyflawni efelychiad. Mae llawer math o feddalwedd modelu arbenigol, yn amrywio o gemau i efelychyddion hedfan. Gellir creu modelau i ddisgrifio llif y traffig ar gyffyrdd a gellir defnyddio allbwn y model wedyn i reoli'r arwyddion traffig i sicrhau bod y traffig yn llifo mor llyfn ag sy'n bosibl. Gallwch ddefnyddio meddalwedd taenlen i lunio modelau.

Cydrannau model syml

Mae modelau'n cynnwys y cydrannau canlynol.

Gwerthoedd mewnbwn

Dyma'r gwerthoedd sydd heb eu rhagosod yn y model. Fel rheol caiff gwerthoedd mewnbwn eu mewnbynnu gan y defnyddiwr drwy ddefnyddio bysellfwrdd. Mae'n bwysig dilysu'r gwerthoedd mewnbwn hyn i sicrhau mai dim ond data dilys sy'n cael eu prosesu.

Newidynnau

Newidynnau yw'r eitemau o ddata yn y model yr ydym yn debygol o'u newid. Er enghraifft, mewn model i ddangos effaith chwyddiant ar gynilion rhywun, mae'r swm y mae wedi'i arbed, y gyfradd llog y mae'n ei chael a chyfradd chwyddiant i gyd yn newidynnau. Ni ddylech byth roi newidynnau mewn fformiwla'n uniongyrchol, gan y byddai'n rhaid i'r defnyddiwr ddeall y fformiwla er mwyn eu newid.

Cysonion

Y rhain yw'r rhifau nad ydynt yn newid neu yr ydych am eu cadw yr un fath. Rhaid i chi fod yn ofalus wrth drin cysonion gan fod llawer o feintiau'n aros yn gyson dros gyfnod byr ond nid dros gyfnod hwy.

Cyfyngiadau

Mae cyfyngiad yn rhywbeth sy'n cael ei osod ar fodel. Er enghraifft, gallai'r banc osod terfyn credyd arnoch ac ni fyddech yn cael gwario mwy na hynny.

Rheolau (h.y. cyfrifiadau a gweithredyddion eraill)

Ar ôl mewnbynnu'r data, gallant gael eu trin â nifer o weithredyddion:

- Rhifyddeg (+, −, ÷, ×, ac ati)
- Perthynol (=, <, >, IF)
- Rhesymegol (AND, OR, NOT).

Rheolau yw'r enw a roddwn ar y cyfrifiadau a gweithredyddion rhesymegol hyn.

Rhyngwyneb defnyddiwr cychwynnol

Rhaglen at ddefnydd pobl eraill yw model, felly dylai fod ganddo ryngwyneb dynol sy'n hawdd ei ddefnyddio. Dylai'r defnyddiwr allu gweld yn glir beth y mae'n rhaid iddo ei wneud.

Mae angen i chi sicrhau bod modd i'r holl daflenni gwaith yr ydych yn eu defnyddio yn y model gael eu cyrchu o ryngwyneb defnyddiwr cychwynnol. Hwn yw'r peth cyntaf y bydd y defnyddiwr yn ei weld wrth agor ffeil. Rhaid sicrhau bod y defnyddiwr yn gwybod beth yn union i'w wneud.

Gallwch ddefnyddio meddalwedd taenlen i greu llawer o fodelau.

Cymwysiadau modelu

Mae llawer o enghreifftiau o fodelu heblaw am y rhai yr ydym wedi'u hystyried eisoes. Dyma rai mathau poblogaidd o fodelau.

Modelau economaidd ac ariannol

Mae cyflwr yr economi'n bwysig i bob un ohonom. Hyn sy'n penderfynu pa mor llewyrchus yw'r wlad. Bydd y llywodraeth yn defnyddio model economaidd i ragfynegi beth a allai ddigwydd pe bai'n codi trethi'n uwch, yn gostwng cyfraddau llog, yn gwario mwy ar wasanaethau cyhoeddus fel ysbytai ac ysgolion, ac ati.

Fel pob model, mae'r model economaidd yn cynnwys rheolau a data newidiol. Yn y model economaidd mae'r rheolau'n hafaliadau fel hwn:

diweithdra = pobl sy'n gallu gweithio − pobl sy'n gweithio mewn gwirionedd

Gallai'r data newidiol fod yn gyfradd chwyddiant, cyfraddau llog, pris olew, ac yn y blaen. Drwy newid gwerthoedd y newidynnau, gall economegwyr weld beth fydd y canlyniadau tebygol.

Yn aml mae angen i fusnesau wneud rhagfynegiadau i'w helpu i gynllunio, a byddant yn creu modelau sy'n dynwared agweddau ariannol penodol ar y busnes.

Dyma rai enghreifftiau o fodelau ariannol:

- dadansoddiad gwerthiant
- dadansoddiad adennill costau
- modelu effeithiau chwyddiant
- cyfrifo dibrisiad
- cyfrifo gwerth portffolio o fuddsoddiadau
- cyfrif elw a cholled
- rhagolwg llif arian
- taliadau comisiwn i staff gwerthu
- dadansoddiad o'r elw o bob cwsmer
- costiadau
- dadansoddiad stoc.

Er mwyn deall yr uchod, mae angen i chi ddeall y cysyniadau busnes sy'n sail iddynt. Wrth greu model busnes, bydd angen i chi wneud rhywfaint o waith ymchwil a gallwch wneud hyn drwy ddarllen gwerslyfrau astudiaethau busnes er mwyn cael ychydig o syniadau.

Mae meddalwedd taenlen wedi cael ei ddefnyddio i greu'r model ariannol hwn. Mae'n cyfrifo nifer y cwpaneidiau o goffi y mae'n rhaid i far coffi eu gwerthu mewn mis er mwyn adennill ei gostau.

Gemau

Mae llawer o gemau'n fodelau. Er enghraifft, mae'r gêm bwrdd Monopoly yn fodel ar gyfer rhedeg busnes eiddo. Mae llawer o gemau cyfrifiadur yn defnyddio modelau. Er enghraifft, mae un gêm yn efelychu'r broses o redeg parc thema. Drwy ddefnyddio'r efelychiad hwn gallwch ychwanegu reidiau newydd, lleoli cabanau gwerthu hufen iâ a gwneud yr holl bethau sy'n gysylltiedig â rhedeg parc thema. Nod y gêm yw rhedeg y parc fel ei fod yn gwneud cymaint o elw ag sy'n bosibl.

Mae hyd yn oed gemau cyffro yn defnyddio modelau, er enghraifft, i efelychu gyrru car Fformiwla 1, hedfan awyren ymladd, neu chwarae pêl-droed.

Rhagolygon y tywydd

Mae data am y tywydd fel buanedd y gwynt, tymheredd yr aer, tymheredd y llawr a lleithder yn cael eu cofnodi drwy'r amser mewn gorsafoedd tywydd pell ym mhob rhan o'r byd. Mae'r data sy'n cael eu casglu o'r gorsafoedd hyn yn cael eu trosglwyddo i'r swyddfa dywydd. Wedyn cânt eu prosesu gyda'r data o luniau lloeren i gynhyrchu rhagolygon y tywydd. Mae'r rhaglen sy'n gwneud hyn yn fodel. Mae'n defnyddio'r newidynnau a llawer o reolau i geisio rhagfynegi'r tywydd yn y dyfodol.

Mae rhagolygon y tywydd yn defnyddio modelau i wneud rhagfynegiadau.

	A	B	C	D	E	F
1	**Model AromaBar i ganfod y pwynt adennill costau**					
2	Mae'r holl ffigurau canlynol yn ffigurau misol					
3						
4	Pris gwerthu cwpanaid o goffi	£1.50				
5						
6	**Costau sefydlog**					
7	Rhent yr adeilad	£750				
8	Cyflogau staff	£4,200				
9	Trethi busnes	£557				
10	Llog ar fenthyciad	£345				
11	Cyfanswm costau sefydlog	£5,852				
12						
13						
14	**Costau newidiol (y cwpanaid)**					
15	Coffi	£0.13				
16	Papurau hidlo	£0.02				
17	Llaeth/Hufen	£0.05				
18	Cyfanswm costau newidiol (y cwpanaid)	£0.20				
19						
20						
21						
22	Sawl cwpanaid o goffi a werthwyd	Costau newidiol(£)	Costau sefydlog(£)	Cyfanswm y costau(£)	Refeniw(£)	Elw/Colled(£)
23	4491	£898.20	£5,852	£6,750.20	£6,736.50	£13.70
24	4492	£898.40	£5,852	£6,750.40	£6,738.00	£12.40
25	4493	£898.60	£5,852	£6,750.60	£6,739.50	£11.10
26	4494	£898.80	£5,852	£6,750.80	£6,741.00	£9.80
27	4495	£899.00	£5,852	£6,751.00	£6,742.50	£8.50
28	4496	£899.20	£5,852	£6,751.20	£6,744.00	£7.20
29	4497	£899.40	£5,852	£6,751.40	£6,745.50	£5.90
30	4498	£899.60	£5,852	£6,751.60	£6,747.00	£4.60
31	4499	£899.80	£5,852	£6,751.80	£6,748.50	£3.30
32	4500	£900.00	£5,852	£6,752.00	£6,750.00	£2.00
33	4501	£900.20	£5,852	£6,752.20	£6,751.50	£0.70
34	4502	£900.40	£5,852	£6,752.40	£6,753.00	£0.60
35	4503	£900.60	£5,852	£6,752.60	£6,754.50	£1.90
36	4504	£900.80	£5,852	£6,752.80	£6,756.00	£3.20
37	4505	£901.00	£5,852	£6,753.00	£6,757.50	£4.50

Modelau efelychu (parhad)

Manteision ac anfanteision defnyddio modelau efelychu

Mae llawer o resymau dros ddefnyddio modelau ac efelychiadau a dyma rai ohonynt.

Y manteision

Rhatach

Gall fod yn rhatach defnyddio model/efelychiad. Er enghraifft, mae peirianwyr ceir yn gallu defnyddio cyfrifiadur i fodelu'r effaith ar y bobl mewn car yn ystod gwrthdrawiad ac mae hyn yn rhatach na defnyddio ceir gyda dymïau prawf gwrthdaro.

Mae modelau prawf gwrthdaro cyfrifiadurol yn cymryd lle dymïau prawf gwrthdaro.

Mwy diogel

Gall efelychydd hedfan fodelu'r effaith o hedfan awyren mewn sefyllfaoedd eithafol. Rhai sefyllfaoedd eithafol posibl yw glanio heb i'r olwynion ddod i lawr, glanio â dim ond un peiriant yn gweithio, ac yn y blaen. Byddai'n rhy beryglus o lawer i beilot geisio efelychu sefyllfaoedd o'r fath mewn bywyd go iawn.

Gall arbed amser

Gallwn greu modelau o gynhesu byd-eang i ragfynegi effeithiau tebygol cynhesu byd-eang yn y dyfodol.

Gellir cael profiad o lawer mwy o sefyllfaoedd

Drwy ddefnyddio efelychiadau gall peilotiaid gael profiad o bob math o dywydd eithafol fel stormydd tywod, corwyntoedd, mwg o losgfynydd, ac ati. Byddai bron yn amhosibl cael profiad o'r rhain fel arall.

Yr anfanteision

Y gwahaniaethau rhwng efelychiadau a realiti

Bydd rhai gwahaniaethau bob amser rhwng model/efelychiad a realiti. Ni all yr un model neu efelychiad fod yn berffaith gan fod bywyd go iawn yn gallu bod mor gymhleth.

Cywirdeb y rheolau a'r newidynnau

Mae'n bosibl bod y person sy'n dylunio'r model wedi gwneud camgymeriadau wrth bennu'r rheolau neu'r data newidiol.

Mae rhai sefyllfaoedd yn anodd eu modelu

Mae rhai sefyllfaoedd yn anodd eu modelu oherwydd bod modd dehongli rhai agweddau ar y model yn wahanol. Er enghraifft, mae'n bosibl y bydd arbenigwyr ar y pwnc yn anghytuno ar y rheolau i'w cymhwyso.

Efelychiadau

Yr enw a roddwn ar yr hyn sy'n cael ei wneud â'r model ar ôl ei greu yw efelychu. Mae modelau'n set o hafaliadau a ddefnyddir i ddisgrifio sut y mae rhywbeth go iawn yn gweithredu. Wrth gyflawni efelychiad, rhoddwn werthoedd i mewn i'r hafaliadau hyn i weld beth sy'n digwydd. Weithiau, yn achos efelychydd hedfan er enghraifft, rhyngweithiwn yn barhaus â'r model.

Efelychyddion hedfan

Gallwch brynu meddalwedd efelychydd hedfan i'ch cyfrifiadur. Wrth gwrs, ni chewch yr un teimlad â bod mewn awyren go iawn ond bydd yn rhoi rhyw syniad i chi o natur yr offer rheoli. Mae efelychyddion hedfan yn symud yn yr un ffordd â'r awyren, felly gallwch gael yr un teimlad â phe bai'r awyren yn cyflymu ar hyd y rhedfa, yn codi ac yn disgyn, ac yn y blaen.

Yn ogystal â'r rheolau sy'n sail i'r modelau, mae angen rhai mewnbynnau i'r system.

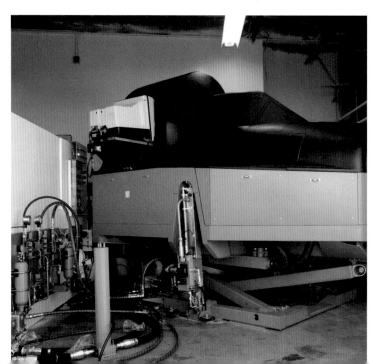

Efelychydd mudiant yn un o ganolfannau ymchwil hedfan NASA.

Mewnbynnau i efelychydd hedfan

- y math o dywydd (braf, eira, niwl, storm fellt a tharanau, glaw, ac ati)
- y math o awyren
- cyfanswm pwysau'r awyren gan y bydd hyn yn effeithio ar berfformiad yr awyren
- unrhyw broblemau â'r awyren (e.e. colli pŵer mewn peiriant, yr olwynion yn peidio â dod i lawr, ac ati)
- y dirwedd (h.y. sut y mae'r tir yn edrych o'r awyren)
- a yw'n ddydd neu'n nos
- yr olygfa wrth nesáu at y maes awyr.

Enghreifftiau o efelychiadau

- gemau
- efelychyddion hedfan i hyfforddi peilotiaid
- mapiau tywydd wedi'u hanimeiddio sy'n dangos llwybr storm
- efelychiadau o geir yn gwrthdaro.

Efelychiadau o geir yn gwrthdaro

Wrth ddylunio car newydd, defnyddir efelychiadau o geir yn gwrthdaro yn lle gwrthdrawiadau gwirioneddol i roi prawf ar newidiadau yn nyluniad y car. Gallwch ddysgu mwy am hyn yn yr Astudiaeth achos.

Dyma rai mewnbynnau posibl ar gyfer efelychiad o gar yn gwrthdaro:

- cyflymder
- y tywydd ar y ffordd (glaw, rhew, eira, ac ati)
- cyflwr y breciau a'r teiars
- gwneuthuriad y ceir (mae rhai ceir yn fwy cryf nag eraill mewn gwrthdrawiadau)
- cyfeiriad y gwrthdaro
- nifer y bobl sydd yn y car.

Y tu mewn i efelychydd hedfan.

Materion yn ymwneud â'r caledwedd a ddefnyddir ar gyfer modelau efelychu

Mae llawer o fodelau efelychu cymhleth sydd angen mwy na systemau cyfrifiadurol cyffredin. Yn yr adran hon byddwn yn gweld sut y caiff problemau o'r fath eu datrys.

Prosesyddion paralel

Un prosesydd sydd yn y rhan fwyaf o gyfrifiaduron, felly ni allant wneud ond un peth ar y tro. Gan fod prosesyddion cyfrifiadurol yn gweithio mor gyflym, cawn ein twyllo i gredu eu bod yn gweithio ar fwy o dasgau, gan eu bod yn gallu symud yn gyflym o dasg i dasg.

Mae'r cyfrifiaduron mwyaf pwerus a ddefnyddir i gyflawni efelychiadau cymhleth ar raddfa fawr yn cynnwys prosesyddion paralel. Mae hyn yn golygu y gallant rannu tasg fawr gymhleth yn dasgau llai a chyflawni pob tasg yr un pryd.

Prosesu gwasgaredig

Prosesu gwasgaredig yw'r prosesu sy'n cael ei wneud gan unrhyw system TGCh sy'n defnyddio mwy nag un prosesydd i redeg rhaglen. Felly mae cyfrifiaduron sydd â phrosesyddion paralel yn defnyddio prosesu gwasgaredig. Ffordd arall o gyflawni hyn yw cyfuno'r prosesyddion mewn nifer o gyfrifiaduron drwy eu cysylltu mewn rhwydwaith, fel rhwydwaith ardal leol (RhAL), fel bod prosesydd pob un o'r cyfrifiaduron yn gallu gweithio ar y dasg yr un pryd.

Mae uwchgyfrifiadur Cray, un o'r cyfrifiaduron mwyaf pwerus yn y byd, yn defnyddio prosesyddion paralel.

Cwestiynau ac Astudiaeth achos

▶ Cwestiynau 1 | tt. 226–235

1 Mae llawer o fodelau efelychu'n cael eu defnyddio gan gyfrifwyr mewn busnesau i fodelu agweddau ariannol penodol ar y busnes.
   (a) Eglurwch ystyr y term model efelychu. (3 marc)
   (b) Trafodwch pam y bydd cyfrifwyr yn defnyddio meddalwedd taenlen yn aml i greu modelau efelychu. (4 marc)

2 Mae modelau efelychu'n cael eu defnyddio at lawer o ddibenion.
   (a) Disgrifiwch y **tair** prif gydran mewn model efelychu. (3 marc)
   (b) Disgrifiwch **ddau** gymhwysiad hollol wahanol ar gyfer modelau efelychu ar wahân i fodelu ariannol. (4 marc)
   (c) Nodwch **un** fantais ac **un** anfantais defnyddio modelau efelychu. (2 farc)

3 Defnyddir modelau efelychu mawr i ddarogan y tywydd, i efelychu newid yn yr hinsawdd ac i ddadansoddi gwrthdrawiadau gan geir. Disgrifiwch y materion sy'n ymwneud â'r caledwedd a ddefnyddir ar gyfer y modelau efelychu cymhleth hyn sy'n gweithio ar raddfa fawr. (4 marc)

4 Bydd meddalwedd taenlen yn cael ei ddefnyddio'n aml i greu modelau efelychu.
   (a) Eglurwch **ddwy** o nodweddion meddalwedd taenlen sy'n ei wneud yn arbennig o addas ar gyfer cynhyrchu'r modelau hyn. (2 farc)
   (b) Mae'n hollbwysig mai dim ond data cywir a gaiff eu prosesu gan y model efelychu hyd y bo modd. Disgrifiwch **ddau** ddull dilysu yr ydych wedi'u defnyddio mewn model cyfrifiadurol i ddarganfod mathau penodol o wall. (2 farc)

▶ Astudiaeth achos | tt. 232–235

Defnyddio rhithwirionedd i wneud profion gwrthdaro ar geir BMW 5-Series

Caiff car BMW 5-Series ei yrru yn erbyn wal goncrit ac mae'r gyrrwr yn symud ymlaen yn erbyn y gwregys diogelwch ac i mewn i'r bag aer. Roedd y car yn mynd yn gyflym ac mae'r foned wedi'i malu'n llwyr. Nid yw'r gwrthdrawiad hwn yn digwydd mewn bywyd go iawn – mae'n digwydd ar sgrin cyfrifiadur. Mae'r peiriannydd yn defnyddio'r cyfrifiadur i fodelu'r gwrthdrawiad.

Gellir gweld y difrod y tu mewn i'r car nawr drwy glicio'r llygoden er mwyn canfod sut y mae'r gwrthdrawiad wedi effeithio ar y gwahanol rannau. Yn fwyaf pwysig, gall y peirianwyr weld yr effaith ar yrrwr y car. Gan fod y car wedi'i ddylunio mor dda, nid yw'r rhan lle y mae'r gyrrwr yn eistedd wedi plygu, felly ni fyddai'r gyrrwr wedi cael anaf.

Cyn adeiladu car newydd, bydd y cwmni wedi efelychu dros gant o wrthdrawiadau o wahanol gyfeiriadau. Mae cyfrifiadur pwerus yn cymryd dyddiau i ddarganfod y difrod o un gwrthdrawiad oherwydd bod angen iddo wneud miliynau o gyfrifiadau. Gellir gweld effaith y gwrthdrawiad drwy arafu lluniau a gall y dylunwyr newid dyluniad y car os oes angen. Yn y gorffennol byddent wedi gorfod gwneud prototeipiau (ceir sydd bron yn gyflawn) a oedd yn costio cymaint â £500,000 yr un a'u gyrru i mewn i wal neu wrthrych arall. Proses ddrud iawn oedd hon o gofio y byddai angen malu sawl car! Nid yw gwrthdrawiad sy'n cael ei greu gan gyfrifiadur yn costio fawr ddim.

1 Mae'r system profion gwrthdaro a ddefnyddir gan BMW yn enghraifft o rithwirionedd. Eglurwch beth y mae efelychiad yn ei olygu. (2 farc)

2 Bydd angen mewnbynnu manylion y car i'r cyfrifiadur cyn i'r gwrthdrawiad ddigwydd. Rhowch **dri** mewnbwn y gallai fod eu hangen. (3 marc)

3 Rhowch **ddwy** fantais defnyddio model efelychu yn hytrach na char go iawn i ddarganfod beth sy'n digwydd yn ystod gwrthdrawiad. (4 marc)

Cymorth gyda'r arholiad

Enghraifft 1

1 Mae cwmni cynllunio ceginau'n ystyried defnyddio meddalwedd cyfrifiadurol i gynnig prisiau i gwsmeriaid ac i gyfrifo taliadau comisiwn i staff gwerthu.
Disgrifiwch fanteision defnyddio meddalwedd taenlen i ddatrys y problemau hyn. **(4 marc)**

Ateb myfyriwr 1

1 Gallwch arbed amser drwy ddefnyddio taenlen ac mae hefyd yn fwy effeithlon mewnbynnu manylion i'r daenlen a gadael i honno wneud y gwaith. Byddech yn gallu defnyddio'r daenlen i gyfrifo taliadau comisiwn y gwahanol aelodau staff ac wedyn eu rhoi mewn graff fel siart bar i gymharu eu taliadau comisiwn fel bod pob gwerthwr yn gallu asesu ei berfformiad ochr yn ochr â'r gwerthwyr eraill.

Sylwadau'r arholwr

1 Ni roddir marc am y frawddeg gyntaf gan nad yw'n nodi beth sy'n fwy effeithlon neu'n arbed amser. Mae'r ail frawddeg yn disgrifio'r fantais ac yn ymhelaethu ar hyn i egluro sut y caiff y daenlen ei defnyddio. **(2 farc allan o 4)**

Ateb myfyriwr 2

1 Bydd gan gwsmeriaid swm penodol i'w wario wrth brynu cegin, felly byddant yn gorfod newid cynllun y gegin yn aml er mwyn peidio â gwario mwy nag sydd ganddynt. Er enghraifft, efallai y byddant yn dewis cael llai o unedau, oergell a rhewgell ratach, ac ati. Drwy ddefnyddio taenlen gallant wneud newidiadau a defnyddio'r meddalwedd taenlen i ailgyfrifo'r costau. Wedyn gallant gadw'r gwahanol fersiynau gan ddefnyddio enwau ffeil gwahanol rhag ofn y byddant am fynd yn ôl atynt.

Sylwadau'r arholwr

1 Dim ond un fantais y mae'r myfyriwr wedi'i rhoi yma. Mae'n well defnyddio'r cynllun marcio bob amser i amcangyfrif nifer y marciau ar gyfer pob rhan. Defnyddiwyd y gair 'manteision' yn y cwestiwn, felly dylai fod wedi rhoi mwy nag un fantais.
Mae hwn yn ateb da am un fantais ond tri marc yw'r mwyaf y gellir ei roi yn ôl y cynllun marcio.
(3 marc allan o 4)

Ateb yr arholwr

1 Dau farc am fanteision a dau farc am esboniad pellach. Tri marc ar y mwyaf os dim ond un fantais sydd wedi'i rhoi.
Y gallu i ailgyfrifo (1). Os bydd cwsmer yn ychwanegu eitemau neu'n tynnu eitemau o'r cynllun, bydd y daenlen yn ailgyfrifo'r costau'n awtomatig (1).
Gall wneud cyfrifiadau 'beth os' (1) i fodelu costau dyfeisiau gwahanol, teils gwahanol, ac ati (1).
Gall gynhyrchu graffiau a siartiau (1) i ddangos cymariaethau graffigol rhwng taliadau comisiwn i wahanol aelodau o'r staff gwerthu er mwyn hybu cystadleuaeth rhyngddynt (1).
Drwy gyfrifo taliadau comisiwn yn gywir (1) bydd y cwmni'n gallu gweithio'n fwy effeithlon ac arbed amser gan na fydd y staff gwerthu'n gorfod holi am gamgymeriadau (1).

Enghraifft 2

Ar gyfer y cwestiwn hwn, rhaid i'r myfyriwr gyfeirio at ei daenlen ei hun.

2 (a) Disgrifiwch bwrpas neu swyddogaeth dwy fformiwla wahanol yr ydych wedi'u defnyddio yn eich taenlen. (4 marc)

  (b) Disgrifiwch **ddau ddull** yr ydych wedi'u defnyddio yn eich taenlen i sicrhau, hyd y bo modd, nad yw data anghywir yn cael eu prosesu gan eich taenlen. (4 marc)

  (c) Heblaw am y cyfrifiadau yr ydych wedi'u disgrifio yn rhan (a) neu (b), disgrifiwch **ddwy broses hollol wahanol** yr ydych wedi'u defnyddio yn eich taenlen. (4 marc)

Ateb myfyriwr 1

2 (a) Defnyddiais y fformiwla i adio cyfanswm y costau yng ngholofn A. Rhoddwyd y fformiwla =SUM(B2:B15) yng nghell B16.
Dyma fformiwla arall a ddefnyddiais:
Mae =IF(A2<0,"Cyfrif mewn dyled","Cyfrif mewn credyd") yn rhoi prawf ar gell A2 i weld a yw'n llai na 0. Os yw'n gywir mae'r neges "Cyfrif mewn dyled" yn ymddangos ac os yw'n anghywir mae'r neges "Cyfrif mewn credyd" yn ymddangos.

  (b) Gwireddais y data drwy ddarllen y ddalen yr oeddwn wedi'i defnyddio sy'n cynnwys yr holl rifau yr oed angen i mi eu mewnbynnu a gwirio nad oeddwn wedi gwneud unrhyw wallau wrth eu teipio i mewn.
Roeddwn wedi fformatio'r celloedd fel fy mod yn gallu pennu'r math o ddata y byddai'n bosibl eu mewnbynnu. Er enghraifft, roedd cell C2 wedi'i fformatio i dderbyn data am arian cyfred ac mae hyn yn golygu mai dim ond rhifau y gellir eu mewnbynnu ac y bydd yr arwydd Punt yn cael ei ychwanegu'n awtomatig.

  (c) Defnyddiais y cyfleuster 'goal seek' pan oeddwn am osod yr elw/colled yng nghell G5 ar sero drwy newid cell B9 sy'n cynnwys nifer y gemau sydd wedi'u gwerthu.
Cyfrifais yr holl ganrannau yng ngholofn D drwy ddefnyddio fformiwla.

Sylwadau'r arholwr

2 (a) Mae angen i'r myfyrwyr gael profiad o waith taenlen 'lefel uchel' ac mewn cwestiynau fel hwn y peth gorau yw iddynt egluro'r gwaith y maent wedi'i wneud ar lefel uwch.
Gan fod SUM yn ffwythiant elfennol, ni roddir marciau am hyn.
Mae'r fformiwla IF...THEN...ELSE yn fwy cymhleth ac mae wedi'i hegluro'n dda, felly dau farc am hyn.

  (b) Mae'r cwestiwn yn cyfeirio at ddulliau sydd wedi'u defnyddio yn y daenlen, felly mae'n ymwneud â dilysu yn hytrach na gwireddu. Dim marciau am y rhan hon.
Nid yw fformatio celloedd ar gyfer math penodol o ddata yn golygu'r un peth â gwiriad math data. Er enghraifft, ni fydd fformatio cell ar gyfer arian cyfred yn rhwystro rhywun rhag mewnbynnu gair iddi. Dim marc am y rhan hon o'r cwestiwn.

  (c) Mae 'goal seek' yn broses ond dim ond un marc sydd wedi'i neilltuo ar gyfer y disgrifiad.
Mae canrannau'n gyfrifiadau ac mae'r cwestiwn yn dweud yn glir nad yw'n gofyn am fwy o gyfrifiadau fel manteision prosesau, felly dim marciau am y rhan hon. **(3 marc allan o 12)**

Ateb myfyriwr 2

2 (a) Defnyddiais y ffwythiant *DATE* i gyfrifo'r gwahaniaeth o ran dyddiau rhwng y dyddiad pan oedd y taliad yn ddyledus a phan gafodd y taliad ei wneud fel bod modd codi llog ar y ddyled sydd heb ei chlirio.

Defnyddiais fynegiad *IF* lluosog i weld a ddylid caniatáu i rywun gael benthyciad neu beidio ar sail cyfres o atebion yr oedd wedi'u rhoi yn ei ffurflen gais. Dyma'r fformiwla:
=IF(AND(E3="Yes",E4="No",E5="Yes",E6="Yes"),"Benthyciad wedi'i gymeradwyo","Benthyciad wedi'i wrthod")

(b) Defnyddiais wiriad amrediad yng nghell B3 fel mai dim ond gwerth rhwng 1 a 25 y gellid ei fewnbynnu.

Rhaid i rif y cais am fenthyciad fod rhwng 1 a 9999, felly defnyddiais wiriad amrediad i sicrhau mai dim ond gwerthoedd cyfanrif rhwng y ddau rif hyn y byddai'n bosibl eu mewnbynnu.

(c) Cynhyrchais gyfres o siartiau cylch yn dangos dadansoddiad o gostau ar gyfer pob un o'r pedwar cynnyrch. Roeddwn wedi gwneud hyn ar daflen waith wahanol i'r un a oedd yn cynnwys y data gan nad oeddwn am gael gormod o fanylion ar y siartiau cylch.

Er mwyn ei gwneud yn hawdd mewnbynnu data, dyluniais ffurflen mewnbynnu data gyda rhyngwyneb hawdd ei ddefnyddio sy'n galluogi'r defnyddiwr i fewnbynnu data o'r ffurflen. Defnyddir y data hyn wedyn i lenwi celloedd y daenlen.

Sylwadau'r arholwr

2 (a) Er ei bod yn iawn cyfeirio at ddefnyddio'r ffwythiant *DATE*, nid yw'r myfyriwr wedi nodi ble y cafodd y fformiwla hon ei defnyddio. Y peth gorau yw cynnwys y cyfeirnodau cell sy'n berthnasol i'r fformiwla ac mae hefyd yn syniad da rhoi'r fformiwla ar bapur.

Rhoddir un marc am y disgrifiad hwn.

Mae ail ran yr ateb hwn yn well o lawer gan fod y fformiwla wedi'i chynnwys a phwrpas y fformiwla wedi'i egluro. Dau farc am hyn.

(b) Mae'r ddau ddull dilysu hyn yn wiriadau amrediad. Rhaid i fyfyrwyr sicrhau eu bod yn rhoi gwiriadau hollol wahanol.

Rhoddir dau farc yma am y disgrifiad o'r gwiriad amrediad.

(c) Mae'r ddau ddisgrifiad hyn o brosesau'n cynnwys dau bwynt sy'n haeddu marciau.

Rhoddir pedwar marc am hyn.

(9 marc allan o 12)

Atebion yr arholwr

2 (a) Os na roddir tystiolaeth ar ffurf taenlen, ni ellir rhoi unrhyw farciau.

Ni roddir marciau am enwi'r math o fformiwla neu ffwythiant yn unig. Rhoddir hyd at ddau farc am ddisgrifiad llawn o'r hyn y mae'n ei wneud neu sut y mae'n gweithio.

Rhai enghreifftiau yw:

=IF(A1>=500,25,15) Ystyr y fformiwla hon yw os yw'r gost yn £500 neu'n fwy rhoddir £25 yng ngholofn B ar gyfer postio ac os nad ydyw rhoddir £15 ynddi.

=IF(A3>5,A6+B2,A6−C2) Ystyr hyn yw: Os (*IF*) yw'r rhif yng nghell A3 yn fwy na 5, YNA caiff cynnwys cell A6 ei adio at y cynnwys yng nghell B2, neu (FEL ARALL) tynnir cynnwys cell C2 o'r cynnwys yng nghell A6.

Y fformiwla yng nghell B5 yw, =VLOOKUP(B4,A11:C14,2,FALSE).

B4 yw'r gell lle y caiff y data eu mewnbynnu i gyfateb i werth sydd wedi'i storio yn y tabl o ddata. A11:C14 yw'r amrediad celloedd lle y mae'r tabl o ddata wedi'i leoli. Wedyn mae'r rhif '2' yn dweud wrth y cyfrifiadur fod yn rhaid iddo edrych yn yr ail golofn yn y tabl hwn i ddod o hyd i'r data y mae angen eu rhoi yn y gell lle y mae'r fformiwla.

(b) Un marc am yr enw cywir ar wiriad dilysu a hyd at dri marc am ddisgrifio'r gwiriad.

Defnyddiais flwch rhestr (1) fel bod y dewis o ddata sydd ar gael i ddefnyddwyr (1) wedi'i gyfyngu i'r eitemau sydd ar y rhestr y maen nhw'n clicio arni er mwyn arbed amser (1).

Cymhwysais wiriad amrediad at gell C4 (1) drwy ganiatáu mewnbynnu cyfanrifau rhwng 11 a 19 yn unig (1). Creais neges mewnbwn fel bod defnyddwyr yn gwybod pa ddata y dylid eu rhoi i mewn, a neges gwall a fydd yn neidio i fyny os bydd y data'n torri'r rheol (1).

(c) Dim marc am enwi proses wahanol yn unig ond hyd at ddau farc am ddisgrifiad manwl.

Defnyddiais gyfeirnodi 3D gyda phum taflen waith mewn llyfr gwaith fel fy mod yn gallu adio data tebyg am werthiant ar gyfer pob chwarter (1) sydd mewn taflenni gwaith gwahanol (1) a chymharu a chrynhoi'r gwahaniaethau mewn taflen waith gryno (1). Defnyddiais facro ar gyfer y data am gyfrannau yn y daflen waith ac i gynhyrchu graffiau llinell drwy ddefnyddio'r dewin siart (1). Creais fotwm, fel mai'r unig beth y bydd angen i'r defnyddiwr ei wneud yw clicio ar y botwm a bydd y macro yn cychwyn (1).

Mapiau meddwl cryno

Manteision defnyddio meddalwedd taenlen ar gyfer modelau efelychu

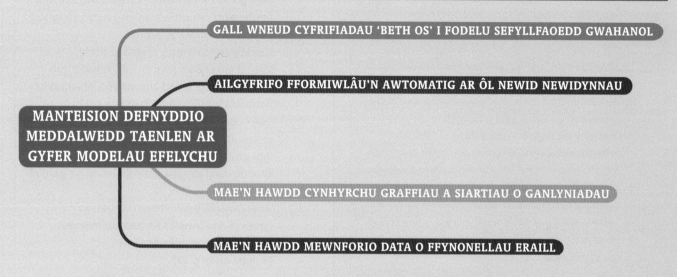

GALL WNEUD CYFRIFIADAU 'BETH OS' I FODELU SEFYLLFAOEDD GWAHANOL

AILGYFRIFO FFORMIWLÂU'N AWTOMATIG AR ÔL NEWID NEWIDYNNAU

MANTEISION DEFNYDDIO MEDDALWEDD TAENLEN AR GYFER MODELAU EFELYCHU

MAE'N HAWDD CYNHYRCHU GRAFFIAU A SIARTIAU O GANLYNIADAU

MAE'N HAWDD MEWNFORIO DATA O FFYNONELLAU ERAILL

Crynodeb o fodelau efelychu

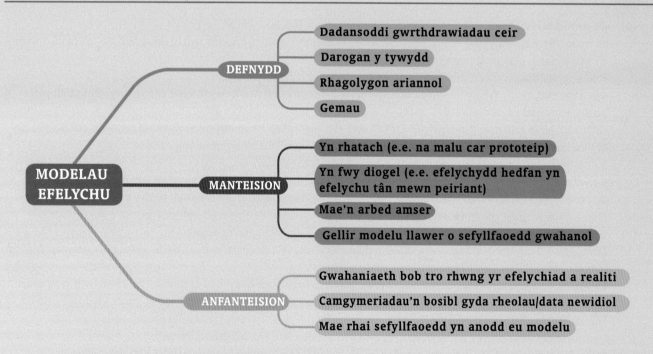

MODELAU EFELYCHU

DEFNYDD
- Dadansoddi gwrthdrawiadau ceir
- Darogan y tywydd
- Rhagolygon ariannol
- Gemau

MANTEISION
- Yn rhatach (e.e. na malu car prototeip)
- Yn fwy diogel (e.e. efelychydd hedfan yn efelychu tân mewn peiriant)
- Mae'n arbed amser
- Gellir modelu llawer o sefyllfaoedd gwahanol

ANFANTEISION
- Gwahaniaeth bob tro rhwng yr efelychiad a realiti
- Camgymeriadau'n bosibl gyda rheolau/data newidiol
- Mae rhai sefyllfaoedd yn anodd eu modelu

Yn yr uned hon bydd gofyn i chi ddefnyddio caledwedd a meddalwedd TGCh i ddatrys problem sy'n cynnwys tair tasg wahanol:

1. creu dogfen fel taflen neu gylchgrawn
2. creu dogfen sy'n cynnwys rheolweithiau awtomataidd fel llythyr wedi'i bostgyfuno
3. creu cyflwyniad i gynulleidfa fel tudalen we neu sioe sleidiau.

Bydd angen i chi ddarllen pob un o'r adrannau'n ofalus iawn nifer o weithiau er mwyn deall beth yn union y mae'n rhaid i chi ei wneud.

▼ Cydrannau allweddol yr asesiad ar gyfer IT2 yw:

▶ Cefndir – mae'n egluro'r wybodaeth gefndir am y corff

▶ Dadansoddi gweithgareddau prosesu data – archwilio dogfennau sy'n cael eu defnyddio gan y corff o ran eu harddull tŷ, eu hethos a'u delwedd

▶ Tasg 1 – Cyhoeddi bwrdd gwaith

▶ Tasg 2 – Dogfennau awtomataidd

▶ Tasg 3 – Cyflwyniad

▶ Gwerthuso

▶ Technegau cywasgu a storio

CYNNWYS

Golwg cyffredinol ar y tasgau

Cyflwyniad

Cyn edrych i weld beth y mae'n rhaid i chi ei wneud ar gyfer y tair tasg wahanol, mae'n werth cymryd golwg cyffredinol ar yr holl dasgau ac edrych ar y pethau hynny sy'n berthnasol i'r project cyfan.

Dewis y cyd-destun i'r project

Rhaid i chi ddewis y cyd-destun i'r project eich hun gan na fydd CBAC na'ch athro/athrawes/darlithydd yn gwneud hynny. Ni chewch gwblhau'r project fel rhan o grŵp, felly rhaid i'r holl waith gael ei wneud gennych chi.

Dyma grynodeb o'r hyn y mae'n rhaid i chi ei wneud, sydd wedi'i gymryd o fanyleb CBAC. Sylwch fod y tabl yn dangos y nodweddion (sylfaenol ac uwch) a ddylai gael eu cynnwys ym mhob tasg a gyflwynir.

IT2 Cyflwyno Gwybodaeth (Tasg a Asesir yn Fewnol)			
Cefndir			
Dadansoddi gweithgareddau prosesu data presennol			
Tasgau	**Enghreifftiau**	**Nodweddion sylfaenol**	**Nodweddion uwch**
	Rhaid i'r ymgeiswyr roi cynnig ar bob tasg	Dylai'r ymgeiswyr ddefnyddio'r **holl** nodweddion hyn	Rhaid defnyddio **o leiaf 5** o'r rhain i gyrchu'r ystodau marciau uwch
Tasg 1 *DTP* Dylunio a chynhyrchu dogfen maint A4 ag o leiaf ddwy ochr sy'n cynnwys o leiaf 150 o eiriau	• Taflen neu gylchgrawn	• Defnyddio gwahanol arddulliau ffont • Defnyddio gwahanol feintiau ffont • Defnyddio teip trwm, canoli a thanlinellu • Unioni i'r dde neu'n llawn • Awtosiapiau • Pwyntiau bwled • WordArt • Effeithiau graddliwio (tywyllu) • Penynnau a throedynnau • Defnyddio o leiaf ddau fath o ddelwedd graffigol electronig, e.e. wedi'u sganio, graffigau o'r Rhyngrwyd, cliplluniau o ddisg, delweddau o gamera digidol, graffiau o ddaenlen, graffigau o becyn peintio neu *CAD* • Tablau	• Tablau wedi'u haddasu • Gwahanol fformatau paragraff • Gwahanol fylchiadau llinell • Uwchysgrif ac isysgrif • Borderi tudalen neu forderi ffrâm • Gosod a defnyddio tabiau • Gosod a defnyddio mewnoliadau • Dyfrnodau • Tudalennu • Defnyddio haenu (ymlaen ac y tu ôl) • Creu dalennau arddull
Tasg 2 Dogfennau awtomataidd Dylunio a chynhyrchu dogfennau sy'n cynnwys rheolweithiau awtomataidd	• Postgyfuno llythyrau, gan gynnwys macros	• Mewnforio data o ffynhonnell allanol • Dylunio a defnyddio fformat a chynllun addas ar gyfer y data • Sicrhau bod y rheolweithiau awtomataidd yn gweithio	• Creu macros neu fodiwlau unigol gan ddefnyddio galluoedd rhaglennu mewnol y pecyn meddalwedd • Templedi wedi'u dylunio'n unigol (ar wahân i'r templed normal neu'r templedi safonol a ddarperir gan ddewiniaid yn y pecyn meddalwedd)
Tasg 3 Cyflwyniad Dylunio a chynhyrchu cyflwyniad o chwe sleid/tudalen o leiaf ar gyfer cynulleidfa	Naill ai • Cyflwyniad wedi'i seilio ar sleidiau Neu • Dudalennau gwe	• Arddulliau cefndir • Effeithiau animeiddio • Effeithiau trawsnewid • Hyperdestun • Mannau poeth • Nodau tudalen	• Defnyddio sain • Defnyddio fideo gwreiddiol • Defnyddio animeiddiadau/graffigau Fflach gwreiddiol

Beth y mae'n rhaid i chi ei gynhyrchu o ran gwybodaeth gefndir a dadansoddi

Y cam dylunio

Ni fyddai adeiladwr yn dechrau codi tŷ heb gael dyluniadau a chynlluniau. Yn yr un modd, ni ddylech chi ddechrau cynhyrchu unrhyw waith heb ystyried gwahanol agweddau ar ddylunio'n gyntaf.

Gan y byddwch yn cynhyrchu tair dogfen wahanol, dylech gofnodi'r dyluniad ar gyfer pob un ohonynt ar wahân.

Bydd angen i chi ystyried pob un o'r canlynol:

Ethos, delwedd ac arddull tŷ

Ethos

Ethos yw natur neu ysbryd hanfodol corff; y syniad sylfaenol sy'n sail i gredoau, defodau neu arferion y corff.

Delwedd

Delwedd yw'r canfyddiad cyffredinol neu gyhoeddus o gorff, cwmni, ac ati, sy'n cael ei gyflawni'n aml drwy ymdrechion gofalus i greu ewyllys da ar raddfa eang.

Arddull tŷ

Mae llawer o wahanol bobl mewn corff yn cynhyrchu dogfennau a rhaid i'r rhain edrych yn debyg – fel pe bai'r un person wedi'u cynhyrchu i gyd. Mae arddull tŷ yn ymwneud â:

- Defnyddio logos – defnyddir logos yn gyson (h.y. maint, lliw a safle).
- Defnyddio geiriau – mae gwahanol ffyrdd o sillafu'r un gair, felly rhaid cael cysondeb.
- Defnyddio lliwiau – gellir penderfynu ar gynlluniau lliw a'u defnyddio'n gyson.
- Arddull ysgrifennu – rhaid i bobl eu mynegi eu hunain mewn ffordd gyson.
- Cywair – mae angen i rai dogfennau fabwysiadu cywair penodol.

Nodyn pwysig

Nid yw ethos neu arddull tŷ'n golygu'r un peth â grŵp oedran neu gynulleidfa darged.

Rheolau y mae'n rhaid i chi eu dilyn

Dyma rai rheolau sydd wedi'u gosod gan y bwrdd arholi CBAC:

- Rhaid i chi ddewis eich topig eich hun.
- Rhaid i'ch gwaith fod yn wahanol (h.y. heb fod yn debyg i waith myfyrwyr eraill).
- Peidiwch â rhoi'ch gwaith mewn ffeiliau modrwy gan y byddai'n cymryd gormod o le.
- Gofalwch fod modd datgysylltu'r dalennau os oes angen.

Cyngor sy'n berthnasol i bob un o'r tair tasg

Mae'r cyngor canlynol yn berthnasol i bob un o'r tair tasg:

- Peidiwch â gwastraffu amser yn rhoi tystiolaeth nad oes ei hangen.
- Gofalwch nad ydych yn tocio'ch gwaith yn ormodol gan y gall hyn ddinistrio'r dystiolaeth.
- Peidiwch â rhoi sgrinluniau sy'n rhy fach – bydd angen i'r arholwyr allu eu darllen.
- Rhaid i chi gynhyrchu gwaith dylunio priodol – nid yw anodi datrysiadau sydd wedi cael eu rhoi ar waith (h.y. ychwanegu sylwadau wedyn) yn waith dylunio priodol. Nid rhywbeth i'w adael tan wedyn yw dylunio.
- Dylech egluro neu gyfiawnhau'ch ethos neu arddull tŷ'n fanwl. Rhaid egluro'r ethos ar gyfer pob un o'r tair tasg. Mae'r arddull tŷ'n berthnasol i'r holl ddogfennau a chewch ei egluro unwaith ar gyfer y tair tasg.

Prifysgol yw Imperial College London ac fel pob corff o'r fath mae'n cynhyrchu amrywiaeth fawr o ddogfennau sydd wedi'u hysgrifennu gan lawer o bobl wahanol. Mae'r brifysgol am gyfleu'r ddelwedd iawn, felly rhaid iddi sicrhau bod ei holl ddogfennau'n edrych yn broffesiynol. Dyma pam y mae'n defnyddio arddull tŷ. Er mwyn sicrhau bod yr holl staff sy'n cynhyrchu dogfennau'n gwybod beth yw'r arddull tŷ, mae wedi'i gynnwys ar dudalen we. Gallwch ei weld yn y cyfeiriad gwefan hwn:

http://www3.imperial.ac.uk/ graphicidentity/housestyle

Bydd yn fuddiol i chi ddeall elfennau nodweddiadol arddull tŷ fel y gallwch gymhwyso arddull tŷ at y dogfennau y byddwch yn eu cynhyrchu ar gyfer eich project.

Cwblhau'r tasgau: Tasg 1

Cyflwyniad

Bydd y deunydd isod yn eich helpu i benderfynu beth y mae angen i chi ei wneud ar gyfer eich project. Ar ddechrau pob adran byddwch yn gweld tabl sy'n cynnwys y gydran (h.y. y rhan o'r project cyfan a fydd yn cael ei chwblhau), y meini prawf (h.y. beth y mae'n rhaid i chi ei wneud i ennill marciau) a'r marc sydd wedi'i neilltuo ar gyfer pob maen prawf ynghyd â marc am yr adran gyfan.

Gwybodaeth gefndir

Mae'r wybodaeth gefndir am y tasgau'n rhan bwysig o'r project cyfan gan ei bod yn ceisio dangos y cyd-destun i'r project i gyd. Ar gyfer y rhan hon mae gofyn i chi ddisgrifio'r corff a'i werthoedd a sut y gellir cyfleu'r rhain mewn unrhyw ddogfennau y mae'n eu cynhyrchu.

Cydrannau	Meini prawf	Marc
Gwybodaeth gefndir	Disgrifiad o'r corff	2
	Ethos ac arddull tŷ	2

Disgrifiad o'r corff

Yma mae angen i chi ddisgrifio:

- beth yw'r corff (gan gynnwys ei enw)
- ei leoliad
- beth y mae'n ei wneud
- ei faint.

Ethos ac arddull tŷ

Yma mae angen i chi wneud y canlynol:

- Enwi tri math o ddogfen (pob un â swyddogaeth wahanol) y mae'r corff yn eu defnyddio (e.e. llythyrau, llyfrynnau, taflenni, catalogau, tudalennau gwe, hysbysebion, sioe sleidiau, ac ati).
- Cynnwys y tair dogfen yn eich adroddiad (gallwch gynnwys fersiynau gwreiddiol, eu hargraffu, eu sganio i mewn, tynnu eu llun â chamera, ac ati).
- Dadansoddi'r tair dogfen gyda'i gilydd i ganfod yr arddull t , ethos/delwedd. Gofalwch eich bod yn deall union ystyr pob term cyn gwneud hyn. Mae angen i chi nodi'r athroniaeth, gweledigaeth neu bersona sy'n cael ei adlewyrchu yn y ddogfen neu gyfiawnhau'ch defnydd o eicon neu gynllun lliw penodol.

Gweithgareddau prosesu data o fewn y corff

Ar gyfer y rhan hon mae gofyn i chi nodi gweithgareddau prosesu data a ddefnyddir gan y corff, gan ddangos tystiolaeth o ddogfennau penodol yr ydych wedi'u hastudio.

Cydrannau	Meini prawf	Marc
Gweithgareddau prosesu data o fewn y corff	Cyhoeddi bwrdd gwaith	2
	Dogfennau awtomataidd	2
	Cyflwyniad neu dudalen we	2

Cyhoeddi bwrdd gwaith

Mae angen i chi wneud y canlynol:

- Ar gyfer dwy ddogfen (dylent fod yn hollol wahanol a gallant fod yn ddogfennau go iawn neu'n ddogfennau awtomataidd), disgrifio prif bwrpas pob dogfen a'i data (e.e. rhoi cyngor, gwerthu, atgoffa, ac ati).
- Enwi a disgrifio pedair techneg sydd wedi cael eu defnyddio yn y dogfennau, fel tablau, bwledi, dyfrnodau, ac ati.

Nodyn pwysig

Os dewiswch wefan yn ddogfen, byddwch yn ofalus os dewiswch dudalennau gwahanol o'r un wefan gan fod yn rhaid i bob dogfen fod â phwrpas gwahanol.

Yn yr un modd, byddwch yn ofalus wrth ddewis tudalennau gwahanol o'r un ddogfen hir – rhaid iddynt fod yn ddogfennau gwahanol â phwrpas hollol wahanol.

Dogfennau awtomataidd

Gall dogfennau awtomataidd fod yn ddogfennau sy'n bodoli neu'n rhai y gellir eu defnyddio fel rhan o system TGCh (e.e. cerdyn aelodaeth, holiadur, ffurflen gais, anfoneb, ac ati).

Ar gyfer pob dogfen mae angen i chi wneud y canlynol:

- Nodi pwrpas y ddogfen.
- Egluro sut y gellir defnyddio'r ddogfen yn awtomataidd (e.e. pa feysydd y byddai modd eu cyfuno, blychau ticio, blychau dewis, botymau dewis, ac ati).

Cyflwyniad neu dudalen we

Gall y cyflwyniad neu'r dudalen we fod yn un sy'n bodoli neu'n un sydd dan ystyriaeth. Mae angen i chi:

- Ar gyfer naill ai cyflwyniad neu dudalen we, disgrifio'r pwrpas neu bwrpas disgwyliedig.
- Disgrifio'r data sydd eu hangen neu'r nodweddion arbennig sydd wedi'u cynnwys neu y gellid eu cynnwys, fel fideo, sain, animeiddiadau, ac ati.

Tasg 1 Cyhoeddi Bwrdd Gwaith

Ar gyfer y dasg hon rhaid i chi ddylunio a chynhyrchu dogfen maint A4 ag o leiaf ddwy ochr sy'n cynnwys o leiaf 150 o eiriau. Rhaid i chi ddarparu tystiolaeth, drwy ddefnyddio cyfleuster cyfrif geiriau, a sicrhau bod nifer y geiriau'n fwy na'r isafswm hwn.

Dylunio dogfen

Ar gyfer y rhan hon mae angen i chi baratoi dyluniad y dogfen y byddwch yn ei chreu yn nes ymlaen yn y cam gweithredu.

Cydrannau	Meini prawf	Marc
Dylunio dogfen	Pwrpas y ddogfen/defnyddiwr arfaethedig	1
	Y ddelwedd/ethos y mae'n eu cyfleu	1
	Dyluniad manwl y ddogfen	4

Pwrpas y ddogfen/defnyddiwr arfaethedig

Dylech wneud y canlynol:

- Disgrifio pwrpas y ddogfen *DTP* yr ydych yn bwriadu ei chynhyrchu a nodi'r gynulleidfa ar ei chyfer.

Y ddelwedd/ethos y mae'n eu cyfleu

Dylech wneud y canlynol:

- Disgrifio'r ddelwedd/ethos y byddwch yn ceisio eu cyfleu drwy'ch dogfen.

Dyluniad manwl y ddogfen

Y cam dylunio yw hwn felly ni fyddwch yn creu'ch dogfen (gweithredu yw'r enw a roddwn ar hyn) ar yr adeg hon. Dylech wneud y canlynol:

- Cynnwys braslun o gynllun y ddogfen (h.y. dangos lleoliad y testun, graffigau, tablau, logo, dyfrnod, ac ati. Gallwch ddangos y rhain ar ffurf petryalau ar y ddogfen).
- Cynnwys manylion i ddangos lleoliad testun a lluniau (e.e. Rhoi llun o rywun yn defnyddio cyfrifiadur yma).
- Cynnwys manylion ffontiau a meintiau ffont.
- Cynnwys manylion wyth nodwedd fel ymylon tudalen, tabiau, bylchiadau llinell, arddulliau paragraff, ac ati.

Nodyn pwysig

Peidiwch â chynnwys sgrinluniau sy'n dangos y gweithredu yn yr adran hon. Dim ond dyluniadau y dylid eu cynnwys.

Defnyddio nodweddion sylfaenol

Yn yr adran hon byddwch chi'n cymryd eich dyluniad ac yn dechrau ei weithredu.

Cydrannau	Meini prawf	Marc
Defnyddio nodweddion sylfaenol	Defnyddio gwahanol arddulliau a meintiau ffont	1
	Defnyddio teip trwm, canoli a thanlinellu	1
	Awtosiapiau	1
	Unioni i'r dde neu'n llawn	1
	Pwyntiau bwled	1
	WordArt	1
	Effeithiau graddliwio (e.e. tablau graddliwio, blychau testun, testun, graddliwio yn WordArt)	1
	Penynnau a throedynnau (DS Rhaid gosod y ddau ar bob tudalen yn yr un lleoliad. Dylid cynnwys rhif y dudalen.)	1
	Defnyddio o leiaf ddau fath o ddelwedd graffigol electronig, e.e. rhai wedi'u sganio, graffigau o'r Rhyngrwyd, cipluniau o ddisg, delweddau o gamera digidol, graffiau o daenlen, graffigau o becyn peintio neu *CAD* (DS Gofalwch eich bod yn cynnwys tystiolaeth ar gyfer hyn)	2
	Tablau	1

Yma dylech wneud y canlynol:

- Cynnwys y nodweddion sylfaenol yn y tabl uchod wrth greu'ch dogfen *DTP* ar sail eich dyluniad.

Defnyddio nodweddion uwch

Yn yr adran hon byddwch chi'n cymryd eich dyluniad ac yn dechrau ei weithredu, ac yn ychwanegu rhai o'r nodweddion uwch sydd yn y tabl canlynol:

Cydrannau	Meini prawf		Marc
Defnyddio nodweddion uwch	Gellir rhoi 1 marc am bob un o'r canlynol – hyd at uchafswm o 5 marc ar gyfer yr adran hon.		5
	Gwahanol fformatau paragraff	1	
	Gwahanol fylchiadau llinell	1	
	Uwchysgrif ac isysgrif	1	
	Tablau wedi'u haddasu	1	
	Borderi tudalen neu forderi ffrâm	1	
	Gosod a defnyddio tabiau	1	
	Gosod a defnyddio mewnoliadau	1	
	Dyfrnodau	1	
	Tudalennu	1	
	Defnyddio haenu (ymlaen ac y tu ôl)	1	
	Creu dalennau arddull	1	

Yma dylech wneud y canlynol:

- Defnyddio o leiaf bum nodwedd uwch yn eich dogfen.

Nodiadau pwysig

- Rhaid i chi ddangos tystiolaeth o'r nodweddion uchod yn eich adroddiad. Ni fydd y ddogfen yn dangos hyn ar ei phen ei hun bob amser.
- Mae angen i chi roi tystiolaeth i ddangos effaith defnyddio'r nodweddion.
- Ar gyfer rhai nodweddion, fel dyfrnodau a dalennau arddull, bydd angen rhoi tystiolaeth i ddangos sut yr ydych wedi defnyddio'r meddalwedd i'w creu.
- Mae rhai nodweddion (e.e. tablau wedi'u haddasu, borderi tudalen neu forderi ffrâm a thudalennu) y gellir eu gweld yn glir ar y ddogfen derfynol ar ôl ei hargraffu, felly nid oes angen tystiolaeth ychwanegol.
- Rhaid i bob nodwedd a ddisgrifiwch fod yn y ddogfen derfynol ac nid yn yr adroddiad yn unig.

Cofiwch

Wedi i chi gynhyrchu'r ddogfen derfynol, peidiwch ag anghofio ei hargraffu.

Cwblhau'r tasgau: Tasg 2

Tasg 2 Dogfennau awtomataidd

Ar gyfer tasg y dogfennau awtomataidd, rhaid i chi gynhyrchu dogfen bostgyfuno.

Dylunio dogfennau

Ar gyfer y rhan hon rhaid i chi baratoi dyluniad y dogfennau y byddwch yn eu cynhyrchu gan sicrhau eu bod yn cyfleu'r ddelwedd/ethos cywir ar gyfer y corff.

Cydrannau	Meini prawf	Marc
Dylunio dogfennau	Pwrpas y ddogfen	1
	Y ddelwedd/ethos y mae'n eu cyfleu	1
	Dyluniad manwl y ddogfen	4

Pwrpas y ddogfen

Dylech wneud y canlynol:

- Disgrifio pwrpas y ddogfen bostgyfuno yr ydych yn bwriadu ei chynhyrchu.

Y ddelwedd/ethos y mae'n eu cyfleu

Dylech wneud y canlynol:

- Disgrifio'r ddelwedd/ethos y byddwch yn eu cyfleu drwy'ch dogfen.

Dyluniad manwl y ddogfen

Rhaid dangos tystiolaeth o ddylunio ac nid anodi'r ddogfen ar ôl ei chreu. Dylech wneud y canlynol:

- Cynhyrchu dyluniad neu ddyluniadau sy'n dangos y cynllun sylfaenol a chyfeiriadaeth y dudalen.
- Cynhyrchu dyluniad sy'n dangos yn glir enwau unrhyw feysydd postgyfuno.
- Cynhyrchu dyluniad sy'n dangos y macros.
- Cynnwys manylion ffontiau a meintiau ffont.
- Cynnwys manylion data cysylltu, logo/graffigau a disgrifiad o'r data sydd yn y llythyr.

Defnyddio nodweddion sylfaenol

Ar gyfer y rhan hon o'r dasg byddwch yn mewnforio data o ffynhonnell allanol er mwyn eu cyfuno â'ch dogfen. Byddwch hefyd yn gwirio bod y postgyfuno'n gweithio'n iawn.

Cydrannau	Meini prawf	Marc
Defnyddio nodweddion sylfaenol	Mewnforio data o ffynhonnell allanol	2
	Defnyddio fformat a chynllun addas ar gyfer y data	2
	Sicrhau bod y rheolweithiau awtomataidd yn gweithio	2

Mewnforio data o ffynhonnell allanol

Dylech wneud y canlynol:

- Dangos y ddogfen dempled wedi'i gairbrosesu sy'n dangos y meysydd sydd wedi cael eu hymgorffori yn y ddogfen. Ni ddylid tocio'r llythyr a dylai ddangos yn glir y meysydd postgyfuno a'u lleoliad ar y ddogfen; y manylion cysylltu a'r data yn y llythyr/dogfen.
- Rhoi tystiolaeth o'r gronfa ddata a ddefnyddiwyd a allai fod ar ffurf sgrinlun neu allbrint.

Defnyddio fformat a chynllun addas ar gyfer y data

Dylech wneud y canlynol:

- Cynhyrchu llythyr sy'n bodloni pob un o'r meini prawf canlynol:
  - A yw'n cyflawni'r pwrpas a nodwyd?
  - A oes manylion cysylltu arno?
  - Os yw'n llythyr, a oes dyddiad arno?
  - A yw'r corff o ddata'n cynnwys yr holl ddata angenrheidiol (e.e. lle ac amser) os yw hyn yn berthnasol?
- Cynhyrchu llythyr sydd â fformat a chynllun addas. Dim camgymeriadau yn y llythyr. Dim camgymeriadau o ran priflythrennau neu sillafu yn y llythyr neu yn y data sydd wedi cael eu mewnforio o'r gronfa ddata. Rhaid i'r enwau a'r cyfeiriadau yn y gronfa ddata fod yn gredadwy. Rhaid i'r gramadeg elfennol fod yn gywir, e.e. atalnod llawn ar ddiwedd brawddegau. Dim cymysgedd, e.e. stryd, Stryd.
  - Nid Annwyl Mr Davies ac Annwyl Mr Davies,.
  - Nid mr.
  - Nid ll79 6Ty – cymysgedd o lythrennau bach a phriflythrennau yn y cod post.
  - Ni ddylai'r cynllun wasgu gormod i mewn.
  - Ni ddylai graffigau fel dyfrnodau guddio testun.
  - Dim anghysondeb fel Clwb Nofio/clwb Nofio neu prifathro/prif-athro.

Sicrhau bod y rheolweithiau awtomataidd yn gweithio

Dylech wneud y canlynol:

- Cynhyrchu allbrintiau sy'n dangos o leiaf dri chofnod wedi'u cyfuno.
- Sicrhau nad oes gwallau o ran bylchiad yn y data sydd wedi'u cyfuno ac, os oes, dylech fynd yn ôl a'u cywiro.

Cwblhau'r tasgau: Tasg 2 (parhad)

Defnyddio nodweddion uwch

Yma byddwch yn creu macros neu fodiwlau awtomataidd a hefyd yn cynhyrchu templedi wedi'u dylunio'n unigol.

Cydrannau	Meini prawf	Marc
Defnyddio nodweddion uwch	Creu macros neu fodiwlau unigol gan ddefnyddio galluoedd rhaglennu mewnol y pecyn meddalwedd	3
	Templedi wedi'u dylunio'n unigol (ar wahân i'r templed normal)	3

Creu macros neu fodiwlau unigol gan ddefnyddio galluoedd rhaglennu mewnol y pecyn meddalwedd

Mae dau ddewis posibl ar gyfer hyn:

Dewis 1: Darparu tri macro chwarae a recordio syml

Ar gyfer y dewis hwn mae angen i chi ddarparu'r ddau ddarn canlynol o dystiolaeth:

- Tystiolaeth o'r tri macro gyda'r llythyr templed ei hun yn y cefndir.
- Tystiolaeth o'r cod ar gyfer y macros.

Dewis 2: Ysgrifennu'ch cod eich hun mewn Visual Basic

Ar gyfer y dewis hwn byddai angen i chi wneud y canlynol:

- Ysgrifennu'r macro gan ddefnyddio cod Visual Basic.
- Darparu tystiolaeth ysgrifenedig o brofi drwy gynhyrchu sgrinluniau ac argraffu'r cod.
- Darparu cod wedi'i anodi i ddangos eich bod yn deall y macro.

Templedi wedi'u dylunio'n unigol (ar wahân i'r templed normal)

Ar gyfer y rhan hon mae angen i chi ddarparu tystiolaeth o dri o'r canlynol:

- Cadw'r ddogfen bostgyfuno ar ffurf templed y gellir ei ailddefnyddio.
- Dylunio eicon botwm ar gyfer un o'r macros yr ydych wedi'u defnyddio a'i osod ar y bar offer.
- Dangos ail ffordd o ddefnyddio'r ddogfen dempled.
- Creu dalen arddull.
- Creu dogfennau safonol fel anfonebau, ffurflenni cais a holiaduron sy'n cynnwys nodweddion awtomataidd fel blychau ticio, blychau rhestr neu feysydd sy'n cael eu cyfrifo'n awtomatig.

Cwblhau'r tasgau: Tasg 3

Tasg 3 Cyflwyniad

Ar gyfer tasg 3 mae gofyn i chi gynhyrchu cyflwyniad sy'n cynnwys o leiaf chwe sleid.

Dylunio'r ddogfen

Ar gyfer y cam dylunio hwn byddwch yn cynllunio ac yn dylunio strwythur y cyflwyniad.

Cydrannau	Meini prawf	Marc
Dylunio dogfen	Pwrpas y ddogfen/defnyddiwr arfaethedig	1
	Dyluniad manwl y ddogfen	4
	Diagram strwythur sy'n dangos y llwybrau	1

Pwrpas y ddogfen/defnyddiwr arfaethedig

Ar gyfer hyn dylech wneud y canlynol:

- Egluro pwrpas y cyflwyniad.
- Disgrifio'r defnyddiwr/cynulleidfa arfaethedig.

Dyluniad manwl y ddogfen

Ar gyfer hyn dylech wneud y canlynol:

- Cynhyrchu dyluniad sy'n dangos yr arddull cefndir sylfaenol a braslun o'r cynllun.
- Cynnwys manylion y testun a'r graffigau, gan gynnwys graffigau gwreiddiol a graffigau eraill, ar y dyluniad.
- Cynnwys manylion ffontiau a meintiau ffont ar y dyluniad.
- Cynnwys manylion ynghylch dylunio animeiddiadau, trawsnewid, mannau poeth, hyperdestun, nodau tudalen, sain a fideo, ac ati.

Nodyn pwysig

Gofalwch mai dylunio yr ydych chi ac nid gweithredu. Nid yw anodi eich allbrintiau i egluro'r dyluniad yn dderbyniol – felly dim allbrintiau na sgrinluniau.

Diagram strwythur sy'n dangos y llwybrau

Dylech wneud y canlynol:

- Cynnwys diagram strwythur sy'n dangos y llwybrau.

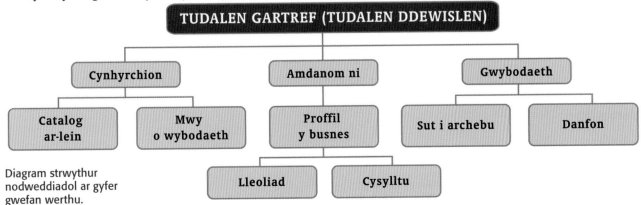

Diagram strwythur nodweddiadol ar gyfer gwefan werthu.

Mae diagramau strwythur yn dangos strwythurau'r tudalennau gwe neu gyflwyniadau fel cyfres o lefelau (hierarchaeth). Tudalen gartref y wefan fydd y dudalen gyntaf y bydd cwsmeriaid neu ddarpar gwsmeriaid yn ei gweld, felly mae hon ar y lefel gyntaf.

Sylwch mai'r dudalen gartref yw'r un y mae'r defnyddiwr yn mynd ati gyntaf. Wedyn gall benderfynu pa un o'r tri llwybr i'w ddilyn i weld Cynhyrchion, Amdanom ni neu Gwybodaeth. Mae'r defnyddiwr yn gallu dewis pa lwybr y mae am ei ddilyn drwy ddefnyddio dewislen.

Fel rheol bydd y defnyddiwr yn defnyddio'r strwythur hwn mewn tair ffordd i symud o gwmpas y wefan (gwe-lywio):

- symud yn ôl ac ymlaen
- defnyddio dewislen
- defnyddio botymau Blaenorol neu Nesaf.

Defnyddio nodweddion sylfaenol

Yn yr adran hon byddwch yn defnyddio nodweddion sylfaenol y meddalwedd i greu sleidiau neu dudalennau gwe.

Cydrannau	Meini prawf	Marc
Defnyddio nodweddion sylfaenol	Arddulliau cefndir	1
	Effeithiau animeiddio	1
	Effeithiau trawsnewid	1
	Hyperdestun	1
	Mannau poeth	1
	Nodau tudalen	1

Arddulliau cefndir

Dylech wneud y canlynol:

- Dylunio eich arddull eich hun a pheidio â defnyddio templed parod.
- Defnyddio thema neu arddull tŷ cyson (e.e. cynllun lliw cyson, arddull cyflwyno cyson, y logo yn yr un safle ar bob sleid, ac ati).

Effeithiau animeiddio

Dylech wneud y canlynol:

- Ychwanegu effeithiau at sleidiau neu dudalen we a dangos tystiolaeth briodol.

Effeithiau trawsnewid

Dylech wneud y canlynol:

- Ychwanegu effeithiau at sleidiau neu dudalen we a dangos tystiolaeth briodol.

Hyperdestun

Dylech wneud y canlynol:

- Cynnwys cyswllt i ffeil allanol.
- Dangos y gwrthrych a'r cyfeiriad *URL* neu gyfeiriadur.
- Sicrhau bod hyn yn ymddangos ar y cyflwyniad neu dudalen we derfynol.

Mannau poeth (llun/graffigyn sy'n cysylltu â gwrthrych neu ffeil allanol neu fewnol)

Dylech wneud y canlynol:

- Dangos y gwrthrych a'r cyfeiriad *URL* neu gyfeiriadur neu sleid.
- Sicrhau bod hyn yn ymddangos ar y cyflwyniad neu dudalen we derfynol.

Nodau tudalen/angor (cyswllt i sleid/gwrthrych neu ffeil fewnol)

Ar gyfer hyn dylech wneud y canlynol:

- Dangos y gwrthrych a'r cyfeiriad *URL* neu gyfeiriadur neu sleid.
- Sicrhau bod hyn yn ymddangos ar y cyflwyniad neu dudalen we derfynol.

Defnyddio nodweddion uwch

Yn yr adran hon byddwch yn defnyddio nodweddion uwch y meddalwedd i greu sleidiau neu dudalennau gwe sy'n cynnwys sain, fideo gwreiddiol, ac animeiddiadau neu graffigau Fflach gwreiddiol.

Cydrannau	Meini prawf	Marc
Defnyddio nodweddion uwch	Defnyddio sain	2
	Defnyddio fideo gwreiddiol	4
	Defnyddio animeiddiadau/graffigau Fflach gwreiddiol	2

Defnyddio sain

Dylech wneud y canlynol:

- Darparu tystiolaeth i ddangos eich bod wedi defnyddio sain yn y cyflwyniad neu dudalen we (e.e. sain ar fideo, nodweddion sain mewnol PowerPoint neu fewnforio ffeiliau sain o ddisg).
- Dangos sut y cafodd y sain ei chipio (DS nid yw llwytho'r sain o storfa gynorthwyol yn ddigon). Rhai enghreifftiau posibl yw: ei llwytho i lawr o'r Rhyngrwyd, defnyddio'r recordydd sain yn Windows, defnyddio PowerPoint i arddweud sylwebaeth sain, golygu a chreu ffeiliau sain, ac ati).

Defnyddio fideo gwreiddiol

Dylech wneud y canlynol:

- Cynhyrchu fideo a'i gynnwys yn eich cyflwyniad neu dudalen we.
- Darparu tystiolaeth ar ffurf sgrinlun o'r ffilm yn y meddalwedd golygu.
- Darparu tystiolaeth eich bod wedi cynllunio'ch gwaith (e.e. drwy ddefnyddio bwrdd stori, golwg cyffredinol/disgrifiad o beth sy'n digwydd ym mhob ffrâm, adysgrif o'r hyn ddywedwyd, amseriadau rhwng fframiau, effeithiau trawsnewid neu effeithiau arbennig neu deitlau a chlodrestr y bwriedir eu defnyddio).
- Darparu tystiolaeth o ddefnyddio effeithiau golygu fideo mewn fframiau (e.e. clodrestr, effeithiau fel pylu, effeithiau 'hen ffasiwn', ac ati). Dylech anodi'r holl effeithiau.
- Darparu tystiolaeth o ddefnyddio effeithiau fideo wrth drawsnewid rhwng fframiau. Dylech anodi'r holl effeithiau.

Defnyddio animeiddiadau/graffigau Fflach gwreiddiol

Dylech wneud y canlynol:

- Cynnwys animeiddiad syml fel animeiddiad Fflach gan ddefnyddio dau orchymyn neu ddwy ffrâm (e.e. creu pêl ac wedyn peri iddi neidio).
- Er mwyn ennill marc ychwanegol, cynhyrchu animeiddiad mwy cymhleth sy'n defnyddio o leiaf dair ffrâm neu dri gorchymyn.

Gwerthuso'r tasgau

Gwerthuso

Yma byddwch yn gwerthuso pob un o'r tair tasg yr ydych wedi'u cwblhau.

Meini Prawf	Marc
Mae'r adran hon yn asesu ansawdd eich cyfathrebu ysgrifenedig. Rhoddir y marciau ar gyfer y meini prawf canlynol os yw'ch ymateb yn dangos y nodweddion hyn: • testun darllenadwy; sillafu, atalnodi a gramadeg cywir; ystyr eglur; • dewis ffurf ac arddull ysgrifennu sy'n addas i bwrpas a chymhlethdod y cynnwys; • trefnu'r wybodaeth yn glir ac yn rhesymegol; defnyddio termau arbenigol os yw'n briodol.	6
Gwerthusiad manwl a beirniadol o bob un o'r tair tasg sy'n edrych ar y data a'r system ac yn awgrymu newidiadau y gellid eu gwneud	5-6
Gwerthusiad manwl o'r holl dasgau sy'n ymdrin â'r system a newidiadau y gellid eu gwneud	3-4
Nid yw'r holl dasgau wedi'u gwerthuso neu fe geir gwerthusiad byr o bob un o'r tair tasg ac awgrymiadau cyfyngedig ar gyfer newidiadau yn y dyfodol	1-2

Nodyn pwysig

Wrth ymgymryd â'ch gwerthusiad, ni ddylech gynhyrchu sylwebaeth fesul cam ar yr hyn a wnaethoch.

Technegau cywasgu a storio

Byddwch wedi defnyddio llawer o wahanol ffeiliau a mathau o ffeiliau wrth gynhyrchu'r gwaith ar gyfer y tair tasg. Mae'r adran hon yn gofyn am y mathau o ffeiliau a ddefnyddiwyd gennych a'r rhesymau dros eu defnyddio a hefyd am gywasgu.

Meini Prawf	Marc
Enwi'r dulliau a ddefnyddiwyd	2
Cyfiawnhau eich dewis o ddulliau	2

Enwi'r dulliau a ddefnyddiwyd

Dylech wneud y canlynol:

- Disgrifio o leiaf dri dull cywasgu a storio a ddefnyddiwyd gennych yn y tasgau.
- Sicrhau bod y technegau yr ydych yn eu crybwyll yn berthnasol i'r dogfennau yr ydych wedi'u cynhyrchu.

Cyfiawnhau eich dewis o ddulliau

Dylech wneud y canlynol:

- Rhoi rhesymau dros ddefnyddio cywasgu ffeiliau mewn o leiaf dri maes.
- Rhoi rhesymau dros ddefnyddio technegau storio mewn o leiaf ddau faes.
- Crybwyll gwrthrychau neu ffeiliau penodol sydd i'w cael yn eich dogfennau.

Nodyn pwysig

Peidiwch â rhoi disgrifiad cyffredinol o'r rhesymau dros gywasgu ffeiliau.

Allbrintio'r tair tasg

Cofiwch allbrintio:

- eich taflen
- eich llythyrau
- eich cyflwyniad neu dudalennau gwe.

Geirfa

Adnabod llais (*Voice recognition*) Mae systemau adnabod llais yn caniatáu i chi fewnbynnu data drwy ficroffon yn uniongyrchol i gyfrifiadur.

Adnabod marciau gweledol (*AMG/OMR: Optical mark recognition*) Dull mewnbynnu sy'n defnyddio ffurflenni neu gardiau papur gyda marciau arnynt sy'n cael eu darllen yn awtomatig gan ddyfais o'r enw darllenydd marciau gweledol.

Adnabod nodau gweledol (*ANG/OCR: Optical character recognition*) Dull mewnbynnu sy'n defnyddio sganiwr yn ddyfais fewnbynnu ynghyd â meddalwedd arbennig sy'n edrych ar siâp pob llythyren fel y gellir ei hadnabod ar wahân.

Adnabod nodau inc magnetig (*ANIM/MICR: Magnetic ink character recognition*) Dull mewnbynnu sy'n defnyddio rhifau wedi'u hargraffu ar ddogfen, fel siec gydag inc magnetig arbennig arni, a all gael eu darllen gan ddarllenydd nodau inc magnetig ar gyflymder uchel iawn.

Adroddiad (*Report*) Yr Allbwn o gronfa ddata lle y mae'r canlyniadau'n cael eu cyflwyno mewn ffordd sy'n cael ei rheoli gan y defnyddiwr.

AI *gweler* Deallusrwydd artiffisial.

Allbwn (*Output*) Y canlyniadau o brosesu data.

Allrwyd (*Extranet*) Rhwydwaith allanol a all gael ei ddefnyddio gan gwsmeriaid, cyflenwyr a phartneriaid corff yn ogystal â'r corff ei hun.

Am-edrychiadau ffeil/tabl (*File/table lookups*) Defnyddir y rhain i sicrhau bod y codau sy'n cael eu defnyddio yr un fath â'r rheiny mewn ffeil neu dabl o godau.

Amgodio (*Encoding*) Cynhyrchu fersiwn byrrach o'r data i gynorthwyo wrth deipio a dilysu'r data.

Amgryptio (*Encryption*) Codio data wrth iddynt gael eu hanfon dros rwydwaith fel mai'r unig berson sy'n gallu eu darllen yw'r sawl yr anfonwyd y data ato. Pe byddai'r data yn cael eu rhyng-gipio gan haciwr, byddai mewn cod ac yn hollol ddiystyr.

Amlgyfrwng (*Multimedia*) Dull o gyfathrebu sy'n cyfuno mwy nag un cyfrwng at ddibenion cyflwyno, fel sain, graffeg a fideo.

Anaf straen ailadroddus (*RSI: Repetitive strain injury*) Cyflwr poenus sy'n effeithio ar y cyhyrau. Mae'n cael ei achosi pan mae rhai cyhyrau yn cael eu defnyddio'n rheolaidd yn yr un ffordd.

Arae ddiangen o ddisgiau rhad (*RAID: Redundant array of inexpensive disks*) System a ddefnyddir gan rwydweithiau i gadw copïau wrth gefn.

Argraffydd chwistrell (*Ink-jet printer*) Argraffydd sy'n gweithio drwy chwistrellu inc drwy dyllau ac ar y papur.

Argraffydd laser (*Laser printer*) Argraffydd sy'n defnyddio paladr laser i ffurfio nodau ar y papur.

Arlliwydd (*Toner*) Gronynnau plastig du a ddefnyddir gan argraffyddion laser fel 'inc'.

ASCII *gweler* Cod Safonol Americanaidd ar gyfer Ymgyfnewid Gwybodaeth.

Ateb (*Reply*) Mae'n caniatáu i chi ddarllen e-bost ac yna ysgrifennu'r ateb heb orfod mynd at gyfeiriad e-bost y sawl sydd wedi anfon yr e-bost gwreiddiol.

Atodi (*Append*) Gall defnyddwyr ychwanegu cofnodion newydd ond ni fyddant yn gallu newid na dileu'r cofnodion presennol.

Atodiadau ffeil (*File attachments*) Ffeiliau sy'n cael eu trosglwyddo gydag e-bost.

Bar tasgau (*Taskbar*) Mae'n dangos y rhaglenni sydd ar agor.

Mae'r cyfleuster hwn yn ddefnyddiol wrth weithio ar sawl rhaglen ar yr un pryd.

Blaenyrru (*Forward*) Os derbyniwch e-bost yr ydych yn meddwl y dylai pobl eraill ei weld, gallwch ei anfon ymlaen atynt.

Blog (*Blog*) Gwefan sy'n rhoi sylwadau, meddyliau personol neu newyddion ar bwnc penodol. Caiff ei ysgrifennu mewn trefn gronolegol a gall gynnwys testun, delweddau a chysylltiadau â blogiau eraill.

Blogiwr (*Blogger*) Rhywun sy'n postio ei sylwadau ar flog.

Bwrdd gwaith (*Desktop*) Man gwaith y rhyngwyneb defnyddiwr graffigol. Dyma lle mae'r holl eiconau.

Bygythiad mewnol (*Internal threat*) Bygythiad i system TGCh sy'n dod o'r tu mewn i'r corff.

CAD *gweler* Cynllunio drwy gymorth cyfrifiadur.

Caledwedd (*Hardware*) Cydrannau corfforol system gyfrifiadurol.

Camymarfer (*Malpractice*) Defnydd amhriodol neu ddiofal o rywbeth neu gamymddwyn.

Cerdyn cof (*Memory card*) Y cerdyn tenau a ddefnyddir mewn camerâu digidol i storio ffotograffau. Gellir defnyddio cardiau cof i storio data eraill hefyd.

Cipio data (*Data capture*) Term ar gyfer y gwahanol ddulliau o fewnbynnu data i'ch cyfrifiadur fel y gellir eu prosesu.

Cod deuaidd (*Binary code*) Cod wedi'i wneud o gyfres o ddigidau deuaidd – 0 neu 1.

Cod Safonol Americanaidd ar gyfer Ymgyfnewid Gwybodaeth (*ASCII: American Standard Code for Information Interchange*) Cod ar gyfer cynrychioli nodau'n ddeuaidd.

Cof anghyfnewidiol (*Non-volatile memory*) Cof wedi'i storio ar sglodyn nad yw'n colli data pan gaiff y trydan ei ddiffodd.

Cof cyfnewidiol (*Volatile memory*) Cof sy'n colli data pan gaiff y trydan ei ddiffodd.

Cof darllen yn unig (*ROM: Read only memory*) Cof wedi'i storio ar sglodyn nad yw'n colli data pan ddiffoddwch y trydan.

Cof hapgyrch (*RAM: Random access memory*) Defnyddir *RAM* i gadw data dros dro tra bo'r cyfrifiadur yn gweithio arnynt. Caiff y cynnwys ei golli pan ddiffoddwch y cyfrifiadur.

Cof pin (*Pen drive*) Cyfrwng storio poblogaidd sy'n cynnig cynwyseddau storio rhad a mawr ac sy'n ddelfrydol ar gyfer storio ffotograffau, cerddoriaeth, a ffeiliau data eraill. Maen nhw ar ffurf bwrdd cylched brintiedig mewn cas plastig.

Cofnod (*Record*) Gwybodaeth gyflawn am gynnyrch, gweithiwr, myfyriwr, archeb, ac ati.

Comisiynydd Gwybodaeth (*Information Commissioner*) Y person sy'n gyfrifol am weithredu'r Ddeddf Gwarchod Data. Mae hefyd yn hybu arfer da ac yn sicrhau bod pawb yn gwybod beth yw goblygiadau'r Ddeddf.

Copi caled (*Hard copy*) Allbwn wedi'i argraffu o gyfrifiadur y gellir mynd ag ef i ffwrdd a'i astudio.

CPU *gweler* Uned brosesu ganolog.

Cronfa ddata berthynol (*Relational database*) Cronfa ddata lle y mae'r data wedi'u cadw mewn tablau sydd â pherthnasoedd wedi'u creu rhyngddynt. Defnyddir y meddalwedd i drefnu ac i ddal y data a hefyd i'w hechdynnu a'u trin ar ôl eu storio.

Cronfa ddata wasgaredig (*Distributed database*) Casgliad o wybodaeth sydd wedi'i wasgaru ar draws dau neu ragor o weinyddion mewn rhwydwaith. Bydd y gweinyddion hyn mewn gwahanol leoliadau'n aml. Ni fydd y defnyddiwr yn gwybod bod data'n cael eu cyrchu o weinyddion gwahanol.

Cwci (*Cookie*) Ffeil destun fach a lwythir i lawr i'ch cyfrifiadur ac a ddefnyddir gan wefannau i gasglu gwybodaeth am y ffordd y defnyddiwch y wefan.

Cydraniad (*Resolution*) Eglurder delwedd.

Cyfradd trawsyrru (*Transmission rate*) Cyflymder llif data mewn didau yr eiliad drwy gyfrwng trawsyrru.

Cyfrinair (*Password*) Cyfres o nodau y mae angen eu teipio cyn y bydd mynediad i system TGCh yn cael ei ganiatáu.

Cyfrwng trawsyrru (*Transmission medium*) Y defnydd sy'n ffurfio'r cysylltiad rhwng y cyfrifiaduron mewn rhwydwaith (e.e. aer yn achos diwifr, gwifren fetel, ffibr optegol).

Cyfryngau (*Media*) Dulliau trosglwyddo gwybodaeth.

Cyfryngau magnetig (*Magnetic media*) Cyfryngau fel tâp a disg lle mae'r data wedi'u storio fel patrwm magnetig.

Cyfryngau mewnbwn (*Input media*) Y defnydd y caiff y data eu hamgodio arno fel y gellir eu darllen gan ddyfais fewnbynnu a'u digido er mwyn eu mewnbynnu, eu prosesu, a'u troi'n wybodaeth gan y system TGCh.

Cynhwysedd storio (*Storage capacity*) Faint o ddata y gall y ddyfais neu gyfrwng storio eu dal? Wedi'i fesur mewn MB neu GB fel rheol.

Cynllun profi (*Test plan*) Y dull a ddefnyddir i roi prawf ar system gyfan. Mae'n cynnwys cyfres o brofion.

Cynllunio drwy gymorth cyfrifiadur (*CAD: Computer-aided design*) Dull o ddefnyddio'r cyfrifiadur i gynhyrchu lluniadau technegol.

Cywasgu (*Compression*) Storio data mewn fformat sy'n cymryd llai o le. Fel rheol bydd graffigau sydd wedi'u didfapio, fel ffotograffau, yn cael eu cywasgu fel bod y ffeil yn llai o lawer.

Cywasgu ffeiliau (*File compression*) Caiff ffeiliau eu cywasgu'n aml cyn eu storio neu eu hanfon dros rwydwaith.

Darllen proflenni (*Proof reading*) Darllen yn ofalus yr hyn sydd wedi cael ei deipio a'i gymharu â'r hyn sydd ar y ffynhonnell ddata (ffurflenni archebu, ffurflenni cais, anfonebau, ac ati) i ddarganfod unrhyw gamgymeriadau, a all wedyn gael eu cywiro.

Darllen yn unig (*Read only*) Y cyfan y gall defnyddwyr ei wneud yw darllen cynnwys y ffeil. Ni allant newid na dileu'r data.

Darllen/ysgrifennu (*Read/write*) Gall defnyddwyr ddarllen y data sy'n cael eu cadw mewn ffeil a gallant newid y data.

Darllenydd codau bar (*Bar code reader*) Dyfais fewnbynnu a ddefnyddir i sganio cyfres o linellau (sy'n cael ei alw'n god bar).

Darllenydd sglodyn a *PIN* (*Chip and PIN reader*) Dyfais fewnbynnu sydd bellach wedi cymryd lle darllenyddion stribed magnetig ar gyfer darllen manylion cerdyn credyd neu ddebyd. Yn hytrach na llofnodi i gadarnhau mai chi yw gwir berchennog y cerdyn, rhaid i chi fewnbynnu rhif adnabod personol (*PIN*) pedwar digid.

Darllenydd stribed magnetig (*Magnetic strip reader*) Dyfais galedwedd sy'n darllen y data mewn stribed magnetig, fel y stribedi ar gefn cardiau credyd.

Darparwr Gwasanaeth Rhyngrwyd (*ISP: Internet service provider*) Y corff sy'n darparu eich cysylltiad Rhyngrwyd.

Data (*Data*) Ffeithiau a ffigurau crai neu set o werthoedd, mesuriadau neu gofnodion o drafodion.

Data gwallus (*Erroneous data*) Data sy'n wirion neu'n hollol anaddas.

Data normal (*Normal data*) Data a ddylai fod yn dderbyniol.

Data personol (*Personal data*) Data am unigolyn byw sy'n benodol i'r unigolyn hwnnw.

Deallusrwydd artiffisial (*AI: Artificial intelligence*) Creu rhaglenni cyfrifiadurol neu gyfrifiaduron sy'n ymddwyn yn debyg i'r ymennydd dynol drwy ddysgu o brofiad.

Deddf Camddefnyddio Cyfrifiaduron 1990 (*Computer Misuse Act 1990*) Y Ddeddf sy'n gwneud nifer o weithgareddau'n anghyfreithlon, e.e. cyflwyno firysau'n fwriadol, hacio, defnyddio cyfarpar TGCh i gyflawni twyll, ac ati.

Deddf Gwarchod Data 1998 (*Data Protection Act 1998*) Deddf sy'n gwarchod yr unigolyn rhag camddefnyddio data.

Deddf Hawlfraint, Dyluniadau a Phatentau 1988 (*Copyright, Designs and Patents Act 1988*) Deddf sydd, ymhlith pethau eraill, yn ei gwneud hi'n drosedd i gopïo neu ddwyn meddalwedd.

Deddf Iechyd a Diogelwch yn y Gwaith 1974 (*Health and Safety at Work Act 1974*) Deddf sy'n sicrhau amodau gwaith a dulliau diogel i weithwyr.

Deddf Rhyddid Gwybodaeth 2000 (*Freedom of Information Act 2000*) Deddf sy'n rhoi'r hawl i bobl weld gwybodaeth sy'n cael ei chadw gan awdurdodau cyhoeddus.

Defnyddiwr (*User*) Rhywun sy'n defnyddio datrysiad TGCh i ddatrys problem TGCh.

Dewislenni (*Menus*) Maen nhw'n caniatáu i ddefnyddwyr wneud dewisiadau o restr.

Did (*Bit*) Digid deuaidd 0 neu 1.

Digid gwirio (*Check digit*) Rhif sy'n cael ei roi ar ddiwedd bloc o rifau i gadarnhau bod y rhifau wedi'u mewnbynnu'n gywir i'r cyfrifiadur.

Diogelwch (*Security*) Sicrhau bod y caledwedd, meddalwedd a data mewn system TGCh yn cael eu diogelu rhag difrod.

Dwyn/twyll hunaniaeth (*Identity theft/fraud*) Dwyn eich manylion bancio/cerdyn credyd/personol i gyflawni twyll.

Dyfais fewnbynnu (*Input device*) Y ddyfais galedwedd a ddefnyddir i borthi'r data mewnbwn i system TGCh fel bysellfwrdd neu sganiwr.

Dysgu ar-lein/e-ddysgu (*On-line/e-learning*) Defnyddio TGCh i hwyluso'r broses ddysgu.

Dysgu drwy gymorth cyfrifiadur (*CAL: computer-assisted learning*) Defnyddio system TGCh i'ch helpu i ddysgu.

Efelychu (*Simulation*) Dynwared system neu ffenomen drwy ddefnyddio meddalwedd cyfrifiadurol.

Eiconau (*Icons*) Darluniau bach a ddefnyddir i gynrychioli gorchmynion, ffeiliau neu ffenestri.

Enw defnyddiwr (*Username*) Ffordd o adnabod pwy sy'n defnyddio'r system TGCh er mwyn dyrannu adnoddau rhwydwaith.

Ergonomeg (*Ergonomics*) Gwyddor gymhwysol yn ymwneud â dylunio a threfnu pethau mae pobl yn eu defnyddio fel bod y bobl a'r pethau yn rhyngweithio'n fwy effeithlon a diogel.

Fideo-gynadledda (*Videoconferencing*) System TGCh sy'n caniatáu i gyfarfodydd wyneb yn wyneb gael eu cynnal heb i'r rheiny sy'n cymryd rhan orfod bod yn yr un ystafell neu hyd yn oed yr un ardal ddaearyddol.

Firws (*Virus*) Rhaglen sy'n ei dyblygu ei hun (yn ei chopïo ei hun) yn awtomatig; fel rheol mae wedi cael ei chreu i achosi difrod.

Ffederasiwn yn erbyn Dwyn Meddalwedd (*FAST: Federation Against Software Theft*) Corff gwrth-ladrad sy'n gwarchod gwaith cyhoeddwyr meddalwedd.

Ffefrynnau (*Favourites*) Mannau storio lle gall Lleolydd Adnoddau Unffurf (*URL: uniform resource locator*) gwefan (h.y. y cyfeiriad gwe) gael ei storio fel y gellir ei gyrchu yn nes ymlaen drwy gyswllt.

Ffeil fflat (*Flat-file*) Dull o storio data mewn rhestr neu un tabl.

Ffeil wrth gefn (*Backup file*) Copi o ffeil sy'n cael ei ddefnyddio os caiff y ffeil wreiddiol ei llygru (ei difrodi).

Ffenestri, Eiconau, Dewislenni, Dyfeisiau Pwyntio (*WIMP: Windows Icons Menus Pointing devices*) Defnyddio rhyngwyneb defnyddiwr graffigol (RhDG/*GUI: Graphical user interface*) i reoli rhaglenni yn hytrach na theipio gorchmynion yn y llinell orchymyn.

Fformat (*Format*) Yr arddull sy'n cael ei ddefnyddio i drefnu a chyflwyno'r wybodaeth.

***GIGO** gweler* Sbwriel i mewn sbwriel allan.

Grŵp newyddion (*Newsgroup*) Grŵp trafod lle y gall pobl bostio negeseuon neu atebion i negeseuon ar bynciau o bob math.

Grwpiau (*Groups*) Rhestri o bobl a'u cyfeiriadau e-bost.

Gwall trawsosod (*Transposition error*) Camgymeriad sy'n cael ei wneud pan gaiff nodau eu cyfnewid fel eu bod yn y drefn anghywir.

Gwall trawsysgrifiol (*Transcription error*) Camgymeriad sy'n cael ei wneud wrth deipio data i mewn i gyfrifiadur gan ddefnyddio dogfen yn ffynhonnell ddata.

Gwasanaeth (*Utility*) Rhan o'r meddalwedd systemau sy'n cyflawni tasg benodol.

Gwe-gam (*Webcam*) Camera fideo bach a ddefnyddir fel dyfais fewnbynnu i anfon delwedd symudol dros fewnrwyd neu'r Rhyngrwyd.

Gweithgynhyrchu drwy gymorth cyfrifiadur (*CAM: computer-aided manufacturing*) Defnyddio cyfrifiadur i reoli'r broses weithgynhyrchu mewn rhyw ffordd drwy reoli cyfarpar gweithgynhyrchu fel turniau, driliau, peiriannau melinau a robotiaid.

Gweithredu (*Implementation*) Y broses o gynhyrchu fersiwn sy'n gweithio o ddatrysiad i broblem a osodwyd gan gleient.

Gwe-rwydo (*Phishing*) Twyllo pobl i ddatgelu eu manylion bancio neu gerdyn credyd.

Gwireddu (*Verification*) Gwirio bod y data sy'n cael eu mewnbynnu i system TGCh yn cyfateb yn union i ffynhonnell y data.

Gwiriad amrediad (*Range check*) Techneg dilysu data sy'n gwirio bod y data a fewnbynnir i'r cyfrifiadur o fewn amrediad penodol.

Gwiriad fformat (*Format check*) Gwiriad sy'n cael ei wneud ar godau i sicrhau eu bod yn cydymffurfio â'r cyfuniadau cywir o nodau.

Gwiriad hyd (*Length check*) Gwiriad i sicrhau bod gan y data sy'n cael eu mewnbynnu y nifer cywir o nodau.

Gwiriad math data (*Data type check*) Gwiriad i sicrhau bod y data sy'n cael eu mewnbynnu o'r un math â'r math data a bennwyd ar gyfer y maes.

Gwiriad presenoldeb (*Presence check*) Gwiriad i sicrhau bod data wedi'u mewnbynnu i faes.

Gwiriadau ar draws meysydd (*Cross field checks*) Gwirio'r data mewn mwy nag un maes gyda meysydd eraill i sicrhau eu bod yn gwneud synnwyr.

Gwiriadau dilysu (*Validation checks*) Gwiriadau y mae datblygwr datrysiad yn eu creu, gan ddefnyddio'r meddalwedd, er mwyn cyfyngu ar y data y gall defnyddiwr eu mewnbynnu gyda'r nod o leihau gwallau.

Gwirydd gramadeg (*Grammar checker*) Defnyddir hwn i wirio'r gramadeg mewn brawddegau ac i dynnu sylw at broblemau ac awgrymu ffurfiau eraill.

Gwirydd sillafu (*Spellchecker*) Cyfleuster a gynigir gan feddalwedd sy'n cynnwys geiriadur y gallwch wirio pob gair a deipiwch yn ei erbyn.

Gwneud copïau wrth gefn (*Backup*) Cadw copïau o feddalwedd a data fel y gellir adfer y data os bydd y system TGCh yn cael ei dinistrio'n llwyr.

Gwybod (*Knowledge*) Yr hyn y mae rhywun yn ei gael o wybodaeth (*information*) drwy gymhwyso rheolau ati.

Gwybodaeth (*Information*) Allbwn o system TGCh neu ddata sydd wedi cael eu prosesu ac sy'n rhoi gwybodaeth i ni.

Gyrrwr (*Driver*) Rhaglen fer wedi'i hysgrifennu'n arbennig sy'n deall sut mae'r ddyfais mae'n ei rheoli/ei gweithredu yn gweithio. Mae angen gyrwyr i ganiatáu i'r meddalwedd systemau neu feddalwedd rhaglenni ddefnyddio'r ddyfais gysylltiedig yn briodol.

Gyrrwr argraffydd (*Printer driver*) Meddalwedd sy'n trawsnewid gorchmynion o'r meddalwedd systemau neu feddalwedd rhaglenni i ffurf y gall argraffydd penodol ei deall.

Hacio (*Hacking*) Y broses o geisio torri i mewn i system gyfrifiadurol ddiogel.

Haciwr (*Hacker*) Rhywun sy'n ceisio neu'n llwyddo i dorri i mewn i system TGCh.

Hawliau mynediad (*Access rights*) Cyfyngu mynediad defnyddwyr i'r ffeiliau sydd eu hangen arnynt i wneud eu gwaith.

Hyfforddi'n seiliedig ar gyfrifiadur (*CBT: Computer-based training*) Defnyddio systemau TGCh ar gyfer hyfforddi yn y gweithle, fel rheol drwy ddefnyddio cyfrifiadur personol neu ddyfeisiau cludadwy.

Hysbysu (*Notification*) Y broses o roi gwybod i Swyddfa'r Comisiynydd Gwybodaeth fod corff yn storio ac yn prosesu data personol.

ISP gweler Darparwr Gwasanaeth Rhyngrwyd.

Lladrata (*Piracy*) Y broses o gopïo meddalwedd yn anghyfreithlon.

Llechen graffeg (*Graphics tablet*) Dyfais fewnbynnu sy'n defnyddio 'llechen' (tabled) fawr sy'n cynnwys llawer o siapiau a gorchmynion a all gael eu dewis gan y defnyddiwr drwy symud cyrchwr a chlicio. Mae'n rhoi'r barrau offer ar y llechen yn hytrach na gwneud y sgrin yn anniben wrth ddefnyddio meddalwedd *CAD* i wneud lluniadau technegol mawr.

Lled band (*Bandwidth*) Mesur o faint o ddata a all gael eu trosglwyddo gan ddefnyddio cyfrwng trosglwyddo data.

Lleolydd Adnoddau Unffurf (*URL: Uniform resource locator*) Y cyfeiriad gwe a ddefnyddir i leoli tudalen we.

Llusgo a gollwng (*Drag and drop*) Mae'n caniatáu i chi ddewis gwrthrychau (eiconau, ffolderi, ffeiliau, ac ati) a'u llusgo fel y gallwch eu trin mewn rhyw ffordd, fel eu llusgo i'r bin ailgylchu i gael gwared â nhw, ychwanegu ffeil at ffolder, copïo ffeiliau i ffolder, ac ati.

Llwytho i lawr/lawrlwytho (*Download*) Copïo ffeiliau o gyfrifiadur pell i'r un yr ydych yn gweithio arno.

Llyfr cyfeiriadau (*Address book*) Yn y llyfr cyfeiriadau mae enwau a chyfeiriadau e-bost pawb yr ydych yn debygol o anfon e-bost atynt.

Macros (*Macros*) Defnyddir macros i recordio cyfres o drawiadau bysell. Er enghraifft, gallech greu macro sy'n ychwanegu eich enw a'ch cyfeiriad at ben tudalen drwy bwyso un fysell yn unig neu glicio ar y llygoden.

Maes (*Field*) Eitem o wybodaeth fel cyfenw, dyddiad geni, rhif cynnyrch, enw cynnyrch mewn cofnod.

Man poeth (*Hotspot*) Ardal lle gellir cyrchu'r Rhyngrwyd yn ddiwifr.

Map meddwl (*Mind map*) Diagram hierarchaidd gyda phrif syniad (neu ddelwedd) yng nghanol y map wedi'i amgylchynu gan ganghennau sy'n ymestyn o'r syniad canolog.

Meddalwedd (*Software*) Rhaglenni sy'n cyflenwi cyfarwyddiadau i'r caledwedd.

Meddalwedd gwe-awduro (*Web authoring software*) Meddalwedd sy'n cael ei ddefnyddio i greu gwefannau.

Meddalwedd pecyn (*Package software*) Swp o ffeiliau sy'n angenrheidiol i gael rhaglen i weithio ynghyd â dogfennaeth i helpu'r defnyddiwr i ddechrau'r rhaglen.

Meddalwedd rheoli ffeiliau (*File management software*) Rhan o feddalwedd systemau a ddefnyddir i greu ffolderi, copïo ffolderi/ffeiliau, ailenwi ffolderi/ffeiliau, dileu ffolderi/ffeiliau, symud ffolderi/ffeiliau, ac ati.

Meddalwedd rhwydweithio (*Networking software*) Meddalwedd systemau sy'n caniatáu i gyfrifiaduron sydd wedi'u cysylltu â'i gilydd weithredu fel rhwydwaith.

Meddalwedd systemau (*Systems software*) Unrhyw feddalwedd cyfrifiadurol sy'n rheoli'r caledwedd ac felly'n caniatáu i'r meddalwedd rhaglenni wneud gwaith defnyddiol. Mae meddalwedd systemau'n cynnwys grŵp o raglenni.

Mewnbynnu (*Input*) Y weithred o roi data i mewn i system TGCh.

Mewnbynnu data ddwywaith (*Double entry of data*) Mae dau berson yn defnyddio'r un ffynhonnell ddata i fewnbynnu manylion i system TGCh a dim ond os yw'r ddwy set o ddata yr un fath y cânt eu derbyn i'w prosesu.

Mewnforio (*Importing*) Y gallu mewn un math o feddalwedd i ddarllen a defnyddio'r data sydd wedi'u cynhyrchu gan fath arall o feddalwedd

Mewnrwyd (*Intranet*) Rhwydwaith preifat o fewn corff sy'n defnyddio technoleg Rhyngrwyd.

Model (*Model*) Rhaglen/system gyfrifiadurol sy'n dynwared sefyllfa wirioneddol.

MP3 (*MP3*) Fformat ar gyfer ffeiliau cerddoriaeth sy'n defnyddio cywasgu i leihau maint y ffeil yn sylweddol. Dyma pam mae'r fformat hwn mor boblogaidd ar gyfer dyfeisiau chwarae cerddoriaeth gludadwy fel yr iPod.

Mur gwarchod (*Firewall*) Caledwedd a/neu feddalwedd sy'n gweithio mewn rhwydwaith i atal cyfathrebu nad yw'n cael ei ganiatáu o un rhwydwaith i rwydwaith arall.

Mwydyn (*Worm*) Rhaglen sy'n parhau i'w dyblygu ei hun yn awtomatig ac wrth iddi wneud hyn mae'n cymryd mwy a mwy o le ar y disg a hefyd yn defnyddio cyfran fwy o adnoddau'r system ar gyfer pob copi.

Mynegeio (*Indexing*) Mae hyn yn caniatáu i chi amlygu geiriau fel y gallwch eu defnyddio i lunio mynegai.

Mynegiad dilysu/rheol ddilysu (*Validation expression/rule*) Gorchymyn y mae'n rhaid i ddatblygwr ei deipio er mwyn gosod y dilysiad ar gyfer maes neu gell benodol.

Nam (*Bug*) Camgymeriad neu wall mewn rhaglen.

Neges ddilysu (*Validation message*) Neges sy'n ymddangos os torrir y rheol ddilysu.

Neges fewnbynnu (*Input message*) Neges sy'n rhoi cyngor i'r defnyddiwr ar y math o ddata i'w mewnbynnu pan gaiff maes neu gell ei dewis.

Nod (*Character*) Unrhyw symbol (llythyren, rhif, atalnod, ac ati) y gallwch ei deipio drwy ddefnyddio'r bysellfwrdd.

Nod tudalen (*Bookmark*) Man storio lle gall Lleolydd Adnoddau Unffurf (*URL: Uniform resource locator*) gwefan (h.y. y cyfeiriad gwe) gael ei storio fel y gellir ei gyrchu yn nes ymlaen drwy gyswllt.

Peiriant chwilio (*Search engine*) Rhaglen sy'n chwilio am y wybodaeth sydd ei hangen arnoch ar y Rhyngrwyd.

Pennyn (*Header*) Testun ar ben tudalen.

Perifferolyn (*Peripheral*) Dyfais sydd wedi'i chysylltu â'r uned brosesu ganolog (*CPU*) ac o dan ei rheolaeth.

Perthynas (*Relationship*) Y ffordd y mae tablau wedi'u cysylltu â'i gilydd. Gall perthnasoedd fod yn un-i-un, un-i-lawer neu lawer-i-un.

Plotydd drwm (*Drum plotter*) Fe'i defnyddir pan fo angen argraffu lluniadau, cynlluniau a mapiau ar ddalennau mawr o bapur.

Plotydd graff (*Graph plotter*) Dyfais sy'n lluniadu drwy symud pen. Mae'n ddefnyddiol ar gyfer gwneud lluniadau wrth raddfa ac fe'i defnyddir yn bennaf gyda phecynnau cynllunio drwy gymorth cyfrifiadur (*CAD*).

Podledu (*Podcasting*) Creu a chyhoeddi darllediad radio digidol gan ddefnyddio microffon, cyfrifiadur a meddalwedd golygu awdio. Caiff y ffeil a gynhyrchir ei chadw mewn fformat MP3 ac yna ei llwytho i fyny i weinydd Rhyngrwyd. Yna gellir defnyddio cyfleuster o'r enw RSS i'w llwytho i lawr i chwaraeydd MP3 megis iPod.

Polisi ar ddefnydd derbyniol (*Acceptable use policy*) Dogfen sy'n egluro i'r holl weithwyr neu ddefnyddwyr beth sy'n dderbyniol ac yn annerbyniol wrth ddefnyddio systemau TGCh.

Porwr gwe (*Web browser*) Y rhaglen meddalwedd a ddefnyddiwch i gyrchu'r Rhyngrwyd. Un enghraifft yw Microsoft Internet Explorer.

Postgyfuno (*Mail merge*) Cyfuno rhestr o enwau a chyfeiriadau gyda llythyr safonol fel bod cyfres o lythyrau'n cael ei chynhyrchu a phob llythyr wedi'i gyfeirio at berson gwahanol.

Preifatrwydd (*Privacy*) Yr hawl i gadw agweddau ar eich bywyd yn breifat.

Proses (*Process*) Unrhyw weithrediad sy'n troi data yn wybodaeth.

Prosesu (*Processing*) Gwneud cyfrifiadau neu drefnu data yn drefn ystyrlon.

Prosesu amser real (*Real-time processing*) Caiff y data mewnbwn eu prosesu ar unwaith wrth iddynt gyrraedd. Caiff y canlyniadau effaith uniongyrchol ar y set nesaf o ddata sydd ar gael.

Prosesu trafodion (*Transaction processing*) Prosesu pob trafodyn wrth iddo godi.

Protocol (*Protocol*) Set o safonau sy'n ei gwneud hi'n bosibl i drosglwyddo data rhwng y cyfrifiaduron ar rwydwaith.

Protocol llais dros y Rhyngrwyd (*VOIP: Voice over Internet protocol*) Gwasanaeth sy'n caniatáu i chi wneud galwadau ffôn rhad dros y Rhyngrwyd i rywle yn y byd.

Protocol trosglwyddo ffeiliau (*FTP: File transfer protocol*) Dull (a elwir protocol) ar gyfer cyfnewid ffeiliau dros y Rhyngrwyd.

Pwynt bwled (*Bullet point*) Bloc neu baragraff o destun a symbol wedi'i osod o'i flaen i dynnu sylw at y rhan honno o'r testun.

Pwyntydd (*Pointer*) Dyma'r saeth fach sy'n ymddangos wrth ddefnyddio Windows.

RAID *gweler* Arae ddiangen o ddisgiau rhad.

RAM *gweler* Cof hapgyrch.

ROM *gweler* Cof darllen yn unig.

Rhaglen cregyn ar gyfer systemau arbenigo (*Expert system shell*) Maent yn caniatáu i bobl greu system arbenigo heb yr angen am sgiliau rhaglennu neu'r angen i ddechrau o'r dechrau.

Rhaglen wasanaethu (*Utility program*) Meddalwedd sy'n helpu'r defnyddiwr i gyflawni tasgau fel gwirio am firysau, cywasgu ffeiliau, ac ati.

Rhaglennydd (*Programmer*) Rhywun sy'n ysgrifennu rhaglenni cyfrifiadurol.

Rhagolwg argraffu (*Print preview*) Nodwedd sydd gan y rhan fwyaf o feddalwedd a ddefnyddir i gynhyrchu dogfennau. Mae'n caniatáu i ddefnyddwyr gael rhagolwg o dudalennau dogfen i weld sut yn union y byddant yn cael eu hargraffu. Yna gellir cywiro'r dogfennau os oes angen.

Rheoli stoc mewn union bryd (*Just in time stock control*) Lle y caiff nwyddau eu dosbarthu i'r siopau mor gyflym ag y cânt eu gwerthu.

Rheoliadau Iechyd a Diogelwch (*Cyfarpar Sgrin Arddangos*) 1992 (*Health and Safety [Display Screen Equipment] Regulations 1992*) Rheoliadau sy'n gorfodi cyflogwyr i gymryd mesurau i ddiogelu iechyd a diogelwch staff sy'n defnyddio cyfarpar TGCh.

Rheolydd data (*Data controller*) Y person mewn corff sy'n gyfrifol am reoli'r ffordd y caiff data personol eu prosesu.

Rhif adnabod personol (*PIN: personal identification number*) Rhif cyfrinachol y mae angen ei fewnbynnu wrth ddefnyddio cerdyn debyd/credyd.

Rhwydwaith (*Network*) Grŵp o ddyfeisiau TGCh (cyfrifiaduron, argraffyddion, sganwyr, ac ati) sy'n gallu cyfathrebu â'i gilydd.

Rhwydwaith ardal eang (RhAE/*WAN: Wide area network*) Rhwydwaith lle y mae'r caledwedd wedi'i rannu ar draws ardal ddaearyddol eang a lle nad yw'r corff yn berchen ar rai neu'r cyfan o'r cyfarpar telathrebu sy'n cael ei ddefnyddio.

Rhwydwaith ardal leol (RhAL/*LAN: Local area network*) Rhwydwaith lle y mae'r caledwedd wedi'i gyfyngu i un swyddfa neu safle a lle y mae'r holl wifrau a dyfeisiau eraill sydd eu hangen ar gyfer y RhAL yn eiddo i'r corff sy'n rheoli'r swyddfa neu safle.

Rhwydwaith niwral (*Neural network*) System TGCh sy'n prosesu gwybodaeth yn yr un ffordd ag y mae'r ymennydd dynol. Mae'n defnyddio cyfres o elfennau prosesu sy'n gweithio'n baralel i ddatrys problem benodol. Ni ellir eu rhaglennu ond, yn lle hynny, maent yn dysgu drwy esiampl.

Rhyngrwyd (*Internet*) Grŵp enfawr o rwydweithiau sydd wedi'u huno â'i gilydd.

Rhyngweithiol (*Interactive*) Lle mae deialog cyson rhwng y defnyddiwr a'r cyfrifiadur.

Rhyngwyneb (*Interface*) Y man lle mae dau wrthrych yn cyfarfod. Mewn TGCh, mae hyn fel rheol rhwng dyfais fel cyfrifiadur, argraffydd, sganiwr, ac ati, a bod dynol.

Rhyngwyneb defnyddiwr graffigol (*RhDG/GUI: Graphical User Interface*) Rhyngwyneb sy'n caniatáu i ddefnyddwyr gyfathrebu â chyfarpar TGCh drwy ddefnyddio eiconau a chwymplenni.

Rhyngwyneb Digidol Offeryn Cerdd (*MIDI: Musical Instrument Digital Interface*) Defnyddir hwn yn bennaf ar gyfer cyfathrebu rhwng allweddellau electronig, syntheseiddwyr a chyfrifiaduron. Mae'r ffeiliau wedi'u cywasgu ac maen nhw'n weddol fach.

Rhyngwyneb iaith naturiol (*Natural language interface*) Rhyngwyneb sy'n caniatáu i'r defnyddiwr ddefnyddio iaith ysgrifenedig neu lafar (e.e. Cymraeg) i ryngweithio yn hytrach nag iaith a gorchmynion cyfrifiadurol.

Sbam (*Spam*) E-hebiaeth nad ydych wedi gofyn amdani (h.y. e-hebiaeth gan bobl nad ydych yn eu hadnabod a anfonir at bawb gan obeithio y bydd canran bach ohonynt yn prynu'r nwyddau neu wasanaethau sy'n cael eu cynnig).

Sbwriel i mewn sbwriel allan (*GIGO: Garbage in garbage out*) Os rhoddwch sbwriel i mewn i gyfrifiadur fe gewch sbwriel allan.

Seibrdroseddu (*Cybercrime*) Troseddau sy'n cael eu cyflawni drwy ddefnyddio systemau TGCh yn bennaf.

Sgam (*Scam*) Sefydlu cwmni ffug gyda gwefan ffug ac yna dianc gyda'r arian sy'n cael ei dalu gan gwsmeriaid.

Sganiwr (*Scanner*) Dyfais fewnbynnu y gellir ei defnyddio i gipio delwedd. Mae'n ddefnyddiol ar gyfer digido hen ffotograffau, dogfennau papur neu luniau mewn llyfrau.

Sgrin gyffyrddrdd (*Touch screen*) Sgrin sy'n caniatáu i rywun wneud dewisiadau drwy gyffwrdd â'r sgrin.

Shockwave Audio Fformat sy'n cael ei ddefnyddio ar gyfer sain o ansawdd uchel iawn lle y mae'r ffeiliau'n fach iawn.

Storfa eilaidd (neu wrth gefn) (*Secondary [or backup] storage*) Storfa y tu allan i'r cyfrifiadur.

Storfa gynradd (*Primary storage*) Y sglodion y tu mewn i'r cyfrifiadur sy'n storio data.

Stribed magnetig (*Magnetic strip*) Caiff data eu hamgodio yn y stribed magnetig a phan gaiff y cerdyn ei roi drwy ddarllenydd stribed magnetig, defnyddir y data o'r cerdyn i gofnodi'r trafodyn.

System arbenigo (*Expert system*) System TGCh sy'n dynwared gallu penderfynu'r arbenigwr dynol.

System TGCh (*ICT system*) Caledwedd a meddalwedd yn gweithio gyda'i gilydd gyda phobl a gweithdrefnau i gyflawni tasgau.

System weithredu (*Operating system*) Meddalwedd sy'n rheoli'r caledwedd a hefyd yn rhedeg y meddalwedd rhaglenni. Mae'r system weithredu'n rheoli gweithrediadau fel mewnbynnu, allbynnu, ymyriadau, ac ati.

Tabl (*Table*) Dull mwy gweledol o ddangos data, yn enwedig data rhifol, neu strwythur sy'n cael ei ddefnyddio i ddal data mewn cronfa ddata berthynol.

Tabl am-edrych (*Lookup table*) Pan fyddwch yn mewnbynnu data, bydd y daenlen yn chwilio drwy dabl i ddod o hyd i ddata cyfatebol a data perthnasol eraill.

Teledestun (*Teletext*) Gwasanaeth darlledu, felly mae'n cyrraedd ein setiau teledu ar ffurf signal teledu. Mae'r gwasanaeth yn cynnig nifer cyfyngedig o dudalennau sy'n cynnwys newyddion, rhagolygon y tywydd, canlyniadau chwaraeon, ac ati, ar sgrin eich set deledu.

Templedi (*Templates*) Dogfen sydd eisoes wedi'i dylunio. Gallwch ddileu'r testun daflan a'r delweddau a rhoi rhai eich hun yn eu lle.

Testun dalfan (*Placeholder text*) Testun sydd wedi'i gynnwys i ddangos lleoliad testun mewn templed. Gallwch ei ddileu a rhoi'ch testun eich hun yn ei le.

Testun data (*Data subject*) Yr unigolyn byw y mae'r wybodaeth bersonol yn ymwneud ag ef/hi.

Topoleg (*Topology*) Y ffordd mae rhwydwaith penodol wedi'i drefnu, er enghraifft, cylch, seren, bws.

Trafodyn/trafodion (*Transaction/transactions*) Darn/darnau o fusnes, e.e. archeb, pryniant, dychweliad, danfoniad, trosglwyddiad arian, ac ati.

Trefnu (*Sorting*) Rhoi data mewn trefn esgynnol neu ddisgynnol.

Troedyn (*Footer*) Testun a roddir ar waelod tudalen.

Trojanau (*Trojans*) Llinellau o god cyfrifiadurol sy'n cael eu storio yn eich cyfrifiadur heb yn wybod i chi.

Trosedd (*Crime*) Gweithred anghyfreithlon.

Trosglwyddo cyfalaf electronig (*EFT: Electronic funds transfer*) Talu am nwyddau lle y caiff y taliad ei drosglwyddo'n electronig o un cyfrif i gyfrif arall.

Trwydded meddalwedd (*Software licence*) Dogfen (digidol neu ar bapur) sy'n nodi o dan ba delerau y gellir defnyddio'r meddalwedd. Bydd yn cyfeirio at nifer y cyfrifiaduron y gellir defnyddio'r meddalwedd arnynt ar yr un pryd.

Tudalen we (*Webpage*) Un ddogfen ar y We Fyd-Eang.

Thesawrws (*Thesaurus*) Caniatáu i air gael ei ddewis a bydd y prosesydd geiriau yn rhestru cyfystyron (h.y geiriau ag ystyron tebyg).

Uned brosesu ganolog (*CPU: Central processing unit*) 'Ymennydd' y cyfrifiadur. Mae'n storio ac yn prosesu data. Mae tair rhan iddi: yr uned rifyddeg-resymeg (*ALU: arithmetic and logic unit*), yr uned reoli, a'r cof.

WAV Fformat ffeil a ddefnyddir gyda Windows ar gyfer storio seiniau. Nid yw ffeiliau yn y fformat hwn wedi'u cywasgu'n sylweddol.

Wi-Fi Nod masnach sy'n ardystio bod cynhyrchion yn bodloni safonau ar gyfer trawsyrru data dros rwydweithiau diwifr.

WIMP gweler Ffenestri, Eiconau, Dewislennu, Dyfeisiau Pwyntio.

Y We Fyd-Eang (*World Wide Web*) Ffordd o gyrchu'r wybodaeth sydd ar y Rhyngrwyd. Mae hi'n fodel rhannu gwybodaeth sydd wedi'i adeiladu ar ben y Rhyngrwyd.

Ymholiad (*Query*) Cais am wybodaeth benodol o gronfa ddata.

Ysbïwedd (*Spyware*) Meddalwedd sy'n casglu gwybodaeth am ddefnyddwyr cyfrifiaduron sydd wedi'u cysylltu â'r Rhyngrwyd heb ganiatâd y defnyddwyr.

Mynegai

Cydnabyddiaeth

Hoffai Folens Limited ddiolch i'r canlynol am roi caniatâd i ddefnyddio deunydd sydd dan hawlfraint.

t.3, argus/Shutterstock; t.3, Macs Peter/Shutterstock; t.4, Marco Rametta/Shutterstock; t.5, Chepe Nicoli/Shutterstock; t.5, Andresr/Shutterstock; t.12, amfoto/Shutterstock; t.13, Shutterstock; t.13, Binkski/Fotolia; t.20, Phil Date/Shutterstock; t.21, Paul Herbert/Fotolia; t.22, www.statistics.gov.uk/psi licence; t.23, Image Dictionary; t.23, Royal Mail; t.23, © Marc Dietrich/Fotolia; t.31, TheSupe87/Shutterstock; t.33, GreenGate Publishing; t.34, Kimberly Hall/Shutterstock; t.35, © thecarlinco/Fotolia; t.35, © Andres Rodriguez/Fotolia; t.36, © Tadija Savic/Fotolia; t.42, GreenGate Publishing; t.48, © Aloysius Patrimonio/Fotolia; t.48, © Stolbtsov Alexandre/Fotolia; t.48, © ivan kmit/Fotolia; t.48, © Elnur/Fotolia; t.49, © David Hughes/Fotolia; t.49, Elzbieta Sekowska/Shutterstock; t.49, © Bobby Deal/Real Deal Photo/Shutterstock; t.52, © Natalia D/Fotolia; t.60, Harris Walton Lifting Gear Ltd; t.61, Farnborough Kitchens; t.61, Kharpham.co.uk; t.61, Idea spectrum; t.61, Delwedd drwy ganiatâd iCreate Ltd (www.icreate3d.com); t.61, © Gizmo/iStockphoto/Thinkstock; t.61, Assist; t.62, © Sascha Burkard/Fotolia; t.62, 3dconnexion; t.62, hp; t.62, Multicam Inc., llun gan Mark Allen; t.63, Delcam; t.63, Lancashire Grid for Learning; t.64, © Edyta Pawlowska/Fotolia; t.65, Tesco; t.65, © Amy Walters/Fotolia; t.67, www.cd-wow.com; t.68, GreenGate Publishing; t.68, Epson (UK) Ltd; t.69, © Flashgaz/Fotolia; t.70, Sebastian Kaulitzki/Shutterstock; t.70, Nrtpos; t.70, Tesco; t.71, Geminicad; t.71, Ideaspectrum; t. 72, Ideaspectrum; t.74, LMG; t.78, © SamSpiro/Fotolia; t.83, Prifysgol Agored; t.83, © Asiantaeth Hyfforddi a Datblygu ar gyfer Ysgolion; t.84, BBC (bbc.co.uk/gcsebitesize); t.85, Glasbergen; t.85, promwebcast; t.86, drs; t.87, Drs; t.87, Petr Rehor/Shutterstock; t.87, Llun yn eiddo i'r cyhoedd; t.88, © Ozgur Artug/Fotolia; t.88, Undergroundarts.co.uk/Shutterstock; t.89, © Argus/Fotolia; t.89, Lorraine Kourafas/Shutterstock; t.90, Capita; t.98, Glasbergen; t.99, Zebra Technologies; t.99, © dazzi-b/Fotolia; t.99, thelearningclinic.co.uk; t.100, John Keith/Shutterstock; t.101, © vasco/Fotolia; t.101, Nikolay Iliev/Shutterstock; t.102, Ariadna de Raadt/Shutterstock; t.103, © Norman Chan/Fotolia; t.103, Draeger; t.103, Glasbergen; t.104, © weim/Fotolia; t.110, thelearningclinic.co.uk; t.118, Steve Doyle; t.119, Glasbergen; t.119, Steve Doyle; t.120, MakeMusic Inc.; t.120, nch Software; t.121, Diego Cervo/Shutterstock; t.123, Glasbergen; t.123, © Akhilesh Sharma/Fotolia; t.124, © Darren Green/Shutterstock; t.125, © imagesab/Fotolia; t.125, www.chipandpin.co.uk; t.126, © Aloysius Patrimonio/Fotolia; t.126, LoopAll/Shutterstock; t.126, www.splashplastic.com; t.126, www.paypoint.co.uk; t.127, www.chipandpin.co.uk; t.127, Glasbergen; t.128, Gwasanaethau Ariannol y Co-operative; t.136 © Daraban Oana Gabriela/Fotolia; t.136, © Lorelyn Medina/Fotolia; t.136, © Aloysius Patrimonio/Fotolia; t.136, © Ralf Kraft/Fotolia; t.136, © Alosius Patrimonio/Fotolia; t.141, © hazel proudlove/Fotolia; t.143, Steve Doyle; t.143, © amaxim/Fotolia; t.144, frolovav/Shutterstock; t.145, Christopher Hall/Shutterstock; t.160, SnappyStock, Inc./Fotolia; t.160, © Marc Dietrich/Fotolia; t.161, © Sean MacLeay/Fotolia; t.161, © Steve Collender/Shutterstock; t.162, © Nathalie Dulex/Fotolia; t.162, © dechefbloke/Fotolia; t.162, © Dominique LUZY/Fotolia; t.162, © Com Evolution/Fotolia; t.162, © jeff gynane/Fotolia; t.162, © Galyna Andrushko/Fotolia; t.162, © Sean MacLeay/Fotolia; t.163, © Stephen Finn/Fotolia; t.163, © Foto Factory/Fotolia; t.164, Dmitriy Shironosov/Shutterstock; t.165, Maxim Tupikov/Shutterstock; t.166, © digerati/Fotolia; t.168, © Sergey Ilin/Fotolia; t.171, © Feng Yu/Fotolia; t.178, © Fotolia; t.179, Christos Georghiou/Shutterstock; t.181, Thomson; t.182, www.acom.com; t.182, www.logitech.com; t.183, www.logitech.com; t.183, © Andres Rodrigo Gonzalez Buzzio/Fotolia; t.183, © Phil Yeomans/Rex Features; t.183, © Gilles Parnalland/Fotolia; t.183, Protouch; t.183, © Michelle D. Parker/Fotolia; t.183, © Photosani/Fotolia; t.190, © Adam Borkowski/Fotolia; t.190, © Panagiotis Parthenios/Fotolia; t.191, Glasbergen; t.191, © Radu Razvan/Fotolia; t.191, © Mark Aplet/Fotolia; t.192, GreenGate Publishing; t.193, Ergoption; t.193, KB Covers; t.193, Glasbergen; t.194, Alexander Kuznetsov/Fotolia; t.195, © Stasys Eidiejus/Fotolia; t.195, © Anyka/Fotolia; t.197, Glasbergen; t.198, © Aloysius Patrimonia/Fotolia; t.199, © Stephen Coburn/Fotolia, t.199, © Sean Gladwell/Fotolia; t.199, © mattilda/Fotolia; t.200, GreenGate Publishing; t.201, © Peter Baxter/Fotolia; t.202, © Vasiliy Yakobchuk/Fotolia; t.202, © kmit/Fotolia; t.203, © Monkey Business/Fotolia; t.203, © Moïse Parienti/Fotolia; t.204, © Feng Yu/Fotolia; t.204, © Tomislav/Fotolia; t.205, © Dana Heinemann/Fotolia; t.232, © Forgiss/Fotolia; t.233, © Gale Distler/Fotolia; t.234, © Alexander Sayganov/Fotolia; t.234, NASA; t.235, NASA; t.235, Delwedd gyda chaniatâd Cray Inc.

Atgynhyrchir sgrinluniau o gynhyrchion Adobe gyda chaniatâd Systemau Corfforedig Adobe.

Atgynhyrchir sgrinluniau o gynhyrchion Microsoft gyda chaniatâd Corfforaeth Microsoft.

Gwnaed pob ymdrech i gysylltu â deiliaid hawlfraint y deunyddiau a ddefnyddiwyd yn y cyhoeddiad hwn. Os oes unrhyw ddeiliaid hawlfraint nad ydym wedi'i gydnabod, byddem yn falch o wneud unrhyw drefniadau angenrheidiol.